G000049211

M

gan yr un awdur:

Steddfod ym Meifod, anffawd Morwyn y Fro, trafferthion teuluol a digon o waith i'r Arolygydd Daf Dafis a Heddlu Dyfed Powys ...

"Dyma chwip o nofel garlamus, fyrlymus, gan un sydd â dawn dweud stori ddifyr ac sy'n nabod yr ardal a'i chymeriadau yn iawn."– Geraint Løvgreen

"Hiwmor deifiol, clyfar a dychymyg cwbl rhemp!"– Bethan Gwanas

Gwasg Carreg Gwalch, £8

Mae corff Heulwen Breeze-Evans, ymgeisydd yn Etholiadau'r Cynulliad, yn cael ei ddarganfod yn ei swyddfa yn y Trallwng. Un o bileri'r gymdeithas, efallai, ond mae'r Arolygydd Daf Dafis yn ei chael hi'n anodd canfod rhywun heb gymhelliad i'w lladd ...

"Mae hiwmor Myfanwy Alexander yn allweddol i'r mwynhad a geir wrth ddarllen."
– Cerian Arianrhod, Gwales.com

Gwasg Carreg Gwalch, £9

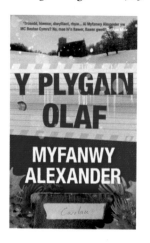

Mae academydd blaenllaw yn cael ei lofruddio mewn gwasanaeth Plygain ac mae'r achos yn gyrru'r Arolygydd Daf Dafis i ddyfroedd dyfnion iawn!

"Dyma chwip o nofel ysgafn, ddifyr i'w darllen os ydych am ymlacio ar noson aeafol o flaen y tân." – Mared Llywelyn, adolygiad ar gwales.com

Gwasg Carreg Gwalch, £9

Mynd fel Bom

Myfanwy Alexander

Rhif Llyfr Safonol Rhyngwladol:
978-1-84527-694-2

CYNGOR LLYFRAU CYMRU

Cyhoeddwyd gyda chymorth Cyngor Llyfrau Cymru

Cynllun y clawr: Olwen Fowler
Llun y trên drwy garedigrwydd Kevin Heywood,
Rheilffordd Ysgafn y Trallwng a Llanfair

Cyhoeddwyd gan Wasg Carreg Gwalch,
12 Iard yr Orsaf, Llanrwst, Dyffryn Conwy, Cymru LL26 0EH.
Ffôn: 01492 642031
e-bost: llyfrau@carreg-gwalch.cymru
lle ar y we: www.carreg-gwalch.cymru

Argraffwyd a chyhoeddwyd yng Nghymru

I Llio Silyn, Rhian Morgan a Sioned Wiliam,
ffrindie o 'nglasoed gwirion
sy'n dal yn driw yn fy henaint ffôl

Cymeriadau'r Ardal

Daf Dafis	Ditectif cydwybodol a golygus sy'n mwynhau plismona ei filltir sgwâr (a sylw nifer o ferched lleol).
Gaenor	Partner Daf, oedd yn arfer bod yn briod â John Neuadd (sy'n frawd i Falmai, cynwraig Daf).
Carys	Merch Daf a Falmai sy'n astudio cerdd yn y Guildhall yn Llundain.
Rhodri	Mab pymtheg oed Daf a Falmai.
Mali Haf	Merch fach Daf a Gaenor.
Garmon	Cariad Carys o'r gogledd. Cyn-feiciwr mynydd sydd mewn cadair olwyn ar ôl damwain gas, ac sydd bellach yn sylwebydd chwaraeon ar y cyfryngau.
John Neuadd	Cyn-ŵr Gaenor a ffermwr cefnog.
Siôn	Mab John a Gaenor sy'n ffermio Neuadd, y fferm deuluol, efo'i dad.
Belle Pashley	Cariad Siôn, gogleddwraig sydd dipyn yn hŷn na fo. Cyn-filwr sy'n gweithio â chŵn fforensig.
Doris Neuadd	Partner John Neuadd. Gorfodwyd hi i ffoi o'i chartref yn Sierra Leone yn dilyn y gwrthryfeloedd yno.
Netta Neuadd	Merch Doris a gafodd ei chenhedlu drwy drais pan oedd ei mam yn garcharor rhyfel yn Sierra Leone.
Chrissie Berllan	Ffermwraig a chontractwraig amaethyddol brysur. Bu farw ei gŵr, Glyn, mewn damwain rai blynyddoedd yn ôl. Mae hi wedi ffansïo Daf ers blynyddoedd.

Bryn Berllan	Partner newydd Chrissie ac efaill i'w chyn-ŵr, Glyn. Ffermwr golygus iawn a thad efeilliaid Chrissie.
Rob Berllan	Mab Chrissie a ffrind gorau Rhodri. Llanc golygus sy'n edrych yn dipyn hŷn na'i un ar bymtheg oed.
Sam ac Aron Berllan	Efeilliaid Chrissie a Bryn sydd tua'r un oed â Mali Haf.
Sheila Francis	Sarjant yn yr heddlu a ffrind i Daf. Dysgodd Gymraeg pan ddechreuodd ganlyn Tom Francis, ffermwr cefnog fu'n hen lanc tan ei bedwardegau.
Tom Francis	Gŵr Sheila ac aelod o un o hen deuluoedd yr ardal.
Nev	Plismon yn yr orsaf sydd wedi goroesi'r ddibyniaeth ar streoids a ddatblygodd wrth ei gor-wneud hi yn y gampfa.
Nia	Plismones sy'n rhan o dîm Daf ers blynyddoedd.
Steve	Plismon sydd wedi'i wahardd o'i waith ar ôl i Daf ei riportio am gael perthynas â thyst mewn achos o reolaeth orfodol.
Haf Gwydir-Gwynne	Cyfaill i Daf a chyfreithwraig amlwg.
Mostyn Gwydir-Gwynne	Bonheddwr ac Aelod Seneddol lleol ar ran y Torïaid.
Lady Beatrice Gwydir-Gwynne	Mam Mostyn, a chadeirydd y Fainc.
Miriam Pantybrodyr	Merch leol oedd yn rhan o ymchwiliad Daf i lofruddiaeth ysgolhaig mewn gwasanaeth plygain rai misoedd yn ôl.
Roy	Partner Miriam, oedd yn arfer gweithio ar y ffyrdd i'r Cyngor Sir.

Pennod 1

Prynhawn Sadwrn

Roedd platfform gorsaf trên bach Llanfair Caereinion yn brysur, a heulwen mis Mai ar bob bryn, fel yn y gerdd y dysgodd Daf Dafis ei hadrodd pan oedd o'n chwech oed. Diolchodd Daf nad oedd Mali Haf, ei lodes fach, wedi dechrau ar ei gyrfa eisteddfodol eto – ond, yn debyg iawn i'w brawd a'i chwaer, roedd hi'n canu ddydd a nos. Edrychodd i lawr arni'n siarad ag efeilliaid bach Chrissie Berllan, oedd yn gwrando arni'n astud. Roedd Sam ac Aron ryw fis yn hŷn ac yn llawer talach na hi, ac yn addoli Mali Haf yn fwy nag yr oedd unrhyw frodyr dan haul yn addoli chwaer, ac yn tueddu i ufuddhau iddi yn ddi-gwestiwn. Oherwydd fod Gaenor yn gwarchod yr efeilliaid er mwyn i Chrissie gael gweithio, roedd y tri bellach yn cael eu magu efo'i gilydd, fwy neu lai.

Dechreuodd Daf wrando ar y stori roedd Mali'n ei hadrodd – hanes hir a chymhleth ynglŷn ag anturiaethau ei theganau hi dros nos. Roedd Daf yn falch ei bod yn cynnal diddordeb y bechgyn gan fod Gaenor wedi picio i siop yr orsaf i brynu diodydd ar gyfer eu siwrne ar y trên – nes y dychwelai, Daf oedd yn gyfrifol am dri o'r plantos mwyaf egnïol a dyfeisgar yn y byd. Tra byddai coesau bach y cogie'n siglo'n ôl ac ymlaen rhwng y fainc a'r llawr wrth iddyn nhw ganolbwyntio ar hanes Mwnci a'r Hen Arth Frown, doedd dim rhaid i Daf eu hatal rhag rhedeg yn wyllt o amgylch yr orsaf brysur.

Teimlodd Daf gic annisgwyl yng nghefn ei asennau – roedd o'n gallu gweld pob un o'r chwe throed bach dan ei ofal, pedwar treiner a dwy sandal fach las, felly trodd mewn syndod i weld merch ddwyflwydd oed yn ymdroelli ym mreichiau ei mam. Roedd hi'n lodes fach sylweddol, efo digonedd o gyrls du a chroen lliw coffi; tybiai Daf o edrych ar ei hwyneb tlws ei bod o dras Asiaidd ac Affro-Caribî. Wrth ei gwylio'n estyn mewn i fag ei mam sylwodd Daf ar graith ar groen ei braich. Roedd o wedi gweld olion tebyg o'r blaen yn rhinwedd ei swydd: ôl tywallt dŵr berwedig dros fraich, boed yn ddamweiniol neu'n fwriadol. Cyn iddo gael cyfle hyd yn oed i feddwl sut i ymateb, trodd y fam a chafodd Daf andros o sioc. Roedd y ddynes yn gyfarwydd iawn iddo.

'Miriam!' ebychodd. 'Braf iawn dy weld ti! A pwy sy gen ti fan hyn, dwêd?'

Roedd Daf yn adnabod Miriam Pantybrodyr ers blynyddoedd, a chroesodd eu llwybrau yn weddol ddiweddar pan oedd yn ymchwilio i achos cymhleth llofruddiaeth yr academydd Illtyd Astley. Ond hyd y gwyddai doedd ganddi hi na Roy, ei phartner, ddim plant.

Erbyn hyn, roedd y lodes fach wedi llwyddo i dynnu fflapjac o fag Miriam ac agorodd ei llygaid tlws yn fawr.

'Wel,' ymatebodd Miriam mewn llais isel, gan sillafu'r enw fesul llythyren yn hytrach na'i yngan yn gyflawn, 'B-l-a-c Ch-i-n-a ydi'r enw ar ei thystysgrif geni, ar ôl rhyw aelod o deulu'r Kardashians, ond 'den ni'n meddwl fod Matilda'n enw neisiach o lawer. Rhaid i ni smalio'i galw hi'n ... yr enw arall. Rheolau, wyddost ti.'

'Ti'n ei maethu hi felly?'

'Ers chwe wythnos rŵan. Ac mae hi'n prifio'n ofnadwy, Mr Dafis.'

Daeth partner Miriam i'r golwg â hufen iâ yn ei law, a gwenodd y ferch fach o glust i glust.

'Ti 'di bod yn lodes dda, ac mae pob lodes dda'n haeddu trêt bach,' datganodd Roy.

Atebodd y ferch fach yn aneglur ond yn y Gymraeg, a synnodd Daf eto. Roedd Miriam yn gallu darllen ei feddyliau.

'Bron nad oedd hi'n gallu dweud un dim cyn dod aton ni, ond erbyn hyn, mae hi'n dod yn ei blaen, fesul gair. Ond dim fel Miss fech acw,' sylwodd Miriam, gan edrych draw i gyfeiriad Mali Haf a oedd yn dal i barablu.

'Maen nhw'n dweud,' ategodd Roy, fel petai o wedi gwneud

ei waith cartref, 'bod diffyg iaith yn un o'r arwyddion cliria' o blentyn sy wedi cael ei esgeuluso. Ond doedd dim rhaid chwilio am symptomau cudd yn yr achos hwn: mae'r peth yn ddigon amlwg.'

Wrth i'r ferch fach ymestyn am y hufen iâ roedd ei chraith yn amlwg unwaith eto. Rhannodd yr oedolion edrychiad a ddywedai'r cyfan.

'Dim ond peth dros dro ydi'r trefniant rŵan, Dafydd,' eglurodd Roy. 'Ond un diwrnod ...'

'Hisht, Roy, paid!' torrodd Miriam ei draws. 'Mwy na thebyg y bydd hi'n mynd 'nôl at ei mam cyn bo hir.'

'Iddi hi gael ei brifo eto?' mwmialodd Roy o dan ei wynt, yn tynnu hances hen-ffasiwn o boced ei siaced i sychu hufen iâ oddi ar ên y ferch fach.

'Peidiwch â phoeni, ffrindie,' ymatebodd Daf. 'Dwi'n deall yn iawn. Mae'r rheolau'n dweud bod yn rhaid i chi ystyried y sefyllfa fel un dros dro, ond wna i ddim dweud gair wrth neb eich bod chi'n ysu i gadw'r cariad bach 'ma am byth.'

Roedd Daf yn gyfarwydd iawn â'r prosesau cymhleth oedd yn ymwneud â phlant mewn gofal. Wrth gwrs, roedd Miriam yn llygad ei lle: all neb faethu heb fod yn barod i ffarwelio â'r plentyn, ond ar y llaw arall roedd yr awdurdodau yn ddigon aml, o weld bod plentyn yn hapus, yn penderfynu caniatáu mabwysiadu. Ac efo Miriam a Roy yn gofalu amdani, roedd Daf yn optimistig am ddyfodol y fechan.

Yn y cyfamser, roedd Mali Haf wedi gorffen ei stori ac wedi dringo ar gefn Aron er mwyn gallu gweld yn bellach.

'Ble mae'r trên, Dadi?' gofynnodd yn ei llais clir.

Camodd Daf draw i godi ei ferch oddi ar ysgwyddau Aron, oedd yn plygu ymlaen dros y platffform i gyfeiriad y trac, ond wrth iddo wneud hynny collodd y bachgen ei falans a chwympodd ar y concrit. Felly, erbyn i Gaenor ddod yn ei hôl efo'r poteli dŵr, roedd Mali Haf yn galw ei thad yn bob enw dan haul, Sam yn closio ati â gwefus grynedig ac Aron yn sefyll yn stond, a gwaed yn staenio ei drowsus. Wrth iddi hi dywallt ychydig ddafnau o ddŵr dros y clwyf ar ben-glin Aron, ochneidiodd dan ei gwynt. Gan sylweddoli ei fod wedi siomi Gaenor, gafaelodd Daf yn nwylo Sam a Mali Haf ac aeth â nhw i chwilio am y trên.

Roedd yr orsaf fach yn dathlu achlysur arbennig: Diwrnod Ivor the Engine. Roedd rhai o'r staff wedi'u gwisgo fel cymeriadau'r llyfrau a diolchodd Daf ei fod wedi gwrthod y cynnig i fod yn rhan o'r digwyddiad, er ei fod at achos da. Roedd o'n falch, fodd bynnag, o weld bod rhywun wedi cael ei berswadio i wisgo mwstásh Dai'r Orsaf – dyn tal yn ei dridegau cynnar nad oedd Daf yn ei adnabod. Pan gyrhaeddodd Gaenor ei ochr sylwodd hithau hefyd ar y dieithryn a oedd, ymysg y tadau a'r teidiau blinedig ar y platfform, yn tynnu sylw.

'Ding dong,' meddai'n dawel. 'Mae hwnna'n bishyn a hanner.'

'Pwy ydi o, felly?' gofynnodd Daf. 'Heblaw am fod yn Dai'r Orsaf heddiw, wrth gwrs.'

'Does gen i ddim syniad. Erioed wedi'i weld o o'r blaen.'

Chawson nhw ddim cyfle i drafod ymhellach gan i'r trên bach, mewn cwmwl o ager a gyda sawl bîb-bîb o'r chwiban, ddod i'r golwg. Neidiodd Mali Haf i fyny ac i lawr yn llawn cyffro ond, am unwaith, doedd ei brwdfrydedd hi ddim yn heintus.

'Darn o hen cit sâl,' meddai Sam dan ei wynt, ac o ystyried yr olwg ddirmygus ar ei wyneb, roedd yn amlwg fod Aron yn cytuno.

'Mab ei fam ydi hwn,' sylwodd Daf.

'Wel, mae'n rhaid i ti gofio fod peiriannau fel crefydd yn Berllan – dydyn nhw ddim yn gwerthfawrogi hen bethe fel hyn pan mae ganddyn nhw well pethe adre.'

Er eu diffyg diddordeb, roedd cogiau Berllan yn ddigon bodlon dringo i mewn i'r cerbyd yn ufudd, a phan ddechreuodd y trên symud yn sigledig, roedd y bechgyn yn berffaith fodlon, yn syllu drwy'r ffenest a phasio barn am yr hyn a welent.

'Mules glên.'

'Sbia'r hen Massey!'

Ymlaciodd Daf wrth weld y plant yn hapus. Roedd gwên hyfryd ar wyneb Gaenor ac, wrth syllu ar y tirlun llawn blodau gwyllt, dechreuodd Daf fwynhau'r daith hamddenol tuag at yr afon.

'Dim ond ers canol yr wythnos mae'r bont newydd ar agor,' sylwodd Gaenor. 'Maen nhw wedi codi bron hanner miliwn i'w gwneud hi i fyny.'

'Am wastraff llwyr!' atebodd Daf. 'Hanner miliwn!'

'Faint ti'n feddwl mae pont yn gostio?'

'Dwi'm yn gweld y pwrpas, dyna'r peth.'

'Ond heb bont newydd, mi fyddai'n rhaid iddyn nhw fod wedi cau'r rheilffordd. Ac roedden nhw'n lwcus i gael peiriannydd i'w chynllunio am ddim – yr un boi ag a gynlluniodd y pontydd mawr ar ffordd osgoi'r Drenewydd.'

'Mae'r rheiny'n werth eu gweld. Ac mae 'na bwrpas iddyn nhw. Ond mae'r trên bach yma ... wel, tydi o'n ddim byd ond hobi i bobl od.'

'A hynny yn ôl y dyn mwya od i mi gwrdd â fo erioed.'

Roedd yn rhaid i Daf chwerthin, ond pan ddywedai Gaenor y gwir mor blaen, roedd ias oer wastad yn treiddio drwyddo. Roedd Gaenor wedi dewis bod efo fo, o bawb, a wyddai o ddim os oedd o'n haeddu ei chariad. Caeodd ei lygaid i geisio cael gwared o'r teimlad diymadferth, ac ar ôl swatio i gornel y sedd dechreuodd deimlo'n gysglyd. Cawsai ei ddeffro'n gynnar gan drydar swnllyd yr adar, ond yn hytrach na chodi a gwneud rhywbeth gwerth chweil, gorweddodd wrth ochr Gaenor am ddwyawr, yn myfyrio dros ei waith a gwrando ar ei hanadl ysgafn.

Problemau staffio oedd yn creu'r cur pen. Roedd Steve yn dal i aros am ei wrandawiad am dorri rheolau'r heddlu drwy gael perthynas â thyst mewn achos o reolaeth orfodol – yn y cyfamser roedd wedi priodi'r ferch dan sylw ac, yn ôl y sôn, roedd y ddau'n byw'n ddedwydd yn ei thŷ yn y Trallwng. Chwalodd yr achos yn erbyn ei chyn-ŵr pan sylweddolodd y barnwr y byddai bwrw ymlaen efo achos lle roedd yr unig dyst yn caru ag un o'r heddweision, gan danseilio'r holl dystiolaeth, yn wastraff o amser y llys. Un aelod o'r tîm ar goll, felly. Ond tan yr wythnos cynt, roedd pethau yng ngorsaf yr heddlu wedi bod yn rhedeg yn weddol esmwyth diolch i Sheila, y cydweithiwr gorau erioed. Yn ddoeth, gweithgar a byth yn cymryd diwrnod i ffwrdd o achos salwch, Sheila oedd conglfaen ei dîm. Ond heb rybudd o fath yn y byd, wnaeth hi ddim dod i'w gwaith y dydd Llun blaenorol, a ffoniodd ei gŵr yn ddiweddarach i ddweud na allai hi weithio am sbel. Roedd rhyw straen anarferol yn llais Tom Francis, ac er i Daf geisio ffonio Sheila sawl gwaith i holi amdani, roedd ei ffôn wastad wedi'i ddiffodd. Yn anarferol doedd 'run smic o wybodaeth i'w gael gan fam Sheila chwaith ond ddeuddydd ynghynt, derbyniodd Daf decst go swta gan Sheila ei hun:

'Ty'd draw i Glantanat dros y penwythnos – mi esbonia i. Paid â phoeni.'

Felly, roedd Daf wedi trefnu i bicio draw yno yn ddiweddarach y diwrnod hwnnw.

'Ti'n cofio'r profion 'na?' gofynnodd Gaenor pan soniodd wrthi hi am y peth. 'Roedd Tom a hithe'n cael profion ffrwythlondeb, yn toedden nhw? Bosib eu bod nhw wedi clywed rhywbeth anodd … mae'n cymryd amser i ddod dros newyddion drwg.'

Ond beth bynnag oedd y rheswm, yn y cyfamser roedd yn rhaid i Daf ofyn am aelod o staff ar secondiad gan dîm y Drenewydd i lenwi'r bwlch – a doedd eu dewis nhw ddim yn ei blesio fo o gwbl.

'Isn't there anyone else?' gofynnodd i'r Arolygydd Tom Ferniehough.

'You're lucky to get anyone at all. No-one wants to work for a bloke who dobs members of his team in to the top brass for a bit of romance. And he's a Welsh speaker.'

Ochneidiodd Daf o dan ei wynt: roedd o, o bawb, oedd wastad wedi gofalu am ei dîm gan eu hamddiffyn rhag pawb a phopeth, wedi ennill enw drwg. Ac os oedd o'n hollol onest, roedd o wedi seilio'i ragfarn yn erbyn yr aelod newydd o'r tîm ar fanion yn hytrach na ffeithiau. Roedd nifer o bethau bach ynghylch DC Padraig Wyn Toscano yn mynd ar nerfau Daf. Dim byd mawr, dim ond sŵn ei chwerthin, oedd fel ceffyl yn gweryru. A'r ffaith ei fod o'n gofyn i bobl ei alw fo'n P.W., a'i farn bendant am pizza, a'i gasgliad o focsys brechdan 'doniol'. Roedd Daf yn casáu ei hun am fod mor arwynebol ond doedd o ddim wedi edrych ymlaen o gwbl at ddyfodiad DC Toscano. Ochneidiodd eto.

Ymlwybrai'r trên bach yn swnllyd drwy'r dyffryn. Ym mhob un o'r pedwar cerbyd roedd sgwrsio, chwerthin a, bob hyn a hyn, sŵn plentyn yn crio. Roedd yn rhaid i Daf gyfaddef ei bod yn braf cael cyfle i werthfawrogi'r tirlun – ar ôl y tywydd garw yn gynharach yn y flwyddyn roedd pob sietin bellach yn llawn briallu, gludlys a gleision y gors. Ar ysgwyddau'r bryniau roedd clytiau mawr glas a melyn oedd yn gwneud i Sir Drefaldwyn edrych fel un cwilt mawr. Trodd Daf ei ben i ddilyn barcud yn yr awyr las y tu ôl iddyn nhw, a chafodd gip ar Miriam a Roy a'r ferch fach yn cysgu'n braf rhyngddyn nhw. Er mai amcan swyddogol maethu oedd dychwelyd plant at eu rhieni, gobeithiai Daf y câi'r fechan hon y cyfle i gael ei magu yn y ffasiwn ardal.

Yn sydyn, o rywle o flaen y trên, daeth sŵn uchel, annisgwyl. Doedd gan Daf ddim amheuaeth ynglŷn â beth glywodd, a throdd ei ben i fyny i'r awyr heulog gan feddwl mai gwastraff oedd tanio tân gwyllt yng ngolau dydd. Ceisiodd weld y gwreichion, ond doedd dim byd yno, er iddo droi ei ben i bob cyfeiriad. Atseiniodd sŵn y ffrwydrad drwy'r dyffryn tawel am dros hanner munud, a thawelodd y teithwyr am ennyd cyn dechrau holi ei gilydd am y peth yn hamddenol cyn iddynt glywed sŵn arall, sŵn metalaidd, cras. Beth bynnag oedd y glec gyntaf, ymateb gyrrwr y trên iddo oedd defnyddio ei frêc, a'i wasgu'n galed. Arafodd y trên yn annisgwyl o sydyn a llithrodd rhai o'r plant o'u seddi. O'r cefn, daeth sŵn fel petai rhywun wedi neidio o'r trên ac eiliadau wedyn, rhedodd Dai'r Orsaf heibio i'r ffenest.

'Dwi jest isie gweld be sy'n digwydd,' meddai Daf wrth Gaenor. 'Fyddi di'n iawn fan hyn efo'r plant?'

'Wrth gwrs.'

Cerddodd Daf braidd yn sigledig i gefn y cerbyd ac agor y ffenest fach yn y drws. O'i flaen, gwelai ddau wahanol fath o fwg – peth gwyn o gorn yr injan a mwg llwyd ryw bedwar can llath i ffwrdd, ar yr ochr arall i'r bont newydd. Yn sydyn, disgynnodd y darnau i'w lle. Petai beth bynnag a achosodd y mwg llwyd wedi difrodi'r bont, byddai'n rhaid i'r trên stopio'n sydyn. Nid peiriannydd oedd Daf ond gallai ddweud bod y trên yn dal i agosáu at y bont er bod y brêcs yn gwneud eu gwaith i'r eithaf. Drwy fwg y trên, gwelodd Daf y dyn yn siwt Dai'r Orsaf yn sefyll wrth y trac rhwng yr injan a'r bont, yn gafael mewn lifer mawr metel. Tynnodd y lifer a symudodd y trên i'r chwith ac aros yn llonydd mewn cilffordd fach o dan frigau yn drwm o flodau gwynion.

Neidiodd Daf i lawr o'r cerbyd a rhedeg at y bont. Roedd adeiladwaith y bont yn edrych yn iawn ond ar yr ochr arall i'r afon, ymhlith y briallu, roedd mwg yn codi, fel petai tân ger un o goesau pren y bont newydd. Cymerodd sawl munud iddo ddirnad beth oedd wedi digwydd. Roedd y dyn dieithr, wrth weld y mwg a chlywed y sŵn, wedi sylweddoli fod perygl i'r trên petai'r bont wedi dymchwel tra oedd y cerbydau'n croesi.

'Watch out – we don't know if the structure's holding.'

Nid oedd hyd yn oed goslef Gymreig i lais Dai'r Orsaf heb sôn am acen, ond atebodd Daf yn Gymraeg yn reddfol.

'Mi wnest ti feddwl yn gyflym. Petai'r trên wedi cyrraedd y bont ...'

Chwarddodd y dyn cyn ateb.

'Chydig o *heroics*, dyna'r cyfan. Dwi'n gyfarwydd iawn â phellterau brecio bob un o'r injans 'ma. Mi fyddai'r ledi fach yma, Lady Mostyn, wedi gallu stopio sawl llath cyn cyrraedd y bont.'

'A beth am y bont?'

'Rhaid i mi fynd i'r ochr arall i jecio.'

'A'r teithwyr i gyd?'

'Dwi 'di siarad efo'r orsaf – maen nhw'n danfon Lobelia fyny i helpu.'

'A phwy ydi Lobelia, dwêd?' gofynnodd Daf, yn teimlo fel petai'n suddo'n ddyfnach allan o'i ddyfnder â phob gair.

'Injan,' atebodd y dyn, efo chwerthiniad braidd yn oeraidd. Am ddim rheswm o gwbl, teimlodd Daf yn falch nad oedd Carys, ei ferch ugain oed, yn sengl. 'Deiniol Dawson ydw i, gyda llaw. Fi ddyluniodd y bont 'ma.'

Doedd o ddim yn ceisio cuddio'i hunanfalchder; roedd yn amlwg ei fod yn hapus iawn â'i waith.

'Daf Dafis. Dwi'n Arolygydd yn Heddlu Dyfed Powys.'

'Paid â dweud bod Islamic State yn targedu rheilffyrdd bach Cymru!' ebychodd Dawson yn ddirmygus.

'Dim ond dod ar drip bech ar y trên efo 'nheulu oeddwn i,' atebodd Daf, yn ymwybodol fod y dyn di-acen o'i flaen wedi achosi i'w acen Sir Drefaldwyn ei hun gryfhau.

'Ffodus i ni. Ty'd efo fi i weld be sy 'di digwydd ar ochr arall y bont. Mi glywais i ffrwydrad.'

'A finne. Ac mae 'na dipyn o fwg o gwmpas o hyd.'

Erbyn hyn roedd y teithwyr eraill wedi dechrau dringo i lawr i weld be oedd yn digwydd, a'r cyntaf ohonyn nhw oedd Roy.

'Jest y boi i fy helpu fi,' datganodd Daf. 'Cer di 'nôl at y trên, wnei di, Roy, a dweud wrth bawb fod trên arall yn dod i'w casglu nhw. Fydd hi ddim yn hir ond mae'n bwysig fod pawb yn aros yn eu seddi nes iddi gyrraedd – rhaid i ni ddarganfod be sy wedi digwydd yr ochr arall i'r bont.'

'Iawn 'te, Inspector. Mi welais ryw fflach, neu ...'

'Rhy gynnar o lawer i ddyfalu be sy 'di digwydd, Roy, ond beth bynnag oedd y rheswm, dydi'r bont ddim yn saff.'

'Piti,' myfyriodd Roy, dyn oedd wedi gweithio ar y ffyrdd i'r Cyngor Sir am ddeng mlynedd ar hugain, 'achos mae hi'n bont fech ddel.'

Er nad oedd erioed wedi edmygu pont yn ei fywyd o'r blaen, roedd yn rhaid i Daf gytuno. Dilyn patrwm Fictorianaidd oedd y bwriad amlwg ond, diolch i dechnegau cyfoes, roedd y bont newydd yn llawer gwell na 'run arall a groesodd afon Banw ers canrif.

'Falch dy fod ti'n rhoi sêl dy fendith i'r prosiect bach,' ymatebodd Deiniol. Dechreuodd Daf deimlo'n flin efo fo am y dirmyg yn ei lais – doedd Roy ddim yn haeddu'r ffasiwn agwedd – ond chymerodd Roy ddim sylw o gwbl.

'Dwi 'di gweithio ar y ffyrdd, ti'n gwybod,' esboniodd yn hamddenol. 'Hyd yn oed i'r Trunk Road Agency weithie. Dwi'n deall pontydd.'

'Be wyt ti'n feddwl am fy nghrefftwaith i draw yn y Drenewydd?' gofynnodd Deiniol. 'Y ddwy bont fawr ar y ffordd osgoi?'

'Duwcs, maen nhw'n bontydd clên 'fyd,' ymatebodd Roy. 'Fyswn i wrth fy modd yn cael cip dros y safle ond pobl ddierth sy yno i gyd, sy'n biti.'

Tynnodd Deiniol gerdyn o boced ei wasgod.

'Os wyt ti awydd cael y *Grand Tour*, coda'r ffôn. Deiniol Dawson ydw i, peiriannydd sifil.'

O'r olwg ar ei wyneb, doedd Roy erioed wedi clywed y term o'r blaen, felly ategodd Daf, yn isel.

'*Civil engineer*, Roy.'

Nodiodd Roy ei ben a brysiodd yn ôl i'r trên.

Efo'i goesau hir, roedd yn hawdd i Deiniol ddringo'r ffens i gyrraedd yr afon, ac erbyn i Daf gyrraedd y lan drwy'r giât gerllaw, roedd Deiniol yn sefyll ar yr ochr arall iddi. Ar ôl wythnosau o dywydd sych roedd lefel y dŵr yn isel ond er gwaetha hynny penderfynodd Daf dynnu ei esgidiau a'i sanau er mwyn croesi heb wlychu. Pan gyrhaeddodd yr ochr arall sylweddolodd nad oedd ganddo unrhyw fath o liain i sychu ei draed gwlyb, a gwelodd faint o ysgall oedd yn y borfa. Rywsut, roedd Deiniol wedi llwyddo i groesi'r afon heb hyd yn oed gael diferyn o ddŵr ar ei sgidiau hen-ffasiwn du. Teimlai Daf fel plentyn yn cerdded yn igam-ogam draw at y bont, yn ceisio osgoi'r ysgall ac yn rhegi o dan ei wynt pan fethai.

'Mi fysa'n well i ti roi dy sgidiau 'nôl ymlaen,' cynghorodd Deiniol yn nawddoglyd.

'Fe fydda i'n eu rhoi nhw 'mlaen pan mae 'nhraed i wedi sychu,' atebodd Daf. 'Ti'n gyfarwydd efo'r safle 'ma? Be sy 'di digwydd?'

Â'i fys hir gwyn, dangosodd Deiniol farciau llosg ar un o gynalbrennau'r bont. Llosgiadau arwynebol oedden nhw – yn amlwg doedd y tân ddim wedi gafael. Yn y glaswellt roedd sawl darn o fetel, rhai yn dywyll gan ludw. Roedd y mwg yn dal i fod yn ddigon trwchus i losgi llygaid Daf ac roedd yr awel wedi'i heintio ag arogl tân gwyllt.

'Rhywun wedi bod yn chwarae efo *fireworks*,' awgrymodd Daf. 'Cogie yn eu harddegau, mwy na thebyg.'

'Dwyt ti ddim yn gweld marciau fel hyn ar ôl un roced fach, Arolygydd Dafis. A sbia.'

Ymhlith y darnau o fetel roedd weiren, ei gorchudd plastig wedi toddi yn y gwres.

'Ti ydi'r heddwas, Arolygydd Dafis,' meddai'r peiriannydd sifil yn dawel ac yn bendant, 'ond nid tân gwyllt oedd hwn. Bom oedd o.'

Pennod 2

Yn hwyrach ddydd Sadwrn

Y peth cyntaf ddaeth i feddwl Daf oedd y safle: os mai bom oedd wedi ffrwydro, roedden nhw felly yn sefyll yng nghanol safle trosedd. Yn reddfol, cymerodd gam yn ôl, ond yn anffodus, glaniodd ei droed chwith ar ysgall.

'Blydi hel!' bloeddiodd, ac wrth iddo geisio adfer ei falans, glaniodd ei droed dde mewn twmpath mawr brown o faw gwartheg. Teimlodd groen ei sawdl yn torri drwy'r crystyn tenau i'r saim gwyrdd trwchus oddi tano, ond roedd o'n rhy flin i regi. Ar ôl treulio deng munud anghyfforddus yn ceisio glanhau un droed â'i hosan a thynnu sawl pigyn o'r droed arall, gwthiodd ei draed yn ôl i'w esgidiau. Roedd ei droed chwith yn boenus ond o leiaf roedd o'n gallu cerdded. Clywodd Dawson yn siarad ar ei ffôn, yn amlwg â rhywun o'r stesion reilffordd.

'No timetable for the rest of the day, sorry – it looks like there was a bomb placed at the foot of the bridge.'

Torrodd Daf ar ei draws.

'Paid â defnyddio'r gair "bom" nes y byddwn ni'n sicr. 'Dan ni ddim isie creu panig.'

'Tra oeddet ti'n sortio dy draed dwi 'di siarad efo dy gyd-weithwyr ... mae'r Sgwad Fomiau ar eu ffordd.'

'Bolocs!'

Fel heddwas lleol, doedd Daf ddim yn hoff o rai o'r grwpiau arbenigol oedd wedi cael eu ffurfio dros y blynyddoedd i ateb sawl problem gyfoes. Heblaw am y Tîm Troseddau Gwledig newydd, roedd pob aelod o'r sgwadiau rheiny yn goc oen o ryw fath – roedd y criw Troseddau Seiber yn drahaus, bois y priffyrdd yn tueddu i fod fel Jeremy Clarkson a'r Uned Ymateb Arfog yn meddwl mai nhw oedd yn rhedeg y sioe. Roedd y rheiny i fod ar batrôl o hyd yn eu 4x4s mawr du, ond roedd Daf wedi gweld dau ohonyn nhw'n bwyta byrgyrs drud yn siop fferm Rhug un diwrnod ac wedi cael blas ar eu hagwedd ddilornus. O ganlyniad, doedd gan Daf ddim llawer o obaith y byddai'r Sgwad Fomiau yn cyfrannu dim i'r achos heblaw wythnosau o waith papur a thrafferth. Am gur pen! Petai Daf ddim wedi tynnu ei sgidiau, myfyriodd, gallai o fod wedi cysylltu â'r gwasanaethau argyfwng, a chadw'r digwyddiad mewn rhyw fath o bersbectif. Ochneidiodd a ffoniodd orsaf yr heddlu i drefnu cymorth lleol.

Wrth eistedd ar foncyff ger yr afon i aros am Nev a phwy bynnag arall oedd yn digwydd bod ar gael ar ddydd Sadwrn, crwydrodd meddwl Daf at Deiniol Dawson. Doedd y dyn ddim wedi gwneud unrhyw beth o'i le – ers y ffrwydrad roedd wedi ymddwyn yn broffesiynol a hyderus, gan lwyddo i osgoi sefyll mewn cachu gwartheg – ond eto, doedd Daf ddim wedi cymryd ato. Cododd ei ffôn er mwyn darganfod be oedd hanes Nev.

'Ti byth wedi gadael?'

'Jest yn mynd allan drwy'r drws, bòs. Methu dod o hyd i'r *incident tape*: tydi Sheila ddim wedi ei gadw o yn y lle arferol.'

'Ocê. Picia heibio Tesco, wnei di, a phrynu pecyn o *baby wipes*, pâr o sanau a'r sgidie rhata sy ar gael mewn maint deg, os gweli di'n dda.'

'Iawn. Pam?'

'Mi gei di weld pan gyrhaeddi di. Pwy arall sy'n dod?'

'Dim ond Nia a'r coc oen Toscano 'na o'r Drenewydd.'

'Grêt. A dydi Padraig ddim mor ddrwg â hynny.'

'Dwi ddim yn fodlon mynd efo fo yn ei gar, beth bynnag.'

'Pam hynny?'

'Ei ffycin CDs carioci. Maen nhw'n gyrru pawb yn nyts. Does dim llawer o lais ganddo fo ac mae o'n ceisio gorfodi pawb i ganu efo fo. Dwi ddim yn fodlon bod yn Kiki Dee i'w Elton John o byth eto. Digon ydi digon, bòs.'

'Mi ga i air.'

Yn y cyfamser, roedd Dawson wedi bod yn cerdded i fyny ac i lawr y llwybr ger yr afon yn gwneud un alwad ffôn ar ôl y llall, rhai yn y Gymraeg ac eraill mewn Saesneg di-acen. Daliodd

Daf ambell air. Yn amlwg, roedd un o'r galwadau i'r stesion reilffordd ac un arall i drefnu adroddiad ar gyflwr y bont, ac er ei bod yn ddydd Sadwrn roedd yn amlwg bod Dawson wedi llwyddo i gael gafael ar beirianwyr i'w helpu. Yn ystod y galwadau Cymraeg roedd geirfa sir Drefaldwyn yn dod yn amlwg a'i lais yn meddalu, fel petai'n ymddiheuro i rywun am ganslo trefniant. Doedd dim yn rhyfedd ynglŷn â hynny, meddyliodd Daf – dyn ifanc yn gadael i'w gariad wybod ei fod o'n methu cwrdd â hi – heblaw'r ffaith i Daf gael yr argraff ei fod yn siarad â thri pherson gwahanol. Galwodd un yn 'del' a'r ail yn 'cariad', cyn defnyddio enw'r trydydd: Iola. Cofiodd am ymateb Gaenor i'r dyn ifanc, a sbardunwyd ei chwilfrydedd. Anfonodd neges destun i un o'i staff, yn gofyn iddyn nhw chwilota am wybodaeth ynglŷn â chefndir Deiniol Dawson.

Cododd Daf ar ei draed i siarad â'r dyn ifanc.

'Be ti'n feddwl am y bont, felly?'

Gwenodd Dawson fel giât.

'Un fach hardd, yn tydi hi? Ddim yn aml iawn y dyddiau yma mae rhywun yn cael siawns i godi pont bren. Sianelu'r hen Top Sawyer, yntê?'

Nid oedd ystyr y frawddeg olaf yn glir nes i Daf gofio llysenw peiriannydd enwocaf Sir Drefaldwyn, David Davies Llandinam, a ddechreuodd ei yrfa yn llifio coed.

'Fyswn i'n dweud bod y sgiliau i godi'r ffasiwn bont yn go brin y dyddie yma,' meddai Daf, a dechreuodd Dawson chwerthin.

'Dim i ddyn a sgwennodd ei draethawd hir ar bontydd David Davies,' meddai. 'Cyfle gwych, a chyfleus hefyd o feddwl 'mod i'n cynllunio'r pontydd i Gwmni Pandy ar yr un pryd.'

'Pandy?'

'Prif gontractwyr ffordd osgoi'r Drenewydd. Mi wnaethon nhw ofyn i gwmni o arbenigwyr gynllunio'r pontydd ac yn digwydd bod, dwi'n gwneud cryn dipyn o waith iddyn nhw, felly bingo. Dwi'n llawrydd, wyddost ti.'

Nodiodd Daf ei ben, yn ansicr o fanylion y sgwrs ond yn

falch ei fod yn dysgu dipyn am Dawson. Wrth glywed y brwdfrydedd yn ei lais pan oedd yn trafod ei bontydd, dechreuodd gymryd at y dyn ifanc rhyw fymryn yn fwy.

'Wnes i ddim dilyn cynlluniau Top Sawyer fan hyn, wrth gwrs. Er bod y gwaith coed yn *authentic*, gan fod y bwlch oedd i'w groesi mor gul mi ildiais i demtasiwn dur, felly gan fod cwpl o drawstiau hyfryd yn cuddio oddi tani, dwi'n sicr y bydd hi'n dal yn sownd.'

'Ti wnaeth gynllunio'r bont yma, felly?' gofynnodd Daf, er mwyn bod yn sicr.

'Ie, a dwi'n falch iawn ohoni. Mae cynrychiolwyr gwobrau Constructing Excellence wedi cysylltu â fi i ddweud bod rhywun wedi ei henwebu hi ar gyfer gwobr yn y categori Treftadaeth.'

'Digon teg.'

Yn sydyn, chwalwyd yr awyrgylch dawel gan sŵn injan car mawr. Ochneidiodd Daf pan welodd sut gar oedd yn taranu dros y ddôl tuag atyn nhw: BMW 4x4 mawr du.

'Gwranda, còg,' dywedodd wrth Dawson mewn llais isel, 'Mae'r Sgwad Ymateb Arfog yma. Maen nhw'n reit anodd eu trin – gad i mi siarad efo nhw, ie?'

'Ond ...'

'Mae ganddyn nhw *machine guns* a wastad yn chwilio am esgus i'w defnyddio nhw, felly jest cau hi, wnei di?'

Fel yr oedd Daf wedi amau, pwy neidiodd allan o'r car ond y cochyn y cwrddodd Daf ag ef yn siop Rhug. Roedd pob un o'i symudiadau'n ymosodol a gorweddai ei wn mawr dros ei frest lydan, fel modd i ddod â phob dadl i ben. Ond o'r drws arall, yn hytrach na'i bartner arferol o Sgowser, daeth dyn pen moel wedi ei wisgo fel bonheddwr gwledig mewn siaced frethyn, *chinos* coch a sgidiau cryfion brown oedd yn sgleinio fel swllt. Doedd dim rhaid i Daf glywed gair o'i geg i ddeall mai cyn-filwr oedd o.

'Arolygydd Dafis?' gofynnodd, gan estyn ei law. 'Pirian Picton-Phillips.'

'S'mai, syr?' Roedd Daf wedi clywed tipyn o sôn am y dyn oedd yn sefyll o'i flaen. Enillodd fri a sawl medal am ei ddewrder yn ystod ei ugain mlynedd yn y fyddin, ond ers naw mis roedd o'n cael ei gyflogi gan Heddlu Dyfed Powys i roi cyngor arbenigol i'r Prif Gwnstabl am faterion diogelwch. Roedd rhai a oedd wedi cydweithio efo Picton-Phillips hyd yma yn canmol ei agwedd broffesiynol ond roedd nifer sylweddol yn casáu ei lais nawddoglyd a'i agwedd drahaus.

'Weddol, diolch yn fawr, Dafis. Mae gen i eboles hyfryd yn y Point-to-Point yn Llanandras y prynhawn 'ma, ac yn hytrach na bod yno i'w gweld hi'n ennill, rydw i fan hyn, ar ryw nyth cwcw.'

'Nid fi alwodd chi yma, syr,' protestiodd Daf, yn ymwybodol y gallai fod yn swnio fel plentyn ysgol. 'Mr Dawson fan hyn, sy wedi cynllunio'r bont 'ma, oedd yn sicr mai ...'

'IED oedd o,' torrodd Dawson ar ei draws. 'Un aneffeithiol, ond IED, yn bendant.'

Improvised Explosive Device: roedd Daf wedi clywed y term sawl tro heb feddwl am eiliad y byddai'n dod ar draws y ffasiwn beth ar y dolydd tawel ger afon Banw.

'Gall y SOCOs gadarnhau hynny, Mr Dawson. Ydyn nhw ar eu ffordd, Dafis?'

'Ydyn, syr, ond mi gymerith dipyn o amser iddyn nhw gyrraedd. Mae tîm o'r Trallwng ar ei ffordd hefyd.'

Cododd Picton-Phillips ei aeliau'n ddirmygus.

'Chwarae teg iddyn nhw.'

Drwy gydol y sgwrs, safodd y dyn gwallt coch yn stond, yn dal y gwn trwm yn hollol ddiymdrech fel petai'n degan plastig.

'Pwy wyt ti'n nabod yn yr ardal 'ma fyddai'n ddigon 'tebol i wneud teclyn o'r fath?' gofynnodd Picton-Phillips. 'Ti'n heddwas sy'n nabod ei filltir sgwâr yn well na neb, yn ôl pob sôn.' Yn amlwg, doedd y cyn-filwr a oedd wedi teithio i bedwar ban byd ddim yn gwerthfawrogi gwybodaeth leol.

'Anodd dweud, syr.' Llwyddodd Daf i dweud y geiriau heb

ddangos ei ddicter. 'Fedra i ddim meddwl am neb sydd â diddordeb mewn pethe fel hyn.'

'Ond pwy fyddai'n *debygol* o ddatblygu diddordeb, Dafis? Paid bod yn swil nac yn PC – ble mae dy Foslemiaid di? Hyd yn oed mewn ardal mor anghysbell â hon, mae 'na siop cebábs neu dŷ cyrri, siŵr o fod?'

'Does dim rheswm i gysylltu'r hyn ddigwyddodd fan hyn efo Moslemiaid, syr,' atebodd Daf yn bendant.

'O, ty'd allan o dy gragen Gymreig am eiliad, Dafis. Welaist ti mo'r heddweision arfog yn Steddfod yr Urdd? Os ydi Sali Mali a Cyw yn darged posib, mae'r un peth yn wir am dy drên bach dithau hefyd.'

Nid oedd ymateb cwrtais yn bosib, felly safodd Daf yn fud.

'Ti'n jocian!' ebychodd Dawson. 'Paid â dweud dy fod ti'n meddwl mai ISIL sy'n gyfrifol!'

'Mr Dawson, gyda phob parch, dwi 'di anghofio mwy am fygythiadau brawychwyr nag y byset ti'n ei ddysgu petaet ti'n astudio'r pwnc ddydd a nos am weddill dy fywyd. 'Dan ni'n gwybod fel ffaith eu bod nhw'n chwilio am dargedau meddal – a pha darged sy'n feddalach na hon? Petai'r bont wedi dymchwel, byddai sawl un o deithwyr y trên wedi colli eu bywydau.'

'Ond fan hyn, ar drên mor fach?' gofynnodd Daf.

'Doedd cyngerdd pop ddim yn darged amlwg tan Ariana Grande ym Manceinion. Mae 'na fygythiadau ym mhob man, hyd yn oed yn Llanfair Caereinion. A dyna sut 'dan ni'n mynd i ddechrau'r ymchwil: gyda phob un person lleol sy ar restr strategaeth Prevent.'

Roedd Daf, fel heddwas a llywodraethwr yn yr ysgol uwchradd leol, yn gyfarwydd iawn â'r cynllun Prevent a'i amcan i gadw llygad barcud ar blant yr oedd amheuaeth y gallen nhw ddod i gysylltiad ag eithafiaeth.

'Yden ni'n sôn am ymchwiliad mawr felly, syr?' gofynnodd Daf, ei galon yn suddo wrth feddwl am gyfnod o gydweithio agos efo Picton-Phillips.

'Debyg iawn, Dafis, debyg iawn. Byddai pwy bynnag wnaeth hyn yn gallu gwneud llawer, llawer mwy. Mae'n bosib bod cell yn yr ardal, a bod gan yr aelodau gynlluniau tywyll iawn.'

Cyn i Daf gael cyfle i holi am drefn yr ymchwiliad, ymddangosodd car arall yn y cae, Dacia 4x4 o liw llwydfrown diflas. Doedd Daf erioed wedi gweld car hyllach, a wnaeth o ddim synnu pan welodd Padraig Wyn Toscano yn neidio i lawr o'i sedd uchel.

'Wel helô, Mr Dafis,' meddai, fel petai heb sylwi ar y swyddog arfog. 'Dwi newydd weld Nev a Nia yn picio draw i Tesco ... mi ddwedon nhw rywbeth am sgidiau ...?'

O ystyried ei gwmni presennol, doedd Toscano ddim yn ymddangos yn gymaint o niwsans bellach. Oedd, meddyliodd Daf, roedd o'n gatffwl ond o leia roedd o'n gatffwl cyfarwydd.

'Ti'n hoffi'r car newydd, Mr Dafis? Da iawn ar ben mynydd ond eitha *nippy* yn y dre hefyd, wyddost ti. Fe dalais i dipyn bach yn ecstra am y paent: *mink* ydi enw'r lliw.'

'Mae o'n edrych yn grêt, DC Toscano, ond mae ganddon ni waith i'w wneud fan hyn.'

'Wrth gwrs. Ond paid â phoeni, mae bob dim yn ticiti-bŵ.'

'Ticiti-bŵ?'

'Ie, syr. Mae'r criw SOCOs bron â gorffen efo'r OD-slash-hunanladdiad ar Stad Maesyrhandir yn y Drenewydd, felly mi fydden nhw'n syth draw. Ac mae'r Pencadlys wedi penderfynu danfon rhyw foi o'r fyddin, un sy'n arbennig o dda efo'r ffasiwn bethe, rhyw gyrnol neu'i gilydd ...'

Dechreuodd Daf ysgwyd ei ben ar Toscano er mwyn cau ei geg, ond chymerodd y llanc ddim sylw o gwbl, felly torrodd Daf ar ei draws.

'Cyrnol Picton-Phillips, dyna DC Toscano, sy wedi cael ei secondio draw aton ni o'r Drenewydd am gyfnod.'

Am hanner eiliad, roedd ar Daf ofn y byddai Toscano'n cynnig pawen lawen i'r swyddog yn hytrach nag ysgwyd ei law, fel y gwnâi yn aml, ond roedd Padraig Wyn, hyd yn oed, yn ddigon call i osgoi sarhau dyn fel Picton-Phillips.

'Iawn i mi ddechrau ar y safle, felly, bòs?' gofynnodd, a nodiodd Daf ei ben.

'Dwi wedi trefnu i ffrind ddod draw i asesu cryfder yr adeiladwaith,' esboniodd Dawson, 'ond does dim golwg o ddifrod difrifol i'r goes bren ac, oherwydd y cynllun, mae'r rhan fwyaf o'r pwysau ar y trawstiau dur. Ond fydd y trenau ddim yn cael rhedeg nes i beiriannydd sifil annibynnol gael golwg arni.'

Yn ystod datganiad Dawson safodd Toscano yn gegagored, ac roedd Daf yn falch fod barf fawr ddu y cwnstabl yn cuddio'r olwg dwp ar ei wyneb. Wedyn, camodd draw at y sietin tu ôl i'r bont er mwyn clymu un pen o'i dâp lleoliad trosedd i goeden. Smaliodd Daf ei helpu, er mwyn osgoi llygaid barcud Picton-Phillips.

'Sut mae'r boi 'ma'n gwybod cymaint am y bont, bòs?' sibrydodd Toscano.

'Fo gynlluniodd hi.'

'Wir? Dyn peniog, felly. Fetia i mai Aquarius ydi o.'

'Debyg iawn,' atebodd Daf, er mwyn heddwch. 'Mae o yn yr ardal i weithio ar ffordd osgoi'r Drenewydd.'

'Rhyfedd 'mod i heb ei weld o, felly. Aros yn y Drenewydd mae o?'

'Sgen i ddim syniad. Tydi o ddim yn fy nharo i fel y math o ddyn fyddai'n denu sylw'r heddlu, beth bynnag.'

'Nid fel heddwas 'o'n i'n feddwl – tydi o ddim wedi dod i mewn i'r siop.'

'Efallai nad ydi o'n hoff iawn o hufen iâ.'

'Does neb dan haul sy ddim yn hoffi hufen iâ Toscano's,' broliodd Padraig Wyn, cyn tynnu sylw Daf at y glaswellt o dan ei draed. Roedd yn wyrddach na gweddill y ddôl, a chlywodd Daf sŵn dŵr yn byrlymu. Roedd ffynnon fach yno, ac yn y pridd gwlyb gerllaw roedd ôl traed clir.

'Difyr,' cytunodd Daf gan geisio peidio ochneidio, 'ond tydi o ddim yn berthnasol. Os aeth rhywun drwy'r giât at y bont, fyddai dim rheswm o gwbl iddyn nhw ddod y ffordd hyn.'

'*Os* aeth y person hwnnw drwy'r giât,' pwysleisiodd Toscano. 'Sbia.'

Ryw ddeg llath ar hugain o'r ffynnon roedd camfa'n croesi'r sietin, ac ar yr ochr arall roedd cilfan fach ar yr wtra droellog a gysylltai Llanfair a Chastell Caereinion; lôn bach gul, anghysbell.

'Petaet ti isie gosod bom heb i neb sylwi arnat ti, bòs, fyset ti'n parcio ger y briffordd a cherdded dros sawl cae agored, neu'n sleifio'n dawel dros y gamfa?'

'Chwarae teg i ti, còg. Gwna'n siŵr dy fod ti'n cynnwys pob dim sy ar yr ochr yma i'r gamfa y tu mewn i berimedr safle'r drosedd. Mae'n ddigon posib, fel ti'n dweud, ei fod o wedi mynd dros y gamfa.'

'Neu hi. Sbia maint yr ôl traed.'

Roedd o'n iawn. Doedd yr argraff ddim yn un cyfan, a heb farc y sawdl doedd dim modd bod yn hollol sicr, ond os mai dyn a adawodd yr ôl troed yna roedd o'n ddyn bach iawn. Cyn i Daf fedru dweud dim byd, roedd theori arall gan Toscano.

'Be os mai bachgen ifanc sy wedi cael ei radicaleiddio oedd o, ac wedyn ...'

'Yn enw rheswm,' ebychodd Daf, 'dim ond ôl llosg ar bont fach bren 'den ni'n ei drafod fan hyn, nid 9/11.'

Gan ei fod yn brysur yn delio â theorïau Toscano wnaeth Daf ddim sylwi ar Picton-Phillips yn cerdded i fyny o lan yr afon.

'Mae'r genedl dan gysgod terfysgwyr anfad,' datganodd, 'ac fel heddwas, mi ddylet ti fod yn gwybod hynny'n well na neb. Mae'n rhaid i ni i gyd yn fod yn wyliadwrus, yn enwedig mewn lleoliadau fel hyn sy heb CCTV.'

'Does dim CCTV yma, syr,' ymatebodd Daf, gan gamu ymhellach oddi wrth Picton-Phillips a oedd yn bloeddio i mewn i'w glust, 'oherwydd nad oes digon o droseddu i gyfiawnhau'r costau. Ardal fach dawel ydi hon.'

'Dyna wreiddyn y broblem felly – rwyt ti'n anfodlon cyfaddef faint mae pethau wedi newid ers i ti ymuno â'r ffôrs. Tra wyt ti'n chwarae dominos yn y Llew Du, mae'n ddigon posib fod cell o gefnogwyr selog Daesh yn cwrdd yn y fflat uwchben Spar.' Chafodd Daf ddim cyfle i lunio ymateb cyn i Picton-Phillips ategu, â thinc hollol wahanol yn ei lais, 'Fel hyn 'dan ni i gyd – yn meddwl mai'n milltir sgwâr ni ydi'r unig gornel dan haul sy heb ddiodde o'r haint yma, ond yn anffodus maen nhw ym mhob man. Yn ein cymunedau, yn ein hysgolion, yn y ffonau symudol sy yn nwylo ein plant. Gall crafangau hir Daesh gyrraedd Llanfair Caereinion hyd yn oed.'

Ceisiodd Daf gysylltu digwyddiadau erchyll fel yr ymosodiadau ym Mharis, Brwsel a Manceinion â bywyd tawel trigolion Llanfair, ond methodd. Roedd gan Picton-Phillips obsesiwn, sylwodd Daf, ond yn anffodus roedd o hefyd mewn swydd bwysig yn Heddlu Dyfed Powys, ac yn agos at y Prif Gwnstabl. O ganlyniad byddai'n rhaid i Daf wrando arno, a chydweithio efo fo.

Cyrhaeddodd Nev ar yr un pryd â'r SOCOs. Roedd golwg go welw ar rai o'r tîm fforensig, fel petaen nhw angen awyr iach.

'Bore da,' cyfarchodd Daf y sarjant, dynes fedrus o sir Benfro.

'Dim i ni, gw'boi. 'Ni newydd ddod o dwll o le yn y Drenewydd. Erioed wedi gweld annibendod tebyg. Ro'dd angen gweithwyr cymdeithasol yno flwyddyn yn ôl, fel bod dim o'n hangen ni nawr.'

'Oedd tystiolaeth o gyffurie yno?'

'Oedd, ym mhob man. Be wyt ti isie i'r crwner ddweud?'

'Wel, mae rheithfarn o hunanladdiad wastad yn anodd i'r teulu ...'

'Paid poeni, bydd y pentwr o fagie bach plastig yn dweud "OD" yn ddigon clir. 'Wy jest yn falch o gael dod i galifantan draw fan hyn.'

'Dim ond ffrwydrad bach oedd o, ond mae Action Man draw fan'cw'n meddwl ein bod ni yng nghanol digwyddiad o frawychiaeth.'

Trodd y sarjant ei phen yn ofalus i edrych ar y dolydd tawel, yr afon a'r bont fach bren.

'Reeeit. Brawychiaeth. Fan hyn.'

'Mi *oedd* ffrwydrad. Ac mae'r tyst, sy'n digwydd bod wedi cynllunio'r bont, yn bendant mai rhyw fath o IED oedd o.'

'IED? Mae gen i un o'r rheiny ... tri o gryts yn hen ddigon i mi!'

Na – Improvised Explosive Device, neu bom bwrdd cegin, os leci di.'

'Pwy fyse'n targedu trên bach Llanfair Caereinion, dwêd?'

'Islamic State yn ôl y Cyrnol, ac mae'r *top brass* i gyd yn meddwl y byd o'r Cyrnol. Ond pwy bynnag oedd yn gyfrifol, mae rhywbeth wedi digwydd, ac mae 'na ôl traed yn fanna.'

Ochneidiodd y sarjant.

'Wel, hyd yn oed os mai lol gan yr Action Man yw'r cyfan,' datganodd, 'ry'n ni'n haeddu dipyn o awyr iach.'

Roedd Daf yn edmygu gwaith y SOCOs – roedden nhw wastad yn rhoi tipyn o drefn ar bob sefyllfa. Ac roedd o'n falch iawn o weld Picton-Phillips yn dringo i fyny i'w BMW.

'Popeth dan reolaeth fan hyn, syr,' meddai Daf wrtho'n gwrtais.

'Dyddiau cynnar iawn, Dafis. Cadwa mewn cysylltiad. Fe fydda i'n disgwyl rhestr o bobl dan amheuaeth cyn diwedd y penwythnos.'

'Amheuaeth o beth, syr?

'Brawychiaeth bosib, wrth gwrs.'

'Dwi ddim yn siŵr y galla i enwi un, heb sôn am greu rhestr.'

'Dechreua efo pob un Mwslim.'

'Does gen i ddim cronfa wybodaeth ar statws crefyddol trigolion yr ardal. Fel y dywedodd Elizabeth y Cyntaf, does gen i ddim ffenest i'r enaid.'

'Rhaid creu un felly, Dafis. Yn debyg iawn i oes Elizabeth, mae'r wlad dan fygythiad gan eithafwyr crefyddol, ac mae ganddon ni ddyletswydd clir.'

Caeodd Picton-Phillips y ffenest tra oedd o'n dal i siarad ond roedd Daf yn dal i'w glywed.

'... enwau ... diwedd y penwythnos ...'

Am unwaith, dangosodd Nev dipyn o dact drwy aros dau funud cyn cerdded draw at Daf.

'Pwy mae o'n feddwl ydi o, dwêd, bòs?' gofynnodd.

'Coc oen sy â'r hawl i wneud i ni neidio, yn anffodus. Mae popeth dan reolaeth fan hyn – cer di 'nôl i'r orsaf a chysyllta efo pwy bynnag sy'n cadw'r wybodaeth ynglŷn â phobl eithafol. Mae'r Cyrnol angen rhestr, felly mae'n rhaid i ni greu un.'

'Ond ... oes rhaid i ni wneud cymaint o stŵr dros gwpwl o farciau llosgi?'

'Mae'n ymddangos felly, Nev. Rŵan, dwi'n mynd i egluro i'r ffermwr be sy wedi digwydd yng nghornel ei gae.'

'Wyt ti isie i mi wneud chwiliad yn y Gofrestr Dir?'

'Does dim angen. Dolydd Ted Tan-llan ydi'r rhain. Mi bicia i heibio rŵan.'

'Ti angen lifft?'

'Na. Mi all Toscano fynd â fi adre, ac mae Tan-llan ar ei ffordd.'

'Pob lwc efo hynny, bòs. Unrhyw sôn am Sheila?'

'Dwi'n picio draw i'w gweld hi bore fory. Ond tydi'r còg ddim mor ddrwg a hynny, wyddost ti.'

Chwarter awr yn ddiweddarach, roedd Daf yn dechrau newid ei farn. Roedd car hyll Toscano yn ddigon taclus a chyfforddus ond roedd o wedi rhoi system sain newydd yn y Dacia, felly roedd gan Daf ddau ddewis: gwrando ar hanes y blydi *speakers* neu gwrando ar yr hyn ddeuai allan ohonyn nhw. O ganlyniad, *Now That's What I Call Disney* oedd yr adloniant yr holl ffordd draw i Tan-llan, lle nad oedd neb adref. Erbyn iddynt gyrraedd Hengwrt roedd Daf yn canu 'Hakuna Matata' yn ddigon uchel i dynnu sylw pawb oedd ar y buarth. Diolchodd i Toscano am y lifft cyn troi i weld Rhodri, ei fab un ar bymtheg oed, yn syllu arno.

'Does gen ti ddim llais canu, Dad. Paid â chodi embaras arna i.'

'Does 'na neb yma i 'nghlywed i,' mwmialodd Daf cyn sylwi ar y Rotavator wrth y llidiart cul rhwng y berllan a chae'r ceffylau. Yn ei drin, a'i wallt du wedi sticio i'w ben â chwys, roedd Rob Humphries Berllan, ffrind gorau Rhodri ac un o feibion Chrissie. Cofiodd Daf fod Gaenor wedi cynnig arian poced i'r bechgyn am droi'r cae er mwyn creu porfa ddigon da i'r anrheg gafodd Mali Haf gan ei 'hwncl' John, sef merlen hardd Adran A. Nid oedd Daf yn arbennig o falch o'r anrheg oherwydd gwyddai faint y byddai hi'n costio i'w chadw pan ddeuai i'w chartref newydd o fridfa Tanyfoel.

'Lwcus mai heddiw 'den ni'n gwneud y gwaith, Mr Dafis,' sylwodd Rob. 'Mae'r tir wedi crasu fel bricsen. Wythnos arall ac mi fyddai angen tractor ar gyfer y job.'

'Ac mi fyddai'n rhaid i ni dorri'r sietin i gael tractor mewn, gan dynnu Gaenor i'n pennau,' cytunodd Rhodri.

Gwenodd Daf ychydig pan glywodd y 'ni'. Rob, yn noeth i'w ganol, oedd yn straffaglu efo'r peiriant yn y gwres llethol, yn chwys i gyd, tra oedd Rhodri'n edrych dros y llidiart fel goruchwyliwr.

'Oes 'na *two stroke* ar ôl yn y can 'ma, Rhods?' gofynnodd Rob, yn ceisio sychu ei dalcen efo'i fraich frown.

'Rhyw dropyn neu ddau.'

'Dim ond tropyn sy angen.'

Wrth edrych arnyn nhw'n gweithio'n ddiffwdan roedd Daf yn ei chael yn anodd i gredu nad oedden nhw eto wedi dechrau ar eu harholiadau TGAU. Cyn pen dim, mi fydden nhw wedi gadael yr ysgol: roedd Rob wedi trefnu prentisiaeth beirianneg amaethyddol ar ei gyfer ei hun a Rhodri wedi cofrestru yn rhan-amser ar gwrs Gofal Plant yn y coleg yn y Drenewydd, i gyd-fynd â swydd dri diwrnod mewn meithrinfa.

Daeth llais Gaenor o'r ardd gefn.

'Daf? Ty'd rownd, wnei di? 'Dan ni i gyd isie gwybod be sy 'di digwydd.'

Erbyn hyn roedd Daf a Gaenor wedi bod yn gwpl swyddogol ers tua pedair blynedd, ond oherwydd bod cyn-wraig Daf yn chwaer i gyn-ŵr Gaenor, roedd y dau'n nabod ei gilydd ers blynyddoedd lawer. Er hyn, roedd o'n dal i ddarganfod agweddau newydd hyfryd i'w natur, ac ers iddyn nhw symud i fyw i Hengwrt roedd Daf wedi sylwi pa mor groesawgar oedd hi. Doedd hanner y gwaith yn y tŷ ddim wedi ei orffen ond rhwng y llwch a'r llanast llwyddodd Gaenor i greu cartref hyfryd, oedd â'r tegell wastad ar y tân i groesawu ffrindiau. Ers iddi adael John Neuadd, a oedd wedi edrych i lawr ei drwyn ar bawb heblaw ffermwyr cyfoethog, roedd Gaenor wedi blodeuo rywsut, a'i natur annwyl wedi ei ryddhau ar ôl iddi daflu hualau ei phriodas anhapus o'r neilltu. Gwyddai Daf pa mor ffodus oedd o ohoni, ac wrth gerdded rownd congl y tŷ i'r cefn, rhyfeddodd at yr ardd yr oedd Gaenor wedi gweithio i'w chreu. Sgwâr o laswellt taclus oedd hi, efo ffrâm ddringo fawr mewn un cornel a thŷ bach twt mewn un arall, a sawl twb, hanner casgen, cafnau a hyd yn oed hen bwced yn llawn blodau yr oedd hi wedi eu tyfu o had. Lle i ymlacio a chymdeithasu, a heddiw roedd yn fwrlwm o bobl. Roedd Daf yn falch iawn o weld ei ferch hynaf, Carys, a'i chariad Garmon yno. Roedd Garmon wedi bod mewn cadair olwyn ers iddo gael damwain rai blynyddoedd yn ôl, ac roedd Daf wastad wedi edmygu'r dyn ifanc siriol a'r ffaith iddo dderbyn yr hyn a ddigwyddodd iddo heb gŵyn. Dros y Nadolig blaenorol roedd wedi teithio i Wlad Pwyl i roi cynnig ar driniaeth arbrofol iawn, ond yn ofer: fel y dywedodd Carys, 'mi ddaeth adre efo dim byd ond cof clir o boen aruthrol.' Bellach, ar ôl cyfnod anodd, roedd Garmon wedi ymuno â thîm sylwebu chwaraeon S4C gan ddatblygu'n ddarlledwr rhwydd a naturiol. Yn unig anfantais i'w swydd newydd oedd y llythyrau a dderbyniai'n wythnosol gan ei ffans benywaidd – rhai'n rhamantus ac eraill bron yn bornograffig – a ddaeth yn destun jôc rhwng y cariadon. Manteisiai Garmon ar bob cyfle i ymweld â Carys, a oedd bron â gorffen ei blwyddyn gyntaf yng Ngholeg y Guildhall yn Llundain. Roedd Gaenor wedi sicrhau bod eu cartref hynafol yn hygyrch iddo, gan osod rampiau lle gallai, a threuliai Garmon dipyn o'i amser yn Hengwrt, hyd yn oed pan fyddai Carys yn Llundain. Heddiw, roedd o'n chwarae gêm efo Mali Haf a'r efeilliaid, yn taflu pêl o un i'r llall, ond crwydrai ei lygaid bob hyn a hyn at y blanced enfawr lle gorweddai Carys, â phlentyn maeth Miriam a Roy yn ei breichiau.

Roedd llygaid Miriam hefyd wedi'u hoelio ar y blanced – roedd hi'n methu peidio â syllu ar y ferch fach. Gorweddian mewn cadair gynfas oedd Roy, yn trafod y tywydd efo Bryn Humphries, tad yr efeilliaid, Sam ac Aron. Newydd ddod o'r gwaith oedd Bryn, a hyd yn oed â llwch ar ei wyneb, staeniau tywyll o dan geseiliau ei grys T a chryn dipyn o silwair o dan ei ewinedd, roedd o'n dal i fod yn ddyn syfrdanol o olygus. Cyn y Dolig, roedd Daf a Gaenor wedi cytuno i fynd i ffwrdd am benwythnos efo Bryn a Chrissie – doedd dim byd penodol wedi ei drefnu ond yr awgrym oedd y byddai'r pedwar yn ffeirio partneriaid tra oedden nhw i ffwrdd. Roedd Gaenor yn gêm gan ei bod yn edmygu corff Bryn, ond er bod Daf a Chrissie wedi bod yn fflyrtio â'i gilydd ers blynyddoedd, doedd Daf ddim yn siŵr y gallai fynd mor bell â chyflawni'r weithred, yn enwedig o wybod bod Gaenor yn yr ystafell nesaf.

Roedd Siôn, mab Gaenor, a'i bartner Belle hefyd yn eu dillad gwaith, a phaent gwyn ac olion dŵr budr dros eu coesau.

'Mae hen ddigon o waith i'w wneud fan hyn,' meddai Gaenor wrthynt â gwên. 'Does dim rhaid i chi'ch dau fynd draw i Ddolfor i chwilio am rywbeth i'w wneud!'

'Ti'n gwybod y drefn yn iawn, Mami,' atebodd Siôn, gan ymestyn ei gorff fel cath yn yr heulwen. 'Mae'n rhaid i bob aelod o'r pwyllgor weithio fflat-owt i sicrhau llwyddiant y Rali.'

Roedd Siôn wedi cael ei ethol yn is-gadeirydd Ffermwyr Ifanc Sir Drefaldwyn – dipyn o fraint iddo fo a'i deulu. Roedd Belle, a oedd dipyn yn hŷn na'i chariad a heb lawer o ddiddordeb yn y mudiad, wedi synnu Daf â'i chefnogaeth: yn ddynes fusnes lwyddiannus, dewisodd wyngalchu sied drwy'r dydd yn hytrach nag ymlacio ar ôl wythnos brysur. Roedd yr aberth bach yn arwydd o'i chariad tuag at Siôn, ac wrth edrych o amgylch y grŵp oedd yn ei ardd, gwelodd Daf ryngwe o berthnasau cariadus. Daeth lwmp i'w wddf a bu'n rhaid iddo lyncu'n galed cyn ymateb i gwestiwn Belle.

'Oedd 'na fom ar y trên bach?'

Wrth glywed y gair bom, neidiodd Miriam o'i chadair a gwasgu ei merch fach yn dynn yn ei breichiau.

'Dim byd ond lol. Rhyw ffyliaid wedi gosod tân gwyllt ger coes y bont newydd. Bechgyn ifanc mwy na thebyg, ond oherwydd bod y boi adeiladodd y bont wedi defnyddio'r gair "bom" mae gen i uwch-swyddogion o 'nghwmpas i fel gwenyn.'

'Peth peryglus i'w wneud, potsian efo pont,' sylwodd Miriam wrth ollwng Matilda yn ofalus.

'Debyg iawn. Ond dyna'r math o beth mae rhai bechgyn yn wneud. Ti'n cofio pan geisiodd rhyw lanc redeg dros doeau ffatrïoedd yn y Trallwng y llynedd? Maen nhw mor ddwl â hynny.'

'Siŵr dy fod ti awydd paned erbyn hyn,' cynigiodd Gaenor.

''Rhosa di lle wyt ti, cariad,' mynnodd Daf. 'Dwi'n ddigon atebol i allu gwneud paned, a dim yn aml iawn wyt ti'n cael eiliad o lonydd.'

'Well gen i dŷ llawn na llonydd,' atebodd hithau â gwên, ond gwelodd Daf gysgod yn ei llygaid. Ar ôl genedigaeth Siôn roedd hi wedi colli nifer helaeth o fabanod a doedd ei galar byth yn bell o'r wyneb.

Dilynodd Miriam ef i mewn i'r gegin i lenwi cwpan blastig ei merch â dŵr oer, ond hefyd i gael gair.

'Dwi angen chydig o gyngor gen ti,' dechreuodd, gan dyrchu yn ei bag.

'Mi helpa i os alla i.'

'Wel, ers i mi adael Pantybrodyr, dwi ddim yn cael cyfle i gadw llygad ar Ceri fel yr o'n i.' Roedd nith Miriam wedi byw bywyd meudwyol iawn am flynyddoedd, yn gyndyn o adael y fferm, ond roedd wedi dod allan o'i chragen yn y misoedd diwethaf. 'Mae hi'n mynd lawr i gyfarfodydd y Ffermwyr Ifanc rŵan, wyddost ti, ac ar ôl iddi gael job fach yn Wynnstay mae hi wedi prynu car, ac yn mynd i ffwrdd dros nos weithie. Tydi hi ddim yr un lodes.'

'Da hi. Glywaist ti hi ar y radio o Adloniant y Ffermwyr Ifanc?'

'Do, a dwi'n hynod o browd. Ac mor hapus drosti, ond ...'

'Ond be, Miriam?'

'Jest poeni ydw i. Dwi'n gwybod ei bod hi wedi cael tabledi gan y meddyg ... roedd hi'n reit fflat, ti'n gwybod, a dwi'n poeni ei bod hi'n dechrau mynd yn gaeth i'r tabledi 'ma ...'

'*Anti-depressants* ydyn nhw?'

'Wn i ddim. Dyma'r pecyn – mi ges i o o'r bocs ailgylchu. Ydyn nhw'n rhai cryf, Dafydd? Ydi hi'n *addict*?'

Estynnodd Miriam ei llaw fain o'i bag ac estyn pecyn bach cardfwrdd tuag ato. Trodd Daf y pecyn drosodd i weld yr enw oedd arno, a dechrau chwerthin.

'Nid *anti-depressants* ydi'r rhein, Mirs fach,' atebodd â gwên fawr. 'Tabledi atal cenhedlu ydyn nhw.'

'Be?'

'Ro'n i wedi clywed si ei bod hithe ac Ed Watkin yn gwneud dipyn mwy na chanu efo'i gilydd. Mae o'n gòg clên iawn.'

'Ceri ni ar y *Pill*?'

''Swn i'n dweud ei bod hi'n lodes gall iawn – mae hi ac Ed yn treulio lot o'u hamser efo'i gilydd ond mae'n gynnar iawn iddyn nhw feddwl am ddechrau teulu.'

Cochodd Miriam fel tomato.

'Dwi'n gystal twmffat, Dafydd. Ond mi welais y ffasiwn newid ynddi hi a meddwl ...'

'Y Ffermwyr Ifanc sy'n donic iddi, debyg,' meddai Daf, yn tywallt dŵr i'r gwpan. 'Ond ti'n iawn, mae hi wedi altro. Mi welais i hi'n dod allan o'r siop tships yr wythnos diwetha mewn sgert fer a sodlau uchel, yn wahanol iawn i'w welintons arferol.'

Wrth i'r sgwrs droi at drafferthion tîm gosod blodau'r Ffermwyr Ifanc, cofiodd Daf sut un oedd Ceri flwyddyn ynghynt, yn byw fel bachgen oherwydd ei theimlad o ddyletswydd i fod yn aer go iawn i deulu fferm Pantybrodyr. O'i brofiad yn yr heddlu anaml iawn y gwelid y fath ddiweddglo hapus, felly dymunai'r gorau i Ceri ac Ed, o waelod ei galon.

Y tu allan, ymunodd Rhodri a Rob â'r grŵp fel roedd Bryn yn codi'n hamddenol.

''Dan ni 'di rhoi'r Rotovator yn y pic-yp, Mr Humphries,'
meddai Rhodri.

'A phan ti'n ei roi o'n ôl i bwy bynnag oedd yn ddigon *cheeky*
i hurio'r ffasiwn darn o hen *kit* sâl i ti, dweda di wrthyn nhw y
bysen ni wedi bod well off yn ceisio'r troi'r lle 'fo llwy de.'

Doedd Daf erioed wedi clywed cymaint o fin yn llais Rob.
Oedd o'n poeni am ei arholiadau, tybed?

'Wel, diolch am wneud y gwaith, cogie,' atebodd Gaenor. 'A
dwi'n sori na wnes i ganiatáu i chi chwalu'r sietin, ond mae'r
rhosod gwyllt a'r gwyddfid arno'n rhy hardd i'w dinistrio, hyd
yn oed i wneud lle i dractors mawr.'

Am eiliad, gwelodd Daf y sioc ar wynebau'r pedwar aelod
o'r teulu Humphries oedd o'i flaen – roedd addoli tractors
mawr fel crefydd deuluol iddyn nhw a geiriau Gaenor yn heresi.
Ond gwenodd Bryn yn llydan cyn troi at Gaenor.

'Os ydi o'n iawn gen ti, Gae,' meddai mewn tôn oedd yn
awgrymu ei fod yn sicr o ateb cadarnhaol, 'mi bicia i lawr i
Leighton i helpu Chrissie. Mae ganddi hi bedwar cae i'w gorffen
ac ae Lee, sy'n gyrru'r trelar, awydd mynd adre'n gynnar i
bincio ar gyfer rhyw ddêt. Mae Chrissie wastad yn dweud bod
ti'n methu trystio dynion sengl.'

Cytunwyd y byddai'r bechgyn yn aros dros nos yn Hengwrt.
Nid oedd Daf yn poeni am hynny – os rhywbeth, tueddai Mali
Haf i fihafio'n well pan oedd ganddi gwmni – ond roedd o'n
falch o weld y grŵp yn yr ardd yn gwasgaru. Miriam a'i theulu
aeth gyntaf, gan sôn am bwysigrwydd cadw at drefn efo plant.
Rhoddodd Gaenor wahoddiad i Siôn a Belle aros, ond wrth i
Belle egluro fod cynlluniau eraill ganddyn nhw, canodd ffôn
Daf.

Cerddodd i ffrynt y tŷ i chwilio am signal: Nev oedd yno, yn
cwyno nad oedd ganddo ddigon o wybodaeth am neb i'w rhoi
ar y rhestr o bobl amheus. Er ei fod yn cytuno â Nev roedd ateb
Daf braidd yn swta.

'Os ydi'r Cyrnol Pirian Picton-Phillips yn gofyn am restr,
còg, rhestr fydd o'n ei chael.'

Oherwydd y diffyg signal roedd Daf yn gweiddi braidd, felly clywodd Siôn a Belle ei eiriau'n glir. Safodd Belle yn stond am eiliad, ac am y tro cyntaf ers i Daf ddod i'w hadnabod, roedd hi'n edrych ar goll. Symudodd ei gwefusau fel petai am ddweud rhywbeth, ond yn hytrach, trodd i afael yn llaw Siôn.

'Ti'n meddwl y bydd dy fam yn flin os dwi'n newid fy meddwl, Sions?' gofynnodd mewn llais isel. 'Dwi awydd parti teulu heno wedi'r cwbwl.'

'Mae 'na wastad groeso i chi'ch dau yma, Belle,' torrodd Daf ar ei thraws. 'Does dim rhaid i ti ofyn.'

Heb reswm, rhedodd ias oer i lawr cefn Daf. Belle oedd un o'r bobl galetaf, mwyaf hyderus yr oedd Daf yn eu hadnabod. Os oedd rhywbeth yn peri gofid iddi hi, dylai pawb arall grynu yn eu sgidiau.

Pennod 3

Nos Sadwrn

Wrth barcio ger y peiriant arian parod yn Llanfair, gwelodd Daf rywbeth anarferol: ciw. Pobl ifanc oedden nhw, rhai wedi gwisgo i fynd allan yn barod ac eraill, yn enwedig y merched, yn gafael yn dynn mewn bagiau plastig yn llawn dillad i fynd am sbri. Ymhlith y merched roedd un yn sefyll allan, ac nid oherwydd lliw ei chroen yn unig.

Merch dal, urddasol a pheryglus o aeddfed am ei hoedran oedd Netta Neuadd. Roedd hi bron mor dal â Daf yn nhraed ei sanau, ond heno roedd hi'n gwisgo sodlau uchel tu hwnt oedd yn golygu fod yn rhaid iddi blygu bron iawn yn ei dyblau i ymestyn lawr i roi rhif ei cherdyn yn y peiriant. Ar ôl derbyn ei harian, trodd at y bachgen oedd yn sefyll y tu ôl iddi yn y ciw, llanc swil yr un oed â Carys. Chwifiodd Netta ddau bapur ugain o flaen ei wyneb.

'Cer i nôl dwy botel o Archers, potel o fodca a potel o Chardonnay i mi, wnei di, Gwil? Gei di gadw'r newid a bydd tropyn bach i ti ar y bws, dwi'n addo.'

Ers i Netta gyrraedd fferm Neuadd i fyw at ei mam, Doris, roedd hi wedi gweithio'n galed iawn i ddysgu Cymraeg. Cynhowscipar Neuadd oedd Doris a lwyddodd i ffoi o erchyllterau'r rhyfel yn Sierra Leone, lle ganwyd ei merch yn un o wersylloedd y Cenhedloedd Unedig. Pan fu iddi ddarganfod hapusrwydd ym mreichiau ei bòs – John Neuadd, cyn-ŵr Gaenor – mynnodd John fod Netta yn dod atyn nhw i fyw. O ganlyniad, camodd Netta fel tywysoges i'w safle breintiedig yn un o deuluoedd mwyaf cefnog ac uchel eu parch yr ardal. A dyma hi yn ei gogoniant, yn gwybod cyn gofyn y byddai Gwil yn fwy na bodlon ufuddhau i'w chais. Gwyddai Daf y dylai, yn rhinwedd ei swydd, ymyrryd i atal Gwil rhag cyflawni'r drosedd o brynu alcohol i ferch ysgol bedair ar ddeg oed, ond gwyddai o brofiad mai doeth yw troi llygad ddall ambell dro. Gwyddai hefyd, petai'n mynd i mewn i Londis a rhoi pryd o dafod i Gwil, y byddai Netta yn flin gacwn ac yn llwyddo i gael ei diod o ryw ffynhonnell arall.

Erbyn i Gwil ddod allan o'r siop yn cario bagiau swnllyd roedd Daf yn edrych ar ei ffôn: dim byd gan Nev ynglŷn â rhestr Picton-Phillips ond roedd neges gan Toscano yn dweud nad oedd teulu Tan-llan wedi gweld unrhyw beth anarferol yn eu dolydd gan eu bod nhw wedi mynd i lawr i Dywyn am y diwrnod i ddathlu toriad cynta'r silwair. Cododd Daf ei lygaid mewn pryd i weld Netta a'r holl fagiau yn neidio i mewn i sedd gefn Audi 4x4 un o'i ffrindiau.

Derbyniodd decst sydyn gan Belle: 'Wnei di nôl potel o Jamesons i mi plis, Wncl Daf? Dala i i ti wedyn, dwi'n addo.' Nid oedd Belle yn yfed llawer fel arfer, felly roedd yn od ei bod hi'n gofyn am wisgi. Cofiodd Daf am yr olwg ryfedd yn ei llygaid yn gynharach – roedd rhywbeth yn ei phoeni, yn sicr.

Cyn iddo gyrraedd drws siop Londis clywodd lais uchel, cyfarwydd.

'Dwi'n gwybod yn iawn be ydi dyletswyddau dyn tacsi, diolch yn fawr, Miss, ond dwi 'di cael fy mwcio i wneud *run* yn y bws lawr i Rali Radnor, ochrau Knighton, ac yn ôl. Does dim pwynt i mi yrru'n ôl yma yn y cyfamser felly bag o tships a Bumper Sudoku amdani tan mae'r bobl ifanc wedi gorffen yn y Rali.'

'Peidiwch â bod yn wirion,' atebodd llais ifanc benywaidd mewn acen ogleddol. 'Hyd yn oed os mai tanc dach chi'n ei yrru, mi fysach chi'n cyrraedd Knighton mewn jest dros awr. Gadael fan hyn am wyth, 'nôl cyn deg. Fyddan nhw ddim angen y bws adra tan ddau – digon o amser i wneud ffortiwn, heb sôn am un daith fach lawr i Aberriw. Pa fath o ddyn tacsi ydach chi?'

'Un sy wedi llwyddo i gynnal busnes llewyrchus ers cyn i ti gael dy eni, Miss. Os ti isie lifft gen i heno, dim ond i Rali Radnor dwi'n mynd, felly well i ti bincio.'

'Dim mynd ar noson allan ydw i, diolch yn fawr iawn. Dwi

wedi dod yr holl ffordd i gyfarfod rhywun: Garmon Jones, Garmon Beics Mynydd.'

'Well i ti fynd fyny i Hengwrt, felly. Yno mae o'n aros yn aml iawn, efo'i gariad.'

Ar y gair, pesychodd Daf.

'Os wyt ti angen mynd i Hengwrt, arhosa am eiliad – mi ro' i lifft i ti,' cynigiodd, gan ailfeddwl pan gofiodd am y llythyrau a dderbyniai Garmon gan ei edmygwyr. Ond na, doedd y ferch hon ddim yn achosi pryder i Daf. Doedd dim arwyddion o ymddygiad obsesiynol na chyffro yn ei llais.

'Mae'n rhaid i mi siarad efo Garmon Jones. Mae'n bwysig.'

Manteisiodd gyrrwr y bws mini ar y cyfle i ddianc.

'A phwy wyt ti felly?' holodd Daf.

'Tallulah Thomas.' Estynnodd y ferch ei llaw chwith i Daf ei hysgwyd, a sylwodd yntau fod ei braich dde gyfan, o'i hysgwydd hyd at ei bysedd, yn wan ac yn denau, yn llipa wrth ei hochr. Safai'n dalsyth, ac yn ei throwsus trac a'i chrys T â logo Adidas arno edrychai fel lodes oedd â diddordeb mawr mewn cadw'n heini. Roedd ei gwallt du wedi'i dorri'n fyr i wneud y mwyaf o'i gwddf hir siapus a'i llygaid glas tywyll trawiadol, a doedd hi ddim yn gwisgo tamed o golur. Roedd hi'n atgoffa Daf o Arwen, tywysoges y tylwyth teg o *Lord of the Rings*, ond bob hyn a hyn, tra oedd hi'n siarad, roedd cyhyrau ochr dde ei hwyneb yn llacio, gan wneud ei geiriau'n aneglur.

'Daf Dafis. Inspector yn yr heddlu a thad i gariad Garmon. Ti wedi dewis noson wallgof i ddod i'r ardal 'ma, mae gen i ofn.'

'Hmm. Fysa 'run o dacsis Port wedi gwrthod ffêr, hyd yn oed noson Ffair Cricieth.'

Cerddodd y ddau yn araf draw at gar Daf, a chafodd yr argraff fod pob cam yn boenus iddi. Beth bynnag oedd y rheswm am ei hymweliad â Garmon, roedd Daf yn sicr ei fod yn bwysig – nid ar chwarae bach roedd hi wedi teithio i le fel Llanfair Caereinion heb gysylltu ymlaen llaw i drefnu cyfarfod. Efallai y dylai gysylltu â Garmon cyn cludo merch hollol ddieithr i fyny i Hengwrt i'w blagio, ond allai o ddim ystyried bod yn anghwrtais tuag at lodes ifanc anabl.

Pan edrychodd Daf draw i wneud yn siŵr ei bod wedi gwisgo'i gwregys diogelwch, sylwodd nad oedd Tallulah yn cario unrhyw fath o fag, a doedd ei phocedi ddim yn ddigon mawr i gadw'r manion angenrheidiol: ffôn, pwrs ac allweddi.

'Dwi'n deall nad wyt ti wedi trefnu dy ffordd yn ôl o Lanfair, Tallulah, ond sut gyrhaeddest ti yma?'

Chwarddodd y ferch.

'Ro'n i'n bwriadu dod ar y trên bach o orsaf Castell, ond mi arhosais am dros awr a hanner heb weld trên, felly mi gerddais.'

'Wnest ti gerdded o Aberriw i Lanfair?'

'Dydi o'm yn bell. A dwi'n gwybod yn union be ti'n feddwl, gyda llaw: ei bod hi'n daith goblyn o hir i hogan bach anabl.'

Cochodd Daf. Roedd hi yn llygad ei lle.

'Dwi'n sori, wir,' mwmialodd. 'Do'n i'm yn bwriadu bod yn nawddoglyd ond ...'

'Paid â phoeni, dach chi'r *abes* wastad yn synnu os ydan ni'n gallu gwneud unrhyw beth anoddach nag eistedd mewn cadair yn glafoerio. Dyna pam mae'n rhaid i mi siarad efo Garmon – os na fydd Garmon yn dallt y sefyllfa, all neb.'

Caeodd ei cheg yn benderfynol ond llaciodd y cyhyr o dan ei gwefus gan wneud i'w hwyneb hardd edrych fel petai ar fin dymchwel fel adeilad mewn daeargryn. Wrth i Daf danio'r injan, llanwyd ef â thon o gydymdeimlad tuag at y lodes ddel, egnïol, llawn ysbryd oedd yn amlwg mewn gwewyr meddwl. Doedd ganddo ddim syniad sut i gyfathrebu efo hi, ac anaml iawn roedd hynny'n digwydd. Roedd o'n falch iawn mai taith fer oedd o'u blaenau.

Parciodd ym muarth Hengwrt â theimlad o rhyddhad.

'Am dŷ braf!' ebychodd Tallulah. 'Rywsut, ro'n i wastad wedi dychmygu bod Garmon yn byw mewn lle modern iawn, efo bob dim yn *hi-tech*.'

'Nid Hengwrt ydi cartref Garmon, ond mae o'n treulio cryn dipyn o'i amser fan hyn.'

'O, ia ... ond paid â phoeni, dwi ddim wedi dod yma i luchio fy hun at Garmon, er ei fod o'n ffit. Mae o'n *journo* erbyn hyn ac mae gen i andros o stori da iddo fo.'

'Mwy o sylwebydd na newyddiadurwr, 'swn i'n ddweud, ond beth bynnag, dwi'n siŵr y bydd Garmon yn fodlon helpu os all o.'

'Pam ti'n meddwl 'mod i angen help? Achos bod gen i fraich sy'n dda i ddim?'

'Na, sori, ro'n i jest ...'

'Jest yn cymryd yn ganiataol 'mod i'n *victim* oherwydd cyflwr fy nghyhyrau?'

'Dim byd fel'na,' mynnodd Daf, gan benderfynu newid y pwnc. 'Ty'd i gyfarfod Garmon.' Tywysodd y ferch o gwmpas y tŷ i'r ardd gefn.

'Gaenor, dyma Tallulah, sy wedi dod i siarad efo Garmon,' esboniodd Daf.

'Croeso, Tallulah,' atebodd, 'wyt ti'n aros i fwyta efo ni? Mae 'na gymaint ohonon ni yma'n barod, wnaiff un arall ddim smic o wahaniaeth.'

'Diolch yn fawr, ond mae'n rhaid i mi fod yn ôl yn Aberriw cyn saith i gael swper.'

Roedd rhywbeth rhyfedd yn ei ffordd amhersonol o ddisgrifio'r ddyletswydd.

'Wel, os wyt ti'n newid dy feddwl, jest dwêd.'

Rhoddodd Tallulah ei hateb ar ffurf gwên lydan hyfryd ac ystyriodd Daf pa mor greulon oedd ei gwendid – weithiau roedd ganddi hi reolaeth dros ei chorff, cyn ei golli drachefn.

Roedd Garmon yn eistedd ar ben ei hun yn yr ardd yn darllen llyfr swmpus, *The Oxford Companion to Sport* – gwaith cartref i'r sylwebydd newydd. Cyflwynodd Daf y ddau i'w gilydd cyn mynd i nôl diodydd iddynt. Pan ddaeth yn ei ôl, roedd yn amlwg nad oeddynt wedi gwastraffu unrhyw amser.

'Eistedda i lawr efo ni, Daf,' awgrymodd Garmon, a phan gododd Tallulah ei haeliau yn amheus, ychwanegodd, 'Heddwas ydi Daf, ac un da hefyd. Well i ti rannu dy hanes efo fo.'

A hanes difyr oedd o hefyd. Roedd Tallulah wedi dod i fyw yn ddiweddar i hen blasty ger Aberriw o'r enw Plas Aur. Roedd Daf yn gyfarwydd iawn â'r lle: ddeng mlynedd ynghynt roedd yn gartref i fechgyn oedd â 'phroblemau ymddygiad' o dan ei enw gwreiddiol, Plas Beuno. Elw oedd y ffocws yn hytrach na lles y plant, a chyn hir roedd yr heddlu'n derbyn galwadau bron yn ddyddiol i gwyno am y lle. Collodd y rheolwyr eu trwydded, ac ers hynny roedd y plasty wedi newid dwylo sawl gwaith, a phob perchennog wedi ceisio cymryd mantais o'r lleoliad braf ger y gamlas a'r gerddi helaeth. Gwariodd pob un lawer o arian cyn methu. Y diweddaraf a glywodd Daf toc ar ôl y Dolig oedd bod dyn o'r enw Gwyther o'r de wedi prynu'r plasty, ond nad oedd neb yn gwybod be oedd ei gynlluniau. Roedd yr ateb yn y daflen roddodd Tallulah iddo – canolfan hyfforddi i bobl anabl oedd y plasty bellach, i baratoi 'Sêr Parathletaidd y Dyfodol'. Roedd enw newydd arno, Plas Aur, a chyfleusterau gwych yn cynnwys pwll nofio, *manège* marchogaeth a thrac athletau. Roedd y daflen hefyd yn rhestru'r bobl enwog oedd wedi elwa o'r cyfleusterau a synnodd Garmon pan welodd ei enw ei hun ar y rhestr.

'Dwi erioed wedi bod yn agos i'r lle,' datganodd. 'Gofynnodd y boi, y Gwyther 'na, i mi bicio draw am sgwrs ond cyn diwedd yr alwad ffôn roedd yn amlwg i mi mai fy mhres a fy enw oedd o isio, a chafodd o ddim byd gen i. Sori os ydi o'n ffrind i ti, Tallulah, ond wnes i ddim cymryd ato fo o gwbl.'

'A dyna i ti'r broblem,' atebodd y ferch. 'Dwi'm yn siŵr ydi Gwyther yn ffrind i mi neu'r gelyn gwaetha all unrhyw un ei ddychmygu.'

'Yno ti'n aros, felly?' gofynnodd Daf.

'Ie. Dwi'n bencampwraig y dyfodol – dyna sut mae Gwyther yn ein disgrifio ni.'

'Swnio fel cyfle braf,' mentrodd Daf. 'Ydi o'n lle drud?'

'I rai, o bosib, ond mae gan Gwyther restr hir o noddwyr, yn unigolion a chwmnïau mawr. Mae'r Paras yn secsi erbyn hyn, a phawb isio dangos pa mor gefnogol ydyn nhw i achos mor deilwng.'

'Ond?'

Tawelodd Tallulah am eiliad, wedyn trodd at Garmon fel petai'n chwilio am yr ateb yn ei wyneb.

'Rhaid i ti ddallt dipyn o'r cefndir, Daf,' eglurodd Garmon. 'Mae 'na ddau fath o bobl hollol wahanol sy'n cystadlu yn y Gemau Paralympaidd: rhai fel fi sy'n diodde o gyflwr sy byth yn mynd i newid am weddill fy mywyd ac eraill, fel Tallulah a'i chriw CP, sy efo cyflyrau all newid o ddydd i ddydd.'

'Cerebral Palsy,' eglurodd Tallulah. 'Dwi 'di elwa o wahanol fathau o *physio* dros y blynyddoedd, yn enwedig ar fy nghoes. Erbyn hyn dwi 'di cyrraedd 80 y cant o *muscle tone* yn fy nghoes, ond petawn i 'di blino'n lân, neu'n rhoi'r gorau i'r ymarferion sy'n fy helpu, mi fysa'r cryfder yn diflannu a'r *spasticity* yn cynyddu.'

'Yn ôl y sôn,' nododd Garmon efo gwên fach ddiniwed, 'mae andros o orgasm yn gallu achosi sgileffeithiau tebyg.'

'Rhyfedd,' atebodd Tallulah, yn rhwbio'i gên i guddio'r gwendid yn ei gwefus isaf, 'dwi 'di ffendio mai fel arall rownd ma' hi – mae andros o shag yn tynhau fy nghyhyrau fel dwn i'm be.'

'Ydi hynny ar y fwydlen ym Mhlas Aur, felly?' gofynnodd Garmon, ac am y tro cyntaf ers iddo ddod i adnabod y llanc, roedd Daf yn flin efo fo. Ddylai o byth fflyrtio efo unrhyw ferch arall, beth bynnag oedd ei hamgylchiadau, ac yn enwedig nid o flaen tad ei gariad.

'Ddim eto, ond mae 'na bethau od yn digwydd yno, dwi'n deud wrthoch chi. Mae'r bòs yn trio dringo i mewn i'n pennau ni.'

'A'ch gwlâu?' torrodd Daf ar ei thraws.

'Dwi'm yn siŵr. Does dim dwywaith fod Mr G yn hyfforddwr arbennig ond mae 'na rwbath amdano fo sy'n ... wel, mae o'n grîp, os ti'n gofyn i mi.'

'Sut felly, Tallulah?' gofynnodd Daf.

'Dyna sy'n rhyfedd. Dwi ddim cweit wedi gweithio hynny allan eto.'

'Ond beth bynnag ydi'r broblem, roedd hi'n ddigon i d'ysgogi di i ddod draw i siarad efo ni?'

Gwgodd Tallulah.

'Efo Garmon dwi 'di dod i siarad.'

'Mae Daf yn heddwas, del. Mae o'n dallt stwff fel hyn yn llawer gwell na fi.'

Caeodd y ferch ei llygaid am sawl eiliad cyn dechrau siarad drachefn.

'Dwi'm yn gwybod be wyt ti'n wybod am system gategoreiddio'r Paras, Daf?'

'Fawr ddim.'

'Mae'r syniad creiddiol yn un syml: rhoi pobl efo'r un lefel o anabledd i gystadlu yn erbyn ei gilydd. Ond yn y byd go iawn, dydi hynny ddim yn hawdd. Weithiau all y doctoriaid ddim cytuno, weithiau dydi canlyniadau profion ddim gant y cant yn glir ...'

'A weithiau,' ychwanegodd Garmon, yn bendant, 'mae rhai yn ceisio twyllo.'

'Pam hynny? Be ydi'r fantais i'r rhai sy'n twyllo?'

'Os wyt ti wedi cael dy roi mewn categori efo pobl sydd ag anabledd gwaeth na ti, mi wyt ti bron yn sicr o lwyddo,' esboniodd Garmon. 'Mae Tallulah yn Nosbarth C, sy'n grŵp ar gyfer pobl sydd â phroblemau niwrolegol. C2, fyswn i'n ddeud.'

'Sbot on. Ond mae Gwyther wedi crybwyll bod 'na siawns i mi symud i C3, ac yn C3 bydd gen i well cyfle am fedal, sy'n golygu rhywun i fy noddi i yn y dyfodol ac ati.'

'Wyt ti wedi cystadlu o'r blaen?' gofynnodd Garmon.

'Naddo. A dyna be sy'n eitha clyfar am Plas Aur. Mae pobl yn fodlon cyfrannu arian er mwyn darganfod "sêr y dyfodol" ac yn ogystal â hynny, does neb yn ein nabod ni. Dwi ddim wedi gael fy nghategoreiddio eto ond roedd ffrind i mi, Jasmine, sy efo CP fel finna, o flaen y panel yr wythnos yma. Mi gafodd hi ei chadw ar wahân i ni am sbel cyn mynd, am hyfforddiant arbennig. Roedd ei chyflwr hi yn eitha tebyg i f'un i, ond pan oedd hi'n cychwyn i lawr i Gaerdydd am ei hasesiad mi welais i gip arni drwy fy ffenast. Doedd hi prin yn medru sefyll, ac roedd ei hwyneb mor welw.'

'Felly,' torrodd Garmon ar ei thraws, ei lygaid yn sgleinio, 'mi fydd y panel yn ei gweld hi fel C3.'

'Yn union.'

'Wyt ti'n meddwl fod Jasmine wedi cael ei ... ei brifo, ei cham-drin?' gofynnodd Daf yn betrus.

'Anodd deud. Ella mai dim ond diffyg cwsg oedd yn gyfrifol.'

'Rŵan, Daf, be wyt ti'n mynd i wneud am y sefyllfa?' gofynnodd Garmon.

'Dwi ddim isio iddo fo wneud dim byd ... eto,' atebodd Tallulah yn syth. 'Petaen ni'n mynd yno rŵan, ella y bydd Jasmine wedi cyrraedd yn ôl, wedi cael pryd o fwyd a dipyn o seibiant, a fyddai dim tystiolaeth fod neb wedi gwneud unrhyw beth iddi.'

'Ond mi fydd hi'n fodlon dweud wrthat ti be ddigwyddodd, siŵr?' gofynnodd Daf.

'Mae'n amlwg, Daf, nad wyt ti erioed wedi bod yn bencampwr mewn unrhyw faes. Does 'na ddim llawer iawn o betha na fysan ni'n fodlon eu gwneud i gael dringo ar y podiwm 'na, wyddost ti.'

'Ac os oedd dy ffrind yn fodlon dilyn cynllun hyfforddi Gwyther, beth bynnag ydi o, does dim llawer alla i 'i wneud fel heddwas.'

'Ond nid jest yr unigolion ym Mhlas Aur mae Gwyther yn eu brifo,' mynnodd Garmon. 'Mae'r rhai sy ddim yn twyllo'r panel yn haeddu chwarae teg.'

'Ydyn, wrth gwrs. Ond heb geisio bod yn negyddol am y peth, dwi ddim yn rhag-weld y bydd Gwasanaeth Erlyn y Goron yn cymryd llawer iawn o ddiddordeb yn y mater heb dystiolaeth gadarn.'

'A dyna'r rheswm dwi 'di dod yma heddiw,' esboniodd Tallulah. 'Ers rhyw bythefnos rŵan, mae Gwyther wedi dechrau sôn am ddyddiad panel i mi, a dwi bron yn bendant mai fi ydi'i darged nesa fo. Tydw i ddim wedi deud wrtho fo yn blwmp ac yn blaen nad oes gen i ddiddordeb mewn chwarae'r system er mwyn ennill gwobrau dwi ddim yn eu haeddu, felly mi alla i roi fy hun yn system arbennig Gwyther a recordio'r cwbwl sy'n digwydd i mi.'

'Dwi ddim yn hapus efo hynny o gwbl,' ymatebodd Daf. 'Mae'n swnio fel petaet ti'n rhoi dy hun mewn sefyllfa beryglus, Tallulah.'

'Does arna i ddim ofn. Dwi'n gryfach na dwi'n edrych.'

'Ond os mai bwriad yr "hyfforddiant" ydi dy wanhau di ...'

'Mi fedra i fownsio'n syth yn ôl. Dwi wastad wedi gwneud.'

Roedd Garmon wedi bod yn dawel am dipyn, yn ystyried y sefyllfa.

'Daf,' awgrymodd, 'ti'n meddwl y bysa Dr Mansel yn fodlon picio draw i weld Tallulah? Petai o'n ei hasesu hi, mi fysa hynny'n creu rhyw fath o *baseline* ar gyfer y dystiolaeth.'

'Dydi o ddim yn arbenigwr ar ffitrwydd a chwaraeon, ond dwi'n sicr y galla i ei berswadio fo.'

Ar ôl un alwad ffôn sydyn, gyrrodd Daf a Tallulah i dŷ modern, cyfforddus y pen arall i'r pentre. Ar ôl ychydig o berswâd, tywysodd Huw Mansel y ferch ifanc i'w swyddfa am brofion, gan ddychwelyd ymhen chwarter awr.

'Dim ond asesiad byr oedd o, Dafydd,' esboniodd Dr Mansel. 'Dwi wedi ei harchwilio hi, nodi ei hadweithiau a thynnu sawl llun. Mi alla i sgwennu adroddiad byr, os fyddai hynny'n help.'

'Mi fasa hynny'n grêt, Huw, a sori am dorri ar draws dy noson di.'

'Paid â phoeni – mae Dana wedi picio draw i'r Trallwng i nôl Chinese felly roedd yr amseru'n berffaith. Netflix amdani wedyn.'

Roedd Tallulah yn dawel wrth i Daf ei gyrru yn ôl i Aberriw, a chafodd Daf gyfle i gymharu noson dawel ei ffrind â'i fywyd ei hun. Er bod Huw Mansel yn byw bywyd moethus nid oedd yn teimlo owns o genfigen – roedd yn well gan Daf lond y tŷ o fwrlwm, straeon a sŵn.

Oherwydd hanes y lle roedd y Plas wastad wedi taro Daf fel lle hyll, bron yn anfad, ond roedd yn rhaid iddo gyfaddef fod yr adeilad yn edrych yn ogoneddus yn haul yr hwyrnos. Roedd Gwyther yn amlwg wedi tacluso'r gerddi ond roedd y weiren bigog yn dal i fod ar ben y wal frics uchel. Hysbysebai arwydd smart du a gwyn mai Plas Aur oedd yr enw newydd ac roedd y giatiau pren newydd ar agor yn groesawgar.

'Dwi ddim isio i neb dy weld di, Daf,' mynnodd Tallulah. 'Well i mi gerdded o fama.'

'Wrth gwrs. Bydda di'n ofalus, lodes, ac os wyt ti'n teimlo'n anesmwyth o gwbl, jest coda'r ffôn.'

O'r cysgodion ger y giatiau camodd dyn tal, pwerus, tua'r un oed â Daf. Er ei fod dros ei bwysau roedd yn edrych yn ddyn cryf na fyddai'n meddwl ddwywaith cyn codi dwrn. Dim ond darn oedd ar ôl o un o'i glustiau, a edrychai fel darn o gaws llyffant yn sownd wrth ei benglog.

'Pam na wnest ti godi'r ffôn, Tallulah? A phwy yw'r boi 'ma sy 'da ti?'

Roedd ei lais yn weddol ysgafn ac acen sir Gâr yn chwibanu drwy ei wefusau trwchus.

'Mi welais Tallulah ger yr orsaf yn Castell,' eglurodd Daf. 'Does dim trenau yn rhedeg heddiw achos rhyw ddigwyddiad efo pont yn rhywle. Roedd hi'n cerdded, ac fel tad i ferch tua'r un oed â hi, mi gynigiais lifft iddi. Mae 'na bobl od o gwmpas fan hyn dros yr haf, wyddost ti.'

'Dyna'n union ddwedes i wrthi fy hunan!' ebychodd y dyn. 'Wn i ddim sawl gwaith 'wy 'di dweud wrthi am beidio crwydro'n rhy bell ond ma' hi'n un fach styfnig.'

Gwelodd Daf newid yn wyneb Tallulah, fel petai hi wedi penderfynu cuddio dan fwgwd.

'Sori, Mr Gwyther, ond o'n i wir isio mynd ar y trên bach. Wna i ddim crwydro eto.'

'Paid poeni, blodyn, yr eiliad y bydd busnes y panel 'ma drosodd, fe a' i â ti ar y trên, dim dowt.'

'O, diolch Mr Gwyther, dach chi mor ffeind efo fi!'

Ti'n ei gor-wneud hi braidd, lodes, meddyliodd Daf, ond roedd hi'n amlwg fod Tallulah yn gwybod beth roedd hi'n wneud.

'Dere 'nôl nawr, Miss: ti ddim isie colli dy *carbs* cyn y bore.' A throdd y ddau i gerdded i fyny'r rhodfa rhwng y rhesi o goed castan mawr. Cyn iddynt fynd ddeg llath oddi wrth Daf roedd braich drom Gwyther yn gadarn o amgylch gwasg denau Tallulah.

'Dwi'm yn hapus o gwbl ynglŷn â'r sefyllfa,' datganodd Daf wrth Garmon ar ôl cyrraedd yn ôl i Hengwrt. 'Mi gwrddais i â'r Gwyther 'na, a dim jest rhyw dwyllwr bach ydi o. Mae o'n ddyn treisgar, ac mae o'n ceisio'i rheoli hi ... mae rhwbeth afiach iawn yn mynd ymlaen ym Mhlas Aur. Dwi'n bendant fod ganddo fo ddiddordeb rhywiol ynddi hi.'

'Dwi'm yn ei feio fo – mae hi'n ferch go secsi. Paid â phoeni am Tallulah, Daf, mae hi'n medru edrych ar ôl ei hun.'

'Hmm. Gawn ni weld.'

Daeth Rhodri a Rob drwy'r drws cefn wrth i'r ddau orffen eu sgwrs, yn eu hiwnifform noson allan: jîns newydd a chrysau lliwgar efo logos ar y frest, Urban Outfitters gan Rhodri a Polo gan Rob. Yn hofran dros eu persawr Lynx Africa roedd arogl cwrw.

'Ai Tallulah oedd y ferch gwallt du oedd yma'n gynharach?' gofynnodd Rhodri.

'Fysen i ddim yn meindio cadw llygad arni hi, os ydi hynny'n help i ti, Mr Dafis,' cynigiodd Rob efo golwg yn ei lygaid oedd yn debyg iawn i hyder rhywiol Bryn.

'Meindiwch eich busnes, cogie. Faint o'r gloch mae'r bws yn gadael?'

'Mewn deg munud. Gawn ni lifft lawr, Dad? Mi wnawn ni gerdded yn ôl fyny, dim probs.'

'Iawn. Ydi Gaenor yn gwybod bod Rob yn aros?'

'Yndi, Mr Dafis. Mae Mam am fy nôl i a'r cogie bach ben bore, cyn i ni fynd i weld Dad.'

'Mynd i weld Dad' oedd sut y disgrifiai'r teulu eu pererindod wythnosol i'r fynwent i ymweld â bedd gŵr cyntaf Chrissie, sef efaill Bryn. Nid oedd teulu mwy gweithgar a llawn bywyd na'r Humphries, ond bob bore Sul roedden nhw'n cofio'r ddau efaill coll: brawd Bryn a brawd bach Rob, na chafodd erioed ddod adref o'r ysbyty. Roedd Daf wedi meddwl rhoi pryd o dafod i'r ddau lanc am beryglon meddwi ond penderfynodd beidio. Doedd Rhodri ddim wedi gofyn am fod yn fab i heddwas a doedd ganddo fo ddim hawl pregethu i Rob. Yn hytrach, gofynnodd iddyn nhw gadw golwg ar Netta. Rowliodd Rob ei lygaid.

'Dwi'm yn nabod neb sy'n ddigon ffôl i geisio gwneud dim i Miss Netta Neuadd, Mistar Dafis.'

'Ond os ydi hi mewn trafferth, jest danfon tecst, wnei di? Mae hi'n dal yn reit ifanc. A sôn am hynny, ro'n i'n meddwl bod trefnwyr y dawnsfeydd sgubor yn reit llym ynglŷn ag yfed dan oed y dyddie hyn.'

'Dim ond darn o bapur ydi cerdyn aelodaeth,' atebodd Rhodri, gan geisio swnio'n ddoeth. 'Gall arian brynu lot o bethau.'

Ar ôl i'r ddau gychwyn i Knighton rhoddodd Gaenor bryd o fwyd i Mali Haf, Sam ac Aron a ddarllenodd Daf stori iddyn nhw. Roedd y tri yn gorwedd ar y llawr yn llofft Mali, pob un yn ei sach gysgu, fel rhes o lindys bach lliwgar. Roedden nhw'n chwerthin yn uchel ar anturiaethau Wil Cwac Cwac, a chyn i Daf ddiffodd y golau, gwelodd Sam ac Aron yn troi ar eu hochrau ac estyn un llaw bob un i Mali, a oedd yn gorwedd ar ei chefn rhyngddyn nhw. Roedd Daf yn falch, wrth edrych ar eu hwynebau bach heddychlon, o gael y cyfle i fod yn dad eto, yn falch o gael caru dynes fel Gaenor, yn falch ei fod yn byw mewn cymuned glòs.

Lawr yn y gegin, cafwyd swper swnllyd meddwol, efo Siôn a Belle, yn enwedig, yn yfed yn gyflym. Roedd pawb yn chwilfrydig am Tallulah ac roedd Daf yn falch iawn o glywed Garmon ei disgrifio fel 'un fach ddewr' heb fath o chwant yn ei lais, a doedd dim tamed o genfigen na phryder yn llygaid Carys.

Pan ffoniodd Nev, roedd yn rhaid iddo fynd allan i'r ardd dawel i ateb yr alwad.

'Dwi wedi darganfod bod 'na rywun lleol wedi codi pryderon, ac wedi cael ei gyfeirio at y system Prevent. Bachgen un deg saith oed ydi o: Bahri Yilmaz.'

'Bolycs llwyr. Dwi'n nabod y teulu Yilmaz – maen nhw'n cadw'r siop cebábs yn Llanerfyl, lle oedd siop y pentre gynt.'

'Wel, beth bynnag am hynny, mae Bahri Yilmaz yn "berson o ddiddordeb", felly ar y rhestr â fo. Fyddai'n syniad i ni fynd yno heno?'

'Ben bore.'

'Ond ... beth petai o'n cael cyfle i gael gwared ar y dystiolaeth?'

'Os – ac mae o'n "os" enfawr – oes unrhyw gysylltiad rhwng Bahri a'r hyn ddigwyddodd ger y bont, mae o wedi cael digon o amser yn barod i gael gwared ar y dystiolaeth. Callia wnei di, Nev. Jest am bod Picton-Phillips yn mynd yn boncyrs, does dim rhaid i ni i gyd ei ddilyn o.'

Doedd Daf ddim wedi sylwi ar Belle, oedd wedi dod allan am ychydig o awyr iach. Roedd ei cherddediad braidd yn sigledig, a phan roddodd Daf ei ffôn yn ôl ym mhoced ei siaced, roedd llaw Belle yno eisoes.

'Daf,' meddai mewn llais isel, annisgwyl, 'dwyt ti ddim yn mynd i newid dy farn amdana i, nag wyt?'

'Nac'dw siŵr. Pam wyt ti'n gofyn?'

'Ti'n meddwl 'mod i'n ddynes gryf, ac mae hynny'n wir, fel arfer. Ond petaet ti'n clywed stori amdana i, stori o gyfnod pan o'n i'n wan iawn, fyset ti'n newid dy feddwl?'

'Na, dwi'n addo.'

'Ffrindiau?'

'Ffrindie.'

'Addo bys bach?'

'Addo bys bach.'

Rhoddodd Daf ei fys bach o gwmpas un Belle am eiliad, nes iddi ei dynnu ymaith gan chwerthin.

''Nôl at y wisgi rŵan, fy hen ffrind.'

Pennod 4

Dydd Sul

Deffrodd Daf i sŵn adar yn canu, sŵn plant bach yn chwerthin ac anadl ysgafn ei gariad, a llanwyd ef â theimlad o ddiolchgarwch. Ond wrth iddo wisgo dechreuodd gofio am y rhestr o bethau roedd yn rhaid iddo eu gwneud, a hynny er ei bod yn ddydd Sul.

Bachgen tenau efo gwallt trwchus oedd wastad yn disgyn dros ei lygaid mawr tywyll oedd Bahri Yilmaz, yr unig enw ar restr Nev. Pan ddechreuodd yn yr ysgol uwchradd yn unarddeg oed dechreuodd Carys a merched eraill y chweched dosbarth ddotio at y bachgen â'i edrychiad egsotig a'i Gymraeg graenus, a bu eu sylw'n ddigon i'w warchod rhag pob bwli. Ni chofiai Daf unrhyw sôn am ei grefydd bryd hynny, ac roedd o a'i chwaer fawr, Zehra, yn aml yn cymryd rhan yng ngwasanaethau'r ysgol yn eglwys y plwyf. Datblygodd cyfeillgarwch rhwng Carys a Zehra pan oedden nhw yn y chweched, er bod Zehra flwyddyn yn iau na Carys, a thra llwyddodd Carys i fynd i'r Guildhall i astudio cerddoriaeth, roedd yn siom i'r ysgol gyfan pan fethodd Zehra â sicrhau lle ar gwrs meddygaeth yng Nghaerdydd. Er iddi gael canlyniadau Lefel A da iawn, doedd ei CV ddim yn dangos digon o'r sgiliau rhyngbersonol angenrheidiol. Penderfynodd Daf ddechrau ei ymholiadau efo Carys gan ei bod yn gyfarwydd â deinameg y teulu.

Arogl coffi a gyfarchodd Daf wrth iddo agor drws y gegin – Carys oedd yn gwneud y coffi tra oedd Garmon yn rhoi menyn ar dost.

'Est ti i'r gwely'n rhy gynnar, Dadi,' meddai Carys gan lenwi cwpan i'w thad heb iddo orfod gofyn. 'Roedd yn rhaid i Siôn gario Belle yn ôl i Neuadd.'

'Pam na wnaethon nhw aros?'

'Dim syniad. Ond jest ar ôl iddyn nhw fynd daeth Rhod a

Rob yn ôl efo rhyw griw mawr – roedden nhw am gynnal *after-party* ond do'n i'm yn meddwl bod hynny'n syniad da mewn tŷ llawn plant bach.'

'Mi roddodd hi bryd o dafod go iawn iddyn nhw,' ategodd Garmon â gwên lydan. 'Digon i godi ofn arna i, wir. Gobeithio na wneith hi byth roi'r ffasiwn row i mi.'

'Gwna di'n siŵr na fyddi di byth yn haeddu un,' atebodd Carys. 'Er enghraifft, mi fyse'n syniad da i ti beidio â fflyrtio efo'r Tallulah 'na tro nesa ti'n ei gweld hi, ie?'

Ymunodd Daf yn eu chwerthin â theimlad o ryddhad: beth bynnag arall oedd ganddo ar ei feddwl, roedd Carys a Garmon yn iawn.

'Ti 'di gweld Zehra yn ddiweddar?' gofynnodd i'w ferch.

'O, Dadi!' ochneidiodd, 'dim ond adre am y penwythnos ydw i, a does gen i ddim hanner digon o amser i'w dreulio efo chi, heb sôn am fy ffrindiau. Mae Mair wedi 'ngwahodd i am sesh, Ed wedi gadael sawl neges i ofyn ydw i'n fodlon gwneud y Stars in Their Eyes yn y Rali penwythnos nesa, mae gen i draethawd ar Purcell i'w orffen, shifft yn yr Afr amser cinio a chariad sy isie fy sylw i bob awr. Felly na, dwi ddim wedi cysylltu â Zehra. Heb ei gweld hi ers y Pasg, a dweud y gwir.'

'Sut oedd hi bryd hynny?'

'Roedd hi'n ocê, ond mae ei thad yn dal yn reit flin.'

'Blin efo hi?'

'Blin efo pawb: yr ysgol, y brifysgol, y gymdeithas i gyd. Mae o'n dweud bod y system addysg uwch yn rhagfarnu yn erbyn Moslemiaid – mae ymddygiad tawel, mewnblyg Zehra yn hollol nodweddiadol o ferch ifanc o deulu Moslemaidd, ond petai hi wedi cymdeithasu mwy, byddai ei CV a'i chais i'r coleg wedi bod yn dderbyniol, medde fo.'

'Wyt ti'n poeni amdani?'

'O, paid â dechrau, Dadi. Mae Zehra'n iawn. Ei dewis hi oedd dechrau gwisgo'r sgarff.'

'Dwi ddim wedi ei gweld hi ers oes pys. Wedi penderfynu gwisgo hijab mae hi?'

'Ie. Ers iddi orffen ei harholiadau y llynedd, mae ganddi dipyn o amser ar ei dwylo a dechreuodd ddarllen dipyn am ei ffydd. Roedd hi'n reit bositif am y peth, fel petai hi'n ddiolchgar bod ei rhieni wedi penderfynu ei magu yn Foslem.'

'Be am Bahri?'

Chwarddodd Carys. 'Fysen i'n dweud mai dim ond un grefydd sy gan Baz, a ffasiwn ydi honno. Mae o'n gwario pob ceiniog ar ddillad er nad ydi o'n mynd allan yn aml. A sôn am wendid am labeli! Diolch byth am TK Maxx achos allai o ddim fforddio talu'r pris llawn am ei *loafers* Gucci.'

'Oes gan Bahri gariad?'

'Pam wyt ti'n gofyn yr holl gwestiynau, Dadi? Mae'n reit annhebygol fod Bahri wedi gwneud rhywbeth o'i le.'

'Mae'n rhaid i mi gael gair efo fo beth bynnag. Ti'n meddwl y bydd y teulu'n meindio os ydw i'n picio draw yno ar y Sul?'

Chwarddodd Garmon efo hi y tro hwn.

'Dadi annwyl, 'den ni newydd fod yn trafod ffydd y teulu Yilmaz. Iddyn nhw, mae dydd Sul fel unrhyw ddiwrnod arall – ar ddydd Gwener maen nhw'n mynd i'r Mosg.'

'Mi a' i ar ôl brecwast, felly.'

Ers bron i ddeng mlynedd bu'r siop cebábs yn nodwedd amlwg yn Llanerfyl, yn elwa o'r ffordd brysur y tu allan ar yr un pryd â darparu bwyd sydyn i drigolion yr ardal. Am gyfnod, bu rhai yn hiraethu am siop y pentre a arferai fod yn yr adeilad bach rhwng y bont a'r eglwys, ond pan welson nhw'r manteision – bwyd blasus a swyddi rhan amser i'r bobl ifanc – tawelodd yr amheuon. Bellach roedd y plant wedi mynd drwy'r system addysg drwy gyfrwng y Gymraeg a Mr Yilmaz (doedd Daf erioed wedi clywed neb yn defnyddio'i enw cyntaf) wedi datblygu perthynas dda â sawl ffermwr lleol ac yn falch o frolio bod y mins ar y ffon ddur fyddai'n troelli o flaen ei gwsmeriaid yn gig oen lleol o safon. Er sawl ymdrech, doedd Cymraeg Mr Yilmaz ddim wedi datblygu'n bellach na chyfarchion clên ond roedd Shereen, ei wraig, wedi amsugno'r iaith yn awchus. Ymaelododd â Merched y Wawr bum mlynedd yn ôl a chael ei hethol ar y Pwyllgor Rhanbarthol yn fuan wedyn. Roedd ei gwaith yn drysorydd i Steddfod y Foel wedi ennill cryn dipyn o edmygedd ac erbyn hyn nid 'pobl ddŵad' oedd y teulu yn llygaid eu cymdogion ond rhan bwysig o gymdeithas y pentre.

Parciodd Daf ar y concrit o flaen y siop a cherdded rownd i'r drws cefn. Drwy'r gwydr yn y drws cefn gwelai fod Bahri yn eistedd wrth fwrdd y gegin a'i ben yn ei nodiadau Lefel A ac yn siglo'i ben i rythm y gerddoriaeth a ddeuai drwy'r clustffonau bach plastig yn ei glustiau. Cnociodd Daf y drws sawl tro ond ni chlywodd Bahri yr un smic. Camodd Daf yn ôl a gwelodd fflach o binc yn un o'r ffenestri. Ymhen dim, agorodd Zehra y drws, ei hwyneb cyfeillgar wedi'i fframio gan sgarff binc lachar.

'Wel helô, Mr Dafis,' meddai, 'Dewch i mewn. Sori, pan fydd Baz yn gwrando ar ei gerddoriaeth mae o'n anwybyddu'r byd go iawn.'

'Ddrwg gen i am alw'n ddirybudd fel hyn,' dechreuodd Daf, gan gofio'i ddicter tuag at Picton-Phillips, 'ond mae'n rhaid i mi gael gair efo Bahri, os ydi hynny'n iawn?'

'Ynglŷn â be?' gofynnodd Zehra, ei llygaid yn llawn gofid. 'Mae Mam a Dad wedi picio lawr i'r Cash 'n' Carry a dwi ddim yn eu disgwyl nhw'n ôl tan amser cinio.'

'Dwi'n gwneud chydig o ymchwil, a rhywsut, mae enw Bahri wedi codi. Dwi ddim yn credu am eiliad bod ganddo fo unrhyw gysylltiad â'r achos ond mae'n well gen i gael gair sydyn efo fo heddiw er mwyn ei ddiystyru, cyn i rywun wneud môr a mynydd o'r peth.'

'Môr a mynydd allan o be, dwedwch?'

Erbyn hyn, roedd Bahri wedi tynnu ei glustffonau ac yn gwrando'n astud.

'Bydd hynny'n dod yn amlwg yn ystod y sgwrs.'

Gwgodd Zehra, gan ddal ei gwefus isaf rhwng ei dannedd.

'Iawn, ond dwi'n aros yn yr ystafell.'

'Dim problem o gwbl.' Aeth y ferch ifanc draw at y stof i

baratoi bwyd ac eisteddodd Daf wrth y bwrdd. Crwydrodd ei lygaid dros y pentwr papurau oedd arno.

'Lefel A Hanes, Bahri?'

'Peidiwch â sôn. Blydi gwaith caled a dwi jest ddim isie gwybod am Peter the Great.'

'Dwi'n falch o dy weld di wrthi, beth bynnag. Mi glywais i ryw si dy fod ti wedi gadael yr ysgol ...'

Gwthiodd Bahri ei wallt oddi ar ei dalcen ac ochneidio.

'Ges i gynnig swydd yn Llundain,' mwmialodd. 'Cyfle grêt, ond doedd Dad ddim yn fodlon i mi fynd.'

'Pa fath o swydd?'

'Gwaith modelu. Ro'n i yn y Bullring yn Birmingham a daeth rhyw lodes draw i siarad efo fi.'

'O, ie?' ymatebodd Daf, gan godi un ael yn awgrymog. Cochodd Bahri.

'Dim fel'na oedd o, Mistar Dafis, o gwbl. Tynnodd hi fy llun a'i ddangos i'w bòs hi yn Llundain, a chyn pen yr wythnos mi ges i neges i ddweud bod yr ymateb i'r llun wedi bod yn bositif iawn a'u bod nhw'n cynnig *photoshoot* i mi.'

'Am gyffrous! Be ddigwyddodd wedyn?'

Siglodd Bahri ei ben a chamodd Zehra draw oddi wrth y stof.

'Wnaeth Dad ddim gadael iddo fo fynd. Dydi modelu ddim yn yrfa addas i ddyn ifanc moesol, yn ôl Dad.'

'A sut oeddet ti'n teimlo am hynny, lanc?'

'Er na wn i ddim be fyddai'r Proffwyd yn ei ddweud am fodelu, Dad ydi'r bòs yn ein teulu ni. Ac efallai ei fod o'n iawn.'

'Ac ai Dad ofynnodd i ti wisgo dy sgarff, Zehra?' gofynnodd i'r ferch ifanc.

'Nage wir, Mr Dafis. Fy mhenderfyniad i fy hun oedd hwnnw.'

'Mae o'n dy siwtio di.'

'Nid dyna'r bwriad.'

'Be *ydi*'r bwriad? Dwi ddim wedi byw yn unlle mwy egsotig nag Aber yn fy mywyd felly dwi ddim yn deall llawer, fel ti'n gwybod.'

Chwarddodd Zehra ac eisteddodd i lawr wrth ochr ei brawd.

'Ges i drafferth dros Ŵyl y Banc fis Awst diwetha gan giang o fechgyn o Walsall neu rywle tebyg. Roedden nhw'n siarad amdana i mewn ffordd … hyll. Daeth un draw i ochr arall y cownter i ofyn am gwtsh. Roedd Dad i ffwrdd yn Lerpwl a Mam yn cysgu. Diolch i'r drefn, daeth Elis Maenstwbwrn i mewn wedyn efo cogie'r Hafod, ac mi roddon nhw dipyn o wers i'r Saeson. Ond doeddwn i ddim yn teimlo'n hapus yno wedyn, a bechgyn yn meddwl 'mod i ar gael jest oherwydd 'mod i'n gweithio mewn siop cebábs. Nid mewn cymdeithas felly dwi isie byw. Dechreuais ddarllen blogs ac ati ar y we wedi'u sgwennu gan ferched oedd yn teimlo'n union fel fi, ac mi ddechreuais wisgo'r hijab, i ddangos i bawb, waeth beth maen nhw'n feddwl, nad rhyw degan bach i ddyn ei fachu efo'i bryd o fwyd ydw i. Dwi ddim wedi cael unrhyw drafferth ers hynny.'

'A be amdanat ti, Bahri? Sut wyt ti'n teimlo am faterion crefyddol?'

'Dwi'm yn poeni llawer un ffordd na'r llall, a dweud y gwir, Mr Dafis. Moslem ydw i. Cymro ydw i. Cefnogwr Man U ydw i. Dwi'm yn brwydo yn ei erbyn nac o'i blaid.'

'Dech chi'n dilyn y newyddion, chi'ch dau?' gofynnodd Daf. Roedd yn amlwg fod gan Zehra fwy i'w ddweud ac efallai, wrth i'w chwaer sgwrsio, y byddai Bahri'n fwy parod i fynegi barn.

'Yn ein tŷ ni mae tri o Frexiteers a finne,' atebodd Zehra â golwg ddifrif yn ei llygaid er bod ei geiriau'n ysgafn. 'Waeth be maen nhw'n ddweud am ryddid, manteision ac ati, dydyn nhw ddim yn fodlon gwrando. Diawled penstiff.'

'Fel merch Foslemaidd dda,' torrodd Bahri ar ei thraws, 'ddylet ti ddim galw dy dad yn ddiawl penstiff.'

'Ond mae o. Mi gafodd o ffrae efo rhywun am safon cig oen, a rhyw ddynes o Wlad Pwyl oedd ar fai, medde fo, felly Brexit amdani.'

'Be am faterion tramor eraill?' gofynnodd Daf, a gwelodd fflach o ddiddordeb yn wyneb Bahri.

'Mae Zehra yn erbyn Trump ond dwi'n eitha hoffi'r boi. Mae o wedi addo peidio ymyrryd yn y Dwyrain Canol eto.'

'Ond ei syniad o o beidio ymyrryd ydi cefnogi Israel o hyd,' mynnodd Zehra.

Gwenodd Bahri gan ddangos rhes o ddannedd syfrdanol o wyn.

'Mae'r holl fusnes yn rhy gymhleth i mi. Ond mi alla i ddweud un peth yn bendant: doedd o ddim yn deg i Ahmed farw fel gwnaeth o ... dim ond 'run oed â ti oedd o, Zehra.'

'Pwy oedd Ahmed?' gofynnodd Daf gan geisio peidio ymddangos yn rhy eiddgar am yr wybodaeth.

'Cefnder i ni fu farw yn Syria.'

'Yn Syria? Aeth o draw i ... i gefnogi ISIL?' gofynnodd Daf, yn dal ei wynt.

'Yn eu herbyn nhw roedd o'n brwydro. Cafodd ei ladd yn Raqqa. Milwr deunaw oed.'

'Ym mha fyddin?'

'Twrci. Dyna ble 'den ni'n dod, wyddoch chi. Taid ddaeth draw i Brydain yn yr wythdegau, i weithio yn ffatri Ford yn Speke. Mae ganddon ni deulu yn Lerpwl o hyd.'

'Dwi'n dallt. Ac oeddech chi'n agos at Ahmed?'

'Dim rîli. Aeth ei dad o yn ôl i Dwrci ryw ddeng mlynedd yn ôl er mwyn agor gwesty bach ar lan y môr. 'Den ni wedi bod yno gwpl o weithiau am wyliau – y tro diwetha i ni fynd doedd Ahmed ddim adre am ei fod o wedi mynd i gael ei hyfforddi.'

'Am drist.'

'Wn i ddim,' myfyriodd Zehra. 'Petai pobl ifanc fel Ahmed ddim yn fodlon mentro i faes y gad, byddai ISIL yn gwersylla jest tu allan i Istanbul, cyn symud draw i wlad Groeg.'

'Ti'n swnio fel petaet ti'n galw am groesgad, Zehra.'

'Dim croesgad, na, ond mae 'na bobl beryglus iawn sy'n defnyddio fy ffydd i er mwyn creu llanast. A does dim iws siarad efo nhw. Dim ond bomiau maen nhw'n ddeall.'

Roedd yn rhaid i Daf gyfaddef fod y sgwrs braidd yn ddwfn iddo ond roedd yn rhaid iddo ofyn un cwestiwn arall.

'Dech chi'n digwydd bod yn gwybod unrhyw beth am y rheilffordd fach?' gofynnodd, heb ddisgwyl unrhyw ateb heblaw 'na'.

'Peidiwch â sôn am y rheilffordd,' atebodd Bahri, gan wgu. 'Dwi 'di gwirfoddoli efo nhw ar gyfer fy Magloriaeth a dwi ar ei hôl hi efo fy oriau braidd.'

'Gwirfoddoli i wneud be?' Nid allai Daf ddychmygu'r bachgen diog, *glamorous* hwn yn rhan o dîm y rheilffordd.

'Ailwampio'u llyfryn hanes nhw. Dwi wedi bod yn cydweithio efo boi neis iawn, sy wedi egluro ochr dechnegol y pethe i mi. Fo sy'n disgrifio'r pontydd, fi sy'n disgrifio'r bobl! O, ie, a fo sy'n adrodd hanes bob injan – mae rhai wedi dod yr holl ffordd o India, wyddoch chi.'

'Sut ddoist ti i nabod pobl y trêns, Bahri?'

'Mi wnes i brofiad gwaith efo Miss Rŵm Fawr yn yr ysgol gynradd ac mi es i ar drip ar y trên efo'r plant bach tra o'n i yno. Ar ôl gorffen fy arholiadau TGAU ro'n i awydd swydd dros yr haf, ond doedd Dad ddim yn cîn iawn i mi weini yn y Cann oherwydd yr alcohol felly roedd yn rhaid i mi roi'r gore i weithio yno. Ro'n i'n cael dipyn o bres poced wrth helpu yn y siop fan hyn ond roedd y dyddie braidd yn hir felly mi gofiais am y rheilffordd, a mynd i holi yno. Ges i gynnig gwaith yn y caffi, a phan oedd yn rhaid i mi chwilio am gyfle i wirfoddoli ar gyfer y Bac, meddyliais yn syth am y trêns.'

'Y gwir ydi,' datganodd Zehra mewn llais oer, 'bod Bahri wedi cael digon o gyfle i wneud ei oriau Bac ond dewisodd wastraffu ei amser ar y lol modelu 'na a threulio lot gormod o'i amser ar ei ffôn. Dyna pam mae o ar ei hôl hi rŵan.'

'O, Mr Dafis, dwedwch wrthi hi am adael llonydd i mi. Mae hi'n cnoi arna i fel y gwybed bach sy'n dod fyny o'r afon.'

'Dim ond oherwydd ei bod hi'n poeni amdanat ti, còg,' atebodd Daf. 'Ac mae 'na bethe lot gwaeth yn y byd na chwaer garedig sy'n cega braidd.'

'Braidd?' ebychodd Bahri, a thaflodd ei chwaer ddarn o nionyn ato. Erbyn i Daf gau'r drws ar ei ôl, roedd o'n sicr nad oedd unrhyw beth anfad na radical ynglŷn â phlant siop cebábs Llanerfyl.

Roedd Daf wedi anghofio am fedydd mab bach ei ffrind y prynhawn hwnnw nes iddo weld neges ar ei ffôn gan Gaenor yn gofyn pa grys oedd o am ei wisgo i fynd. Roedd y ddau wedi dod i ddealltwriaeth oedd yn golygu nad oedd yn rhaid i'r un o'r ddau ohonyn nhw wneud y jobsys roedden nhw'n eu casáu. Daf oedd yn golchi'r dillad, a Gaenor oedd yn smwddio. Hi oedd y gogyddes ac yntau'n golchi'r llestri. Hi oedd wastad yn gwagio'r biniau a Daf, yn ôl Rhod, oedd yr Hwfyrfeistr. O ganlyniad, ni theimlodd Daf unrhyw euogrwydd wrth ofyn iddi smwddio'i grys glas newydd.

Roedd Daf yn falch o allu cefnogi ei hen ffrind, Haf, a briododd yr aelod seneddol lleol, Mostyn Gwydir-Gwynne, a symud ato i gartref y teulu bonheddig, Plas Gwynne, flwyddyn ynghynt. Daeth eu mab yn fuan wedyn, ac roedd Gaenor yn enwedig yn falch iawn o gael gwahoddiad i'r Plas – nid oherwydd ei bod yn snob ond oherwydd fod ganddi gryn dipyn o ddiddordeb mewn hen dai. Byddai treulio prynhawn mewn plasty nad oedd yn bell o fod yn gastell yn ei phlesio hi'n arw. Felly, brysiodd Daf yn ôl i Hengwrt i newid cyn gyrru i fyny i'r Plas i dreulio oriau yn mân siarad yn gwrtais â phobl ddieithr. Ar ôl derbyn gwydraid o siampên oddi ar hambwrdd gloyw edrychodd o'i gwmpas, gan farnu nad oedd 'run o'r leidis crand yno'n cymharu â harddwch Gaenor, oedd yn gwylio Mali Haf yn gwibio fel iâr fach yr haf drwy erddi ffurfiol y Plas.

Loetran ger yr *azaleas* porffor yr oedd Daf pan ganodd ei ffôn. Siôn.

'Daf, plis ty'd rŵan. Mae 'na ddamwain ddifrifol wedi digwydd ar y briffordd ger Fedwen Fach ... rhywun wedi brifo'n sobor ... mae Belle yn gwneud ei gorau ond mae 'na waed ym mhobman.' Gallai Daf glywed ei fod bron â chrio.

'Ti 'di ffonio 999?'

'Wrth gwrs 'mod i. Ond yn y cyfamser ...'

'Fydda i efo ti toc.'

Trefnodd lifft adre i Gaenor a Mali Haf – os oedd adroddiad Siôn yn gywir, doedd dim digon o amser iddo fynd â'r ddwy adre cyn mynd at y ddamwain – ac ymddiheurodd yn sydyn i Haf a'i gŵr am fethu â chyflawni ei ddyletswydd fel tad bedydd. Pan oedd yn gwibio i lawr at y giatiau mawr ffurfiol gwelodd ddyn cyfarwydd yn cerdded tuag at y Plas: Picton-Phillips. Pam goblyn oedd o, o bawb, yno?

Roedd Siôn yn llygad ei le – roedd y ddamwain yn un ddrwg. Roedd pwy bynnag oedd yn gyrru wedi colli rheolaeth o'r car wrth agosáu at gornel dynn ac wedi torri trwy'r atalfa. Ar ôl gwthio drwy'r paneli dur a'r sietin trwchus doedd dim llawer o ffrynt y car ar ôl, ond rywsut roedd yr injan yn dal i redeg. Wrth i Daf nesáu gallai weld bod drws ochr y gyrrwr ar agor a bod Belle ar ei phengliniau yn ymestyn i mewn i geisio lapio crys Siôn o gwmpas rhai o glwyfau dwfn y dyn ifanc y tu mewn i'r car. O ganlyniad i'w blynyddoedd o brofiad yn y Fyddin, gwyddai Belle yn union be oedd hi'n wneud wrth ddelio â'r gwaed llachar oedd yn llifo o goes y dyn ifanc a'r mwgwd o waed dros ei wyneb, o ganlyniad i archoll fawr ar ei dalcen. Roedd Siôn yn sefyll tua deg llath y tu ôl iddi, heb ei grys, â golwg bryderus ar ei wyneb.

Yn sydyn, sylwodd Daf ar bwll mawr o olew oedd yn casglu o dan y car – roedd y ddaear wedi crasu gormod i'w amsugno.

'Belle!' gwaeddodd Daf. 'Ty'd yma rŵan!'

Fel arfer nid oedd Belle yn un am ufuddhau i neb ond roedd rhywbeth ynglŷn â llais Daf wnaeth iddi godi ar ei thraed. Roedd hi'n waed i gyd, a darn o grys rhwygiedig Siôn yn dal yn ei llaw.

'Dwi 'di trio gwneud rwbath i atal llif y gwaed,' dechreuodd egluro, ond cydiodd Daf yn ei llaw chwith a llaw dde Siôn a thynnu'r ddau oddi wrth y car cyn gynted ag y medrai. Erbyn iddo'u gwthio i lawr ar y glaswellt byr roedd sbarc o'r injan wedi cyrraedd y pwll olew a chymerodd lai na deg eiliad i gyrraedd y tanc petrol. Roedd y ffrwydrad yn ddigon mawr i'w cadw nhw i lawr am sawl eiliad, fel sardîns mewn tun, a'r sŵn yn atseinio'n boenus yn eu clustiau. Daf sylwodd ar yr arogl newydd gyntaf: yn gymysg â'r metel, y petrol a'r cnawd yn llosgi roedd rhywbeth arall: arogl cartrefol fel petai rhywun yn llosgi toriadau glaswellt o'r ardd. Wedyn daeth sŵn clinddarach isel. Roedd y borfa i gyd ar dân, a'r fflamau oren yn cofleidio'r cae cyfan.

'Fyny at yr afon, rŵan!'

Roedd darnau rhacs o fetel o dan eu traed, a phan arafodd Daf am eiliad gwelodd ddiferion o waed yn llifo i lawr ysgwydd a chefn Siôn. Mewn llai na munud, roedden nhw'n baglu dros gerrig seimllyd yr afon, yn chwilio am un o'r pyllau dwfn. Anelodd Siôn, oedd wedi chwarae yn yr afon ers pan oedd o'n fachgen bach, yn syth am odre hen ddraenen lle roedd pwll llonydd er bod yr afon mor isel. Teimlodd Daf gryndod yn llithro drwy gorff Belle wrth iddi sefyll wrth ei ochr yn y dŵr oer drewllyd.

Tynnodd Daf ei ffôn o'i boced a deialodd rif cyfarwydd.

'DI Daf Dafis here, Welshpool Police Station. I'd like to put out a major incident call: serious fire following fatal RTA, half a mile east of Llanfair Caereinion.'

Pennod 5

Yn hwyrach dydd Sul

Safodd y tri yn y dŵr yn hollol dawel am sawl munud yn gwylio'r tân yn cael gafael ar y cae. Lapiodd Belle ei braich o amgylch canol Siôn ond camodd yn syth yn ôl pan deimlodd ei bysedd yn wlyb gan waed. Symudodd yn araf oddi wrtho rhag ei ddychryn.

'Ti 'di brifo 'chydig,' meddai wrtho, 'ond dim byd mawr.'

Â chyffyrddiad ysgafn byseddodd y clwyf, ac ar ôl tynnu darn o wydr ohono, er mawr syndod i Daf, cusanodd yr archoll fach a'i llyfu'n lân. Daeth ochenaid isel o chwant o geg agored Siôn.

'Bachgen dewr,' sibrydodd yn ei glust cyn ei gusanu'n ddwfn ar ei wefusau gwaedlyd.

'Wel,' mentrodd Daf, heb wybod yn iawn lle i edrych, 'mi fydd 'na dipyn o lanast ar y cae.'

'Dim ond llynedd wnaethon ni ailhadu,' meddai Siôn. 'Gobeithio bod gan y bastard siwrans da.'

'Dim rhywun diarth oedd o, Siôn,' eglurodd Belle mewn llais isel, penderfynol. 'Mi wnes i ei nabod o'n syth. Jenkin Morris oedd o, Jenkin Gwaun Isa.'

'Ti'n jocian.'

'Na. Ges i olwg glir ar ei wyneb o – ac mi dreuliais i dipyn o amser efo fo ddoe, cofia.'

'Gwaun Isa, Dolfor? Lle mae'r Rali?' gofynnodd Daf.

'Ie. Wel,' ychwanegodd Siôn ar ôl saib, 'mae hyn yn ffyc-yp llwyr. Unig blentyn ydi Jenkin.'

'*Oedd* Jenkin,' cywirodd Belle eto, yn addfwyn.

'Fyddwn ni ddim yn gallu cynnal y Rali yno rŵan, ac mae hi'n rhy hwyr i'w chanslo!'

'Siôn, ti newydd golli ffrind a 'den ni'n sefyll mewn afon i gysgodi rhag y tân gwyllt sy'n rhemp dros dy ddolydd di, a'r peth cynta sy'n dy boeni di ydi Rali'r Ffermwyr Ifanc?' holodd Daf.

'Doedd o'n ddim llawer o ffrind,' atebodd Siôn.

'Coc oen oedd o,' cytunodd Belle. 'Hyd yn oed ddoe, tra o'n i'n peintio ei feudy yn barod at y Rali, roedd o'n gwneud *move* arna i bob pum munud. Fo a'i dad ... bob yn ail, diolch i Dduw.'

'A chofia, Daf, 'mod i'n is-gadeirydd y Sir. Mae gen i ddyletswyddau, wyddost ti, yn arbennig mewn creisis fel hyn.'

Roedd yn rhaid i Daf gyfaddef nad oedd o wedi sylwi ar ei lysfab yn tyfu'n ddyn. Dim ond dwy flynedd ynghynt roedd o'n gòg anaeddfed oedd yn dibynnu ar ei fam, ond rŵan roedd yn graddol gymryd lle ei dad ar y fferm deuluol, ac yn bartner mewn perthynas ryfedd iawn â Belle. Un o nodweddion pennaf Siôn oedd ei amharodrwydd i siomi unrhyw un.

'Dwi awydd gofyn i Dad os allwn ni gynnal y Rali acw,' datganodd. 'Mae'r sied fawr yn ddigon clên – un *go* efo *pressure washer* ac mi fyddwn ni'n *good to go*. Dydi'r bois diogelwch ddim yn dechrau gosod ffensys tan ddydd Mawrth – fydd y newid lleoliad yn poeni dim arnyn nhw.'

'Mi fydd cryn dipyn o waith ...' mentrodd Daf.

'Allwn ni ei wneud o, rhyngddon ni. Daf, alli di helpu efo'r gwaith papur. Mae Carys adre ac mi fydd pawb yng nghlwb Llanfair yn siŵr o'n helpu ni.'

'Mae Carys yn mynd yn ôl i Lundain heno. Ac mae'n rhaid sortio nifer helaeth o bethau, yn cynnwys parcio a leisens i werthu alcohol.'

'Dyna pam 'dan ni mor falch o gael dy help di, Wncl Daf,' meddai Belle gan roi cusan ar dalcen Daf.

'Reit – allwn ni ddim sefyll fan hyn drwy'r dydd fel crehyrod glas. Siôn, ffonia dy dad i ofyn iddo ddod lawr efo llond bowser o ddŵr, wedyn gofyn yr un cwestiwn i bob un o'r cymdogion. Fydd bois tân Llanfair efo ni toc.'

Tra oedd Siôn ar y ffôn, sibrydodd Belle yng nghlust Daf, 'Pam wyt ti yn dy siwt orau, Daf?'

'Ro'n i mewn parti swanc yn y Plas ...'

Cyn iddo gael cyfle i ymhelaethu clywodd Daf sŵn bip-bipian annisgwyl o'r tu ôl iddyn nhw, a throdd ei ben i weld y trên bach yn symud yn siriol i gyfeiriad y tân fel petai dim byd o'i le.

'Be ddiawl mae'r ffyliaid yn wneud?' taranodd. 'Mae ganddon ni un corff yn barod a rŵan mae bois y rheilffordd yn cludo cant o bobl ddiniwed at dân sy allan o reolaeth!'

Sgrialodd Daf i fyny glan yr afon a martsio at y trên bach, ond welodd o ddim cerbydau na theithwyr. Dim ond yr injan fach oedd yno, yn graddol ddod i stop jest dros yr afon o'r tân, ac yn tynnu tanc mawr o ddŵr. A phwy oedd yn gyrru'r trên ond Deiniol Dawson.

'Mr Dafis!' galwodd. 'Tropyn bach o ddŵr i ti.'

Roedd yn rhaid i Daf redeg i ddal y trên ac arhosodd i ddal ei wynt cyn ateb Dawson.

'Sut wyt ti'n gwybod am y tân, dwêd?'

'Digwydd bod yn cael sgwrs ... wel, ffrae, efo un o'r dynion tân rhan amser pan gafodd o ei alw yma.' Doedd Daf ddim yn rhy hoff o'r dirmyg yn y geiriau 'rhan amser'.

'Dynion tân *wrth gefn* ydi asgwrn cefn ein gwasanaeth ni,' atebodd yn swta. 'A dyma nhw'n cyrraedd.'

Ar ochr arall yr afon roedd goleuadau glas i'w gweld yn fflachio drwy'r mwg. Tynnodd Daf ei ffôn a galwodd Mart, y meddyg coed a oedd yn un o aelodau mwyaf profiadol y grŵp.

'Haia Mart, Daf Dafis sy 'ma. Mae'r pwysedd yn isel ofnadwy yn y mêns, ond mae bois y rheilffordd wedi cario tanc dŵr llawn i ochr arall yr afon i chi.'

'Ai nhw daniodd y cyfan, Daf? Mae lot o sbarcs yn dod o'r simne 'na, ac ochrau'r lein yn sych grimp.'

'Na – RTA oedd o, car wedi gadael y briffordd.'

'A'r gyrrwr?' gofynnodd Mart, cyn parhau heb ddisgwyl am ateb. 'Na, dwi'n gallu gwynto be digwyddodd iddo fo.'

'Mae'r ffermwyr lleol ar eu ffordd i lawr efo mwy o ddŵr hefyd.'

'Tshampion, Daf. Faint sy 'di dod off o'r gornel 'ma rŵan?'

'Chwech ers y Dolig, a hwn ydi'r trydydd *fatality* hyd yma. Rhaid i rywun wneud rwbeth am y peth.'

'Ond mae rhai'n gyrru fel ffyliaid, cofia.'

Ar ôl i griw heddlu'r ffyrdd ac injan dân Llanfyllin gyrraedd trodd Daf i gerdded at Siôn a Belle, a sylwodd ar oleuadau pwerus un o dractors mawr John Neuadd yn y pellter ger y llidiart i'r ffordd fawr, yr ochr arall i'r afon. Ymhen deng munud roedd dŵr yn llifo at y tân o bob cyfeiriad ac yn araf bach, dechreuodd y fflamau ddiffodd. Canodd ei ffôn: Mart.

'Wnei di ddod draw yma, Daf? Allwn ni ddim ymdopi efo dy frawd yng nghyfraith.'

'Cyn-frawd yng nghyfraith. Pam? Be mae o'n wneud?' Roedd John Neuadd yn un o'r hen frid o ffermwyr yr ardal, yn graig o arian ac yn cymryd yn ganiataol mai ganddo fo yn unig oedd yr awdurdod ar ei dir ei hun.

'Cwyno am bob dim 'den ni'n ceisio'i wneud. Bygwth galw'r heddlu.'

'Ond mae heddlu yma'n barod.'

'Math arall o heddlu mae o'n sôn amdanyn nhw, rhai sy'n fodlon gwrando arno fo, dwi'n amau. Ty'd, Daf, plis.'

'Ond sut?'

'Cerdda dros yr afon i'r cae nesa wedyn drwy'r giât ac i lawr ar y ffordd fawr.'

'Reit ho.'

Doedd cerdded yn ei sgidiau gwlyb yn ôl drwy'r afon ac i fyny'r cae ddim yn brofiad pleserus, a'r mwg yn codi yn ei ysgyfaint. Pan gyrhaeddodd sylwodd fod tîm y priffyrdd wedi gwneud eu gwaith: doedd dim traffig heblaw tractors yn tynnu tanciau dŵr. Arafodd un o'r rheiny, John Deere oedd bron yn newydd sbon.

'Duwcs, Mr Dafis, mae golwg uffernol arnoch chi, wir!' Agorodd Chrissie ffenest y cab er mwyn siarad efo fo. 'Eich siwt orau'n wlyb socian, yn llwch a huddygl i gyd, a chithe'n pesychu fel tasech chi 'di bod ar y Bensons ers deugain mlynedd. Beryg i Missus y Plas stopio'ch ffansïo chi.'

Rhwng chwerthin a phesychu, roedd Daf mor wan â chath, yn dal yn dynn yn y llidiart.

'Ti'n anobeithiol, Chrissie.'

'Diolch am adael i'r bechgyn aros neithiwr. Roedd hi'n hanner awr wedi hanner nos erbyn i ni adael Leighton.'

'A rŵan ti'n cario dŵr.'

'Mae'n rhaid i mi – gallai ein cae ni fynd fyny nesa. Mae'r sychder 'ma'n ddiawledig.'

'Sut mae gen ti ddŵr?'

'Mae ffynnon heb ei hail fyny yn Gwaun, a *borehole* lawr yn Berllan. Gwrandwch, Mr Dafis, wnewch chi bicio draw nes 'mlaen? Dwi angen trafod rwbeth efo chi.'

'Gwnaf, os fedra i, Chrissie, ond mae gen i dipyn ar fy mhlât fan hyn, dweud y gwir.'

'Nes 'mlaen amdani 'te. Mae gen i dri cae o fêls mawr i'w lapio yn Dolfadog gynta.'

'Os fedra i,' ailadroddodd Daf.

'Rwbeth pwysig dwi isie'i drafod, nid jest fflyrtian.'

Er bod ei gwên yn dal i fod yn llydan roedd rhyw ansicrwydd yn ei llygaid hi.

'Dwi'n addo, Chrissie, ond mi fydda i'n brysur tan naw, bosib.'

'Naw'n iawn. Wela i chi wedyn, Mr Dafis.'

Ac i ffwrdd â hi i ymuno yn y rhes tractors a oedd yn aros i gyfrannu dŵr. Dim yn aml iawn roedd Chrissie yn gofyn yn hytrach na chynnig, ond chafodd Daf ddim amser i fyfyrio dros y peth gan ei fod yn clywed llais John Neuadd o bell.

'Rhaid gwneud rwbeth i achub y sietin draw fan'cw,' gwaeddai. 'Mae 'na sawl coeden brin ynddo fo. Heb sôn am adar.'

Ac ar y pethau prin hynny mae dy daliad Glastir di'n dibynnu, meddyliodd Daf wrth gamu tuag ato.

'Ty'd, John, 'den ni'n rhwystro'r bois rhag gwneud eu gwaith. Dwi'n eu nabod nhw – does neb yn gwybod eu stwff yn well.' Dechreuodd John chwyrnu o dan ei wynt fel anifail wedi ei gornelu. 'Wir i ti, John, nhw sy'n gwybod be sy orau. Dyma i ti giang y Trallwng yn cyrraedd rŵan.'

'Ai damwain car sy wedi achosi hyn i gyd, Daf? Fydd yn rhaid i mi ailblannu, ac mi oedd o leia ddau *cut* arall o silwair i ddod. Silwair o safon, 'fyd.'

'Ie. Druan o'r còg. Methu'r gornel wnaeth o, a sbarc o'r injan daniodd y cwbl.'

'Dwi 'di cael hen ddigon o bobl ddierth yn gwibio lawr y ffordd fawr, yn pisio ym mhob cilfan, yn lluchio sbwriel i bobman, yn gollwng eu cŵn i'r dolydd *just to stretch their legs*. Hen bryd i ni gau'r ffordd 'ma, wir.'

'Alli di ddim cau'r *trunk road*, John.'

'Ti'm yn meddwl? Os ydi hi'n mynd drwy dir fy fferm, mi alla i wneud beth bynnag dwi isie. Dim ond arwyneb denau o darmac sy arni – mi alla i roi'r arad ar y cyfan mewn awr.'

'Ond chei di ddim, John, bydd rhywun yn dy rwystro ...'

'A phwy sy'n rhwystro'r Saeson ddiawl sy'n sneifio dros y lle, yn achosi wn i ddim faint o niwed i 'nhir i? Does ganddyn nhw ddim hawl i gachu ym mhob sietin. Nid toiled i'r Sais ydi sir Drefaldwyn!' Cododd John ei lais fel pregethwr hen-ffasiwn. 'Yn gwasgaru bocsys McDonalds fel conffeti, ofyrtêcio fel Lewis Hamilton a gorwedd i losgi eu crwyn ar y dolydd gorau – mae'n hen bryd codi tollborth i'w cadw nhw ar ochr arall y ffin, wir Dduw ...'

'Còg Morris Gwaun Isa oedd o.'

Newidiodd wyneb John mewn hanner eiliad.

'Dim Jenkin? Ti'n sicr?'

'Hollol sicr. Gwelodd Belle ei wyneb – roedd hi'n ceisio'i helpu o.'

'Jenkin Gwaun Isa.' Roedd wyneb brown John wedi colli cryn dipyn o'i liw. 'Rhaid i ni ofalu am Belle. Wnaiff sioc fel hyn ddim lles i'w system hi, ac mae hi'n hen bryd iddi feddwl am gael babi.'

'Mae Belle yn reit gryf, cofia,' meddai Daf, wedi deall rhesymeg John: ar ôl dysgu bod un o'i gymdogion wedi colli ei unig blentyn, ei flaenoriaeth oedd cael ŵyr i sicrhau dyfodol teulu Neuadd.

'Cer i nôl mwy o ddŵr wnei di, John? Mi ro' i lifft adre i Belle a Siôn.'

Ond erbyn i Daf gyrraedd ei gar a cheisio amddiffyn defnydd y seddi rhag ei drowsus gwlyb, deallodd gan y dynion tân fod y ddau wedi cael lifft beth o'r ffordd yn y trên bach gan Dawson. Wrth yrru ychydig pellach i lawr y lôn i chwilio am le i droi rownd, sylwodd ar ochr arall y gamfa a welodd Toscano y diwrnod cynt. Roedd cilfan lydan gyferbyn â hi a choed llawn dail a blodau'n hongian drosti – oddi yno gallai rhywun gyrraedd troed y bont heb i neb ei weld. Penderfynodd Daf beidio â stopio yno rhag ofn iddo chwalu unrhyw olion teiars, a hefyd, roedd ganddo ddigon ar ei blât yn barod. Petai Steve yn ei waith byddai yno fel shot, meddyliodd, gan ddifaru unwaith yn rhagor ei fod wedi riportio un o'i swyddogion gorau i'r penaethiaid. Ffoniodd Toscano.

'Dwi ddim ar ddyletswydd heddiw, bòs. Diwrnod i'r teulu.'

'Sori, ond mae 'na andros o fflap fan hyn. Mae còg ifanc wedi marw mewn damwain car, a'r lle i gyd wedi mynd ar dân. Ti'n cofio'r gamfa honno welaist ti ddoe? Dwi'n digwydd bod yr ochr arall iddi ac mae 'na gilfan fach handi yma, jest dros y ffordd. Oes 'na siawns y galli di bicio draw i gael sbrwt bach?'

'Ond rhaid i mi aros yn y siop tan chwech.'

'Ty'd wedyn.'

'Mi fydda i'n colli swper ...'

'Os ddei di, mi gei di swper efo ni ar ôl gorffen.'

'Iawn. Ydi'ch merch chi adre o'r coleg am yr haf eto?'

'Mae hi 'di bod acw dros y penwythnos ond mi fydd hi ar y trên erbyn hyn, yn ôl i Lundain.'

'Mi fysen i'n hoff iawn o gwrdd â hi. Dwi 'di bod yn ffan ers dipyn. Mi ddaeth hi draw aton ni yn y Choral Society i gynnal cyngerdd braf iawn.'

'Debyg iawn. Falle bydd ei chariad hi'n dal efo ni am swper – mae o'n foi difyr.'

'O ie, Garmon Beics Mynydd. Mae o'n grêt ar y *sports* ar y teledu, yn tydi o? Efo'r holl egni 'na, dwi'n siŵr mai Aries ydi o.'

Roedd sŵn yn y cefndir, a chlywodd Daf leisiau:

'Na, pistachio, a ripl mafon ... Côn waffl neu un plaen? ... Diolch.'

'DS Toscano!' gwaeddodd Daf.

'Iawn bòs. Mi bicia i draw ... Fflêc?'

Sôn am fflêc, meddyliodd Daf wrth yrru heibio'r bont. Doedd o ddim yn edrych ymlaen i rannu swper efo Toscano – ar ôl sbwylio'i siwt a'i esgidiau gorau roedd o awydd cawod a noson dawel – ond i fod yn deg i'r còg, doedd dim rhaid iddo ddod allan i weithio ar nos Sul os nad oedd o ar ddyletswydd.

Roedd Siôn a Belle yn cerdded am adre yn y gwres pan ddaliodd Daf i fyny efo nhw, ac roedden nhw'n hynod o ddiolchgar am lifft.

'Mae'r boi sy'n gyrru'r trên yn eitha pishyn,' sylwodd Belle. 'Tydi o ddim y math o ddyn 'dan ni'n arfer ei weld ffor' hyn,' ychwanegodd, gan daro cipolwg ar Siôn er mwyn gweld ei ymateb.

'Peiriannydd sifil sy'n gweithio ar ffordd osgoi'r Drenewydd ydi o,' eglurodd Daf.

'Fysen i ddim yn trystio'r boi yn bellach nag y gallwn i ei gicio fo, a 'sen i ddim yn meindio rhoi cynnig arni chwaith.' Pan fyddai Siôn yn mwmian o dan ei wynt fel hyn roedd o'n debyg iawn i'w dad – roedd Belle wedi llwyddo i'w gorddi ac roedd hi'n falch o hynny. Ymestynnodd ei braich yn ôl i gyffwrdd ei goes ond wrth droi ei phen, rhewodd.

'Sbia!' ebychodd.

Stopiodd Daf y car am eiliad. Drwy fwlch yn y banc, roedden nhw'n gallu gweld i lawr i'r briffordd, a oedd ar gau o ochr yr orsaf i ben arall Tan-llan Bach. Yno roedd tair injan dân, chwe thractor a'r trên bach yn dychwelyd efo'r ail danc o ddŵr. Roedd yr hyn a oedd yn weddill o gar Jenkin Morris wedi ei amgylchynu â thâp trosedd a gerllaw roedd ambiwlans, a char

Dr Mansel, oedd wedi cael ei alw yno i wneud y datganiad ROLE ffurfiol. Yng nghornel y cae roedd fflamau yn dal i'w gweld, ond roedd sietin pwysig John yn saff.

Edrychodd Daf draw ar Siôn, oedd yn ei ddagrau o weld ei borfa braf yn fwd du.

'Am lanast,' meddai, dro ar ôl tro, gan rwbio'i lygaid â'i fysedd mawr garw. 'Ffwcio chdi, Jenkin Morris, wastad isie sylw.'

Heb ddweud gair, symudodd Belle o sedd flaen y car i'r cefn i gofleidio Siôn. Lodes graff oedd hi – er nad oedd hi'n dod o deulu amaethyddol roedd hi'n digon call i werthfawrogi'r cysylltiad rhwng ei chariad a'i dir.

Ddeng munud yn ddiweddarach roedd Daf yn egluro'r cyfan i Gaenor.

'Ond,' ebychodd hi, 'nid jest unrhyw ddarn o dir ydi hwnna, Daf, ond Dôl Alarch.'

'Enw od.'

'Saethodd hen hen daid John alarch yno, yn yr eira un Dolig cyn y Rhyfel Cynta. Daeth hynny â lwc ddrwg iddyn nhw – mi gollodd ei frawd, ac ers hynny dim ond un mab sy wedi cael ei eni yn Neuadd i bob cenhedlaeth.'

'Dôl Jenkin fydd hi o hyn ymlaen, felly.'

'Biti mawr. Mae'r cogie 'ma i gyd yn gyrru fel ffylied. Biti fod ganddo gar mor fawr.'

'Pobl fawr ydi'r Morrises, felly dim ond y pethau gorau maen nhw'n gael.'

'Daf,' meddai Gaenor mewn llais isel, 'fel hyn fyse pobl yn siarad am Siôn petai o'n cael ei ladd. All holl sofrenni aur Gwaun Isa ddim prynu mab newydd iddyn nhw, cofia.'

'Sori. Wnes i ddim meddwl.'

Roedd Mali Haf ar ben ei digon pan welodd y wledd o hufen iâ o'i blaen mewn bocsys bach plastig â'r logo 'Toscano's' arnyn nhw.

'Ai dyn hufen iâ wyt ti?' gofynnodd i Toscano gan edrych i fyny arno â'i llygaid mawr.

'Na, plismon ydw i, yn gweithio efo dy dad. Ond ar y penwythnos, ydw, dwi'n ddyn hufen iâ.'

'Sawl gwahanol fath o hufen iâ sy gen ti yn dy siop?'

'Tri deg. Ond dim ond un deg saith sy gen i efo fi heno.'

'Pam hynny?'

'Doedd dim digon o fananas ar ôl i wneud *batch* cyn y penwythnos, gwerthodd y *Black Forest* allan bnawn Sadwrn ac mi fwytais y llwyaid olaf o'r Treiffl Sieri fy hun. A daeth dynes i mewn jest ar ôl i mi agor y siop heddiw a phrynu bocs cyfan bob un o Mango, Pina Colada a Mwyar Duon, y cwbwl lot ...'

O'r diwedd, roedd Toscano wedi dod o hyd i rywun oedd yn fodlon gwrando ar ei straeon hirwyntog.

'Pan dwi'n hŷn, dwi'n mynd i agor siop hufen iâ yma yn Llanfair,' datganodd Mali.

'Chei di ddim,' atebodd y dyn ifanc, heb fymryn o wên. 'Fydd dy hufen iâ di'n dinistrio ein busnes ni. Rhaid i ti ymuno â'n tîm ni.' Gwyliodd Mali Haf yn ystyried y cynnig. 'Be am i ti agor siop Toscano's fan hyn? Ti fydd bòs y lle a'r brif flaswraig i'r cwmni cyfan.'

'Pryd alla i ddechrau?'

'Fel blaswraig, y penwythnos nesaf, Mali Haf. Gei di ddod draw i'r ffatri efo dy fam a dy dad a dechrau ar dy waith.'

'Faint fyddwch chi'n talu imi?'

'Ti isie arian neu hufen iâ?'

'Hufen iâ *ac* arian.'

'Dau focs a dwy bunt. Neu, fel arall, pum bocs.'

'Mi gymera i'r pum bocs.'

Wrth i Daf osod y bwrdd sibrydodd Gaenor yn ei glust; 'Am gòg clên!'

Nodiodd Daf ei ben ond roedd o'n dal i feddwl am y bocsys brechdanau plentynnaidd a'r carioci yn y car.

'Dario!' ebychodd. 'Nes i addo picio draw i weld Sheila ond mi anghofiais yn llwyr.'

'Ffoniodd hi ryw dipyn yn ôl, jest ar ôl i ni ddod adre o'r Plas, i ofyn oeddet ti'n iawn.'

'Dim ots amdana i – sut oedd hi?'

'Yn edrych ymlaen i dy weld. Roedd hi'n swnio'n iawn, wyddost ti, ond ddim cweit fel hi ei hun chwaith.'

'Does gen i ddim amser i fynd yno heno. Dwi wedi addo picio draw i weld Chrissie ar ôl swper.'

Gwenodd Gaenor o glust i glust.

'O ie? Picio draw i weld Chrissie fin nos wyt ti erbyn hyn, ie? Gyrra Bryn draw i 'ngweld inne, wnei di?'

'Does dim byd fel'na'n mynd 'mlaen. Busnes o ryw fath ma' hi isie'i drafod.'

'Busnes? Contractwraig amaethyddol ydi Chrissie, a does gen ti ddim busnes felly.'

'Busnes ddwedodd hi.'

'Gen i syniad sut fusnes sy ganddi hi mewn golwg ...' Roedd hi'n ei fwytho wrth siarad a theimlodd Daf eiliad o gydymdeimlad â Toscano. Roedd ei anlwc â merched yn chwedlonol drwy heddlu'r canolbarth, yn enwedig ers i Nev setlo i lawr, er bod ei galon yn y lle iawn.

Ar ôl swper, tra oedd Gaenor yn rhoi Mali Haf yn y bàth, esboniodd Toscano i Daf beth welodd o yn y gilfan yn gynharach y noson honno.

'Rhaid i'r SOCOs fynd yno dwi'n meddwl, bòs. Dan yr holl goed, mae cwpl o bethau i'w gweld. Dim byd clir, ond mae'n amlwg fod rhywun wedi parcio yno yn ystod y dyddiau diwetha. Mi dynnais i luniau.'

Er nad oedden nhw'n lluniau gwych roedd marciau'n amlwg yn y llwch llwyd – modfedd a hanner o batrwm teiar eitha tenau. Dim cerbyd mawr. Dim traed mawr. Dim bom mawr chwaith. Cofiodd Daf yn sydyn mai traed bychan iawn oedd gan Bahri Yilmaz.

'Da i rwbeth, bòs?'

'Da iawn ti, còg. Mi ffonia i i drefnu i rywun roi rwbeth drosto dros nos, rhag ofn iddi lawio.' Tywalltodd Daf wydraid arall o ddŵr bob un iddyn nhw. 'Ti'n un da iawn efo plant,' meddai. 'Dwi'n synnu na wnest ti ystyried bod yn athro.'

'Yn y pen draw, fi fydd yn berchen ar y busnes hufen iâ, ond fydd Dad ddim yn ymddeol am flynyddoedd lawer felly mae digon o amser i mi gael gyrfa arall. Dwi ddim isie hongian o gwmpas yn aros iddo fo roi ei sgŵp ar y bachyn am y tro olaf.'

'Ond pam yr heddlu? Dwi'n gofyn y cwestiwn hwnnw i mi fy hun yn aml iawn, yn enwedig ar ddiwrnod fel hwn. Ond pam wnest ti, còg ifanc sy'n gallu dewis unrhyw yrfa, benderfynu dod i ddelio â'r holl boen a thrasiedi?'

Pwysodd Toscano ei ben i un ochr a gwnaeth sŵn myfyrgar a atgoffai Daf o fwji ei nain, aderyn bach oedd wastad wedi mynd ar nerfau Daf.

'Mae 'na ddirgelwch mawr yn ein teulu ni. Diflannodd brawd fy nain yn ystod y Rhyfel.'

'Tra oedd o'n y Fyddin, ti'n feddwl?'

'Nage, nage. Tra oedd o'n aros yn y Drenewydd, yn gweithio ar y Searchlight Battery uwchben Ceri. Roedd Nain yn meddwl – ac mae hi'n dal i feddwl – bod rhywun wedi ei ladd.'

'Dros y blynyddoedd, lanc, dwi 'di gweld cryn dipyn o bobl yn mynd ar goll ac, fel arfer, dyna'n union be oedden nhw'n bwriadu ei wneud. Diflannu.'

'Ond dim un felly oedd fy Hen Wncl Gerry. Roedd o'n foi mawr am ei deulu, a theulu mawr oedd o hefyd. Roedd o'n un o bymtheg o blant, a phob un wedi tyfu'n oedolion, oedd yn beth mawr yn Lerpwl cyn y Rhyfel.'

'O fanno ddaeth dy deulu di, felly?'

'Rhai, ar ochr Nain. Gwaed gwlad Dante a Rossini, chwedl Dad, sy yn ochr Taid.'

'Cymysgedd ddifyr.'

'Mae Nain yn dweud bod golwg Wncl Gerry arna i, yn enwedig y brychni haul.'

'Dwi'n gweld.'

Ac roedd Daf yn gweld. Er gwaetha'i groen a'i wallt tywyll roedd trwyn a bochau Toscano, uwchben ei farf fawr, yn frith fel croen dyn pengoch. Roedd ei lygaid gwyrdd hefyd yn edrych allan o'u lle – ar rywun arall, rhywun â digon o steil, byddai'r cyferbyniad yn ddeniadol, ond ddim ar Toscano. Nid bai Toscano oedd ei etifeddiaeth genetig, meddyliodd, ond ei ddewis o oedd y CDs carioci, cofiodd Daf.

'Fel ro'n i'n dweud, diflannodd Gerry. Cychwynnodd o'i lety un min nos, fel arfer, i fyny at y Batri ond chyrhaeddodd o ddim.'

'Damwain?'

'Dyna oedd damcaniaeth yr heddlu ar y pryd, ei fod o wedi cwympo i'r afon neu rwbeth. Ond dros bont Shortcross Street y cerddodd o, sydd â rheiliau go uchel. Hefyd, roedd hi'n fis Mehefin a doedd yr afon ddim yn ddigon uchel i gario'i gorff i nunlle. Ac roedd o'n nofiwr da – collodd fy hen nain ei brawd pan gwympodd i'r dŵr wrth weithio ar y dociau felly gwnaeth yn siŵr fod ei phlant yn dysgu. Torrodd Nain ei chalon, medde hi, pan ddiflannodd o, a gwnaeth addewid iddi'i hun y byddai'n datrys y dirgelwch a darganfod beth ddigwyddodd iddo. Mae hi'n dal i chwilio am yr ateb.'

'Mae hi'n dal yn fyw felly?'

'Ydi, tad: ges i bryd o fwyd efo hi yn y Wagon amser cinio. Tydi hi ddim yn bell o'i naw deg oed, ond mae'n dal i chwilio am hanes Gerry.'

'Hanes difyr, ond gofyn pam ddewisest ti fod yn heddwas wnes i.'

'Dyna i chi'r rheswm. Dwi'n gobeithio y galla i, ryw ddydd, ddweud wrth Nain yn union be ddigwyddodd i Gerry.'

'Oes posibilrwydd ei fod o wedi rhedeg i ffwrdd yn hytrach na diflannu?'

'Ond pam? Ac i ble? Ac efo pwy?'

'Oedd ganddo fo gariad?'

'Oedd, ond roedd hi newydd farw. Hunanladdiad.'

'Mae hi'n swnio fel dipyn o stori, lanc. Wyt ti wedi edrych drwy'r hen ffeiliau?'

'Ydyn nhw ar gael?'

'Mae hen achos oer yn dal yn achos.'

'Dech chi'n dweud y ca' i ailagor yr achos?'

'Paid â mynd o flaen gofid. Dwi'n rhoi caniatâd i ti chwilio yn yr archifdy am y ffeiliau, ond cofia, cyn i ti gyffroi gormod, na chei di ddim cyfrannu at yr ymchwiliad os y byddwn ni'n ei ailagor, ti'n dallt?'

'Diolch o galon, bòs, diolch o galon.'

Estynnodd Toscano ei law ar draws y bwrdd i afael yn llaw Daf, a phan ddaeth Gaenor yn ôl i lawr roedd y dyn ifanc yn dal i bwmpio braich Daf i fyny ac i lawr.

'Hei, Padraig, paid â'i frifo fo! Mae ganddo fo jobsys i'w gwneud cyn amser gwely.'

Cochodd Toscano a gollwng llaw Daf yn sydyn.

Er mai wedi dod draw i helpu ar fyr rybudd roedd Toscano, roedd Daf yn falch o'i weld o'n mynd.

'Druan ohono fo. Mae o'n gwneud cymaint o ymdrech ond mae o'n mynd ar fy nerfau i, Gae.'

'Sut wyt ti'n ymdopi efo achosion cymhleth heb Steve a Sheila?'

'Dwi'n gobeithio wir y bydd Sheila'n ôl yr wythnos yma.'

'Well i ti ffonio i ofyn. Ac ymddiheura iddi am anghofio galw yno heddiw.'

'Mae o'n fusnes rhyfedd. Os ydi hi'n sâl, pam nad ydi hi wedi dweud hynny?'

'Be os mai rwbeth ych-a-fi ydi'r broblem, Daf? Rhyw salwch ar y fferm?'

'Y salwch ola effeithiodd ar Glantanat oedd y Pla Du.'

'Coda'r ffôn, da fachgen. Os na wnei di frysio, mi fydd hi'n amser gwely cyn i ti gyrraedd Berllan ...'

Atebodd Tom y ffôn ar ôl sawl caniad.

'Sori, Dafydd, ond dydi Sheila ddim ar gael.'

'O. Ro'n i jest isie dweud sori na ches i ddim eiliad rydd i ddod draw i'w gweld hi.'

'Dyna'n union be ddwedodd hi dros frecwast, ar ôl clywed am fusnes y bont newydd, na fyddet ti'n gallu dod draw.'

'Pan ti'n dweud nad ydi hi ar gael, Tom, be mae hynny'n olygu?'

'Ei bod hi'n cysgu'n sownd a dwi ddim am ei styrbio hi.'

'Dim ond toc ar ôl wyth ydi hi. Ydi Sheila'n iawn?'

'Tshampion, diolch. Dim ond wedi blino, dyna'r cyfan.'

Roedd Daf ar fin holi ymhellach ond sylwodd pa mor ddigywilydd fyddai hynny.

'Ga i bicio draw rywbryd fory?'

'Chei â chroeso. Mi fydda i'n mynd lawr i'r Smithfield am awr fach sydyn yn y bore, ond dydi Sheila ddim yn mynd i nunlle.'

Pan ailadroddodd Daf frawddeg olaf Tom i Gaenor, roedd yn swnio fel petai Sheila'n garcharor yng Nglantanat, ffermdy hyfryd Tom Francis. Awgrymodd hynny, a dechreuodd Gaenor chwerthin.

'O ystyried dy fod ti'n heddwas, ti ddim yn sylwgar o gwbl.'

'Ond wnaeth Tom ddim dweud dim byd am salwch.'

'Efallai nad ydi hi'n sâl.'

'Ond mae hi'n colli gwaith. Dydi Sheila byth yn colli gwaith.'

'Ti'n cofio bod y profion wedi dangos nad oes rheswm penodol pam na allen nhw gael plant?'

'Ond maen nhw wedi derbyn y newyddion hwnnw rai wythnosau'n ôl. Pam rŵan, felly?'

'Falle eu bod nhw'n brysur? Ei chyfnod ffrwythlon? O, Daf, ti'n anobeithiol. Cer i weld Chrissie!'

Roedd car Daf yn edrych fel tegan ar fuarth Berllan yn ymyl y peiriannau enfawr a'r tractors. Doedd o ddim yn synnu fod Chrissie wastad yn chwilio am staff – roedd ganddi ddigon o offer ar ei buarth i dorri silwair y genedl gyfan.

Mae'n rhaid ei bod wedi clywed sŵn y car gan ei bod yn aros amdano ar stepen y drws.

'Tasech chi 'di cyrraedd hanner awr yn hwyrach, mi fysen i yn fy jim-jams, Mr Dafis,' galwodd arno.

'Sori, Chrissie. Mae heddiw wedi bod yn dipyn o ddiwrnod.'

Sbonciodd hi i lawr y llwybr i'w gyfarch. 'Mae hi'n bedlam yn y tŷ – be am i ni gael ein sgwrs ni yn yr offis?'

Portacabin oedd ei swyddfa hi. Dim ond i'r cyntedd roedd Daf wedi mentro hyd yn hyn, i dalu biliau, felly synnodd o weld faint o le oedd drwy'r drws bach tu ôl i'r ddesg: ystafell helaeth efo sawl hen soffa, set deledu fawr, cegin fechan a rhes o ddeg cwpwrdd ffeilio.

'Allai rhywun fyw fan hyn, Chrissie.'

'Bob hyn a hyn mi fydd rhyw weithiwr neu'i gilydd angen llety, a fan hyn dwi'n eu rhoi nhw. Steddwch lawr, Mr Dafis. Mae'n rhy boeth am baned, felly lager bech slei, ie?'

'Wna i ddim gwrthod, diolch.'

Plygodd Chrissie i estyn caniau o'r oergell isel gan aros i lawr am gwpl o eiliadau yn hirach nag oedd raid. Roedd llwch a marciau gwyrdd silwair dros ei choesau brown heblaw am y tu ôl i'w phengliniau lle roedd y chwys wedi eu golchi i ffwrdd. Gwisgai fŵts gwaith trymion, crys T tyn a'r shorts denim lleia yn y byd, ac roedd yn rhaid i Daf geisio meddwl am rywbeth arall i dynnu ei feddwl oddi ar yr olygfa o'i flaen: dewisodd wyneb blin Picton-Phillips, a weithiodd yn syth. Lluchiodd Chrissie gan o Carling iddo.

'Rhag ofn eich bod chi angen cŵlio lawr, Mr Dafis.'

'Paid â dweud dy fod ti'n mynd allan ar gontract yn gwisgo'r shorts 'na, Chrissie! Mi fydd ryw hen ffermwr wedi cael hartan un diwrnod.'

'Aros yn y cab ydw i, cofiwch. Beth bynnag, mae'r tywydd yn boeth ac mae gen i hawl i fod yn gyfforddus wrth weithio.'

'Wrth gwrs.'

'Rhoswch yn fanna – mae gen i rwbeth i'w ddangos i chi.'

Petai unrhyw un arall yn siarad efo fo yn steil y ffilmiau *Carry On* byddai Daf wedi hen ddiflasu, ond efo Chrissie roedd o'n mwynhau, heb ddeall yn iawn pam.

Tynnodd Chrissie gyllell o'i phoced ac agor y llafn ag ewin coch ei bawd cyn ei defnyddio i godi pedair o'r teils llawr gwyrdd. O dan y teils roedd agoriad a chaead trwm arno, a chlo clap ar y bollt. Cymerodd Chrissie lai na munud i'w agor, a neidiodd i mewn i'r twll. Roedd Daf yn chwilfrydig: cododd a chamu draw mewn pryd i'w gweld hi'n dringo i lawr ysgol fetel. Tynnodd dortsh o rywle ac wedyn gallai Daf weld siambr fach efo waliau, llawr a nenfwd dur. Roedd yno hen ddrws pren, ac arno glo clap a phedwar bollt. Yn amlwg, roedd Chrissie yn cadw rhywbeth yn ddiogel iawn. Tu ôl i'r drws roedd sêff fawr Fictorianaidd.

'Caewch eich llygaid, plis,' galwodd Chrissie, cyn ymbalfalu â'r clo.

Trodd Daf ei ben ac yn y distawrwydd perffaith clywodd sawl clic a gwich fetelaidd. Ymhen dim, roedd Chrissie yn ôl wrth ei ochr â ffeil blastig yn ei llaw.

Un o'r pethau roedd Daf yn ei hoffi fwyaf am Chrissie oedd ei chysondeb. Doedd hi byth ar ddeiet, ac roedd hyd yn oed ei harogl yn gyson. Ers iddo ddod i'w hadnabod hi, roedd Daf yn gallu dweud sut roedd hi wedi treulio'i diwrnod. Os oedd arogl olew neu ddisel yn ei gwallt, roedd hi wedi bod yn ei gweithdy. Os oedd gwynt dolydd yr haf, gwair a llwch arni, daeth yn syth o gontract yn rhywle. Fel dyn oedd wastad yn mwynhau ei fwyd roedd Daf wastad yn hoffi'r arogl grefi da fyddai arni tuag at amser bwyd, a doedd ganddo ddim syniad sut y rhoddai ginio rhost llawn ar y bwrdd yn ddyddiol. Bob hyn a hyn, roedd Chrissie yn gwneud dipyn o sioe, gan wisgo ffrog dynn a sodlau uchel, a phersawr trwm, sbeislyd. Roedd yn well gan Daf yr arogl grefi na hwnnw. Cafodd sioc, felly, pan safodd wrth ei hymyl ac arogli tamprwydd a phydredd arni, ac allai o ddim canolbwyntio.

Tynnodd Chrissie sawl dogfen o'r ffeil.

''Den ni'n iawn o ran pres, Mr Dafis,' meddai wrth i Daf adfer ei ffocws, 'ond dwi'n poeni am y rhai bech. Dwi ddim isie iddyn nhw fod yn faich ar sgwydde Rob, a phwy a ŵyr be fyse Bryn yn wneud ar ei ben ei hun. Fyse fo ddim ar ei ben ei hun am hir, dwi'n siŵr.'

'Ai dy ewyllys di ydi hon, Chrissie?'

'Ie. Mae'n un go gymhleth achos dwi ddim isie i'r dyn *tax* ddod i lawr fel bwncath ar fy musnes i. Ond mae'r arian wedi'i sortio ... jest y cogie bech sy'n fy mhoeni i.'

'A sut alla i helpu?'

'Dwi isie i chithe a Gae fod yn warchodwyr i Sam ac Aron petai rwbeth yn digwydd i mi.'

'Does dim am ddigwydd i ti, Chrissie. A be am Bryn?'

'Bydd Bryn yn ailbriodi cyn i mi oeri, a chwarae teg iddo fo. Druan ohono fo – mae o'n gwybod yn iawn mai fy ail ddewis i oedd o, felly sut allwn i ei feio fo petai o'n ddewis cynta i ryw ferch arall?'

Daliodd Daf ei llaw. Efallai ei fod yn dychmygu pethau, ond roedd ei chroen yn oerach nag arfer.

'Be sy'n bod, Chrissie?'

'Dim byd. Jest meddwl am y dyfodol ydw i. A phan weles i Jenkin Gwaun Isa wedi'i losgi'n ulw, a fynte bymtheg mlynedd yn iau na fi ... Wel, mae'n gwneud i rywun feddwl.'

'Ti'm yn sâl, felly?'

'Erioed wedi teimlo'n well. Ond dwi'n siŵr bod Jenkin yn iach hefyd, y tro dwetha iddo geisio rhoi ei law i lawr cefn fy shorts. Dim ond wythnos yn ôl oedd hynny.' Gwasgodd Chrissie law Daf. 'Fysech chi ddim angen gwario ceiniog arnyn nhw. Dwi'n mynd i'r banc wythnos yma i lofnodi polisi siwrans newydd fydd yn talu miliwn a hanner mewn *trust* iddyn nhw petai rwbeth yn digwydd i mi.'

'Does dim rhaid i ti wneud ffasiwn beth, Chrissie. Mae Sam ac Aron fel teulu i ni'n barod.'

'A sut allech chi brynu ceir iddyn nhw, Mr Dafis? Pethe drud ydi plant, ac os ydech chi a Gae yn fodlon cytuno i helpu, rhaid i ni sicrhau na fydd Mali Haf yn colli allan.'

'Mi fyse'n fraint bod yn warchodwyr i'r cogie, os ydi hynny'n iawn efo Bryn.'

Cododd Chrissie ar flaenau ei thraed, oedd yn anodd mewn

bŵts trwm, i roi cusan iddo. Anelodd am ei geg ond trodd Daf ei ben, a glaniodd ei gwefusau ar ei foch.

'Diolch, Mr Dafis,' meddai mewn llais isel. 'Dech chi wedi tawelu fy meddwl, wir.'

Roedd Gaenor yn falch iawn pan glywodd am ei chyfrifoldeb newydd.

'Fyse'n syniad i ninne wneud trefniant tebyg ar gyfer Mali Haf,' awgrymodd. 'Ti'n meddwl y gallai Siôn a Belle ymdopi, dwêd?'

'Gawn ni drafod y peth rywdro eto? Dwi'n nacyrd ac mi fydd yn rhaid i mi wynebu'r blydi Cyrnol 'na fory.'

Pennod 6

Bore Llun

Dros frecwast, roedd Mali Haf mewn hwyliau da a'i phen bach yn llawn chwilfrydedd am hufen iâ.

'Oes plant gan Padraig Hufen Iâ?' gofynnodd wrth fwyta ei grawnfwyd.

'Nag oes, dydi o ddim yn briod,' atebodd ei thad, oedd yn yfed ei bedwerydd coffi.

'Mae merched yn dwp, felly,' ymatebodd Mali Haf. 'Mae ganddo fo siop hufen iâ! Pam nad oes gan Padraig wraig os oes ganddo fo siop hufen iâ?'

Cyn i Daf gael cyfle i ymateb i'r cwestiwn difyr hwnnw, canodd ei ffôn. Nev.

'Well i ti ddod yn syth lawr i'r orsaf, bòs,' meddai mewn llais pryderus. 'Mae'r boi o'r Fyddin wedi cyrraedd ac mae ganddo fo dipyn i'w ddweud.'

'Ond dwi 'di addo picio draw i weld Sheila.'

'Well i ti aildrefnu dy alwadau cymdeithasol.'

Ffarweliodd Daf â'i deulu ac anelu trwyn y car i gyfeiriad gorsaf yr heddlu yn y Trallwng. Sylweddolai faint o helbul y gallai Picton-Phillips ei greu, a doedd ganddo ddim digon o adnoddau nac amser i greu gelynion, felly yn ystod y siwrne ceisiodd droi ei feddwl at gais Chrissie. Oedd hi'n sâl, tybed? Dychmygodd fywyd heb Chrissie – hyd yma, doedd o ddim wedi ystyried pa mor ddibynnol arni oedd o am gyfeillgarwch, am gefnogaeth i'r teulu cyfan, am *ego-boost* parhaol. Byddai'r ardal gyfan yn ddi-liw a thawel heb Chrissie.

Roedd hi'n braf gweld mwy nag arfer o PCSOs yng nghyntedd yr orsaf, ac roedd golwg eiddgar arnyn nhw hefyd. Roedd Nev yn mynd trwy'r rota ac yn aildrefnu tasgau er mwyn rhyddhau'r swyddogion llawn amser i weithio ar yr ymchwiliad. Synnodd

Daf ei fod mor flaengar – er bod Nev yn swyddog da roedd fel arfer yn fwy ceidwadol.

'Fe ffoniodd Sheila,' esboniodd y dyn ifanc. 'Hi awgrymodd 'mod i'n cael cip ar y rota.'

'Debyg iawn. Dwi'n mynd i mewn i siarad efo'n ffrind arbennig ni, felly alli di wneud yn siŵr fod cwpl o SOCOs yn mynd i weld y gilfan ger y bont?'

'Ocê, bòs.' Oedodd Nev am eiliad cyn parhau mewn llais isel. 'Ydi hi'n bosib bod cell o ISIL wedi datblygu yn fan hyn?'

'Annhebygol iawn, fysen i'n meddwl.'

'Ond mae'r Cyrnol yn dweud ...'

'Mae'r Cyrnol wedi treulio'i fywyd yn chwilio am bethau mewn cysgodion.'

Gan barhau â'i ymdrech i beidio ffraeo â Picton-Phillips, ystyriodd Daf y posibilrwydd fod y cyn-filwr yn diodde o PTSD. Os hynny, doedd gweithio i'r heddlu ddim yn ddewis doeth. Ond roedd golwg hamddenol iawn ar Picton-Phillips, yn eistedd yng nghadair Daf.

'A, Dafis! Sut wyt ti heddiw?'

'Go lew, diolch, syr. Ydech chi wedi cael popeth dech chi ei angen?'

'Naddo, o bell ffordd ond mi wnaiff y tro nes byddan nhw wedi sortio swyddfa iawn i mi. Oes 'na le i mi fan hyn?'

'Dim llawer, ond mi alla i symud o'ma, a ...'

'Diolch am y cynnig, Dafis, ond dwi angen cysylltiad llawer gwell na hyn i'r we. Mae Haf yn dweud bod ganddi *wi-fi* reit dda fyny yn y Plas, felly fanno fydd HQ, dwi'n meddwl.'

'Dech chi'n sicr, syr? Mae'r Plas yn iawn ond mi fysech chi yn ei chanol hi yma yn y Trallwng.'

'Dim os ydi'r person sy ganddon ni dan amheuaeth yn byw yn Llanerfyl.' Cododd Picton-Phillips ei fys i glicio botwm ar ei liniadur a gwelodd Daf lun o wyneb Bahri yn llenwi'r sgrin.

'Es i draw i siarad efo fo ddoe, yn anffurfiol, Cyrnol. Dwi'm yn meddwl bod ganddo unrhyw gysylltiad efo'r hyn digwyddodd.'

'Pam hynny?'

'Does ganddo fo ddim diddordeb mewn dim byd ond prynu dillad: mae'r còg yn dipyn o baun, a dweud y gwir.'

Gwenodd y Cyrnol yn nawddoglyd.

'A, ie, mi anghofiais 'mod i'n siarad efo'r heddwas gorau yng Nghymru. Ti'n nabod y teulu?'

'Wrth gwrs.'

'Roedd y ferch yn eitha agos i dy ferch di ar un cyfnod.'

'Yn y chweched, oedd.'

'Dwi'n synnu, felly, nad oeddet ti wedi clywed bod y "còg" wedi dechrau ar y llwybr Prevent.'

Eisteddodd Daf i lawr yn sydyn ar y gadair gyferbyn â Picton-Phillips.

'Yn swyddogol? Dech chi'n siŵr, syr?'

'Mae gen i fynediad i bob cornel o strategaeth Prevent, a dwi'n deall bod Bahri wedi bod yn y system ers cyn Dolig, tra oeddet ti'n brysur efo dy giamocs yn afon Dyfi.'

'Pwy gyfeiriodd o atyn nhw, syr?'

'Wel, dwi wedi cael fy siomi eto gan dy rwydwaith di, Dafis. Athrawes Ffrangeg yn yr ysgol. Rhyw Miss Haynes.'

'Ie, Gwerfyl Haynes. Dwi'n ei nabod hi'n iawn.'

'Oherwydd ei bod hi'n agos iawn at aelod o dy dîm di fan hyn?'

'Wel, ie. Ond dwi'n ei nabod hi fel rhiant yn yr ysgol hefyd, ac fel aelod o'r Llywodraethwyr, wrth gwrs.'

Ni wyddai Daf beth i'w ddweud na'i wneud. Cofiai'r sesiwn hyfforddi yn yr ysgol ar y strategaeth Prevent ac roedd o bron yn bendant bod y Corff Llywodraethol wedi penderfynu penodi Daf ei hun i fod yn gyfrifol am y maes cymhleth hwn. Wedyn, cofiodd ei fod wedi colli dau gyfarfod ar ôl hynny: un oherwydd yr ymchwiliad i lofruddiaeth Illtyd Astley a'r llall pan oedd yn cael triniaeth ar fysedd ei law chwith.

'Mi bicia i fyny rŵan i siarad efo hi,' cynigiodd.

'Iawn. A bydd yn rhaid i ti ddelio â chanlyniadau cyntaf archwiliadau'r SOCOs ar dy ben dy hun – mae gen i gyfarfod Silver Command lawr ar Faes y Sioe.'

'Silver Command, syr? Does fawr ddim wedi digwydd ... mae Silver Command yn delio ag argyfyngau go iawn.'

Neidiodd Picton-Phillips ar ei draed a chau ei liniadur gyda chlep.

'Mae 'na gell o frawychwyr o dan dy drwyn di, Dafis. Mae'n rhaid i ni gael gafael ar y sefyllfa gynted â phosib. Dwi'n disgwyl gweld y dyn ifanc fan hyn yn nes ymlaen heddiw.'

'Ond does dim tystiolaeth i gysylltu Bahri efo be ddigwyddodd i'r bont, Cyrnol.'

'Ffeindia beth, a hynny'n reit sydyn.'

Martsiodd allan o'r swyddfa gan siarad ar ei ffôn symudol. Cododd Daf a cherdded at y ffenest. Yr eiliad y gwelodd y Cyrnol yn dringo i mewn i'w Range Rover Evoque, gwaeddodd ar Nev.

'Nev! Ty'd i mewn am eiliad.'

'Ti'n ocê, bòs?' gofynnodd Nev pan welodd nad oedd golwg rhy siriol ar wyneb Daf.

'O bell ffordd.'

'Y Cyrnol?'

'Sbot on. Ond hefyd, dwi isie gwybod pam fod disgybl yn fy ysgol leol eisoes yn system Prevent heb yn wybod i mi.'

Ar ôl dros ugain mlynedd yn Heddlu Dyfed Powys roedd Daf yn gyfarwydd iawn ag arferion bach ei gyd-weithwyr. Roedd chwarae â hances yn arwydd clir fod Nev yn nerfus, a doedd yn ddim syndod i Daf pan dynnodd y cwnstabl ifanc un allan o'i boced a sychu ei dalcen â hi.

'Ddwedodd Gwerfyl wrthat ti, lanc?'

'Do. Fi ... fi awgrymodd iddi wneud. Roedd hi'n poeni amdano fo, am sawl rheswm.'

'O?'

'Mi geisiodd Gwerfyl dy ffonio di sawl tro ond wnest ti ddim ateb, ac roedd y peth yn rhy sensitif i'w drafod ar beiriant ateb. Trafododd y peth efo'r Pennaeth a'r tîm bugeiliol cyn cyfeirio'r bachgen. Does gen i ddim manylion ...'

'Paid â phoeni. Ffonia'r ysgol i ddweud 'mod i ar fy ffordd, wnei di?'

'Ond mae Gwerfyl yn dysgu drwy'r bore. Blwyddyn wyth cyn yr egwyl, wedyn un wers efo blwyddyn naw a dwbl efo'r chweched.'

Chwarae teg iddo fo, meddyliodd Daf. Roedd yn dipyn o beth i rywun ddysgu amserlen ei gariad.

'Gofala di am y siop fan hyn.'

'Wrth gwrs,' atebodd Nev, cyn mentro dweud, mewn llais isel, 'Paid â bod yn gas efo hi, bòs. Dim ond ceisio gwneud ei gwaith oedd hi, a doeddet ti ddim ar gael rhyw lawer ar y pryd. Roedd yn rhaid iddi ddibynnu ar ei barn broffesiynol ei hun heb gefnogaeth, cofia.'

'Tydw i ddim yn flin efo Gwerfyl o gwbl, còg, ond rhaid i mi gael gwybod mwy, iawn?'

Wrth iddo yrru i fyny'r lôn serth at safle'r ysgol uwchradd, ystyriodd Daf faint o oriau roedd o wedi'u treulio yno dros y degawdau yn ddisgybl, rhiant, swyddog cyswllt a llywodraethwr. Roedd Gaenor wedi jocian un noson, pan gerddodd Daf i'r tŷ yn bell ar ôl deg o'r gloch y nos, y byddai'n well ganddi petai Daf yn cael affêr yn hytrach na bod yn llywodraethwr, oherwydd y byddai hynny'n cymryd llai o'i amser. Ond ar y llaw arall, roedd yr ysgol wedi rhoi Daf, bachgen o gartref lle nad oedd neb yn darllen dim heblaw'r papur lleol, ar ei ffordd i brifysgol. Roedd ei blant hefyd wedi cael pob cefnogaeth yno i gyflawni eu breuddwydion, hyd yn oed o ystyried nad oedd breuddwyd Rhods yn un uchelgeisiol iawn.

Doedd dim rhaid iddo ddweud dim wrth staff y dderbynfa – roedden nhw'n ei ddisgwyl, a Gwerfyl hithau'n aros amdano fel cwningen yng ngolau lamp.

'Be sy, Daf?' gofynnodd mewn llais cryg. 'Dim ond gwneud fy nyletswydd oeddwn i.'

Sylwodd Daf fod Gwerfyl wedi pesgi ers iddi ddechrau canlyn Nev, ac yntau wedi colli stôn a hanner, fel petaen nhw wedi cytuno i gyfarfod yn y canol. Roedd ei dillad ceidwadol yn adlewyrchiad o'i natur drylwyr.

'Paid â phoeni, Gwerfyl. Mae gen i gwpl o gwestiynau i'w gofyn – ydi hi'n iawn i mi eistedd?'

'Wrth gwrs. Sori, dwi 'di colli fy maners i gyd.'

'Gwranda, lodes, does dim rheswm i ti fod yn ffwndrus. Isie holi am Bahri ydw i.'

Cochodd Gwerfyl.

'Dwi ddim yn hiliol o gwbl, Daf.'

'Does neb yn gwneud unrhyw gyhuddiad o'r fath yn d'erbyn di.'

Cododd Gwerfyl bensel oddi ar y ddesg a ffidlan efo hi, gan ei symud o un llaw i'r llall. 'Ti'n cofio be ddywedon nhw yn yr hyfforddiant hwnnw, Daf? Sbia o dy gwmpas am bobl ifanc sy wedi newid.'

'Dwi'n cofio'r sesiwn yn iawn.'

'Wel, mi gollodd Bahri ddiddordeb mewn pethau, rywsut, fel petai'n byw mewn du a gwyn yn hytrach nag mewn lliw. Doedd o ddim yn mynd draw i'r Amwythig efo'i ffrindiau, ddim yn cynllunio gwyliau. Roedd o wedi talu blaendal i Owain Rhys ar gyfer trip i Magaluf ar ôl yr arholiadau, ond gofynnodd am ei bres yn ôl.'

'Dwi ddim isie mynd i Magaluf chwaith, Gwerfyl – gobeithio nad ydw i'n beryg i'r cyhoedd.'

Wnaeth Gwerfyl ddim ymateb. 'Wedyn, dechreuodd gymryd diddordeb yng nghyfrifiaduron yr ysgol, gan dreulio pob awr ginio ar ben ei hun yn y labordy technegol. Ro'n i'n helpu allan yno ambell waith – mi ddechreuais jecio hanes ei chwiliadau, ond roedd o'n clirio'r data ar ei ôl bob tro.'

'Porn, mwy na thebyg.'

'Does neb, hyd yn oed Bahri, yn ddigon diniwed i geisio pasio *porn filters* Cyngor Sir Powys.'

'Efallai nad oedd o'n ymwybodol ohonyn nhw.'

'Choelia i fawr – mae'r plant 'ma'n gall, ac yn gyfarwydd â thechnoleg ers yr ysgol gynradd. Ta waeth, ar ôl hynny mi guddiais yn y stordy er mwyn i mi fedru gweld y sgrin dros ei ysgwydd.'

'Duwcs, Gwerfyl, wyt ti wedi ystyried ailhyfforddi fel plismones?'

'Ond welais i ddim byd ond y neges 'Access Denied', ac roedd o mor sydyn yn clirio'r hanes chwilio, ches i ddim tystiolaeth.'

'Felly ...?'

'Felly penderfynais drafod y peth efo rhywun. Mi ffoniais i ti sawl tro heb ddeall dy fod ti'n cael triniaeth cyn siarad efo'r Prif a'r tîm bugeiliol, ac mi oedden nhw'n cytuno y dylwn i ei gyfeirio. Ffoniais orsaf Caerfyrddin a daeth rhyw ddynes neis iawn fyny yma i siarad efo fi.'

'A?'

Roedd bysedd Gwerfyl yn cyflymu ar y bensel.

'Wel, mi ddwedodd hithe 'mod i'n iawn i wneud y cyfeiriad, a chafodd sgwrs efo Bahri, dwi'n meddwl, a sawl aelod arall o staff. Wedyn, sgwennodd hi adroddiad manwl iawn i gefnogi'r cyfeiriad, ond dwedodd nad oedd digon o dystiolaeth i roi Bahri mewn Sianel – dim ar y pryd, beth bynnag.'

'Ar y pryd?'

'Ie. Roedd yn ddigon amlwg fod gan Bahri gyfrinachau, ond doedden nhw ddim yn gweld unrhyw gysylltiad rhwng hynny ac eithafiaeth ar y pryd. Dyna gasgliad yr adroddiad.'

'Oes copi o'r adroddiad yma?'

'Oes, draw yn y swyddfa. Gwranda, Daf, dwi ddim yn hiliol. Dwi wedi dod ymlaen yn dda efo plant o dras gwahanol dros y blynyddoedd – cafodd Zehra A* yn fy nosbarth i. Roedd teulu'r meddyg o Ddolanog yn blodeuo dan fy ngofal i ... be ydi ei enw hi? Ie, Dr Wang ... a'r boi o Bortiwgal sy'n filfeddyg yn y lladd-dy yng Nghyfronydd ... dwi ddim yn deall pwy ...'

'Hold on, Gwerfyl. Does neb wedi cwyno amdanat ti. Rhyw ddigwyddiad echdoe ar y rheilffordd bach sy wedi sbarduno hyn, dyna i gyd.'

Gwelwodd wyneb Gwerfyl. 'Y rheilffordd?' meddai mewn llais crynedig.

'Ie. Dim byd mawr, ond mae môr a mynydd yn cael ei wneud o'r peth.'

'Wnes i geisio dweud wrth y blismones Prevent am gysylltiad Bahri â'r rheilffordd – peth od iawn i fachgen o'r chweched ei wneud, mynd lawr i botsian efo'r trêns.'

'Mae Bahri wedi esbonio'r peth i mi. Rhywbeth am brofiad gwaith yn yr ysgol gynradd, wedyn ...'

'Na, Daf, celwydd ydi hynny. Fu Bahri erioed ar brofiad gwaith yn Ysgol Llanerfyl. Mi wnaeth o ofyn ddwywaith ond roedd rhywun arall wedi gofyn o'i flaen o, ac all Miss Rŵm Fawr hyd yn oed ddim ymdopi â mwy nag un llanc profiad gwaith ar yr un pryd.'

'A sut wyt ti'n gwybod hynny, Gwerfyl?'

'Achos dwi'n chwaer i Miss Rŵm Fawr.'

'Ond ddwedodd Bahri ...'

'Mae'n amlwg bod Bahri wedi rhaffu celwyddau, Daf. Mae 'na rwbeth o'i le, dwi'n sicr.'

Ar ôl gadael Gwerfyl gwnaeth Daf drefniant i weld Bahri yn ystod yr awr ginio. Doedd dim digon o amser iddo yrru'n ôl i'r orsaf cyn hynny felly ffoniodd Sheila yn y gobaith y gallai bicio draw yno yn y cyfamser. Pan atebodd roedd ei llais yn gysglyd.

'Helô Daf ... Na, na, dim o gwbl. Ty'd draw pryd bynnag sy'n dy siwtio di.'

Ar ei ffordd draw i fferm Glantanat, ystyriodd Daf yr hyn a ddysgodd. Roedd Gwerfyl wedi darganfod bod Bahri yn cadw cyfrinachau ac roedd hynny'n peri gofid i Daf. Credai fod Bahri yn ymddiried ynddo, ond efallai ei fod o wedi camddeall. Er nad oedd Daf erioed wedi cwrdd â *jihadi* roedd yn ei chael yn anodd credu y byddai dyn ifanc penboeth, peryglus yn chwerthin mor rhwydd nac yn ofni ei chwaer fawr. Anodd oedd dychmygu Bahri yn sefyll yn yr anialwch tu allan i Raqqa â gwn yn ei law – byddai fanno'n rhy bell o'r River Island agosaf, yn un peth.

Roedd golwg ddiog ar y gwartheg golau oedd yn gorwedd yng nghysgod y coed castan mawr ger wtra Glantanat. Roedd yr awyr yn drwchus â synau hirddydd haf: suo pryfed, ochenaid isel yr awel rhwng y dail, yr afon yn parablu. Roedd y tŷ mawr du a gwyn a'i erddi fel pìn mewn papur fel arfer ac ystyriodd Daf ei fod wedi bwyta oddi ar sawl plât nad oedd mor lân â'r buarth. Roedd y cyfan fel petai Glantanat yn dal ei wynt, yn aros am rywbeth.

Cyn iddo gnocio ar y drws mawr derw derbyniodd Daf neges destun: 'Tyrd i fyny'r staer. Ail ddrws ar y dde.'

Tu ôl i'r drws hwnnw roedd llofft fawr. Yn edrych yn fychan bach yn y gwely pedwar postyn eisteddai Sheila, â chylchgrawn ar ei glin. Roedd hi'n gwisgo gŵn nos Fictoraidd ac roedd gwyn y defnydd yn gyferbyniad llwyr â'i bochau pinc. Doedd Daf erioed wedi ei gweld hi'n edrych yn fwy iach, er bod cysgod dros ei llygaid.

'Dwi mor falch o dy weld di, bòs,' meddai. 'Dwi'n mynd off fy mhen fan hyn.'

'Wyt ti'n sâl?'

'Dim o gwbl.'

'Os felly, ty'd di 'nôl i'r orsaf 'na ar unwaith, y diogyn!'

'Alla i ddim.'

'Pam hynny?'

'Stedda i lawr am eiliad, i mi gael dweud yr hanes wrthat ti.'

Setlodd Daf ar y garthen o frethyn lliwgar. Roedd o a Sheila yn ffrindiau da erbyn hyn, yn llawer mwy clòs na llawer o gyd-weithwyr, ac roedd Daf wedi ei chefnogi yn ei hymdrech i ddysgu Cymraeg. O ganlyniad, roedd o'n ymwybodol ei bod yn cael cryn drafferth i chwilio am eiriau addas i drafod achos ei habsenoldeb o'r gwaith.

'Mi ddechreua i efo newyddion da: dwi'n *pregnant*.'

'Dwi'n feichiog,' cywirodd Daf hi.

'Wel, wnes i feddwl dy fod ti 'di rhoi pwysau 'mlaen.'

'Ha blydi ha. Fydd dy Gymraeg di ddim yn gwella os na fydd pobl yn dy gywiro di, ac mae Tom yn gadael i ti gael get-awê efo iaith lac iawn.'

'Gwell Cymraeg slac na Saesneg slic, yn ôl Tom. Beth bynnag, dwi wedi mynd dros ddeg wythnos erbyn hyn, ond mae dal yn ddyddiau cynnar.'

'Mi alli di ddod i'r gwaith a tithau'n disgwyl, wyddost ti. Roedd Nia efo ni'n rhan amser hyd at bythefnos cyn i Nath bach gael ei eni.'

'Ddydd Mercher diwetha mi gollais dipyn o waed. Dim llawer, ond roedd o yno. Do'n i ddim yn bwriadu dweud wrth Tom, ond fo wagiodd y fasged dillad budr y noson honno ...'

'*Domesticated* iawn, myn uffern i!'

'Mi gafodd ei ddysgu'n dda gan ei fam. Ond wedyn, aeth o i banics llwyr.'

'Dwi ddim yn gweld bai arno fo. Gall yr wythnosau cyntaf fod yn gyfnod ansicr iawn.' Cofiodd Daf fod Gaenor yn nyddiau cynnar ei beichiogrwydd â Mali Haf pan adawodd ei gŵr er mwyn byw efo fo, ei brawd yng nghyfraith ar y pryd, gan anwybyddu'r holl bobl oedd yn cario clecs fel petai ganddi ddim gofal yn y byd. Ond bob min nos, byddai'n crynu yn ei freichiau mewn ofn y byddai'n teimlo'r poen cyfarwydd a'r gwlybaniaeth rhwng ei choesau. Roedd hi wedi colli babi ar ôl babi ar ôl i Siôn gael ei eni, felly roedd genedigaeth Mali Haf yn wyrth iddi. Allai 'run dyn dan haul ddeall y fath golled, gofid, dicter a siom, ond roedd gan Daf bob cydymdeimlad â Sheila druan.

'Daeth Dr Mansel allan ata i, a dywedodd fod popeth yn iawn, ond bod rhai merched yn colli chydig o waed bob pedwar mis, beichiog neu beidio.'

'Difyr.'

'Esboniodd fod hyn yn egluro pam nad ydi rhai merched yn gwybod eu bod nhw'n disgwyl. Ond wedyn, wrth gwrs, roedd o'n digon gonest i ddweud y gallai hefyd fod yn un o arwyddion cyntaf *miscarriage*.'

'Erthyliad naturiol.'

'Ro'n i'n meddwl mai *abortion* oedd erthyliad.'

'Mae'r un gair yn cael ei ddefnyddio am golli babi, efo'r pwyslais ar y "naturiol".'

'Ond dydi'r ddau ddim yr un peth o gwbwl.'

'Na, ti'n iawn.'

Disgynnodd cwmwl o dawelwch drostyn nhw, gan nad

oedd yr un o'r ddau awydd trafod y pwnc ymhellach.

'Wel, ar ôl clywed hynny penderfynodd Tom 'mod i'n saffach yn gwely, felly dyma lle dwi 'di bod ers bore dydd Iau.'

'Ydi hyn yn mynd i wneud gwahaniaeth?'

Gwenodd Sheila tu ôl i'w rhwystredigaeth, ond roedd ei chariad tuag at ei gŵr yn amlwg. 'Hen ffŵl ydi Tom, Daf,' sibrydodd. 'Dwi ddim wedi rhoi fy nhraed ar lawr ers dyddiau.'

'Ti'n jocian?'

'Na.'

Roedd Daf wastad wedi gofyn llawer iawn o gwestiynau, hyd yn oed pan oedd yn blentyn, rhinwedd oedd yn ddefnyddiol iawn i heddwas. Ond bob hyn a hyn, roedd yn methu atal ei hun rhag gofyn cwestiynau anaddas.

'Beth am fynd i bi-pi?'

'Mae o'n fy nghodi i. Fel babi.' Hyd yn oed yng nghanol yr holl ansicrwydd a'r pryder, roedd yn amlwg i Daf fod Sheila'n falch o gael cyfaddef hynny, yn falch o gael gŵr mor ddewr. Roedd brân i bob brân, meddyliodd Daf: fyddai llawer o ferched ddim yn fodlon ufuddhau i'r fath orchymyn, hyd yn oed, heb sôn am frolio am y peth.

'Am faint fydd hyn yn para?'

'Os nad ydw i'n colli mwy o waed, mae o'n hapus i mi ddod yn ôl ddydd Iau.' Oedodd Sheila. 'Isie fy lapio fi mewn gwlân cotwm mae o, dyna'r cyfan,' ychwanegodd, mewn llais mor feddal, prin yr oedd Daf yn ei chlywed. Roedd fel petai yr hen Sheila yn cael ei llyncu'n ara bach gan y cwrlid plu. Ond pharodd y teimlad ddim yn hir, gan iddi sirioli mewn chwinciad. 'Wel, sut wyt ti'n ymdopi efo'r boi 'na o'r Fyddin, bòs? Mae Nev yn dweud ei fod o'n rêl coc oen.'

Chwarddodd Daf yn uchel.

'Ti ddim wedi anghofio amdanon ni'n gyfan gwbl, felly, Sheila?'

'O bell ffordd. Dwi mor *bored* yn gorwedd fan hyn.'

'Wedi diflasu'n llwyr.'

'Wel, dwi 'di diflasu'n llwyr *shitless*, 'te. Mi ffoniais Nev heddiw bore a chael yr hanes i gyd. Mae Nev yn sôn am ryw *over-reaction*.'

'Mae'n amlwg bod rhywun wedi ceisio gwneud rwbeth i'r bont fach 'na, ond ie, "gorymateb" ydi'r gair.'

'Ond pam?'

'Pwy a ŵyr. Falle bod bois y rheilffordd yn mynd ar nerfau pawb. Falle achos bod y lleuad yn llawn. Falle achos mai pobl ifanc heb ddim i'w wneud wnaeth.'

'Neu falle achos eu bod nhw'n aelodau o ISIL a'i bod yn rhy anodd gosod bom yng ngorsaf Birmingham?'

'O ty'd 'laen, Sheila. Wyt ti wir yn meddwl bod rhywun yn Syria wedi clywed am Reilffordd Llanfair Caereinion?'

'Drwy'r we? Wedi bod yma ar eu gwyliau? Cofia, nid tramorwyr ydi *terrorists* yn aml, ond pobl sy wedi cael eu geni yn y wlad 'ma.'

'Terfysgwyr, a ti'n iawn.'

'Pwy sy ganddon ni ar ein *systems* ni sydd yn ffitio'r proffil?'

'Fawr o neb.'

'Rhaid i ni edrych yn ddyfnach, felly.'

'Bydd, ond sut?'

'Oes 'na bobl o ddiddordeb?'

'Na, dim go iawn. Mae'r bastard Cyrnol 'na'n bendant fod yn rhaid i ni fynd ar ôl pob Moslem yn y fro.'

'Dwi'n methu meddwl am neb, heblaw teulu siop cebábs Llanerfyl.'

'Nhw sy dan ei chwyddwydr o.'

'Ti'n jocian?'

'Na. Mynd ar ôl Bahri ydi unig strategaeth Picton-Phillips.'

Roedd Sheila'n dawel am eiliad, gan edrych yn syth i lygaid Daf.

'A be ydi dy strategaeth di, bòs?'

'Sori?'

'Mae'n fy nharo i, a digon posib 'mod i'n bell o'r marc, dy fod ti'n rhy brysur yn amddiffyn pawb rhag Picton-Phillips i wneud dy waith dy hunan. Sut alli di symud yr ymchwiliad ymlaen, dwêd?'

Roedd hi yn llygad ei lle, fel arfer.

'Wel, dwi'n disgwyl canlyniadau archwiliad y SOCOs, fydd yn cynnwys gwybodaeth am y bom, os mai bom oedd o. Hefyd, am ryw reswm, mae Deiniol Dawson wedi dal fy sylw. Dwi isie dysgu mwy amdano fo a phobl y rheilffordd – hyd yn oed os nad ISIL oedd yn gyfrifol, mae dal yn bosib mai ymosodiad bwriadol oedd o, yn hytrach na llanciau'n cambihafio.'

'Ti'n chwilio am droseddwyr nid fandaliaid, felly?'

'Ydw, mae'n debyg. Dwi'n nabod y bobl ifanc leol i gyd, a does 'run ohonyn nhw o natur ...'

'Daf, os wyt ti'n cofio'n iawn, wnest ti ddim gweld y broblem ketamine pan ddaeth hi i'r ardal am y tro cynta.'

'Ti'n iawn, fel arfer. Sut mae Tom druan yn ymdopi efo gwraig sy wastad yn iawn am bob dim?'

'Mae o 'di hen arfer erbyn hyn.' Oedodd am ennyd. 'Dwi am aros fan hyn tan ddydd Iau, Daf, os wnei di adael i mi gael cyfnod hirach o absenoldeb o'r gwaith. Mae Dr Mansel yn dod yn ôl bryd hynny i weld sut dwi'n gyrru ymlaen. Tan hynny, mi gadwa i at reolau Tom, waeth pa mor ffôl ydyn nhw.'

'Dwi'n deall.' Cododd Daf ar ei draed. 'Cofia di ffonio os wyt ti angen unrhyw beth.'

Wrth iddo gerdded i lawr y grisiau derw llydan, tynnodd Daf ei ffôn o'i boced. Roedd neges gan yr Ysgol Uwchradd:

'Tyrd yn ôl ar unwaith. Mae Bahri wedi gadael tir yr ysgol a does neb yn gwybod ble mae o.'

Pennod 7

Yn hwyrach fore Llun

Ffoniodd Daf yn ysgol yn syth.

'O, Arolygydd Dafis, dwi mor falch o glywed eich llais chi,' atebodd yr ysgrifenyddes. 'Mae'r Prif fan hyn.'

'Dafydd, Dafydd, Dafydd,' dechreuodd y Prifathro yn ei lais tew, soniarus. 'Be ydi'r helynt rŵan?' Fel sawl athro, roedd o'n anghofio'n go aml nad oedd ganddo hawl i roi pryd o dafod i bobl yr un oed â fo.

'Ble mae Bahri?'

'Dwi ddim wedi ei weld o heddiw – mi wnaeth o gofrestru a mynychu ei wersi Hanes a Saesneg, ond diflannodd yn ystod yr egwyl a does neb wedi'i weld o ers hynny.'

'Pryd aeth Gwerfyl i siarad efo fo?'

'Amser egwyl.'

'Reit. Dwi'n bwriadu dod draw i'r ysgol ond mi bicia i heibio'i gartref ar y ffordd, yn y gobaith ei fod wedi penderfynu mynd adre.'

'Ond sut? Dydi o ddim yn gyrru.'

'Lifft gan ffrind, mae'n debyg.'

'Dydi Bahri ddim yn fyfyriwr arbennig o ddisglair ond mae o'n un go stedi, a tydi o erioed wedi cerdded allan o'r ysgol o'r blaen.' Wrth i'r Prifathro siarad cofiodd Daf fod Carys wastad wedi dweud bod gwrando ar lais ei chyn-Brifathro fel gwrando ar laeth yn suro.

'Gomer, mae'n rhaid i mi siarad efo Bahri.'

'Ar ba sail?'

'Alla i ddim trafod y peth, sori. Mae Gwerfyl yn ymwybodol o'r hyn sy'n mynd ymlaen.'

'O ie, Gwerfyl. Hen ferchetan sy'n meddwl ei bod hi'n un o'r Bond Girls ers iddi ddechrau canlyn un o dy fois di.'

'Gyda phob parch, dim ond gwneud ei dyletswydd oedd hi.'

'O, rydan ni'n trafod dyletswyddau, rŵan, ydan ni, Dafydd? Dwi'n siomedig na wnaeth y llywodraethwr sydd â chyfrifoldeb am yr holl lol Prevent 'ma siarad efo Gwerfyl cyn iddi hi ddechrau ei nonsens.'

Roedd tôn ei lais yn awgrymu mai torheulo yn y Caribî roedd Daf ar y pryd yn hytrach na chael triniaeth ar ôl iddo gael ei anafu wrth arestio llofrudd, ond doedd dim pwrpas dadlau. Ochneidiodd.

'Dwi'n gwybod yn iawn dy fod ti'n dipyn o arwr yn lleol, Dafydd a 'den ni'n ddiolchgar iawn am dy *heroics* di, ond plis ceisia gadw dy fusnes budr allan o f'ysgol i.'

Yn hytrach nag ymateb i'w lol, trodd Daf ei feddwl at Bahri, llanc ifanc diniwed oedd wedi'i dynnu i mewn i sefyllfa beryglus gan bryderon di-sail Gwerfyl a rhagfarn Picton-Phillips. O leia, gobeithiai mai dyna oedd y gwir.

'Ocê, iawn. Rhaid i mi fynd.' Diffoddodd Daf ei ffôn heb falio os oedd o'n ddigywilydd ai peidio.

Roedd golwg dangnefeddus ar Lanerfyl, er gwaetha'r tywydd braf, a rhesi o fêls mawr du yn aros i gael eu casglu ar ddolydd Dolfadog – digon o waith i Chrissie, felly. Yn y maes parcio ger neuadd y pentre tynnwyd sylw Daf gan fan fach wen wedi'i haddurno â lluniau o gymeriadau Cyw, Peppa Pinc, Patrôl Pawennau, Sam Tân ac ati, a'r geiriau 'Sbri efo Sophie!'. Roedd dynes ifanc yn cario tomen o focsys plastig tuag at y fan o ddrws agored y neuadd, fel petai'n clirio ar ôl parti plant – mae'n rhaid mai hon oedd Sophie, meddyliodd Daf – ond cwympodd un o'r bocsys gan beri i hanner dwsin o gacennau bach lliwgar rowlio o gwmpas ei thraed. Rhoddodd Sophie sawdl ei sandal ar un a thaflu'r lleill i gefn y fan gan ddefnyddio'i holl nerth.

'Ffwcio ti, Cyw!' gwaeddodd.

Roedd ei dicter yn chwerthinllyd a braidd yn annisgwyl i drefnydd parti plant, meddyliodd Daf wrth droi tuag at y siop cebábs. Roedd arwydd blêr ar ddrws y siop: darn o bapur wedi'i rwygo o bad sgwennu ac arno, mewn llawysgrifen flêr, y geiriau 'Ar gau dros dro. Closed temporarily.' Tu allan i'r drws roedd car Gwerfyl. Wrth iddo gnocio ar y drws clywodd lais Mr Yilmaz yn siarad Twrceg yn dod o'r cefn. Nid oedd yn rhaid deall ei eiriau i sylweddoli ei fod o'n flin dros ben. Ailadroddai un gair, dro ar ôl tro.

'Şeytan!'

Aeth Daf rownd i'r cefn a drwy'r ffenest gwelai fod wyneb Mr Yilmaz yn cyfateb i ystyr y gair roedd o'i ei weiddi: Satan. Roedd Zehra yn ceisio tawelu ei thad a chysuro'i mam, a oedd yn eistedd wrth y bwrdd a'i hwyneb yn ei dwylo. Yn y gornel bellaf, ei bochau'n fflamgoch, safai Gwerfyl. Cofiodd Daf ddisgrifiad ei phennaeth ohoni – tybed ai chwilio am gyffro i geisio cystadlu â swydd Nev oedd hi pan benderfynodd gyfeirio Bahri at yr awdurdodau? Curodd y drws a chamodd Zehra draw i'w agor.

'Mr Dafis, dwi mor falch o'ch gweld chi. Ydech chi wedi ffeindio Bahri?'

'Sori, lodes, naddo – yma i chwilio amdano fo ydw i.'

Roedd presenoldeb dyn arall wedi tawelu Mr Yilmaz.

'Where has he gone?' gofynnodd, braidd yn swta. 'Is he with some girl?'

Ysgydwodd Daf ei ben. 'We don't know, but it seems likely that he's gone off by himself.'

'A chyn i chi ofyn y cwestiwn nesa,' torrodd Zehra ar ei draws, 'does ganddon ni ddim clem le gallai Bahri fod.'

'Wnei di ofyn os ydi hi'n iawn i mi gael sbrwt bach sydyn yn ei lofft?' gofynnodd Daf, yn teimlo'n fwy euog bob munud.

Daeth ffrwydrad arall o Dwrceg. Am eiliad, cododd Mrs Yilmaz ei hwyneb gwlyb i ofyn, dan ei gwynt, 'Jest dewch â fo'n ôl i ni, plis, dewch â fo'n ôl.'

'Mi a' i â chi fyny i lofft Bahri, Mr Dafis,' cynigiodd Zehra. Hyd yn hyn, roedd Gwerfyl wedi bod yn sefyll yn hollol fud, fel petai'n gwylio drama.

'Does dim rheswm i ti fod yma, Gwerfyl,' meddai Daf

wrthi'n dawel. 'Cer di 'nôl i'r ysgol – wela i di'n nes ymlaen.'
Roedd y rhyddhad ar ei hwyneb yn amlwg.

Llofft fach oedd un Bahri, yn wynebu'r afon. Doedd y llenni ddim wedi cael eu newid ers blynyddoedd, a doedd y patrwm o eirth gwyn a phengwiniaid ddim yn cyd-fynd â'r arogl Lynx yn yr aer. Yn hongian ar gortyn o'r nenfwd roedd awyren fach blastig oedd yn symud rhyw fymryn yn yr awel a ddeuai drwy'r ffenest agored, ac roedd siaced ledr ddrud yn hongian ar fachyn tu ôl i'r drws. Fel sawl ystafell mewn tai ger y briffordd ar dywydd mor sych, roedd haenen denau o lwch dros bob dim. Cymharodd Daf y stafell â'r twlc lle cysgai ei fab – roedd adlewyrchiad o gymeriad Rhodri yn y posteri ar ei wal, y dillad, yr hen bapur MaccyDs oedd ar y llawr ers y penwythnos cynt, y blodyn sidan mawr coch a ddwynodd oddi ar ferch o Mach yn ystod noson adloniant y CFfI. Mewn cymhariaeth roedd rhywbeth gwag ynghylch taclusrwydd llofft Bahri, fel petai'n methu ymlacio a dangos ei natur yno. Ai rheolau llym y cartref oedd y rheswm am hynny, neu a oedd gan y bachgen rywbeth i'w guddio?

'Duwcs, mae Bahri yn llanc go deidi, yn tydi o? Ydi o wastad yn cadw ei bethau mor dwt â hyn?'

Gwenodd Zehra. 'Dwi'n cofio Carys yn dweud bod cyflwr llofft Rhods yn warthus – roedd hi ofn dal typhoid yno, medde hi.'

Ar y ddesg, rhwng y ffeiliau lliwgar, sylwodd Daf ar siâp petryal yn y llwch oedd wedi dod i mewn o'r ffordd fawr.

'Ble mae laptop Bahri, Zehra?'

'Does gen i ddim syniad. Wedi mynd â fo i'r ysgol, mae'n debyg.'

'Ydi o'n gwneud hynny'n aml?'

'Weithiau. Mae o bron â gorffen ei brosiect Bac – efallai ei fod o wedi mynd â laptop i mewn er mwyn cael adborth ar hwnnw.'

Roedd Daf wedi gweld cannoedd o bobl yn rhaffu

celwyddau dros y blynyddoedd, ac roedd y ffordd y gwibiai bysedd main Zehra wrth osod ac ailosod defnydd ei hijab yn dangos pa mor anesmwyth oedd hi.

'Gwranda, lodes, mae'n rhaid i ti fod yn onest efo fi. Dwi'n dweud wrthat ti rŵan: dwi ddim yn meddwl am eiliad bod Bahri yn derfysgwr, ond mae cuddio'r gwir yn codi mwy o gwestiynau. Nawr 'te, ble mae laptop Bahri?'

Ysgydwodd Zehra ei phen gan osgoi llygaid Daf. Roedd hi'n dweud celwydd, yn bendant. O gymharu'r llwch ar y ffeiliau â'r siâp ar y ddesg, roedd yn amlwg fod y gliniadur wedi cael ei symud ar ôl i Bahri gasglu ei stwff ar gyfer diwrnod yn yr ysgol.

'Ti 'di gweld Bahri heddiw?'

'Dim ers i mi ei lusgo at y bws tua chwarter wedi wyth heddiw bore.'

'Wyt ti'n sicr?'

'Wrth gwrs 'mod i. A sut allai o ddod adre beth bynnag?'

'Mae ganddo fo sawl ffrind sy'n gyrru.'

'Dydi o byth yn dod adre yn ystod y dydd. Mae Dad a fo ...'

Trodd y ferch ei chefn ar Daf a dechrau ffidlan efo un o'r clustogau ar y gwely.

'Sut mae'r berthynas rhwng Bahri a dy dad, Zehra? Dwi angen deall y sefyllfa.'

Taflodd Zehra'r glustog yn ôl ar y gwely.

'Dydi Dad ddim yn deall Bahri, dyna'r cyfan. Cafodd Dad ei fagu mewn oes a gwlad wahanol. Mae o'n disgwyl i Bahri slafio fan hyn o doriad gwawr tan nos, ond does gan Bahri ddim diddordeb mewn etifeddu blydi siop cebábs. Mae ganddo fo freuddwydion, syniadau, talentau, hyd yn oed.'

'A dy Dad?'

'Yn sydyn reit, ar ôl blynyddoedd o gymryd dim diddordeb yn ein bywydau ni, mae o isie i Bahri fod yn fab Islamaidd perffaith.'

'Be mae hynny'n olygu?'

'Ymhlith pethau eraill, yn sydyn reit, mae Dad isie trefnu iddo briodi.'

'Ydi hynny'n beth arferol yn eich diwylliant chi?'

'Dim ffiars o beryg. Gwlad leyg oedd Twrci tan yn ddiweddar. Dim ond finne a fy hen fodryb Çağla sy'n gwisgo'r hijab, ac mae *hi*'n hollol boncyrs.' Chwarddodd Zehra, a fflachiodd ei llygaid tywyll. 'Ystyr ei henw ydi "almonau", ac mae hi'n nyts!'

'Doedd Bahri ddim yn disgwyl priodi'n ifanc, felly?'

'Dim o gwbl. Isie teithio mae o, byw mewn dinas – unrhyw ddinas. Manceinion, Brum, Llundain. Y peth ola mae o ei angen ydi maen melin o wraig hyll a hanner dwsin o blant snotlyd.'

'Be os ydi o'n disgyn dros ei ben a'i glustiau ...'

'Mae gan Bahri ei wendidau, ond mae ganddo fo lygad dda. Mae o'n hoff iawn o bethau tlws, a fydd o byth yn fodlon setlo efo'r lwmpen yna, er bod ei thad yn graig o arian.'

'Mae dy dad yn trafod rhywun penodol, felly?'

'Ydi. Rhyw glamp o lodes sy'n digwydd bod yn ferch i'r *wholesaler*. Maen nhw'n byw ger Caer mewn tŷ saith llofft efo giatiau diogelwch, fel tŷ pêl-droediwr. Mi welodd hi Bahri pan aeth o efo Dad i dalu'r cownt, ac ers hynny tydi Dad ddim wedi trafod dim byd arall, bron. Druan o Bahri. Mae hi mor rhywiol â bwrdd smwddio, ac mae ei niqab yn cuddio lot o bechodau.'

'Dwi'n gweld. Tybed ai hyn ydi'r rheswm am ei ... wel, ei ymddygiad rhyfedd dros y misoedd diwetha?'

'Debyg iawn.'

'Ac ydi hyn yn esbonio pam fod dy dad mor flin? Melltithio Bahri oedd o, ie?'

'Ie. Ym marn Dad roedd popeth wedi'i sortio. Does gan Bahri ddim uchelgais benodol ac mae o'n eitha drud i'w gadw, felly roedd dyfodol cyfforddus yn aros amdano fel bòs y cwmni *wholesalers*. A byddai Dad yn sicr o gael disgownt helaeth.'

'Dwi'n dallt.'

'Na, tydech chi ddim yn deall y cyfan. Mae'r bobl 'ma, Brenin y Bara Pitta a'i ferch hyll, yn grefyddol iawn. Roedd yn rhaid i Dad smalio fod Bahri yn dilyn ei grefydd yr un mor ffyddlon, ond tydi o ddim, wrth gwrs. Felly, mae'r *crackdown* wedi dechrau. Tydi o ddim yn cael mynd allan heblaw i bartïon pen blwydd a chaiff o ddim yfed.'

'Zehra, wyt ti'n dweud bod dy dad yn smalio bod eich teulu chi'n fwy crefyddol nag yr ydach chi er mwyn ceisio gwneud argraff ffafriol ar deulu cyfoethog, i ennill y ferch yn wraig i Bahri?'

'Rwbeth fel'na. A tydi Bahri ddim yn fodlon cyd-fynd â chynlluniau Dad.'

'Ai dy dad ofynnodd i ti wisgo'r sgarff 'na?'

Daeth cwmwl o ddicter dros wyneb y ferch.

'Dwi 'di dweud wrthoch chi, Mr Dafis. Fy mhenderfyniad i oedd hynny.'

'Felly mae 'na reswm digonol i Bahri redeg i ffwrdd?'

'Oes. Ond ...' – torrodd ei llais – '... mae o wedi gadael ei siaced ledr. Mae o'n caru'r siaced 'na. Dolce & Gabbana. Fyse Dad yn ei rhoi hi yn y bin tase fo'n gwybod faint dalodd Bahri amdani hi.'

'O ble ddaeth yr arian i brynu'r ffasiwn siaced?'

'Mae o wedi gweithio ers pan oedd o'n blentyn. Gweithio'n galed a gwario'r cwbwl, dyna ydi steil Bahri.'

'Dwi'n ofni 'mod i wedi ei ddychryn o wrth ofyn iddo fo am sgwrs arall. Trueni na soniodd o ddim gair wrtha i ddoe am y busnes Prevent.'

Plygodd Zehra ei bysedd i greu dau ddwrn a churodd un llaw â'r llall mewn ystum o ddicter. Pan siaradodd roedd ei llais yn ddwfn ac yn araf, fel petai angen sicrhau na fyddai camddealltwriaeth.

'Peidiwch â meiddio codi'r nonsens yna. Mi wnaeth yr ast 'na greu môr o drafferth i Bahri wrth agor ei cheg fawr. Jest isie tynnu sylw ati'i hun oedd hi, dim byd arall.'

'Ti'n siŵr nad oes gan Bahri unrhyw dueddiadau na chysylltiadau peryglus?'

'Oes – efo athrawes hanner call sy'n galw bob Moslem yn derfysgwr. Hiliaeth bur, dyna ydi o. Ac oherwydd ei pharanoia hi, mae fy mrawd bach i wedi diflannu ...'

'Ble mae Bahri, Zehra?'

'Does gen i ddim clem.'

'Ble mae ei liniadur?'

'Ganddo fo, dwi'n tybio.'

'Wyt ti wedi bod yma drwy'r bore?'

'Ydw.'

'A ti'n hollol sicr na phiciodd Bahri i mewn o gwbl?'

'Fel dwi wedi dweud, na. Faint o weithiau dech chi isie i mi ailadrodd fy ateb?'

'Tan ti'n dweud y gwir. Rho dy ffôn i mi.'

'Pam?'

'Gwranda, Zehra, nid chwarae plant ydi hyn. Mae 'na siawns fod Bahri yn wynebu cyhuddiad difrifol. Mae o wedi rhedeg i ffwrdd, sy'n edrych fel petai ganddo rywbeth i'w guddio. Mae'n rhaid i ni, tithe a finne, weithio efo'n gilydd i'w helpu.'

Yn anfodlon, tynnodd Zehra ei ffôn o'i phoced a'i roi i Daf.

'Ga i'r cyfrinair plis?'

'Mae o'n gweithio efo ôl bys,' atebodd, gan ymestyn draw i bwyso ar y bwtwm.

Ffocysodd Daf ar y sgrin yn ei law, yn ymwybodol fod Zehra yn ei wylio fel gwalch yn gwylio llygoden. Pwysodd Daf y symbol ffôn, a gwelodd fod yr alwad fwyaf diweddar o ffôn Bahri wedi cael ei gwneud y diwrnod cynt, tua chwech o'r gloch.

'Gest ti alwad ffôn gan Bahri ddoe: ble oedd o bryd hynny?'

'Fan hyn.'

'A tithe?'

'Fan hyn.'

'Pam ffoniodd o, felly?'

'I ofyn oedd swper yn barod. Mae o'n rhy ddiog i ddod lawr y grisiau i weld drosto'i hun.'

Doedd dim cyswllt â Bahri ers hynny, ac roedd yn amlwg nad oedd y ferch wedi clirio hanes ei galwadau oherwydd gallai Daf weld ei bod hi wedi derbyn dwy alwad sbam ac un gan Carys yn y cyfamser. Doedd 'run neges destun wedi ei derbyn chwaith.

'Dech chi'n fy nghredu fi rŵan?'

'Ydw. Sori, lodes, ond mae'n rhaid i mi gael gwybod popeth er mwyn helpu Bahri.'

'Helpu Bahri oedd bwriad yr hen ben swejan o athrawes 'fyd.'

'Roedd ganddi hi ei rhesymau.'

'Megis?'

'Roedd o'n defnyddio cyfrifiaduron yr ysgol mewn ffordd od. Cryn dipyn o negeseuon *access denied* yn ei hanes chwilio.'

Cochodd Zehra a gwelodd Daf gryndod bach yn ei gwefus.

'Petai ganddo fo ddiddordeb ... isie gwylio gwefannau ... anaddas, dech chi'n siŵr mai fo oedd yr unig un i wneud? Neu all Cymry Cymraeg gwyn fwynhau eu budreddi fel y mynnan nhw? Ond os ydi'r unig fachgen â chroen tywyll yn y chweched yn ...'

'Cŵlia di lawr, Zehra.'

'Does ganddoch chi ddim tystiolaeth o gwbl yn ei erbyn o.'

'Mae 'na ddigon o gyd-ddigwyddiadau fan hyn i beri gofid, lodes. Ei gysylltiad efo'r rheilffordd, y cyfeiriad i'r cynllun Prevent, waeth pa mor ddi-sail oedd hwnnw, ond yn fwy na dim, y ffaith ei fod o wedi rhedeg i ffwrdd. Dwi'n mynd rŵan, i gydlynu'r ymdrechion i ddod o hyd iddo fo, ond yn y cyfamser, os clywi di ganddo, cysylltau ar unwaith. Iawn?'

'Iawn.'

'A jest i gadarnhau, cyn i mi fynd, does gen ti ddim syniad lle all o fod?'

'Dim clem, sori.'

'Diolch i ti, Zehra.'

Cafodd Daf sgwrs ofer â Mr a Mrs Yilmaz – roedd tad Bahri'n fodlon beio ei fab am bopeth dan haul: roedd o'n ddiog, yn dwmffat, yn siom iddyn nhw i gyd. Pan ddywedodd ei fam ei fod yn fachgen da yn y bôn, dechreuodd ei gŵr restru gwendidau Bahri drachefn, a phan ofynnodd Daf os oedd ganddyn nhw unrhyw syniad ble allai Bahri fod wedi mynd, crybwyllodd Mr Yilmaz mai uffern fyddai pen ei daith. Roedd yn ddigon hawdd gweld pam fod Zehra wastad yn amddiffyn ei brawd druan. Yn ôl ei fam, roedd gan Bahri nifer o ffrindiau, ond dim un ffrind gorau penodol, ac yn ddiweddar roedd o wedi newid dipyn ar ei batrwm cymdeithasol. Wrth iddi egluro ei fod o wedi stopio mynd draw i'r Drenewydd fel yr arferai wneud, llifodd pistyll o eiriau Twrceg blin o geg ei gŵr.

'Be mae o'n ddweud?' gofynnodd Daf.

'Tydi fy ngŵr ddim yn hoffi i Bahri yfed na mynd i glybiau nos ac ati, a tydi o ddim isie gweld tystiolaeth ar Facebook yn dangos gymaint o bagan ydi ei fab,' ochneidiodd Mrs Yilmaz. 'Dwi wedi cael hen ddigon, rhwng y sgarff hyll 'na sy'n gwneud dieithryn o lodes sy 'di cael ei derbyn yn aelod o'r gymuned yma yn Llanerfyl, a gŵr sy'n ymddwyn fel aelod o deulu brenhinol Sawdi Arabia. Well gen i'r gwasanaeth diolchgarwch yng Nghapel Bethel, wir.' Cododd a cherdded draw at y drws i'r siop. 'Diolchgarwch Capel Bethel i mi bob tro,' ailadroddodd, gan edrych yn syth i lygaid ei gŵr. Martsiodd yntau drwy'r drws cefn gan adael Daf ar ei ben ei hun yn y gegin. Doedd o ddim wedi dysgu unrhyw beth perthnasol i'r digwyddiad ger y bont, dim ond fersiwn arall o'r hen stori arferol – tensiwn rhwng tad a mab, a mam yn amddiffyn ei phlentyn. Doedd dim i sbarduno ymosodiad terfysgol – cymhlethdodau crefyddol oedd yn poeni teulu siop cebábs Llanerfyl, a dim byd mwy. Ond cofiodd ddoethineb Sheila – yr unig ffordd o helpu Bahri oedd datrys achos y bont.

Pan ddychwelodd Daf i'r ysgol, gwelodd fod Toscano wrth y brif fynedfa yn sgwrsio â'r Prifathro. Wrth gerdded tuag atynt, ceisiodd feddwl pa un oedd yn mynd ar ei nerfau fwyaf.

'Wel, wyt ti wedi'i ffeindio fo, Dafydd?' cyfarthodd y Prif. Roedd o wedi tynnu ei siaced ac roedd marciau tywyll ei chwys yn ymestyn o'i geseiliau i lawr at ei wregys. Rhwng y gwres a'r straen roedd ei wyneb yn welw ac yn wlyb fel gwlithen. Fel cyferbyniad llwyr iddo roedd Toscano yn siriol, ac yn gafael mewn ffan fach drydan oedd yn sïo fel gwenynen.

'Naddo, yn anffodus.'

'Y cwestiwn ydi,' meddai Toscano, 'ai prosesau "misper" ynteu ymlid troseddwr yden ni'n eu dilyn, bòs?'

'Dydi Bahri Yilmaz ddim wedi cael ei gyhuddo o unrhyw drosedd,' mynnodd Daf. 'Person ar goll ydi o, un bregus.' Trodd at y Prifathro pan welodd y dryswch ar wyneb hwnnw. 'Person ar goll ydi "misper",' eglurodd.

'Iawn, bòs. Dwi 'di cyfweld lodes ffansi Nev a sawl un o ffrindiau'r còg, ond does gan neb syniad ble allai o fod, heblaw un ferch: Gwenllian Gethin.' Roedd y ffan yn hofran o flaen trwyn Toscano wrth iddo siarad.

'A be ddwedodd Gwen?'

'Disgrifiodd un o ffrindiau Bahri o'r rheilffordd fel "ffiti llwyr".' Jyglodd y ffan wrth geisio gwneud dyfynodau â'i fysedd. Byddai Mali Haf yn dod i ddeall yn ddigon buan pam nad oedd gan Toscano wraig, ystyriodd Daf wrth edych arno.

'Fyddai Cymraes bur fel Gwenllian Gethin, sy'n digwydd bod yn Brif Ferch eleni, byth yn defnyddio'r ffasiwn air,' wfftiodd y Prifathro a llwyddodd Daf, gydag ymdrech fawr, i lyncu ochenaid.

'Mae o'n derm digon cyfarwydd,' esboniodd, a pharhaodd Toscano i siarad.

'Doedd Gwenllian ddim yn fodlon rhoi enw i'r "ffiti" ond yn y diwedd mi wnes i ei pherswadio: dyn o'r enw Deiniol ydi o.' Chwifiodd ei ffan o gwmpas i bwysleisio'r enw.

Myfyriodd Daf am eiliad. Yn bendant, roedd Deiniol Dawson yn ddyn oedd â thipyn o steil, ac i lanc rhwystredig fel Bahri oedd â diddordeb mewn ffasiwn, gallai Dawson fod yn dipyn o eilun.

'Dwi'n gwybod pwy sy gen ti. Mi siarada i efo fo rŵan. Oes modd i ti ddarganfod a oedd gliniadur Bahri ganddo heddiw?'

'Mi ofynna i i'w ffrindiau,' atebodd Toscano.

'Diolch. A hefyd, Brifathro, cysylltwch â ni ar unwaith os ddaw Bahri yn ei ôl.'

'Wrth gwrs.'

Piciodd Daf draw i safle'r ffrwydrad ar ei ffordd draw i'r Drenewydd i chwilio am Dawson. Roedd o'n falch o weld SOCO cyfarwydd yn gweithio ar y gilfan.

'Sut hwyl fan hyn, Susie?'

'Does dim llawer i'w weld, sori, gan fod y pridd mor galed. Ond roedd Toscano yn iawn – roedd rhywun wedi parcio fan hyn, mewn cerbyd cymharol fychan.'

'Sut wyt ti'n gwybod mai parcio wnaethon nhw yn hytrach na jest tynnu i mewn i adael i rywun arall yrru heibio?'

'Achos mi wnaeth pwy bynnag oedd yn y cerbyd agor y drws. Gan eu bod nhw wedi parcio'r car cyn belled o'r ffordd â phosib, cafodd sawl cangen a phlanhigyn eu plygu wrth i'r drws agor. Sbia.'

Roedd hi yn llygad ei lle, wrth gwrs. Yng nghefn y gilfan, roedd y gwair hir a'r blodau wedi cael eu gwthio'n ôl, ond dim llawer.

'Rhywun tenau,' datganodd Susie, fel petai'n darllen ei feddwl. 'Traed bach, a digon tenau i ddod allan drwy ddrws hanner agored.'

'Mae hyn yn help mawr.'

'Ti 'di clywed am y ddyfais amseru, Daf?'

'Be? Na, dwi wedi bod allan o'r orsaf ers y peth cynta bore 'ma.'

'Maen nhw wedi dod o hyd i ddarnau bach o'r math o declyn sy'n cael ei ddefnyddio i amseru pethau yn y gegin. Lliw arian, du a phinc.'

'O, blydi hel.'

'Os chwarae plant oedd hyn, roedd y plant yn gwybod eu stwff.'

'Ond mae'r wybodaeth angenrheidiol i gyd ar gael ar y we erbyn hyn, siŵr?'

'Bendant. Ryden ni wedi gwneud profion ar y ffrwydryn hefyd – dim byd sbesial, dim ond powdr gwn arferol.'

'O ie, y stwff cyffredin 'na, sy ar gael ger y bagiau siwgr yn Londis.'

'Wel, fel arfer yn achos IEDs, mae'r ffrwydryn yn cael ei greu drwy gymysgu pethau sydd ar gael yn rhwydd, megis hydrogen peroxide a siwgr eisin.'

'Aros am eiliad. Os ydi hi'n ddigon hawdd creu ffrwydryn ar ôl treulio pum munud yn Boots, pam wnaethon nhw ddewis powdwr gwn, sy â chymaint o reolau ynglŷn â'i gadw a'i storio?'

'Efallai fod y troseddwr yn gwybod lle i ddod o hyd i bowdwr gwn yn rhwydd.'

'Debyg iawn. Duwcs, Susie, ti 'di bod yn ddefnyddiol iawn.'

'Tydi "defnyddiol" ddim yn air addas i ddisgrifio dynes y dyddiau yma, Daf.'

Nid dim ond yr haul di-baid wnaeth i Daf chwysu ar ei daith lawr i'r Drenewydd. Bom go iawn oedd wrth y bont wedi'r cyfan, felly roedd Bahri dan amheuaeth. Fel dyn nad oedd erioed wedi ymddiddori mewn materion crefyddol roedd yn rhaid i Daf gyfaddef nad oedd ganddo lawer o fewnwelediad i'r maes. Ceisiodd gofio'i hyfforddiant Prevent ond chafodd o ddim ysbrydoliaeth – roedd yn rhaid iddo ystyried y posibilrwydd bellach fod Bahri yn derfysgwr. Heblaw am ei stori ddi-sail am brofiad gwaith, pam y bu iddo ymddiddori yn y rheilffordd yn y lle cyntaf? Cyfle i ddod yn gyfarwydd â'r lleoliad er mwyn gosod bom? A pha wefannau oedd o'n ceisio cael mynediad iddyn nhw yn yr ysgol? Efallai fod y pwysau roddwyd arno gan ei dad i arddel ei ffydd Foslemaidd wedi sbarduno rhywbeth ynddo. Wedi'r cyfan, roedd Zehra wedi disgrifio sut y bu iddi hi ddysgu am ei ffydd ar-lein – beth os wnaeth Bahri rywbeth tebyg? Teimlodd Daf ias oer i lawr ei gefn. Roedd o wedi credu pob gair a ddwedodd Zehra ynglŷn â'r niqab, ond beth os oedd hi a'i brawd wedi creu'r stori efo'i gilydd i guddio'r ffaith mai cell o derfysgwyr oedden nhw? Tynnodd i mewn i gilfan er mwyn ffonio gorsaf yr heddlu.

'Nev? Oes rhywun wedi dod o hyd Bahri Yilmaz eto?'

'Nag oes, bòs. Ond ryden ni bron yn sicr nad aeth o i'r Trallwng nac Amwythig ar ôl bod drwy'r CCTV.'

'Beth am y cyfeiriad arall – oes rhywun wedi edrych ar gamerâu'r Drenewydd a Mach?'

'Dal i aros am ateb. Mae'r Heddlu Trafnidiaeth wedi bod yn sbot on, chwarae teg iddyn nhw.'

'Ydi Toscano wedi dod yn ôl?'

'Ydi, ac mae ei ffan fach blastic wirion o'n mynd ar fy nerfau i.'

'Unrhyw newyddion am liniadur Bahri?'

'Yn ôl Toscano, peth hen a braidd yn simsan ydi o. Mae peryg iddo ddisgyn yn ddarnau wrth ei symud.'

'Ond mae o *wedi* cael ei symud. Reit, Nev, gofyn i Toscano gydlynu pethe, a dos di ar ôl metadata'r teulu Yilmaz i gyd. Pob gwefan, pob clip ar Youtube: mae'n rhaid i ni ddarganfod be sy ym mhennau pobl siop cebábs Llanerfyl.'

Pennod 8

Prynhawn Llun

Cyn i Daf gael cyfle i adael y gilfan, canodd ei ffôn.

'Daf, wnei di bicio draw i'r siop flodau i nôl *oasis*?'

Doedd dim diben atgoffa Gaenor ei fod yn brysur yn ceisio darganfod a oedd cell o derfysgwyr yn cuddio yn Nyffryn Banw, oherwydd yr unig beth ar ei meddwl hi oedd Rali'r Ffermwyr Ifanc. Gan fod llai nag wythnos i fynd cyn y digwyddiad mawr roedd sawl aelod o glwb Llanfair wedi gofyn am gymorth gan Gaenor, a hyd yn oed petai cannoedd o filwyr ISIL yn glanio ym maes Awyr y Trallwng, roedd yn rhaid i bawb ganolbwyntio ar eu paratoadau.

'Rhai sych ta rhai gwlyb?'

'Gwlyb, wrth gwrs. Pedwar blocyn mawr. O, a dau becyn o weiar trwchus. Ac os wyt ti'n digwydd bod yn agos i Boys & Boden, mae Netta angen un o'r poteli bach 'na efo chwistrell arni. Diolch o galon – mae ganddon ni ymarfer mawr heno.'

'Well i mi gadw draw felly.'

'Pam hynny? Pwy a ŵyr, falle y byddet ti'n dysgu rwbeth.'

'Mae gen i dipyn bach gormod ar fy mhlât ar hyn o bryd. Gyda llaw, mae dy *anthuriums* yn saff gen i.'

'Fetia i dy fod ti'n dweud hynny wrth bob merch. Fyddi di adre i swper?'

'Bendant.'

'Dwi'n dy garu ti.'

'Dwi'n dy garu di 'fyd.'

Oedodd Gaenor, fel petai ganddi rywbeth arall i'w ddweud.

'Ti ar frys?'

'Wel ...'

'Achos ... wnei di fy atgoffa fi 'mod i isie trafod Sam ac Aron efo ti heno?'

'Ydyn nhw'n cambihafio?'

'Na, dim yn union, ond … Gawn ni drafod yn nes ymlaen. Ac mae dau beth bach arall.'

'Cer amdani.'

'Mae Siôn yn gofyn ydi hi'n iawn iddo fo yrru unrhyw waith papur mae Belle yn methu ei wneud i ti. Ynglŷn â'r Rali?'

'O na! Dydi o ddim o ddifri am ei chynnal hi fyny yn Neuadd?'

'Wrth gwrs ei fod o. Allan nhw ddim bwrw 'mlaen yn Nolfor rŵan. Mae John wedi cytuno, ond mae 'na gamau swyddogol i'w cymryd. Fory mae tîm y Cyngor Sir yn dod i edrych ar y safle ac os ydyn nhw'n hapus, bydd y ffens ddiogelwch yn cyrraedd yn syth wedyn.'

'Beth bynnag alla i ei wneud i helpu, mi wna i, ond mae'r ymchwiliad yma'n …'

'Dwi'n dallt. Mae Belle wedi rhoi dy enw di i lawr efo ei henw hi fel prif stiwardiaid.'

'Os fydda i'n rhydd …'

'Iawn. A'r peth olaf – mae Margaret Tanyrallt yn cwyno bod rhywun wedi gadael ryw sbwriel i lawr wrth yr afon, ger y bont fach bren sy rhwng ei thir hi a thir Dolfadog. Es i â Mali a'r cogie fyny yno ar ôl yr ysgol feithrin, ac roedd hi'n gandryll. Roedd un o'r teriars wedi brifo ei goes ar ddarn o wydr, a phan aeth hi lawr i weld be oedd wedi achosi'r anaf, mi welodd hi dipyn o blastig ac ati. Darnau o gyfrifiadur oedd wedi cael ei falu'n rhacs oedden nhw.'

'Ble oedd hynny eto, dwêd?'

'Ar y llwybr rhwng Llanerfyl a'r allt. Poeni o'n i fod rhywun isie cael gwared ar ddeunydd ffiaidd drwy chwalu'r dystiolaeth.'

'Gae, mi all hyn fod yn bwysig. Ffonia di Margaret a dwêd wrthi hi fod gen i ddiddordeb mawr yn beth bynnag mae hi wedi'i ffeindio.' Cofiodd sut un oedd Margaret ac ychwanegodd, 'O, a dwed 'mod i'n sobor o sori am y ci a 'mod i'n mynd i wneud fy ngorau glas i gosbi pwy bynnag wnaeth beth mor wirion.'

Penderfynodd Daf bicio i'r warws DIY enfawr ar stad ddiwydiannol Mochdre ar ei ffordd i weld Deiniol Dawson, a synnodd pan welodd ddau wyneb cyfarwydd yn sefyll ger y fan fyrgyrs y tu allan i siop gelfi derw chwaethus: Miriam a Roy. Ond doedd y ferch fach ddim efo nhw ac roedd y ddau yn edrych braidd yn benisel.

'Be dech chi'n wneud draw fan hyn?' gofynnodd. 'Roy, paid â dweud bod Miriam yn ceisio dy berswadio di i brynu cegin newydd?'

'Na, na,' esboniodd Miriam mewn llais crynedig, 'Contact Centre.'

'Dwi'n gweld.'

Mewn cornel dawel o'r stad ddiwydiannol safai uned fach liwgar a lluniau anifeiliaid wedi eu peintio ar bob wal. Yn y Ganolfan Gyswllt roedd rhieni nad oedd yn byw efo'u plant am amrywiol resymau, o ysgariadau erchyll i sefyllfaoedd bregus, yn cael eu gweld dan arolygaeth. Roedd gan Daf barch mawr at y staff gofalgar oedd yn delio'n ofalus â phob achos a ddeuai o'u blaenau, a gwyddai nad arsylwi sgiliau magu plant Miriam a Roy roedden nhw y tro hwn.

'Tydi hi ddim yn ffit i fod yn agos i'r gariad fech,' mwmialodd Roy. '*Trash* ydi hi, a dim byd arall.'

'Ond mae ganddi hi hawliau,' dechreuodd Daf, 'a tydi hi ddim yn gwneud lles i ti siarad fel hyn.'

'Mi gollodd hi ei hawliau y diwrnod y gollyngodd y dyn 'ne, ei ffansi hi, ddŵr berwedig dros yr un fech.' Doedd Daf erioed wedi clywed y fath gasineb yn llais Miriam o'r blaen, llais a oedd fel arfer mor addfwyn a soniarus. 'A rhoddodd y bastard gryn dipyn o siwgwr yn y dŵr hefyd.'

'Os wyt ti'n rhoi siwgwr mewn dŵr cyn ei ollwng dros groen rhywun, mae'n glynu'n well, Dafydd,' ychwanegodd Roy. 'Achosi mwy o boen a gadael mwy o graith.'

'Hen dric carchar,' ategodd Daf, gan nodio'i ben.

'A wnaeth hi ddim codi bys i achub ei merch fach.' Nid agorodd Miriam ei cheg i yngan y geiriau, dim ond eu gwthio rhwng ei dannedd.

'Mae'n anodd, ond mae ganddi hi ei hawliau, ac fel arfer

mae'n gwneud lles yn y pen draw i'r plant ddeall pwy ydi eu teuluoedd biolegol.'

'Maen nhw'n sôn am ... am ymweliad. I'r un fech dreulio prynhawn yn y twlc mochyn y cafodd hi ei hachub ohono.' Roedd bysedd cryfion Roy yn gwasgu ei rôl bacwn, gan achosi iddo ollwng briwsion ar lawr.

'Dech chi'n deall y sefyllfa. Mae'n rhaid i chi fod yn amyneddgar.'

'Ond pam maen nhw'n ystyried ei rhoi hi mewn sefyllfa beryglus?' gofynnodd Miriam, yn brwydro yn erbyn ei dagrau.

'Mae'n rhaid iddyn nhw roi chwarae teg i bawb.'

'Mi ydw i wedi ystyried croesi draw i Iwerddon neu rywle tebyg,' cyfaddefodd Roy, 'I ni gael byw yn ddedwydd, fel teulu bech.'

'Ond rhaid i ni gofio,' meddai Miriam gan fwytho braich ei chariad â'i bysedd tenau, 'nad ein babi ni ydi hi, o safbwynt cig a gwaed.'

Lluchiodd Roy ei rôl facwn i ganol y ffordd yn ei dymer a gwyliodd y tri wrth i lorri balets fawr yrru drosti.

'Gwrandwch,' meddai Dafydd i dorri ar y distawrwydd, 'os dech chi'n meddwl y byddai gair gen i'n helpu, jest dwedwch.'

'Na, Dafydd – 'den ni ddim i fod i ddweud gair wrth neb am y peth.'

'Ond mi gadwa i lygad ar y sefyllfa.'

'Ti'n ffrind da i ni, wir,' sibrydodd Miriam, ac ystyriodd Daf ddyn mor ffodus oedd Roy. Efallai nad Miriam oedd dynes fwya deniadol y fro ond roedd ei charedigrwydd, ei gofal a'i synnwyr cyffredin yn ddigon i fodloni unrhyw ddyn.

Dynes hollol wahanol a lanwai feddwl Daf wrth iddo aros wrth y goleuadau ar ymyl y dre i gyfeiriad Dolfor. Roedd y gwaith o adeiladu'r bont enfawr ar y gweill a doedd Daf erioed wedi gweld cymaint o lorris enfawr, craeniau uchel, teirw dur o bob lliw dan haul a digon o Jaciau Codi Baw i symud hanner Cymru. O ganlyniad i ddylanwad Chrissie Berllan a'i hefeilliaid bach arno gallai ddweud y gwahaniaeth rhwng pob Massey, Klass a JD roedd y dynion yn eu defnyddio i greu'r ffordd osgoi newydd, a chafodd ei swyno gymaint gan eu mynd a'u dod fel bod yn rhaid i yrrwr y car y tu ôl iddo ddefnyddio'i gorn i'w annog i symud ymlaen pan newidiodd y golau traffig i wyrdd.

Ers dros flwyddyn roedd y cwmni peirianwyr o'r de wedi creu eu pencadlys dros dro allan o res o Portacabins ar y bryn uwchben y Drenewydd ac i'r fan honno, drwy gymylau o lwch, roedd Daf yn anelu. Daeth dyn bach prysur i'w gyfarfod yn y dderbynfa, yn gwisgo siwt o dan ei wasgod *hi-vis*.

'Mr Dawson's at the Brimmon end of the site, I'm afraid,' datganodd yn ddifater.

'I'm a policeman investigating a serious crime,' atebodd Daf, yn araf ac yn glir. 'I need to see Mr Dawson immediately.'

'Very well. I'll arrange to have you transported over there. But you'll have to wear appropriate clothing.'

Ddeng munud yn ddiweddarach, yn chwysu fel mochyn mewn trowsus gwrth-ddŵr a helmed, dringodd Daf i gaban pic-yp Isuzu. Dyn ifanc oedd yn ei yrru, brodor o Abertawe, ac yn ystod y daith i ochr arall y safle adeiladu rhannodd ei angerdd a'i wybodaeth am y gwahanol gerrig mân roedden nhw'n eu defnyddio i adeiladu'r ffordd. Cyn cyrraedd Brimmon, lle safai'r dderwen enwog yn unig yng nghanol y baw, y llwch a'r cerrig, roedd Daf wedi llawn werthfawrogi buddsoddiad y prosiect yn y chwareli a'r economi leol. Er hynny, roedd o'n falch iawn o gael neidio i lawr o'r tryc, hyd yn oed mewn bŵts caled oedd yn gwasgu ei draed.

Yn ei het galed a'i siwt ffurfiol dylai Deiniol Dawson fod yr un mor chwyslyd â Daf, ond roedd o'n sefyll yn hamddenol wrth un o'r pontydd newydd ag iPad yn ei law, fel petai'r gwres llethol ddim yn effeithio arno o gwbl. Pan drodd i gyfarch Daf doedd dim diferyn o wlybaniaeth i'w weld ar ei wyneb golygus.

'Mr Dawson ...'

'Wel, am bleser annisgwyl!' ebychodd y dyn ifanc gan guddio'i ddirmyg tu ôl i'w gwrteisi. 'Dwi'n cymryd bod rheswm da dros yr ymweliad hwn, Arolygydd Dafis, achos dwi braidd yn brysur.' Chwifiodd Dawson ei fraich i gwmpasu'r safle cyfan, fel petai'n awgrymu mai ei brosiect personol oedd y gwaith i gyd.

'Pryd oedd y tro diwetha i ti weld Bahri Yilmaz?'

'Pwy?' Roedd o un ai yn actor da neu yn dweud y gwir.

'Dyn ifanc lleol o dras Twrcaidd. Roedd o'n gweithio yn y caffi yng Ngorsaf Llanfair.'

'O, fo. Sori, ro'n i wedi anghofio ei enw. Dwi'm yn siŵr oedd o'n gweithio y penwythnos diwetha – mae pawb isie shifft dros Ŵyl Ifor yr Injan, achos y tips.'

'Pa mor dda wyt ti'n nabod Bahri?'

'Ddim o gwbl, gan nad oedd o'n cymdeithasu efo'r giang yn yr Afr fin nos.'

'Mae'n bwysig dy fod ti'n dweud popeth wrtha i,' mynnodd Daf. 'Dwi angen siarad efo Bahri, ac mae o wedi diflannu.'

'Gwranda, Mr Dafis, dwi'm yn gwybod pa mor dda wyt ti'n deall pobl y rheilffordd, ond mi ges i fy magu yno, bron. Roedd Taid yn un o'r gwirfoddolwyr gwreiddiol – y Founding Fathers, fel petai. Roeddwn i a fy chwaer yn dod i fyny yma o Lundain bob gwyliau, a dyna sut wnes i ddatblygu diddordeb yn yr injans eu hunain – ond does gen i ddim diddordeb yn y bobl. Dwi'm yn mynd i'r rheilffordd i wneud ffrindiau, ti'n deall?'

'Wel ...'

'Mae bron bawb ar y rheilffordd yn ffitio i mewn i ryw gategori. Mae 'na rai, fel fi, sy jest yn hoffi trêns. Rhai eraill yn dianc oddi wrth eu gwragedd, rhai sy'n casáu eu bywydau trefol ond sy heb ddigon o hyder i symud i gefn gwlad; rhai'n ceisio osgoi cymhlethdodau bywyd cyfoes a rhai, yn cynnwys Bahri, dwi'n tybio, yn chwilio am deulu newydd.'

'Be ti'n feddwl?'

'Ymhlith aelodau ifanc y criw, mae nifer go helaeth yn dod o deuluoedd heb dadau. Maen nhw'n closio at rywun dipyn bach yn hŷn na nhw ac yn gofyn am gyngor, sylw, diddordeb. Un felly ydi Bahri.'

'Wnaeth Bahri glosio at rywun penodol, felly?'

'Do – fi. Ond doedd gen i ddim diddordeb – does gen i ddim awydd magu plant dynion eraill.'

Syllodd Daf ar y peiriannydd sifil golygus, galluog, gan ystyried nad oedd Dawson hanner cystal dyn â Roy Bryngrug.

'Oes gen ti syniad i ble fyse fo wedi mynd?'

Cododd Dawson ei war heb smic o ddiddordeb. 'Pwy a ŵyr? At rai o'i ffrindiau ysgol?'

'Diolch yn fawr, Mr Dawson,' meddai Daf, gan deimlo dicter tuag at y dyn hunanol yn dechrau corddi y tu mewn iddo. 'Wna i ddim dy styrbio di ymhellach.'

'Dwi'n eitha prysur,' meddai, gan chwifio ei law eto i gyfeiriad y bont.

Doedd Daf erioed wedi bod yn ffan o goncrit ond roedd rhywbeth apelgar iawn am y siâp syml, cryf. Waeth faint o goc oen oedd Dawson, roedd yn rhaid i Daf ddatgan ei edmygedd.

'Mae hi'n hyfryd.'

'Ddim yn rhy ffôl. Briff da ac, wrth gwrs, dwi'n gyfarwydd iawn â'r tirlun. Dwi'n gallu gweld hen dŷ Taid a Nain o fan hyn.'

'Ydyn nhw'n dal yno?'

'Nac'dyn, yn anffodus. Bu Taid farw bum mlynedd yn ôl ac ers hynny, mae Nain wedi dirywio. Dwi'n rhoi help llaw i Mam ofalu amdani pan alla i.'

Roedd yn anodd i Daf ddychmygu'r dyn o'i flaen yn gwagio'r stôl nos, ond roedd yr wybodaeth yn tystio i sawl haen gudd yng nghymeriad Deiniol Dawson.

Ar ôl cael ei yrru'n ôl at ei gar anelodd Daf am y Drenewydd. Gan fod y traffig yn drwm yn y dref trodd Daf i lawr stryd fach gul tuag at siop liwgar oedd â sawl bwrdd ar y palmant o'i blaen. Roedd pob un ohonynt yn llawn, a chiw o bobl yn llifo allan drwy'r drws hyd at y siop elusen drws nesaf. Dechreuodd Daf ddod yn ymwybodol o effaith holl lwch safle'r ffordd osgoi ar ei wddf. Tyfodd ei awydd am hufen iâ, ond gwyddai nad oedd ganddo amser i ymuno â chefn y ciw.

Doedd dim rhaid i Daf boeni. Yr eiliad y parciodd ei gar, daeth perchennog y siop allan i'w gyfarch.

Dyn tew, urddasol oedd Signor Toscano, ei wallt cyrliog du ynghudd o dan ei het wen orfodol, oedd yn gyferbyniad modern â'i wisg hen-ffasiwn. Edrychai fel gweinydd Eidalaidd mewn ffilm o'r pumdegau yn ei wasgod ddu, ei grys gwyn a'i ddici-bô – un go iawn, oedd angen ei cael ei glymu bob bore. Roedd ei siop yr un mor draddodiadol. Roedd rhywun wedi peintio llun o Dŵr Pisa ar wydr y drws, ac ar y waliau tu mewn crogai lluniau du a gwyn o sêr ffilm Eidalaidd a phosteri o olygfeydd prydferth. Sylwodd Daf cyn lleied o gyfaddawd wnaeth y teulu Toscano i'w cynefin yn Sir Drefaldwyn: roedd hon yn gornel fach o'r Eidal tu ôl i Neuadd y Dref ac yn gyferbyniad llwyr i'r teulu Yilmaz oedd wedi ymdrechu'n eiddgar i ymdebygu i'w cymdogion yn Llanerfyl.

'Ditectif Inspector Dafis, pleser dy weld di!'

Nid oedd Daf wedi disgwyl clywed y Gymraeg gan y ffasiwn Eidalwr, gan ei fod wedi cymryd yn ganiataol mai ffrwyth addysg Gymraeg oedd rhuglder Padraig Wyn, felly cafodd siom ar yr ochr orau.

'Eisteddwch fan hyn, dan gysgod yr ymbarél.'

Doedd dim lle o dan yr ymbarél gan fod merched oedrannus yn eistedd ar bob un o'r cadeiriau bach gwyn. Gwenodd un o'r leidis ar Signor Toscano, ond ymatebodd hwnnw drwy ddangos ei ddannedd iddyn nhw fel ci ffyrnig.

'Ewch o'ma, yr hen frain. Dech chi wedi bod yn gori rownd y tebot 'na ers teirawr ac mae gen i gwsmeriaid go iawn yn aros.'

Cododd pob un ohonyn nhw, yn wên i gyd er gwaethaf agwedd yr Eidalwr. Estynnodd Signor Toscano gadair i Daf.

'Peidiwch â mynd o f'achos fi,' ymddiheurodd Daf. 'Steddwch chi 'nôl i lawr, leidis – dwi ddim am sbwylio eich te chi.'

Crechwenodd un arno.

'Franco sy 'di sbwylio ein te ni, diolch, a 'den ni wedi hen arfer â fo.'

Wrth iddyn nhw gerdded ymaith, trodd yr hynaf o'r grŵp, dynes dal a braidd yn gloff, i syllu ar Daf.

'He's the policeman off the TV. Always doing the murders, he is. Has anyone been murdered here?'

'Not yet, Ivernia,' atebodd Franco Toscano, yn dangos ei ddannedd eto, 'but don't push me.' Trodd Toscano at Daf. 'Maen nhw wastad yn hongian o gwmpas, yn gwario bron dim. Ffrindie Mam ydyn nhw. Rŵan 'te, hufen iâ dech chi ei angen, yn y gwres yma. Pa fath?'

'Wel ...'

'Dech chi 'di bod mor ffeind wrth Padraig, ac ryden ni'n hynod o ddiolchgar. Be am *tasting platter*? Os 'na rwbeth dech chi ddim yn ei hoffi?'

'Dim llawer. Ond mae'n rhaid i mi ymuno â'r ciw a thalu ...'

'Dalodd ein bachgen ni am ei swper clên neithiwr? Dim ffiars o beryg.'

Camodd Toscano yn ôl i'w siop. Beth bynnag oedd gwendidau eraill Padraig Wyn, doedd o ddim yn anniolchgar. Wrth iddo agor y drws clywodd Daf sŵn cerddoriaeth, cân Eidalaidd ysgafn, a phan ddaeth Franco Toscano i'r golwg eto a hambwrdd mawr yn ei law, roedd o'n canu'n uchel mewn llais bariton da:

'Mama che mi sposa ma sposata non mi vor...'

Gyda chwifiad Lladinaidd tu hwnt, rhoddodd Toscano ddysgl o flaen Daf ac ynddi ddim llai nag wyth hanner cylch o hufen iâ o amrywiol liwiau a gwydr tal yn llawn o ddiod lemon oer.

'Diolch o galon – am wledd!'

'Ond chewch chi ddim llonydd i fwyta, mae gen i ofn ... mae Mam isie gair.'

Wrth i Franco droi yn ôl i'w briod le tu ôl i'r cownter, gwelodd Daf ddynes denau, smart yn ei hwythdegau yn ymddangos o gysgod ei mab mawr. Roedd lliw potel ei gwallt coch yn tanlinellu ei gwreiddiau Gwyddelig, ac yn atgoffa Daf o'r cyferbyniad rhwng llygaid a chroen ei hŵyr. Doedd hi ddim yn edrych fel y rhan fwyaf o ferched yr ardal – gwisgai siaced â choler mandarin a phan ddaliodd ei llaw allan i Daf ei hysgwyd, edrychai ei bysedd yn rhy fain i godi'r modrwyon swmpus oedd arnynt. Roedd ei chroen fel papur ac yn oer, fel petai hi wedi bod yn gweini'r hufen iâ.

'Arolygydd Dafis,' meddai, mewn acen Lerpwl. 'Chi ydi bòs Padraig rŵan?'

'Dim ond dros dro. Angen ei help o ydw i.'

Roedd ei llygaid gwyrdd yn dreiddgar, a'u gwyn bellach yn felyn.

'Peidiwch â meiddio riportio Padraig fel y gwnaethoch chi efo'ch DS diwetha.'

Jôc oedd hi, ond roedd tinc difrifol yn ei llais.

'Dydi Padraig erioed wedi achosi trafferth i mi,' mwmialodd Daf, gan droi ei sylw at ei hufen iâ.

'Mae Padraig yn dweud eich bod chi'n fodlon ailedrych ar achos Gerry.'

'Be dech chi'n feddwl ddigwyddodd iddo fo?'

'Mi wnaethon nhw ei ddienyddio fo. Y ffycin Woosnams.' Nid oedd y rheg yn annisgwyl, rywsut.

'Dienyddio?'

'Ei ladd o. O achos y ferch. Y slwten.'

'Ddwedodd Padraig ...'

'Bachgen da oedd o. Wedi cael ei fagu'n iawn. Oedden, roedden ni'n dlawd, ond roedden ni'n gwybod sut i fyw yn foesol. Ar ôl dod i fan hyn, hyd yn oed fel dyn ifanc yn byw heb ei deulu, roedd Gerry'n dal yn fachgen da. Hi aeth ar ôl Gerry. Hi oedd yr hynaf.'

'Sut gwrddodd Gerry â'r ferch? Be oedd ei henw hi?'

'Elsie. Yn y ciw i fynd i mewn i bictiwrs y Regent. Roedd hi 'di mynd yno efo criw o ffatri'r Lion Works lle oedd hi'n gweithio. Yn ôl y sôn, roedd Elsie'n hollol wyllt – byw mewn lojins, ar y strydoedd bob awr o'r nos ...'

'Roedd dipyn o newid i fywydau pawb yn ystod y Rhyfel, o'r hyn dwi'n ddeall ...'

'Esgus oedd y Rhyfel i rai. Mi gafodd hi ei magu fyny yn y bryniau, yng nghanol nunlle, ac un benchwiban oedd hi – pan ddigwyddodd yr hyn ddigwyddodd, roedd ei theulu hi'n ceisio rhoi'r bai ar Gerry. Gallai hanner dwsin o ddynion fod yn dad i'r plentyn 'na.'

'Roedd hi'n feichiog?'

'Oedd. Er gwaetha'r hyn ddwedodd y crwner.'

'Be oedd rheithfarn y crwner?'

'Be allai o ddweud? Mi ffeindion nhw hi'n hongian o drawst yn y beudy. Hunanladdiad. Doedd dim sôn am y babi. Roedd rhai yn dweud ...'

'Yn dweud be, Mrs Toscano?'

'Yn dweud bod tad Elsie wedi talu'r crwner i beidio â sôn am y babi. Wedyn, aethon nhw lawr yn eu fan Fordson i chwilio am Gerry. Hela oedden nhw. Hela fy mrawd.'

'Oedd eich brawd ac Elsie'n gariadon?'

Tarodd Mrs Toscano gledrau ei dwylo ar y bwrdd ac atseiniodd ei gemwaith ar y metel gwyn.

'Cariadon? Sut allai Gerry garu merch a gafodd ei phasio o un caban i'r llall yng Nglandulas fel pecyn o ffags? Ddwedodd Tizziano ei fod o wedi ei gwrthod hi.'

'Pwy?'

'Tizziano. Fy ngŵr. Yn ystod y Rhyfel, roedd Glandulas yn wersyll i garcharorion. Yn ôl Tizz roedd Elsie Woosnam wedi cynnig ei hun i bob dyn yn y camp.'

Doedd saith deg mlynedd ddim wedi meddalu'r casineb yn wyneb yr hen wraig, ac roedd rhywbeth anfad yn ei hagwedd, fel petai hi wedi buddsoddi ei holl egni mewn hen ddicter.

'Ffeindiwch y dystiolaeth, Arolygydd Dafis.' Gorchymyn oedd o, nid cais. 'A'i gorff, er mwyn i mi gael ei gladdu o. I mi gael codi carreg fedd.'

'Fel y dwedais wrth Padraig, alla i ddim addo dim, ond mi allwn ni ailagor y ffeil.'

'Nhw wnaeth. Y Woosnams. Tad a brawd Elsie, Edgar.'

'Ydyn nhw'n dal yn fyw?'

'Nac'dyn, siŵr. Ond mae'r teulu'n dal yna, mab Edgar a'i deulu hyll. Maen nhw'n gwybod y gwir. Mae o'n rhan o'u hetifeddiaeth nhw.'

Gwagiodd Daf ei wydryn a chodi ar ei draed.

'Gwrandewch, Mrs Toscano, dwi wrthi efo achos mawr ar hyn o bryd ond pan ga i eiliad rydd mi wna i helpu Padraig i fynd drwy'r ffeil, a ...'

'Arolygydd Dafis, ydw i'n edrych yn iawn i chi?'

'Wel, mae'n amlwg eich bod chi'n tynnu 'mlaen, a ...'

'Drychwch ar fy llygaid i, a pheidiwch â meddwl am eiliad mai effaith yfed yw hyn. Canser yr afu. Wela i ddim Dolig arall, a dwi ddim yn hynod o drist am hynny. Mae'r hen gorff yma'n dechrau chwalu, a f'enaid yn ysu am ei daith olaf. Ond cyn i mi fynd, dwi isie claddu Gerry.'

'Dwi'n deall.'

'Diolch yn fawr. Peidiwch â dweud wrth Padraig na Franco am y canser.'

'Wna i ddim.'

'Dwi'n dibynnu arnoch chi, Arolygydd Dafis.'

'Iawn. Ga i ofyn cwestiwn i chi?'

'Cewch, â chroeso.'

'O ble daeth y Gymraeg?'

'Gan fy ngŵr. Na, nid Tizz. Ifor. Ffermwr o Dyffryn Trannon oedd Ifor, dyn clên iawn, yn weithgar ac yn hael. Roedden ni'n hapus iawn efo'n gilydd. Bu farw yn ifanc, yn ddeugain oed – roedd o'n smygu Players Navy Cut. Chwe deg bob diwrnod.'

'Ddrwg gen i glywed.'

'Mae bywyd yn mynd yn ei flaen. Ac yn y pen draw ... wel, mi ffeindiais i Tizz a chael yr holl blant.'

'Yr holl blant?'

'Angelica, Bruno, Clara, Daniella, Esmerelda, Franco a Gino.'

Yn nhrefn yr wyddor, sylwodd Daf.

'A dech chi wedi trosglwyddo'r Gymraeg iddyn nhw, chwarae teg.'

Gafaelodd Mrs Toscano yn llaw chwith Daf gyda'i bysedd crafangog.

'Chafodd Gerry ddim siawns. Roedden nhw'n gallu trafod beth oedden nhw'n mynd i'w wneud iddo fo reit o dan ei drwyn o, a doedd o ddim yn deall gair. Mi wnes i addewid na fyddai 'run o 'mhlant i byth dan y fath anfantais.'

Daeth dagrau i lygaid Daf, ond nid oherwydd y stori drist. Roedd y creithiau ar ei fysedd yn dal i fod yn dyner ac roedd ewinedd yr hen wraig yn finiog.

'Mae'r Gymraeg yn wastad yn fantais,' cytunodd yn wan, wrth i Mrs Toscano daflu ei law yn ôl ato.

'Does gen i ddim llawer o amser ar ôl. Dim ond merch ifanc oeddwn i pan ddiflannodd Gerry, a doedd dim byd y gallwn i ei wneud bryd hynny. Ddes i lawr i'r fan hyn yn bedair ar ddeg oed i weithio i Pryce-Jones, i geisio dysgu popeth allwn i am yr hyn ddigwyddodd iddo. Doedd neb arall yn poeni llawer am Sgowsar oedd wedi diflannu – roedd y math yna o beth yn digwydd yn ystod y rhyfel, dyna ddwedai pawb. Es i at yr ynadon, y crwner, yr heddlu: doedd neb yn rhoi rhech am fy mrawd, gan mai dieithryn oedd o.'

'Pam mai efo'r goleuadau oedd o, yn hytrach nag yn y Fyddin?'

'Mi geisiodd fynd i'r Llu Awyr ond methodd y prawf meddygol. Cafodd niwmonia yn blentyn ac roedd nam parhaol ar ei ysgyfaint. Gwirfoddolodd i weithio ar y goleuadau yn Lerpwl a nhw wnaeth ei ddanfon i fan hyn.'

'Dwi'n gweld. Dech chi erioed wedi siarad â theulu Elsie?'

'Y Woosnams? Wrth gwrs 'mod i. Mi safiais i arian i brynu beic er mwyn mynd fyny i'r fferm. Daeth yr hen fastard allan yn chwifio ei twelf-bôr a bygwth fy saethu i – dyna pryd y penderfynais ddysgu Cymraeg, er mwyn gwybod be oedd o'n ddweud amdana i.'

'Aethoch chi i fyny yno wedyn?

'Wythnos yn ddiweddarach mi ddiflannodd fy meic o'r rhes tu ôl i ffatri Pryce-Jones. Mi ffeindiais o yn yr afon ger y gored, wedi'i chwalu.'

'A sut ymateb gawsoch chi gan yr heddlu?'

'Ar eu hochr nhw oedd yr heddlu, fy rhybuddio i rhag mynd fyny i Lwynderi, gan fy siarsio i beidio tresmasu. Doedd ganddyn nhw ddim ddiddordeb o gwbl yn yr hyn ddigwyddodd i fy meic. Mi symudais i weithio i'r warws wlân, a dyna lle gwrddais i ag Ifor. Felly, er na wnes i anghofio Gerry am eiliad, roedd yn rhaid i mi roi fy sylw i bethau eraill: Ifor, y fferm, dysgu Cymraeg. Ond pan glywais fod Edgar Woosnam ar fin priodi, mi sgwennais ati hi, y briodferch, i ddweud y gwir wrthi. Ches i erioed ateb.'

Roedd gan Mrs Toscano obsesiwn, roedd hynny'n bendant, ond tybed a oedd sail i'w chyhuddiadau? Er bod nifer fawr o bethau pwysicach ar ei blât, penderfynodd Daf ymweld â Llwynderi cyn gynted â phosib. Ond, i'w atgoffa o'i flaenoriaethau, canodd ffôn Daf.

'Ti 'di clywed am adroddiad cyntaf y SOCOs, bòs? Bom go iawn oedd o, efo teimar a bob dim,' meddai Nev yn gyffrous pan atebodd Daf yr alwad.

'Mi fydda i'n ôl cyn bo hir – mae gen i dyst i'w gweld cyn hynny.'

'Pa dyst?'

'Rhywun sy 'di ffeindio gliniadur Bahri Yilmaz, gobeithio.'

Pennod 9

Nos Lun

Penderfynodd Daf yrru'n ôl i Lanfair Caereinion heibio Plas Aur. Roedd y gatiau mawr ar gau. Doedd Daf ddim wedi clywed gan Tallulah wedyn, a rhwng popeth doedd o ddim wedi cael amser i boeni llawer amdani, ond yn awr, llifodd ei bryderon yn ôl fel llanw. Beth oedd yn digwydd i Tallulah tu ôl i'r gatiau mawr? Gyrrodd i ochr arall y pentref a pharcio mewn cilfan y gwyddai y gallai dderbyn signal ffôn ynddi. Ffoniodd Neuadd y Sir a gofyn am enw penodol.

'Delyth Joy, sut wyt ti ers tro byd?'

'Prysur, Daf, fel arfer.'

'Dim yn rhy brysur i siarad efo hen ffrind, gobeithio?'

Teithiodd sŵn ei hochenaid yr holl ffordd fyny o Landrindod. 'Be ti angen, Daf?'

'Wnei di jecio enw i mi?'

'Pam na wnei di ofyn i rywun yn yr heddlu?'

'Achos does neb yn yr heddlu mor effeithiol â tithe, Dels.'

'Mae hynny'n wir.'

'Un chwiliad bach sydyn, plis?'

'Ocê, ond dyma'r tro olaf. Enw?'

Roedd Daf fel arfer yn dibynnu ar Nev i wneud tasgau fel hyn, ond gan fod Nev druan bellach yn rhedeg gorsaf yr heddlu ar ei ben ei hun, bron â bod, gwyddai y câi ymateb cynt gan dîm DBS y Cyngor Sir. Roedd o yn llygad ei le – cafodd neges destun gan Delyth cyn iddo gyrraedd buarth Tanyrallt. Arhosodd ger y grid gwartheg i'w ddarllen.

Gwybodaeth B Gwyther: Dim euogfarnau ond sawl cyhuddiad wedi cael ei wneud yn ei erbyn. Yn ystod ysgariad, roedd ei gyn-wraig yn ei gyhuddo o gael perthynas anaddas â'i merch 15 oed. Ar ôl yr ysgariad roedd y ferch a Gwyther yn cyd-fyw ond gan

ei bod hi wedi troi'n 16 doedd dim rheswm i'w erlid. Y WRFU
wedi derbyn cwynion am ei ymddygiad anaddas tuag at ferched
roedd o'n eu hyfforddi.

Wrth iddo oedi i brosesu'r wybodaeth clywodd sŵn carnau yn agosáu'n swnllyd ar y borfa sych. Dros y llidiart gwelodd Daf ddau lygad enfawr yn sbecian drwy fwng. Roedd y ferlen yn gweryru ar Daf fel petai'n ei gyfarch – Tanyrallt Tinciwinci oedd hi, y ferlen roedd John a Doris wedi ei rhoi i Mali Haf. Roedd yn rhaid i Daf ddod allan o'i gar i rwbio ei thrwyn meddal.

'Ti'n prifio bob dydd,' meddai'n annwyl wrth yr anifail. 'Mi fyddi di wrth dy fodd yn ein cae bach ni, ond bydd raid cael chydig o laswellt yno i ti gynta ...'

Gwthiodd Tinciwinci ei phen ymhellach dros y llidiart er mwyn claddu ei thrwyn yn ysgwydd Daf. Oedodd yntau yno am sawl munud yn ei mwytho cyn ffarwelio. Wrth yrru at y ffermdy gwyddai mai'r peth olaf roedd o ei angen, ac yntau'n berchennog ar dŷ hynafol â llwyth o waith i'w wneud arno, oedd costau ychwanegol cadw ceffyl, ond roedd yn rhaid iddo gyfaddef fod Tinciwinci wedi dwyn ei galon o yn ogystal ag un Mali Haf.

Roedd Daf wedi disgwyl gweld Margaret ar y buarth, ond doedd neb o gwmpas. Galwodd ei henw ond chafodd o ddim ymateb. Curodd ar ddrws y tŷ, oedd wedi cael côt o baent yn ddiweddar – yr un lliw llwydwyrdd roedd Gaenor wedi ei ddewis ar gyfer pob drws yn Hengwrt nad oedd yn addas ar gyfer ei stripio, sylwodd. Ar ôl tipyn, agorodd dynes ifanc y drws â phlentyn aflonydd yn ei breichiau.

'Mr Dafis!' ebychodd, a chochodd ei bochau. 'Mae Margaret draw yn ei chwt bach.' Chwifiodd ei braich i gyfeiriad y berllan. Cofiodd Daf y tro cyntaf iddo gwrdd â'r ddynes – doedd y filfeddyg ifanc ddim wedi cadw ei ketamine yn ddigon diogel, a bu'n rhaid i Daf ddelio â'r canlyniadau. O weld y gwrid ar ei hwyneb, barnodd Daf fod ei ymweliad wedi sbarduno sawl atgof anesmwyth.

Yn y berllan roedd adeilad bach rhyfedd, hanner ffordd rhwng sied a thwll un o'r Hobbits o *Lord of the Rings*. Roedd y to coed yn ymestyn ryw lathen o'r wal, fel cyntedd, ac yn y cyntedd hwnnw, yn gorwedd ar hen wely haul oedd wedi rhydu, roedd Margaret Tanyrallt yn ei boilars a bŵts er gwaetha'r gwres. Roedd hi'n cysgu'n drwm a'i dannedd yn clecian fel castanéts efo pob anadl, a daeth arogl wisgi i gyfarch Daf wrth iddo gerdded tuag ati.

'Margaret!'

Eiliad yn unig gymerodd Margaret i ddihuno â sŵn dwfn fel hipo blin, ac ymbalfalodd ym mhoced brest ei boilars am becyn o sigaréts.

'Ddylet ti ddim stelcian o gwmpas fel'na, Defi Siop.'

'Sori, Margaret. Wedi dod i weld beth bynnag ti wedi'i ffeindio ydw i.'

'Rhyw fastard oedd wedi gadael y peth ger y nant, wedi'i chwalu. A druan o Jonjo: roedd yn rhaid i Felicity roi pwyth yn ei goes fech.'

'Jonjo ydi'r ci?'

'Wrth gwrs. Mae pob un ohonyn nhw wedi cael ei enwi ar ôl pobl 'ffyle. McCoy, Jonjo, Lester a'r hen Syr Harri, sy'n hoffi hel llwynogod.'

Wrth glywed eu meistres yn dweud eu henwau daeth y cŵn bach i'r golwg: tri yn rhedeg yn rhemp a'r pedwerydd yn cerdded ar eu holau â chlwt ar ei goes a chorn cywilydd ar ei ben.

'Oes ganddoch chi ddeng munud, Margaret, i fynd â fi yno?'

'Os leci di. Jest wrth y nant oedd o, gen y bompren. Dwi 'di hel y darnau.' Pwyntiodd ei bawd melyn i gyfeiriad Bag For Life oedd wrth y drws.

Ynddo gwelodd Daf ddarnau o liniadur – roedd y sgrin wedi cael ei rhwygo oddi wrth y bysellfwrdd ac yn amlwg roedd rhywun wedi curo'r peiriant efo rhywbeth trwm. Ond wnaeth pwy bynnag a geisiodd ddinistrio'r gliniadur ddim llwyddo i wneud hynny. Tynnodd Daf ei hances o'i boced i afael ynddo a throi y bysellfwrdd wyneb i waered. Roedd y cefn yn dal mewn un darn felly byddai'n bosib gweld beth oedd ar y ddisg galed.

'Dwi mor ddiolchgar am hyn, Margaret. Gall yr wybodaeth ar hwn fod yn help mawr i ni mewn achos difrifol.'

'Pa achos? Paid â dweud bod rhywun arall wedi cael ei ladd?'

'Does neb wedi cael ei ladd, ond digwyddodd rhywbeth oedd â'r potensial i fod yn drychinebus.'

'Y lol efo'r trên? Bechgyn yn chwarae, dyna'r cyfan.'

'Gobeithio. Ond rhaid i mi jecio beth bynnag. Awn ni am dro yno rŵan?'

Trodd chwerthin Margaret yn beswch trwm.

'Yn y cwt dech chi'n byw rŵan, Margaret?'

'Ie, mae o'n lle bech hyfryd. Dwi'm isie gwasgu fy hunan i fywyd Wil a Felicity.'

'Ydi o'n ddigon cynnes?'

'Clyd iawn. Mae Wil wedi rhoi *biomass* i mewn, wyddost ti, felly mae'r lle fel sawna.'

'Ond ...'

'Gwranda, Defi Siop, fi ddewisodd ddod i fan hyn. Fel arfer dwi'n cael swper efo nhw, ac yn aml iawn 'den ni'n gwylio'r teledu efo'n gilydd, ond rhaid iddyn nhw gael dipyn o lonydd. Ac maen nhw angen y lle – mae babi arall ar ei ffordd.' Gwenodd Margaret, ei hwyneb mor grychlyd â hen afal. 'Còg clên wyt ti wedi'r cyfan, Defi Siop. Rŵan 'te, ty'd.'

'Dwi ddim isie ymyrryd yn eich busnes chi, Margaret, ond weithie, pan mae pobl ifanc yn caru, yn brysur efo plant ac ati, maen nhw'n anghofio am bawb arall ... ac mae ganddoch chi beswch a hanner.'

'Dwi wastad wedi cael trafferth efo dynion,' atebodd yn ysgafn, 'a'r ddau sy'n cambihafio ar hyn o bryd ydi Mr Benson a Mr Hedges.'

'Gofalwch amdanoch eich hun, wnewch chi, Margaret?'

Sgwrsiodd y ddau nes iddyn nhw gyrraedd y llethr uwchben y nant. Safai'r hen bompren ar garreg frig uwchben y nant, os oedd hi'n addas galw'r llif bas brown yn nant. Arhosodd Daf am ennyd i gadarnhau'r hyn oedd ar ei feddwl: ar yr ochr arall i'r bont fforchiai'r llwybr yn ddau. Dilynai un lan y nant cyn troi yn sydyn i'r dde i gyfeiriad Dolfadog, ac âi'r llwybr arall dros sawl camfa tuag at bont fawr garreg ar y briffordd: Pont Llanerfyl. Byddai'n bosib cyrraedd y pentre oddi yno mewn llai na hanner awr.

'Ble yn union oedd y darnau?' gofynnodd.

'Fan yna, draw fan'cw, ar y cerrig mân.'

Ger pen arall y bont roedd y glannau wedi cael eu herydu yn draeth bach o gerrig llyfn. Brysiodd Daf i lawr yno.

'Pwyll piau hi, Defi Siop. Dim gafr wyt ti.'

Ond ar ôl dros ugain mlynedd o redeg ar ôl troseddwyr dros dir o bob math, roedd Daf mor sicr ei gam ag unrhyw afr. Arhosodd ar y bont fach i edrych dros y cerrig mân ger y nant â'i lygaid profiadol. Roedd o'n gwybod yn union am beth roedd o'n chwilio. Efallai fod pwy bynnag ddaeth i'r llecyn hwn i chwalu'r cyfrifiadur wedi dod â theclyn i wneud y gwaith efo fo – morthwyl, o bosib – ond roedd yn amau hynny. Yn sydyn, sylwodd ar glwmp o frwyn a'r coesau wedi eu plygu a'u torri yn ei ganol. Bingo. Camodd i lawr o'r bont a chael yr union beth roedd o wedi disgwyl ei weld yno: carreg yr un maint â chledr llaw ac arni farciau gwyn fel petai rhywun wedi ei defnyddio i dorri rhywbeth. Yn ofalus, tynnodd Daf fag tystiolaeth o'i boced a lapio'r garreg ynddo. Dechreuodd deimlo'n bositif iawn, cyn cofio nad oedd ganddo syniad ble oedd Bahri.

'Paid â rhoi gormod o dy amser i dy waith, Defi Siop,' cynghorodd Margaret wrth ffarwelio. 'Mae angen gwaith ar y cae bach, cofia.'

Er ei fod ar lwgu – ac er iddo anghofio'i addewid i Nev i ddychwelyd i'r orsaf – cofiodd Daf rybudd Gaenor eu bod nhw'n bwyta'n gynnar y noson honno, felly piciodd adref i Hengwrt. Roedd o'n dilyn ei drwyn i'r gegin pan ganodd ei ffôn:

rhif yr orsaf. Penderfynodd beidio ag ateb, ond derbyniodd neges destun gan Nev.

'Sori i dy styrbio di, bòs, ond mae'r bachgen wedi cael ei ffeindio.'

Ffoniodd Daf yr orsaf yn syth a dysgu bod teulu o Gefn Coch wedi gweld Bahri, a'i fod o'n dal efo nhw. Trodd Daf ar ei sawdl yn ôl i'w gar, ac wrth iddo droi'r allwedd i'w danio gwelodd Rhodri yn rhedeg tuag ato a fajita yn ei law.

'Wyt ti'n mynd, Dad? Mae swper yn barod.'

'Ydw, gen i ofn.'

Estynnodd Rhodri drwy'r ffenest a rhoi'r fajita yn ei law. Roedd saws coch yn diferu o un gornel ond doedd dim ots gan Daf – cyn gadael y buarth roedd o wedi llyncu'r cyfan, gan ddewis anwybyddu'r llanast dros ei grys. Roedd meddylgarwch ei fab wedi codi ei galon a dechreuodd ganu efo'r alawon ar y radio, nes i'w feddwl grwydro'n ôl i'r hyn ddywedodd Nev. Tawodd ar ganol gair, a thynnu i mewn ar dop y Bitfel er mwyn edrych ar yr ail neges destun yrrodd Nev, yn rhoi cyfeiriad y teulu yng Nghefn Coch iddo. Teulu'r Woosnams o Lwynderi oedd wedi darganfod Bahri – yr un bobl roedd nain Padraig Wyn wedi'u cyhuddo o ladd ei brawd.

Ceisiodd Daf gofio'r teulu. Roedd yr hen ddyn yn llawer hŷn na Daf ond roedd ei wraig gryn dipyn yn iau na'i gŵr – roedd hi'n sefyll ei harholiadau Lefel O pan oedd Daf yn dechrau yn yr ysgol uwchradd. Liz Jones oedd ei henw cyn priodi, a chofiodd Daf sut roedd y bechgyn, hyd yn oed rhai ieuengach na hi, yn chwerthin ar ei phen gan ei bod wastad yn anelu am ryw lanc neu'i gilydd, yn enwedig bechgyn oedd â fferm dipyn o faint yn etifeddiaeth. Ni synnodd neb pan gafodd swydd yn recordio llaeth – gyrfa ddelfrydol i lodes oedd yn chwilio am ffermwr. A chofiodd Daf hefyd y teimlad o ryddhad ymhlith y bechgyn lleol pan briododd hi, dair blynedd yn ddiweddarach.

Ni chofiai Daf enw cyntaf gŵr Liz – roedd pawb yn ei alw yn Woosnam Llwynderi – a doedd o ddim yn adnabod y plant chwaith gan eu bod yn hŷn na Carys ac wedi gadael yr ysgol uwchradd cyn i Daf ymuno â'r corff llywodraethol.

Ond straeon Mrs Toscano oedd yn llenwi pen Daf, a phan drodd i lawr heibio hen eglwys Llanllugan sylwodd pa mor dawel oedd yr ardal. Lle digon anghysbell oedd Cefn Coch ar y gorau, ac roedd y cymoedd bach rhwng y bryniau'n ychwanegu at y teimlad o unigedd.

Tŷ mawr yn meddiannu un o'r cymoedd hynny oedd Llwynderi, a heblaw am y rhes o feudai oedd wedi cael eu trawsnewid yn dai, doedd dim arwydd arall o fywyd i'w weld ar y tirlun. Wrth edrych ar y bryniau moel, sawl rhes o goed drain a'u cefnau wedi'u torri gan y gwynt di-baid, a'r dolydd di-flodau ger y nant, daeth dyfyniad o'r ffilm *Alien* i gof Daf: 'In space, no-one can hear you scream'. Os mai fan hyn y daeth bywyd hen ewythr Padraig Wyn i ben, fyddai yna 'run tyst i hynny. Pan fyddai Sheila – a Steve, gobeithiai Daf – yn ôl yn ei dîm, byddai cyfle i Daf fyfyrio am ddirgelwch y còg a ddiflannodd yn 1944, ond rŵan, Bahri oedd ei flaenoriaeth. Sut oedd y Woosnams wedi dod o hyd iddo? Beth oedd o'n wneud i fyny fan hyn? Doedd Cefn Coch ddim ar y ffordd i nunlle, heblaw Carno. Os mai dianc oedd ei fwriad, pam na benderfynodd gerdded o Lanerfyl i'r Trallwng, i ddal y trên? Ger y grid gwartheg, ffoniodd Nev.

'Ydi rhestr Toscano o ffrindie ysgol Bahri gen ti, Nev?'

'Ydi, ond mae o wedi mynd erbyn hyn, yn siarad ryw lol am y gamlas.'

'Ynglŷn â'r achos? Be ydi'r cysylltiad â'r gamlas, dwêd?'

'I fod yn hollol onest, bòs, do'n i ddim yn gwrando. Mae o'n gymaint o goc oen ...'

'Ti ddim yn angel chwaith, Neville bach. Ond ta waeth. Dos drwy'r rhestr – oes siawns fod Bahri wedi penderfynu dod i weld un o'i ffrindie fyny fan hyn?'

Hyd yn oed i lawr llinell y ffôn roedd Daf yn gallu clywed y sŵn a wnâi Nev tra oedd o'n canolbwyntio – cymysgedd od o sugno a hymian.

'Na, sori bòs. Mae pedwar yn dod o Lanfair, dwy o Feifod, còg o Betws, a'r lleill i gyd o ardal y Drenewydd.'

'Ocê, diolch. Dwi meddwl 'mod i wedi cael gafael ar ei liniadur. Gofyn i'r Pencadlys allan nhw yrru tîm i wylio'r chwaer, wnei di?'

'Fydd hynny ddim yn broblem. Mae'r Cyrnol wedi bod heibio.'

'O?'

'Isie dy atgoffa di fod adnoddau ychwanegol ar gael yng nghyd-destun y Gorchymyn Arian.'

'Diolch i Dduw am hynny. Mi fydda i angen i rywun o dîm Technoleg Gwybodaeth Caerfyrddin ddod fyny bore fory.'

'Oes rhaid galw un o'r gîcs? Dwi'n eitha da efo pethe technegol, ti'n gwybod.'

'Dwi'n deall hynny'n iawn, Nev, ond mae gen ti gymaint o bethe eraill i'w gwneud, lanc.'

'Dim hanes o Sheila?'

'Na,' atebodd Daf, gan ddewis peidio â sôn am eu sgwrs yng Nglantanat. 'Dwi 'di cyrraedd Llwynderi rŵan – wnei di sicrhau fod tîm gwarchodaeth yn barod am Bahri?'

'Ti'n ei gadw fo mewn?'

'Mi fydd raid. Ar hyn o bryd, does ganddon ni ddim esboniad am ymddygiad Bahri heblaw amheuon y blydi Cyrnol, felly bydd yn rhaid ei gadw dan amodau gwrth-derfysgaeth hefyd.'

'High Security? Ar gyfer còg siop cebábs Llanerfyl?'

'Paid a sôn. Dwi'n mynd fyny i'w nôl o rŵan, a gawn ni weld be fydd ganddo fo i'w ddweud.'

Fel cyn-aelod o deulu Neuadd roedd Daf wedi hen arfer â threfn amaethyddol, a dyna beth a welodd wrth barcio'i gar ym muarth Llwynderi. Dwy sied fawr a phaneli solar arnyn nhw, buarth concrit heb graciau ynddo, tanc disel coch dan glo a chŵn mewn cut eang. I'r chwith o'r tŷ mawr carreg oedd wedi ei bwyntio'r berffaith roedd rhes o hen adeiladau fferm o oes

Fictoria wedi cael eu trawsnewid i greu bythynnod. O ganlyniad i obsesiwn Gaenor â hen dai, gwyddai nad oedd y gwaith yn safonol. Ffenestri plastig, drysau rhad, digymeriad a dim hyd yn oed twbyn o flodau o'u blaenau. Nid diffyg arian oedd y broblem, penderfynodd, ond diffyg chwaeth.

Gan ei fod yn gyfarwydd â threfn cartrefi fel hwn, anwybyddodd Daf ddrws ffrynt y ffermdy a mynd rownd i'r ochr. Curodd ar y drws UPVC gan sylwi fod sawl marc brown ar y plastig lle roedd pobl wedi gwthio yn ei erbyn mewn dillad budron, ac yma ac acw roedd ambell smotyn o las – lliw pitsh. Doedd dim rhaid iddo aros yn hir am ateb, a chafodd yr argraff fod Liz Woosnam wedi bod aros amdano.

Dynes fer oedd hi, ychydig dros ei phwysau ac wedi ei gwisgo braidd yn ffurfiol ar gyfer diwrnod gartref mewn sgert dywyll a blows las. Ceisiodd Daf gofio a oedd hi'n gweithio yn rhywle heblaw'r fferm, cyn cofio mai prif amcan merched fel Liz oedd cael osgoi undonedd gyrfa. Roedd hi'n amlwg yn falch iawn o weld Daf.

'Dafydd, mi ofynnais yn arbennig amdanat ti!' ebychodd. 'Tyden ni ddim wedi arfer efo trafferth fel'ma, wyddost ti.' Roedd y pryder yn ddigon clir ar ei hwyneb, ond sylwodd Daf fod ei gwên mor blastig â drws ei thŷ.

'Dech chi 'di dod o hyd i gòg siop cebábs Llanerfyl, felly?'

'Do. Al welodd o ryw awr yn ôl, yn ceisio torri i mewn i un o'r *barn conversions*.'

'Job dda,' sylwodd Daf yn hollol ffuantus. 'Siŵr eich bod chi'n andros o brysur yn y tywydd braf 'ma.'

''Den ni ddim yn boddran efo pobl gwylie ddim mwy. Mewn ac allan, mewn ac allan o hyd, ac roedden ni'n cael pobl go od weithie, 'fyd. Tenantiaid tymor hir sy ganddon ni ers ryw dair blynedd rŵan.'

'Dech chi'n nabod Bahri Yilmaz?'

'Na'den, na'den, dyden ni ddim yn nabod y siort yna.'

'A pa siort ydi hynny, dwedwch?'

Cochodd Liz a daliodd Daf ei llygaid. Doedd dim rhaid iddo

ddweud gair wrthi, a chwarddodd hithau'n nerfus i ateb ei gwestiwn.

'Mae tri bwthyn yma – wnaeth Bahri drio pob drws?'

'Na, mi aeth yn syth at yr un yn y canol, Nyth y Dorlan.'

'Ac oes tenant yno ar hyn o bryd?'

'Oes, ond roedd o yn ei waith. Fydd o adre toc.'

'Dwi'n gweld.'

'Roedden ni'n ffodus iawn efo'r tenant cynta gawson ni – dyn clên iawn oedd yn gweithio ar y ff.erm wynt newydd ar dop y Rhyd.'

'Dipyn o waith codi'r ffasiwn dyrbeini, 'sen i'n dweud.'

'Oedd, oedd. Peiriannydd oedd Adrianus, o'r Iseldiroedd. Hynod o foi clên. Efo ni am dros ddeunaw mis, dim trafferth o gwbl.'

'Mae deunaw mis yn gyfnod go hir. Oedd ei deulu draw efo fo?'

'Dyden ni ddim yn caniatáu plant. Gormod o ôl bysedd dros y lle, gwlychu'r gwlâu a pwy a ŵyr be arall.'

Roedd ei hagwedd yn cyd-fynd â'r ffordd roedd hi'n cadw ei thŷ, o beth welai Daf. Nid cyntedd oedd y tu ôl i'r drws UPVC ond ystafell efo llawr leino modern, hawdd i'w fopio. Efallai mai llaethdy ydoedd ers talwm, ond erbyn hyn roedd pwrpas y gofod yn glir: creu rhaniad rhwng budreddi'r fferm a'r tŷ. Ar ddim llai nag ugain bachyn hongiai dillad y teulu, yn foilars, oelsgins a throwsusau glaw. Roedd silffoedd di-ri ar bob wal i ddal y bŵts, y menig, sawl tiwb o drensh, poteli Dectomax, blociau i ddefaid eu llyfu, tybiau gwenwyn llygod mawr a llu o drugareddau eraill. Yn y gornel bellaf roedd cawod â llen drwchus ond dim preifatrwydd, a pheiriant golchi i dderbyn y dillad budron. O'r nenfwd crogai sawl rhesel i sychu dillad yn y gaeaf.

'Rŵan 'te, Dafydd, yn y gegin mae o.'

Dilynodd Daf hi at y drws mewnol, lle stopiodd Liz yn stond.

'Dyden ni ddim yn caniatáu sgidie yn y tŷ, Dafydd. Mae 'na slipers sbâr draw fan'cw.'

Nid oedd Daf yn bwriadu rhoi ei draed yn agos i 'run o'r tri phâr o sliperi ger y drws. Roedd pob un yn dangos ôl defnydd trwm ac yn seimllyd tu mewn.

'Gyda phob parch, Mrs Woosnam, nid contractwr yn cardota am baned ydw i, ond heddwas ar ddyletswydd. Dwi am gadw fy sgidie am fy nhraed.'

Agorodd ddrws y gegin a chamodd drwyddo, yn synnu at ei haerllugrwydd ei hun ond heb ddifaru hynny. Beth oedd Liz yn disgwyl iddo'i wneud petai Bahri yn ceisio rhedeg i ffwrdd: rhedeg ar ei ôl yn ei sliperi? Hefyd, yn ei isymwybod, roedd Daf yn cofio honiad Mrs Toscano – os oedd o'n mynd i fod ar ei ben ei hun mewn tŷ anghysbell yng nghwmni pobl anfad, o leia roedd ganddo esgidiau am ei draed.

Roedd yn rhaid iddo gyfaddef nad oedd golwg anfad ar y teulu a welodd yn eistedd yn y gegin. Ystafell fawr oedd hi yn llawn dop o bethau costus, o'r Aga bum ffwrn i'r teledu yr un maint â gwely dwbl, ond doedd dim llawer o chwaeth i'w weld. Roedd y lluniau ar y wal yn ystrydebol: llun o'r fferm o'r awyr, llun priodas a lluniau dau o blant ysgol gynradd. Roedd y plant hynny o flaen Daf, y ddau bellach dros eu deg ar hugain – a chyflwynodd Liz y ddau i Daf fel Sophie ac Alun. Yn gorweddian ar y soffa roedd y mab, clamp o foi oedd yn rhannu ei sylw rhwng y teledu a rhigol bronnau'r ferch oedd o dan ei gesail. Yn gweithio wrth fwrdd y gegin roedd y ferch, yn rhoi cymysgedd cacen mewn casys papur. Roedd rhes ar ôl rhes o gacennau bach dros y bwrdd, fel petai hi'n paratoi te parti i hanner y sir, a phan gododd ei phen, adnabu Daf hi ar unwaith: hi oedd y ferch a welodd ym maes parcio Neuadd Llanerfyl y bore hwnnw yn taflu ei phethau i mewn i'w fan. O'i flaen gwelai Daf ferch ifanc bwdlyd, ac er bod ei chorff yn siapus a'i dillad yn gyfoes ac yn smart, doedd hi ddim yn ddeniadol o gwbl. Cafodd Daf yr argraff ei bod hi'n gweithio'n galed i reoli ei thymer, fel petai llosgfynydd o ddicter yn berwi o dan ei chrys T Joules.

Cyferbyniad llwyr oedd ei brawd. Roedd o wedi ymestyn ei hun dros dri chwarter y soffa enfawr gan wasgu ei gariad i gornel fach. Roedd un llaw flewog yn crwydro dros ei chroen a'r bawen fawr arall yn llwytho cnau o bowlen i'w geg. Efo'i wallt cringoch roedd yn atgoffa Daf o raglenni teledu David Attenborough: roedd aer Llwynderi'n debycach i orangwtang na dyn, ac yn union fel y rhaglenni natur cafodd Daf ei swyno wrth wylio'r creadur yn bwydo, yn mwytho ei bartner ac yn crafu bob hyn a hyn.

Am sawl eiliad, roedd Daf wedi ymgolli gormod i sylwi ar y dyn ifanc arall yn yr ystafell, oedd yn gyferbyniad llwyr i'r cochyn. Roedd Bahri yn eistedd wrth y bwrdd, cyn belled â phosib oddi wrth y ferch oedd yn coginio. Yn berffaith llonydd a'i gorff yn dynn, roedd o'n syllu i nunlle â llygaid gwag. Am y tro cyntaf, ystyriodd Daf y posibilrwydd fod Bahri yn defnyddio cyffuriau.

'Iawn 'te, lanc, hen bryd i ti roi llonydd i'r bobl 'ma.'

Nodiodd Bahri ei ben heb ddweud gair a chodi ar ei draed.

'Chwarae teg iddo fo,' meddai'r ferch ar y soffa, 'tydi o ddim wedi creu llawer o drafferth, i feddwl mai byrglar ydi o.'

'Nid byrglar ydw i,' mwmialodd Bahri.

'Wel, pam oeddet ti'n ceisio torri i mewn i Nyth y Dorlan, felly?' gofynnodd hi, gan godi ei phen uwchben cefn y soffa. Roedd Al yn parhau i fwyta cnau a ffidlan efo hi fel petai hi heb ddweud gair.

'Oherwydd ...' dechreuodd Bahri, 'oherwydd bod Deiniol yn ffrind i mi.'

'Deiniol?' gofynnodd Daf. 'Deiniol Dawson?'

'Ie. Dwi'n ei nabod o'r rheilffordd.'

'Fyddai Deiniol ddim yn cymryd smic o ddiddordeb mewn llipryn fel ti,' atebodd y ferch ar y soffa gydag angerdd annisgwyl.

'A phwy roddodd yr hawl i ti ddweud be mae Deiniol yn ei hoffi neu ddim yn ei hoffi?' gofynnodd Sophie. 'Ddylet *ti* ganolbwyntio ar be mae Alun yn ei hoffi.'

'O, paid poeni, Soph, mae Al a finne'n deall ein gilydd yn iawn,' atebodd y ferch, gan rowlio'i hun o gesail yr orangwtang.

Gosododd ei phengliniau un bob ochr i'w gluniau a dechrau neidio i fyny ac i lawr ar ei ben, yn esgus cael rhyw efo fo.

'Y butain!' gwaeddodd Soph, yn taflu ei bag eising lawr.

'Peth cas ydi cenfigen,' atebodd y llall, gan adael i bawen fawr dynnu ei chrys T dros ei phen.

'Nawr 'te, Alun, cariad,' mentrodd Liz, 'yn y gegin ydech chi, cofia ...'

Fel ceffyl gwyllt, llwyddodd Alun i ddisodli'r ferch, codi ar ei draed a'i chario fel doli glwt i gyfeiriad y grisiau. Wrth iddyn nhw ddiflannu drwy'r drws, cododd y ferch ddau fys tu ôl i gefn ei chariad i gyfeiriad Soph. Cyn i'r drws gau, gwyntodd Daf arogl oedd wedi dod yn gyfarwydd iawn iddo yn rhinwedd ei swydd: arogl canabis. A chanabis cartref hefyd.

'Reit,' meddai Daf, yn awyddus i ddianc, 'mae'n hen bryd i Bahri a finne fynd.'

Nodiodd Liz ei phen. Erbyn hyn, roedd ei merch wedi gollwng ei hun ar gadair a dechrau llefain.

Camodd Daf yn ddiolchgar tuag at y drws allanol ond arhosodd pan glywodd sŵn rhyfedd iawn, fel petai rhywun yn crafu'r gwydr. Trodd Daf at y ffenest a chlywodd lais bach gwan.

'Iola! Iola!'

'Be oedd hynna?' gofynnodd Daf.

'Dim byd,' atebodd Liz yn syth.

Cododd Sophie ei phen am eiliad.

'Efallai mai ysbryd oedd o. Mi welodd Dad ysbryd yma ryw dro, cofiwch, a dyna pam mae pawb yn meddwl ein bod ni off ein pennau – a dyna pam dwi'n gori ac yn pydru fan hyn, achos does neb yn fodlon priodi merch i nyter sy 'di gweld ysbryd.'

Daeth y sŵn eto, fel petai rhywun yn ceisio dod i mewn, ond doedd neb i'w weld.

'Nid plismon 'den ni angen fan hyn ond offeiriad,' poerodd Soph. 'Dech chi'n digwydd nabod un?'

'Paid siarad lol, Sophie Jên,' ceryddodd Liz hi. 'Does dim byd anghyffredin yn y tŷ yma.'

Ar y gair daeth sŵn uchel o'r llofft oedd hanner ffordd

rhwng rhochian a gweiddi, a doedd dim modd i neb ei gamgymryd – roedd yr orangwtang yn cyrraedd cynhyrfiad. Lwcus bod hen dai fel hyn yn go soled, meddyliodd Daf wrth deimlo'n falch iawn o gael gadael. Penderfynodd yrru rhywun o'r orsaf draw i gymryd datganiad gan y teulu drannoeth yn hytrach nag aros eiliad arall yn y tŷ, ac wrth iddo gau y drws allanol ar ei ôl, clywodd Sophie yn gweiddi ar ei mam.

'Tydi o ddim yn deg! Wnest ti addo pethe gwell i mi na hyn!'

Gafaelodd Bahri yn llawes Daf.

'Gawn ni fynd rŵan, Mr Dafis? Mae'n gas gen i'r lle 'ma.'

'Felly pam ddest ti fyny yma? Dim dod am dro bach hamddenol wnest ti.'

'Angen help. Chwilio am ffrind.'

'Deinol Dawson?'

Nodiodd Bahri ei ben.

'Mae o'n ddyn call. All o gynnig chydig o gyngor i mi.'

Wrth iddyn nhw gerdded yn ôl i gar Daf, cododd mymryn o awel ddaeth ag arogl chwd ffres efo fo. Gan fod Daf wedi gweld ei siâr o broblemau y tu allan i dafarndai roedd yn adnabod y sawr – pwy yn Llwynderi oedd wedi gwagio ei stumog ar ôl sbri ar fodca mor gynnar yn y dydd, tybed? Penderfynodd y byddai'n ceisio dysgu mwy am y Woosnams.

'Bahri, gwranda. Ti'n gwybod be ydi fy swydd i, a bod gen i ddyletswyddau na alla i eu hosgoi, ond dwi hefyd yn ffrind i dy deulu. Os wyt ti'n fodlon bod yn onest efo fi, mi allwn ni ffeindio ffordd ymlaen efo'n gilydd. Be amdani?'

Agorodd Daf ddrws y car ac eisteddodd Bahri yn sedd y teithiwr heb ddweud gair. Gan fod tractor mawr gwyrdd wedi cael ei barcio ar y buarth ers iddo gyrraedd, roedd yn rhaid i Daf yrru i'r gornel ger y bythynnod er mwyn cael digon o le i droi'r car rownd. O'r gornel, gwelodd fod gardd fach tu ôl i bob un a wal o'i chwmpas, wal ddigon uchel i sicrhau preifatrwydd. Gan fod ffenestri'r car yn agored gallai Daf ddweud mai yn yr ardd agosaf roedd y chwd, felly diffoddodd injan y car.

'Paid mynd i nunlle,' rhybuddiodd Bahri, oedd yn eistedd

yn isel yn ei sedd fel balŵn wedi gollwng ei wynt. ''Den ni'n gyrru 'mlaen yn iawn hyd yn hyn, ond os wyt ti'n rhedeg i ffwrdd rŵan, fydda i ddim mor gyfeillgar, reit?'

Er nad oedd yn disgwyl i Bahri ddianc, cloiodd Daf ddrysau'r car rhag ofn.

Roedd wal yr ardd wedi ei hadeiladu â blociau concrit ac wedi'i pheintio'n wyn – esiampl arall o waith disafon. Doedd Daf ddim yn synnu mai tenantiaid tymor hir oedd yn llenwi'r lle yn hytrach nag ymwelwyr haf – fyddai neb call awydd treulio'u gwyliau y tu ôl i wal mor ddiflas. Cerddodd at y giât bren uchel a chael honno eto yn simsan; pan roddodd ei law ar y dwrn ildiodd yn syth. Tu ôl iddi, gwelodd yn union beth roedd o'n ei ddisgwyl: patio bach efo offer barbeciw wedi rhydu, drysau Ffrengig ac, ar y concrit ger y drws cefn, pwll o chwd. Yn erbyn y wal oedd yn cael haul y pnawn roedd saith o botiau plastig a phlanhigion gwyrdd cryf yn tyfu ynddyn nhw. Cnwd braf i rywun oedd yn hoff o smygu'r mwg drwg ond dim digon i gynnal busnes. Er bod digon o reswm iddo ymchwilio ymhellach caeodd Daf y ddôr yn dawel heb gnocio ar ddrws y bwthyn. Roedd yn rhaid iddo flaenoriaethu trafferthion Bahri.

Doedd y llanc ddim wedi symud o gwbl, ac roedd yn dal i eistedd yn ei gwman pan gyrhaeddodd Daf ei gar. Taniodd yr injan ond arhosodd tan yr oedden nhw yr ochr arall i Lanllugan cyn dechrau ei holi.

'Sut wyt ti'n gyrru ymlaen efo Miss Haynes?'

'Ocê.'

'Ond mi benderfynodd hi dy roi di yn y broses Prevent.'

'Dwi'm yn synnu. Roedd popeth yn iawn tan i Zehra a Dad ddechrau bihafio'n od.'

'Be ti'n feddwl?'

'Bod yn ... eithafol.'

'Ydi Zehra'n eithafol?'

'Mae hi'n gwisgo'r blydi sgarff 'na. Pam hynny, a finne yn yr ysgol yn ceisio bod yn debyg i bawb arall? Dwi 'di bod yn reit hapus, Mr Dafis, yn gwneud pethe bob dydd, yn cario 'mlaen efo 'mywyd heb botsian efo unrhyw dduw na chrefydd. Roedd pawb bron ag anghofio am liw fy nghroen, ond roedd yn rhaid iddyn nhw ddechrau'r holl lol.'

'Sut wyt ti'n diffinio lol?'

'Hithe efo'i sgarff, fo yn fy ngwahardd i rhag gweithio yn y Cann, a finne mor hapus yno. Ro'n i jest isie bod fel pawb arall.'

'Dwi'n deall. Ti ddim yn cytuno efo Zehra, er enghraifft, pan oedd hi'n sôn am sut mae merched yn cael eu trin yn y gymdeithas 'ma?'

'Dwi'n cytuno efo lot o bethau mae hi'n ddweud, ond nid gwisgo'r sgarff ydi'r ffordd i ddatrys y problemau. Dwi'n dilyn Everyday Feminism ar Insta – dyna i ti'r ffordd ymlaen.'

'Be wyt ti'n feddwl ynglŷn â'r hyn sy'n mynd ymlaen yn y Dwyrain Canol?'

'Be, yn union?'

'Wel ... y rhyfel yn Syria, bomio yn yr Yemen, Palesteina ...'

'Sori, Mr Dafis, dwi byth yn dilyn y newyddion.'

'Be oeddet ti'n wneud dros y penwythnos?'

'Dwi 'di dweud wrthoch chi o'r blaen.'

'Dweda di eto.'

'Dwi ddim yn fodlon siarad heb gyfreithiwr. Dwi'n ymwybodol o fy hawliau.'

'Bahri, yn enw rheswm, ceisio helpu ydw i.'

'Ocê. Pam nad yden ni'n gyrru'n ôl i Lanerfyl, felly?'

'Mae'n rhaid i ti gael dy holi'n ffurfiol, ac oherwydd dy fod ti 'di rhedeg i ffwrdd fel coc oen llwyr, dwi ddim yn cael jest mynd â ti adre.'

Agorodd Bahri ei lygaid led y pen. 'Ydw i ... ydw i'n mynd i'r carchar?'

'Mae'n rhaid i ni dy ddal di, Bahri. Sori.'

'Ond dwi ddim wedi gwneud dim byd.'

'Pam redest ti i ffwrdd, felly?'

'Dwi'm yn gwybod. Dwi ddim wedi gwneud dim byd.'

'Be am y gwefannau wnest ti geisio mynd iddyn nhw ar gyfrifiaduron yr ysgol, y rhai gafodd eu blocio?' Trodd Bahri ei ben i edrych allan drwy'r ffenest. 'Bahri? Be oedd y gwefannau?'

Ni symudodd y llanc ei ben. 'Dwi isie siarad efo cyfreithiwr,' meddai mewn llais cryg.

'Nes 'mlaen. Sgwrs anffurfiol ydi hon, i fy helpu i i dy helpu di.'

'Dech chi ddim isie fy helpu fi.'

Ni ddywedodd Bahri air arall nes iddyn nhw gyrraedd gorsaf yr heddlu. Wrth barcio'r car gwelodd Daf fod fan wen wedi ei pharcio y tu allan i'r adeilad a logo GEOAmey arni. Yn sedd y gyrrwr roedd dyn yn gwisgo crys gwyn a thei du, a phan welodd Daf, cododd law i'w gyfarch.

'You got a lad for Strangeways?' gofynnodd mewn llais hamddenol.

'There must be a mistake,' atebodd Daf, gan neidio o'r car. 'He's still in school, he can't go to Strangeways.'

'My paperwork tells me he's over 18 and a terror suspect. Category A remand it is.'

Camodd Daf yn ôl at y car, yn crynu.

'Bahri,' meddai, 'yn enw rheswm, dwêd y gwir wrtha i rŵan. Maen nhw'n mynd â ti fyny i'r carchar mawr ym Manceinion a does dim modd i mi dy helpu os na ddwedi di'r gwir.'

Ysgydwodd Bahri ei ben. Safodd Daf fel cerflun o flaen yr orsaf tra oedd y swyddogion yn paratoi'r llanc i gael ei dywys drwy'r drws trwm.

'Keep an eye on him, please, lads,' ymbiliodd.

'Don't you worry about him, Inspector. He'll do grand there: the towel heads look after their own.'

Gwyliodd Daf y fan yn gyrru o gwmpas y gylchfan ac yn diflannu i gyfeiriad y ffordd osgoi. Llanwyd ef ag euogrwydd, blinder a chwant bwyd, a doedd y dagrau ddim ymhell. Agorodd ddrws yr orsaf a gwelodd wyneb annisgwyl y tu ôl i'r ddesg: Sheila.

'Dwi erioed wedi bod mor falch o weld neb, lodes, ond be wyt ti'n wneud fan hyn?'

'Rhoi rhyw fath o drefn ar y lle. Roedd Nev ar ei liniau a'r boi o'r Drenewydd wedi diflannu. Mi sortiais waith papur y còg o'r siop cebábs, a dwi'n gwybod yn union be ti'n feddwl ond maen nhw wedi ei gategoreiddio fel terfysgwr felly mae'n rhaid iddo fynd i garchar Categori A. Does neb yn mynd i Long Lartin ar brawf, felly Strangeways amdani.'

'Am shitstorm.'

'Dwi'n fodlon bod yn Gyswllt Teulu iddyn nhw, heblaw eu bod nhw angen rhywun sy'n siarad Twrceg.'

'Dwi'n mynd i fyny i'w gweld nhw beth bynnag, Sheila. Rhaid iddyn nhw glywed be sy wedi digwydd iddo fo.'

'Bòs, ddim yn aml iawn dwi'n ymyrryd ond, oherwydd dy fod ti'n ddigon parod i ymyrryd yn fy mywyd i, dwi'n mynd i siarad yn blaen. Cer adre. Mi wna i sortio popeth fan hyn.'

'Ond be am Tom, a ...?'

'Dwi 'di siarad efo Tom. Ac mae Tom wedi siarad efo Dr Mansel. Dwi'n ddigon call i fod yn ofalus ond dwi ddim isie aros ar fy nghefn am fisoedd.'

'Chwarae teg i ti, Sheila. Dwi angen pob help dan haul ar hyn o bryd.'

Roedd hi ar ôl wyth cyn i Daf agor drws cefn Hengwrt. Roedd arogl blodau yn yr awyr, lilis a rhosynnau, a chofiodd Daf yn syth am yr oasis a'r botel fach blastig oedd yn y car. Pan ddaeth yn ôl o'r car gwelodd fod bwrdd y gegin wedi diflannu o dan fôr o wyrddni. O'i gwmpas safai tair merch, yn cynnwys Netta, ac eisteddai merch arall, a'i choes mewn plaster Paris, ar stôl yn eu gwylio. Roedd Gaenor yn llywyddu dros y gweithgareddau, gan gynnig dulliau a thechnegau i wella'r trefniannau blodau sylweddol. Ar ôl diwrnod heriol, diwrnod o fethiannau, roedd Daf yn falch o weld y bwrlwm llawen.

'Be am i ti symud y *gerbera* coch i'r chwith ryw fymryn, Leisa, i greu gwell balans?' awgrymodd Gaenor. 'Tro'r cyfan rownd, Gwenlli, i weld sut mae'r cefn yn edrych. Ble mae'r clipars, Netta? Mae'r brigyn collen 'na'n rhy uchel o lawer i faint y fas ...'

Nid y merched prysur oedd yr unig bobl yn yr ystafell. Ger y stof, roedd Rhodri a Rob Berllan yn mynd dros eiriau eu Cyflwyniad Diogelwch. Er mor ffeithiol a diflas oedd y geiriau roedd ystumiau Rhodri yn ddoniol iawn, ond fel aelod difrifol y bartneriaeth, roedd Rob yn stryglo. Ambell waith, codai Netta ei llygaid oddi wrth ei blodau i syllu ar Rob, ac fel aelodau eraill ei deulu, roedd Rob yn haeddu'r sylw. Ers y penwythnos roedd ei wallt wedi ei dorri'n fyr iawn, a heb ei gyrls roedd siâp perffaith esgyrn ei wyneb yn fwy amlwg byth. Roedd golwg newydd yn ei lygaid hefyd, fel petai wedi diosg ei blentyndod dros nos. Bob hyn a hyn roedd yntau'n anelu cipolwg i gyfeiriad Netta, ac am y tro cyntaf, ystyriodd Daf y posibilrwydd y byddai Rob yn gallu dryllio heddwch ei filltir sgwâr – beth bynnag roedd llygaid Rob yn ei gynnig i Netta, roedd hi'n rhy ifanc i'w dderbyn.

Wnaeth neb holi am yr achos ac roedd Daf yn falch o hynny. Clwydodd ger y drws i fwyta ei swper. Fel arfer roedd o'n mwynhau cwmni pobl ifanc ond roedd ei ben yn llawn o'r ddelwedd o Bahri yn diflannu yn y fan fawr wen. Còg siop cebábs Llanerfyl ar ei ffordd i Strangeways. Roedd o'n falch pan ddechreuodd pawb hel eu pethau at ei gilydd a pharatoi i adael.

'Ymarfer olaf fan hyn nos Iau,' galwodd Gaenor dros y lleisiau ifanc, brwdfrydig.

'Ond mae ganddon ni ymarfer Dawns Stryd nos Iau,' atebodd Netta.

'Ty'd draw wedyn, waeth pa mor hwyr fydd hi. A paid â phoeni am y blodau – mi drefna i hynny i gyd. Rhaid cadw'r gwyrddni'n ffres.'

Fel petai'r gair 'ffres' wedi deffro rhywbeth ynddo, edrychodd Rob yn syth i lygaid Netta am y tro cyntaf.

'Ti angen lifft adre yn y tractor, Nets?' gofynnodd yn ei lais araf. 'Dwi'n mynd dros top Neuadd beth bynnag.'

Gwenodd Netta'n llydan ond torrodd Gaenor ar eu traws.

'Mae John yn dod lawr i gael gair efo Daf beth bynnag, Netta. Well i ti aros fan hyn.'

'Mi wna i ofalu amdani hi, Gae,' mynnodd Rob, ond roedd

Gaenor yn gadarn felly cododd Rob ei ysgwyddau a cherdded allan o'r gegin. Roedd golwg bwdlyd iawn ar wyneb Netta.

'Tydi'r ffaith 'mod i'n cael lifft gan Rob ddim yn rhwystro Tada John rhag dod lawr unrhyw bryd sy'n ei siwtio,' meddai.

Myfyriodd Daf, ac nid am y tro cyntaf, ynghylch beth yn union a wyddai Netta am hanes ei mam. Canlyniad trais oedd Netta, tra oedd Doris yn gaethwas rhyw yn ystod rhyfel cartref Sierra Leone. Meddyliodd am yr hen frwydr rhwng natur a magwraeth: oedd hi'n bosib i foesau parchus, gofalgar Neuadd gael mwy o ddylanwad ar y ferch na'r gwenwyn treisgar oedd yn ei DNA?

Doedd dim rhaid iddyn nhw aros yn hir am John, oedd â thipyn ar ei feddwl.

'Roedd 'na sôn bod angen galw cyfarfod arbennig o Bwyllgor Trwyddedu'r Cyngor Sir,' pwffiodd, gan ddisgyn i'r gadair agosaf. 'Ond ar ôl i Belle gael sgwrs efo cyfreithiwr y Sir, does dim rhaid. Felly ben bore fory, mae'r swyddog yn dod allan i weld y lle. Oes 'na siawns i ti fod yna, Dafydd?'

'Faint o'r gloch yn union?'

'Hanner awr wedi wyth ddwedson nhw.'

'Dim ond hanner awr sbâr fydd gen i, ond ie, ocê.'

Llifodd rhestr hir o ofynion, problemau a chwestiynau o geg John. Arhosodd Daf yn dawel nes iddo orffen, cyn awgrymu bod John a Belle yn llunio rhestr ar y cyd i'w helpu i roi trefn ar bopeth.

'Dweud y gwir, John, dwi'm yn sicr 'mod i'n meddwl yn glir heno,' meddai pan agorodd John ei geg i ofyn cwestiwn arall. 'Mae heddiw wedi bod yn ddiwrnod prysur.'

'Mi glywais fod Bahri druan wedi crwydro fyny i Lwynderi. Roedd o'n falch iawn o gael dianc o'r fan honno, dwi'n siŵr.'

'Pam ti'n dweud hynny, John? Roedd Liz yn wastad yn ffan mawr ohonat ti, os dwi'n cofio'n iawn.'

'Rhedeg ar ôl Neuadd, nid ar fy ôl i oedd hi, Daf. Beth bynnag, yr hen Woos a'i ysbryd gafodd hi yn y diwedd.'

'Be oedd busnes yr ysbryd, dwêd?'

'Roedd o'n bendant iddo weld ysbryd ar y buarth un tro. Bore braf o haf oedd hi.'

'A ffasiwn ysbryd oedd o? Cynfas a chadwyn neu un heb ben?'

'Dim byd tebyg. Dyn oedd o, yn wan ac yn welw a chadwyn am ei goes.'

'Dychymyg byw sydd ganddo fo?'

'Nage, nage Daf. Mae Woos yn ddyn solet, dyn caib a rhaw. Roedd pawb yn ei 'styried o'n rhyfedd, yn mynnu ei fod wedi gweld yr ysbryd. Wedyn mae'r ferch 'na, Soph, yn beio nonsens yr ysbryd am y ffaith ei bod hi'n dal yn sengl ... fydde'n well iddi feio ei natur sur ei hun.'

'Dwi'm yn eu nabod nhw.'

'Ti'm yn colli llawer. Does fawr o waith yn y còg, ac mae'r lodes yn ast a hanner. Ddim yn aml iawn mae Siôn yn rhedeg ar neb ond roedd o'n falch pan glywodd ei bod hi 'di mynd i CFfI Tregynon.'

Yn ystod y sgwrs roedd Netta wedi bod yn gwylio'i llystad yn fanwl, ac ar ôl iddo orffen siarad cymerodd ei hamser cyn gofyn, mewn llais mor drwchus a melys â thriog:

'Dadi, tro nesa dwi'n dod yma i ymarfer gosod blodau, mi alla i gael lifft adre i safio siwrne i ti, os oes rhywun yn mynd i gyfeiriad Neuadd.'

'Dydi o ddim yn drafferth i mi ddod i dy nôl di, cariad siwgr, ond gwna be fynni di.'

Gwelodd Daf olwg o fuddugoliaeth yn llygaid Netta a daflodd gysgod dros ei hwyneb tlws.

Yr eiliad y gadawodd y gwestai olaf, awgrymodd Daf ei fod o a Gaenor yn cael noson gynnar. Yn y gwely oedden nhw pan ddechreuodd Gaenor drafod ei phryderon ynglŷn â Sam ac Aron.

'Mae 'na rwbeth o'i le draw yn Berllan, bendant,' datganodd, gan ddal llaw Daf.

'Doedd Rob ddim cweit yn fo'i hun, rywsut.'

'O, mae hynny'n ddiagnosis hawdd: torcalon.'

'Be? Mae o wedi bod efo Ebrillwen ers Steddfod Meifod.'

'Ond aeth hi lawr i Gaerdydd i ddiwrnod agored yn y Brifysgol, ac yn ôl Rhods mi sylweddolodd mai'r peth olaf roedd hi ei angen ar ddechrau bywyd coleg oedd cariad iau na hi sy'n gwisgo bŵts cachlyd. Dwi ddim yn meddwl fod ei theulu hi'n hoff iawn o Rob beth bynnag – mi wnaeth Rob druan gyfadde'i fod o wedi clywed ei mam hi'n ei alw'n Ffermwr Ffowc tu ôl i'w gefn.'

'O, dwi'n gweld. Allai hynny effeithio ar y brodyr bach hefyd, ti'n meddwl?'

'Sgen i ddim syniad. Ond mae 'na rwbeth o'i le yno beth bynnag.'

Pennod 10

Bore Mawrth

Doedd Daf ddim wedi disgwyl gweld Rhodri i lawr yn y gegin mor fore – fel arfer byddai angen daeargryn i'w godi o'i wely – ond pan ddaeth Daf i lawr y grisiau roedd ei fab wrthi'n gwneud coffi iddo'i hun ac i Garmon. Roedd Daf a Gaenor wedi derbyn Garmon yn rhan o'r teulu, ac roedd rhwydd hynt iddo fynd a dod fel y mynnai hyd yn oed pan oedd Carys yn y coleg. Roedd Daf yn falch: roedd o'n hoffi'r còg, ac roedd y berthynas agos rhwng Garmon a'r teulu yn golygu eu bod yn gweld Carys yn amlach.

'Bore da bawb,' oedd cyfarchiad Garmon. 'Noson gynnar i chi neithiwr?'

'Rhwng achos cymhleth a rali'r Ffermwyr Ifanc, mi fysen i'n fwy na bodlon cuddio yn fy ngwely drwy'r dydd,' atebodd Daf, gan chwerthin.

'Dwi'n dallt.'

Daethai Daf i adnabod Garmon yn eitha da bellach, ac yn ystod y sgyrsiau swnllyd arferol dros y bwrdd brecwast teuluol am arian cinio a chit ymarfer corff, sylweddolodd Daf fod gan Garmon rywbeth ar ei feddwl. Awgrymodd goffi tu allan yn yr ardd, a chytunodd Garmon ar unwaith.

'Dwi'n poeni am Tallulah,' meddai yn syth. 'Dwi ddim wedi clywed ganddi, ac mi wnaeth hi addo ypdêt dyddiol i mi.'

'Ti 'di ei ffonio hi?'

'Wrth gwrs. Dim ateb hyd at amser cinio ddoe, wedyn neges yn dweud nad ydi'r rhif ar gael.'

'Reit. Ti isie i mi fynd draw i Blas Aur?'

'Ddim eto. Ond dwi'n poeni. Yn ôl ei Fitbit, mae hi'n gweithio'n galed iawn, o ran hyfforddi.'

'Sut ti'n gwybod hynny heb siarad efo hi?'

''Dan ni wedi creu grŵp Fitbit er mwyn rhannu ein targedau a'n cyraeddiadau.'

Gwgodd Daf. 'Ydi Carys yn gwybod am y grŵp 'ma?'

'Wrth gwrs ei bod hi. Dwi'n trafod popeth efo Car. Mae hyn yn bwysig i mi – os oes pobl yn trio tanseilio cystadlaethau'r anabl, gall yr holl barch mae'r athletwyr wedi gweithio mor galed amdano dros y blynyddoedd ddiflannu dros nos. Fydd dim fframwaith i bobl fel fi a Tallulah i gystadlu. Hefyd, mae'n rhaid i mi ddeud y byswn i'n falch iawn o dorri'r fath stori ar y cyfryngau, a chael fy ystyried yn newyddiadurwr chwaraeon yn ogystal â sylwebydd. Byddai hynny'n ddifyrrach o lawer na siarad lol ar ochr y traciau a'r caeau fel dwi'n wneud ar hyn o bryd.'

'Chwarae teg i ti, còg.'

'Paid â meddwl fod gen i fwy o ddiddordeb yn Tallulah na be sy'n broffesiynol, ond dwi'n meddwl ei bod hi'n andros o ddewr. Dwi jest ddim isio iddi herio dyn hollol ddidostur fel Gwyther ar ei phen ei hun. Dwi 'di gwneud dipyn o ymchwil iddo fo, wyddost ti.'

'A finne hefyd. Mae ganddo fo ddiddordeb afiach yn y merched mae o'n eu hyfforddi, mae'n debyg.'

'Gwranda, Daf, mae'n rhaid i mi bicio lawr i Gaerfyrddin heddiw i drafod gwaith, ond os nad ydw i wedi clywed gan Tallulah yn ystod y dydd, wnei di bicio draw yno?'

'Ar ba sail?'

'Meddylia am esgus. Efallai y gallet ti esgus mynd i weld Gwyther, yn hytrach na gofyn am Tallulah yn benodol.'

'Mi wna i os alla i. Gen i gryn dipyn ar fy mhlât ar hyn o bryd.'

'Mae gan Brian Gwyther ffrindia go ddylanwadol, cofia. Dwi 'di siarad efo sawl un sy wedi trio darganfod yn union sut ddulliau mae o'n eu defnyddio i ennill. Yn ôl y sôn, roedd rhaglen ddogfen arno wedi ei chynhyrchu, ond am ryw reswm cafodd ei thynnu'n ôl cyn cael ei darlledu cyn Dolig dwytha. Mi gollodd yr ymchwilydd ei swydd.'

'Be oedd pwnc y rhaglen?'

'Does neb yn fodlon deud, yn anffodus. Dwi'n gobeithio

siarad efo rhywun heddiw allai fod yn gwybod, ond does neb isio rhoi ei swydd yn y fantol.' Oedodd Garmon am eiliad, i syllu ar yr ardd dawel. 'Dwi awydd mynd i mewn yno, Daf, i weld be sy'n digwydd.'

'Fyddai hynny ddim yn gweithio, Garmon – ti'n wyneb cyfarwydd.'

'Sydd angen hyfforddwr newydd. Pam lai?'

'Achos ...' Chwiliodd Daf am y ffordd orau i ddweud wrth Garmon na allai dyn mewn cadair olwyn, waeth pa mor ddewr a chryf oedd o, gystadlu yn erbyn llabwst fel Gwyther. 'Achos mae 'na siawns go dda i ti roi Tallulah mewn peryg.'

'Falle ...' Nid oedd Garmon wedi'i argyhoeddi.

'Awn ni efo'n gilydd?' awgrymodd Daf.

'Syniad da. Ond dwi'n gwybod dy fod ti'n brysur.'

'Efo Rali'r Ffermwyr Ifanc ar ben bob dim arall ...'

'Sôn am ddyn efo tipyn ar ei blât, mae'r hen John yn ymdopi'n eitha da, yn tydi?' newidiodd Garmon y pwnc. 'Dolydd ar dân, diffyg dŵr i'r stoc, trefnu rali'r Sir mewn llai nag wythnos a llysferch ... wel, well i mi beidio sôn am Netta.'

Ochneidiodd Daf. 'Well gen i gael gwybod be sy'n mynd ymlaen, Garmon.'

'Ti'n fy nabod i – dwi'n hoffi anturiaethau o bob math, ond dwi'n dallt yn iawn pa mor lwcus ydw i o gael Carys. Mi allai hi fod wedi dewis unrhyw ddyn dan haul, ond mae hi wedi setlo ar hen grip fel fi. Fyswn i byth yn gwneud unrhyw beth i'w brifo hi.'

'Mae Carys yn d'addoli dithe.'

'Be dwi'n trio'i ddeud ydi bod Netta yn gwneud niwsans ohoni'i hun o 'nghwmpas i ers tro. Mae hi'n ferch smart, ond fyswn i byth yn ildio iddi.' Cododd Garmon ei fŵg a syllu i'w waelod er mwyn ceisio osgoi llygaid Daf. 'Ges i fy magu ar ffarm, cofia. Dwi'n dallt stoc. Ac mi wn i mai dim ond hanner genynnau Doris ...'

'Garmon, rho chwarae teg iddi hi. Nid ei bai hi oedd sut y cafodd hi ei chenhedlu, wir.'

'Ond drycha, Daf, sut mae hi'n bihafio o gwmpas dynion ifanc. Dwi'm isio bod yn gas, ond mae angen cadw llygad arni.'

Roedd geiriau Garmon yn dal i atseinio yn ei ben pan yrrodd Daf i mewn i fuarth Neuadd. Roedd Netta ar gychwyn i'r ysgol – gan ei bod mor dal roedd ei sgert fer yn edrych yn fyrrach byth, a phan drodd ei chefn i godi ei bag ysgol, gwelodd Daf res o binnau i fyny cefn ei chrys ysgol er mwyn tynhau'r defnydd dros ei chorff siapus. Roedd Garmon yn iawn. Byddai'n rhaid cadw llygad barcud arni. Doedd Daf ddim yn ffan o ysgolion bonedd, ond ystyriodd am eiliad tybed a fyddai'n fuddiol iddi hi ac i'r ardal petai Netta'n treulio cyfnod i ffwrdd o Neuadd, mewn ysgol i ferched yn unig.

Safai John a Siôn ger drws cefn y ffermdy mawr du a gwyn yn eu boilars, wedi dod yn syth o'r llaethdy. Ar yr un pryd, trodd y tad i godi'i law ar Doris oedd yn paratoi i yrru ei merch i'r ysgol, ac edrychodd y mab i gyfeiriad y drws lle ymddangosodd Belle eiliad yn ddiweddarach. Dau ddyn mor wahanol yn rhannu profiad mor debyg o gariad, sylwodd Daf.

Daliai Belle glipfwrdd yn ei llaw ac roedd golwg benderfynol ar ei hwyneb tlws – druan o unrhyw swyddog o'r Cyngor Sir fyddai'n tynnu'n groes iddi.

'Diolch i ti am dod, Dafydd,' meddai John gan ysgwyd ei law yn ffurfiol. 'Mae 'na dipyn o bethe i'w sortio.'

Cyn i Daf gael cyfle i'w ateb, cyrhaeddodd car mawr gwyn y buarth: Jaguar 4x4 newydd sbon.

'Os ydi bois y Cyngor yn gyrru o gwmpas mewn ceir fel hwn dwi ddim am dalu fy nghownsil tacs, wir,' ebychodd John; ond nid swyddog y Cyngor Sir ddaeth allan o'r car, ond Tomi Morris, Gwaun Isa, tad y bachgen a laddwyd yn y ddamwain ychydig ddyddiau ynghynt.

Brasgamodd John ar draws y buarth i gyfarch ei hen ffrind, gan ysgwyd ei law.

'Sori am dy golled, wir.'

'Mae 'na sobor o fès ar y cae,' atebodd y tad galarus.

'Gobeithio bydd y siwrans yn cyfro pob dim. Dim ond llynedd wnest ti ailhadu, ie?'

'Roedd o'n wyndwn meillion go dda, oedd,' cytunodd John, gan ymuno â'i gyfaill i anwybyddu'r golled fwyaf.

'Reit falch eich bod chi 'di camu i'r bwlch efo'r Rali, bois. Fysen i'n hapus i fwrw 'mlaen yng Ngwaun Isa, ond fyse nerfau'r hen leidi ddim yn ymdopi.' Sylwodd ar Belle a gwenodd arni'n awgrymog. 'Dyna be dwi angen rŵan, gwraig newydd sy ddim mor bell heibio'i *sell-by date*. Digon ifanc i roi mab arall i mi, a dipyn o sbort yn y broses.'

Roedd yn rhaid i Daf dynnu ei ffôn o'i boced ac esgus edrych arno er mwyn cuddio'r olwg o ffieidd-dod ar ei wyneb. Dros y blynyddoedd, roedd Daf wedi torri newyddion drwg i sawl teulu ond doedd o erioed wedi gweld y ffasiwn ymateb. Efallai mai ceisio cuddio'i alar oedd Tomi Gwaun Isa, meddyliodd, ond roedd yn anodd credu hynny tra oedd llygaid y ffermwr wedi eu hoelio ar ben-ôl Belle.

Ond er ei ymddygiad hollol annerbyniol, roedd Tomi yn ddefnyddiol iawn yn ystod y sgwrs â swyddog y Cyngor. Defnyddiol hefyd oedd ymddangosiad annisgwyl yr aelod Cabinet oedd â chyfrifoldeb dros ddiogelu'r cyhoedd, dynes fywiog o rywle ger y ffin.

'Keeping people safe is our top priority, Geoff,' dywedodd honno wrth y swyddog mewn llais tawel ond cadarn, 'but if the rally doesn't go ahead, I *will* have your guts for garters.' Rhoddodd gerdyn i Belle â'i rhif arno. 'Any crap, call me. I've got to go: Silver Command's meeting in Welshpool.'

Neidiodd yn ôl i'w thryc Suzuki a diflannodd.

'Dyna i ti wraig newydd addas i ti, Gwaun Isa,' meddai John efo'i hiwmor trwm arferol.

'Gormod o filltiroedd ar y cloc i mi,' atebodd Tomi, gan wenu fel giât i ddangos rhes o ddannedd brown fel cerrig beddi.

'Dwi ddim yn meddwl eich bod chi angen mwy o 'nghymorth i,' datganodd Daf, yn awyddus i ddianc cyn iddo gael ei demtio i ddyrnu Tomi Morris ar ei drwyn.

'Ti'n iawn, Daf,' cytunodd Belle. 'Mi fyddwn ni'n siŵr o fod dy angen di mewn rhyw argyfwng neu'i gilydd cyn diwedd yr wythnos, felly well i ni adael i ti fynd rŵan.'

Dechreuodd swyddog di-Gymraeg y Cyngor restru'r ffurflenni roedd angen eu llenwi a'r camau roedd yn rhaid eu cymryd cyn y penwythnos. Roedd Belle yn gwrando'n astud ond synnodd Daf at agwedd John, oedd yn sefyll yn stond cyn iddo ddechrau symud ei ben mawr o un ochr i'r llall fel tarw.

'Gwranda, Mistar Clipfwrdd,' meddai mewn llais peryglus o dawel. 'Rhaid i ti ddysgu rwbeth.'

'My dad thinks you need to learn something,' cyfieithodd Siôn mewn llais pryderus. Roedd o'n llwyr ymwybodol o agwedd ei dad tuag at fiwrocratiaeth.

'Sbia di, Mistar Clipfwrdd. Nid Stalin wyt ti. Roedd gan Stalin fwstásh, a sgen tithe 'run. Ti'n deall?'

Agorodd Siôn ei geg i ddechrau egluro ond roedd yn amlwg fod gan y gŵr o'r Cyngor ddigon o Gymraeg i ddeall 'Stalin' a 'mwstásh'.

'Of course, Mr Jones, but ...'

'A dyna i ti beth arall. John Jones Neuadd ydw i ond pwy ddiawl wyt ti?'

Ymbalfalodd y swyddog yn ei boced am ei gerdyn adnabod a'i gynnig i John. Roedd y darn bach o blastig fel tegan plentyn ar gledr llaw enfawr John, ac edrychodd arno am hanner munud.

'Mae 'na ryw fath o fistêc yma, wir Dduw,' datganodd John. 'Achos mae gen i ddogfen o'r Land Registry yn y tŷ sy'n dweud pwy sy biau'r fferm 'ma. Ro'n i'n meddwl mai f'enw i oedd arni ond mae'n amlwg mai ti biau'r lle o'r ffordd ti'n siarad. Ti 'di'r bòs, ie?'

Doedd dim rhaid i Siôn gyfieithu: roedd ystyr geiriau John yn ddigon clir.

'Honestly, Mr Jones, I don't think I'm Stalin and I don't think I own the farm. I'm just trying to get the paperwork sorted for the rally.'

'Rŵan, os nad ti ydi Stalin, pam wyt ti'n bihafio fel y dyn? Does gen i ddim amser i falu awyr fan hyn ond cadwa di lygad barcud ar y boi 'ma, Siôn, rhag ofn iddo ddechre codi *gulag* ger y cut cŵn.'

Sgyrnygodd John ar ddyn y Cyngor cyn diflannu i'r tŷ.

'I didn't intend to irritate your father,' esboniodd y swyddog ar ôl dod ato'i hun. 'What was the last thing he said?'

'He's anxious that you don't build a prison camp by the dog kennel, that's all,' eglurodd Siôn â gwên lydan. 'The History Channel is his drug of choice.'

'And now,' meddai Belle mewn llais amyneddgar fel athrawes ysgol feithrin, 'shall we all settle down to work?'

Wrth droi am y car, clywodd Daf lais Belle yn esbonio'n union ble fyddai'r maes parcio ar gyfer y gwasanaethau golau glas: roedd Rali'r Ffermwyr Ifanc mewn dwylo diogel.

Cyn gadael y fferm, derbyniodd alwad gan Sheila.

'Nev isie i ti gael gwybod bod y gîc o'r pencadlys yn cyrraedd tua hanner awr wedi deg. Ydi'r laptop gen ti?'

'Gliniadur,' cywirodd Daf.

'Does neb yn y byd mawr crwn yn hoffi *smart arse.*'

'Mi bicia i lawr efo'r gliniadur toc.'

'Be ydi gliniadur toc?'

'Na, na, dweud y bydda i lawr toc oeddwn i.'

'O. Wel, paid â rhuthro.'

Gan deimlo fel plentyn ysgol yn chwarae triwant, penderfynodd fynd yn ôl i Hengwrt am baned sydyn yng nghwmni Gaenor cyn mynd lawr i'r Trallwng. Doedd yr efeilliaid ddim wedi cyrraedd i gael eu gwarchod pan gyrhaeddodd Daf, ac roedd Mali Haf yn eistedd wrth fwrdd y gegin yn tynnu llun â chreonau.

'Dwi'n gwneud llun o siop hufen iâ,' broliodd. 'Sbia faint o wahanol hufen iâ sy 'ma.'

Roedd Gaenor y tu allan i ddrws y cefn yn llenwi twb mawr o ddŵr.

'Hei, be ti'n wneud yma?' gofynnodd pan welodd ei phartner.

''Be ddigwyddodd i "Helô cariad, neis i dy weld di"?'
gofynnodd Daf, gan esgus bod yn flin.

'Ro'n i'n meddwl dy fod ti wedi picio fyny i Neuadd, dyna'r cyfan.'

'Wedi bod yno. Popeth dan reolaeth, heblaw Tomi Morris.'

'Gwaun Isa? Be oedd o'n wneud yno?'

'Helpu, i fod, ond treuliodd y rhan fwyaf o'i amser yn syllu ar ben-ôl Belle.'

'Druan o'i wraig. Dynes fach glên ydi hi.'

'Beth bynnag, mae gen i hanner awr sbâr ...'

Dros baned yn yr ardd, ac allan o glyw Mali Haf oedd wedi dechrau gwrando ar ac ailadrodd pob math o bethau, soniodd Daf am ei bryderon ynglŷn â Netta. Fel arfer, cafodd ateb llawn synnwyr cyffredin gan Gaenor.

'Ifanc ydi hi, a drycha pa mor dda mae hi wedi ymdopi â newid mor fawr yn ei bywyd.'

'Heb sôn am ddysgu Cymraeg mor raenus, ond ...'

'Ond ti'n poeni achos ei bod hi mor ifanc ac mor ddel?'

'Ie, dyna ti.'

'Sut oeddet ti'n ymdopi pan oedd Carys yr un oed?'

'Dyw Carys yn ddim byd tebyg i Netta. Mae 'na rwbeth ... cynddeiriog ynddi hi.'

'Neu nwydus. Mi fydd hi'n bwyta bechgyn i frecwast ymhen rhai blynyddoedd, ond be 'di'r ots?'

'Ddylwn i rybuddio Chrissie? Roedd y ffordd y syllodd hi ar Rob neithiwr, wel ...'

'Mae'n dipyn o job i unrhyw ferch beidio â syllu arno fo, Daf. Mae o wastad wedi bod yn fachgen golygus ond rŵan, efo mymryn o dorcalon ac agwedd chydig yn ymosodol ... wit-a-wiw!'

'Mae gen i ddyletswydd i rybuddio'r awdurdodau os ydw i'n ymwybodol o berson all greu pryder ynglŷn â Diogelu Plant ...'

'Cau dy ben! Peth hyll ydi cenfigen. Yr unig beth allwn ni wneud ydi cadw llygad arnyn nhw.'

Ar yr awel braf, cyrhaeddodd y gerddoriaeth oedd yn

chwarae ym mhic-yp Chrissie hanner munud o flaen y cerbyd ei hun. Fel arfer, un o glasuron diweddar canu gwlad oedd y gân gan mai Chrissie oedd y ffan mwyaf o'r gerddoriaeth honno yr ochr yma i Nashville.

Clywodd Mali Haf y sŵn hefyd, a rhedodd allan i gyfarch yr efeilliaid. Corlannodd Gaenor y tri i mewn i'r tŷ yn grefftus.

'Mae hi mor glên i'w gweld nhw'n gystal ffrindie,' meddai Chrissie, heb smic o fflyrtian yn ei llais am unwaith. Sylwodd Daf hefyd fod cysgodion o dan ei llygaid mawr.

'Wyt ti'n iawn, Chrissie?'

'Ddim cweit yn siŵr, Mr Dafis. Dwi angen siarad efo chi am rwbeth.'

Oherwydd y sgwrs roedd o newydd ei chael â Gaenor, y peth cyntaf a lamodd i ben Daf oedd ymddygiad Netta. Oedd posibilrwydd ei bod hi wedi temtio Bryn? Ni pharodd y syniad hwnnw ond am hanner eiliad pan sylweddolodd fod rhywbeth mwy difrifol yn corddi Chrissie.

'Rhaid i mi fynd lawr i'r Trallwng rŵan, Chrissie, ond os wyt ti'n rhydd nes ymlaen?'

'Ffoniwch fi ar ôl cinio, Mr Dafis. Dwi'ch angen chi ... ond nid fel'na.' Llwyddodd i wincio ond cafodd Daf yr argraff fod hynny'n ymdrech iddi.

Doedd Daf erioed wedi clywed gair o gŵyn gan Chrissie, er ei bod yn gweithio'n galetach na neb arall ac yn magu teulu mawr ar yr un pryd. Roedd hi wastad yn llawn egni ac asbri, yn torri can erw o silwair cyn rhoi cinio rhost yn y ffwrn a thynnu Bryn i'w llofft am 'hoe fech sydyn' cyn i'r plant ddod adre o'r ysgol. Roedd hi'n cyflawni mwy na neb, ac yn tynnu mwy o waith i'w phen bob dydd. Ond roedd y Chrissie a safai o'i flaen yn wahanol, fel petai wedi colli peth o'i sbarc.

Roedd maes parcio gorsaf yr heddlu yn llawn dop, a cheir eraill wedi cael eu parcio rywsut rywsut ar y palmant. Nid oedd y math hwn o anhrefn yn plesio Daf o gwbl – roedd heddweision yn disgwyl i drigolion yr ardal barcio'n gall a chyfreithlon, a wnâi hi ddim i'r cyhoedd weld bod ymwelwyr â gorsaf yr heddlu yn anwybyddu pob rheol. Cerddodd i mewn yn gyflym, yn barod i roi pryd o dafod i bawb oedd yn ei haeddu.

Roedd y dderbynfa dan ei sang, a phobl hollol ddieithr yn gymysg â wynebau cyfarwydd o gyd-destunau gwahanol. Yn eu plith, sylwodd Daf, roedd Delyth Joy, ei hen ffrind o'r Cyngor Sir oedd wedi ei helpu efo'r chwiliad DBS y diwrnod cynt.

'Dels, be wyt ti'n wneud fan hyn?'

'Silver Command, Daf. Mae adnoddau o bob man wedi cyrraedd i dy helpu di efo'r achos, a dwi'n digwydd bod yn un o'r adnoddau hynny. Cefnogaeth weinyddol.'

'Blydi hel. Does dim digon o waith i'ch hanner chi.'

'Ti isie i mi ddechrau drwy roi'r tegell ymlaen?'

'Plis.'

Tu ôl i'r ddesg, roedd Sheila yn croesawu pawb a Nev yn rhestru enwau. Cliriodd Daf ei wddf.

'Diolch yn fawr iawn i chi i gyd am dod yma. Jest cwpl o bethau bach sylfaenol cyn dechrau. Do any of you not speak Welsh? Well, I'm sure you'll follow my drift. Daf Dafis ydw i a fi ydi'r SIO ar yr ymchwiliad yma. Mae 'na sawl asiantaeth yn y mics, ond o ran y gwaith caib a rhaw, fi ydi'r prif gyswllt. Mae ganddon ni nifer o drywyddau i'w dilyn – y safle, y ddyfais a'r llanc 'den ni wedi ei ddal ddoe. Powdwr gwn oedd yn y ddyfais: pam hynny? Pwy yn yr ardal all gael gafael ar bowdwr gwn yn rhwydd? Ar hyn o bryd, 'den ni'n symud ymlaen gan amau mai gweithred derfysgol oedd hon ond rhaid edrych ar y posibiliadau eraill hefyd. Dwi angen hanes y rheilffordd – oes rhywun isie dial arnyn nhw? A'r dyn ddyluniodd y bont, Deiniol Dawson: pwy ydi o, a phwy sy'n bwysig iddo fo? Teulu Woosnam, Llwynderi, Cefn Coch: es i fyny yno neithiwr i nôl Bahri Yilmaz ac mae 'na bethe od yn digwydd yno, dwi'n sicr. Dwi awydd picio fyny nes ymlaen heddiw, ac mi fydda i angen rhywun i ddod efo fi. O ie, a'r peth ola, peidiwch â pharcio fel idiots. Mae 'na sawl maes parcio yn y dre os nad oes digon o le fan hyn – mae mamau efo bygis a'r henoed angen defnyddio'r palmentydd.' Sylwodd Daf fod sawl un yn edrych yn anghyfforddus. 'A pheidiwch â dwyn bisgedi Nev. Mae o'n un reit dawel fel arfer ond os oes rhywun yn meiddio rhoi ei bawennau ar ei gystard crîms, wel, lwc owt.' Derbyniodd Daf fwy o chwerthin nag yr oedd yn ei haeddu. 'And for the sake of our English friends, I'm the SIO, don't park like dicks and touch Nev's biscuits, feel Nev's wrath. Right?'

Roedd yn rhaid i Daf gyfaddef ei fod wedi cyffroi'n lân. A chanddo gymaint â hyn o bobl ar ei dîm byddai'n bosib iddo gyflawni gwaith heddlu go iawn a chadw at amserlen go dynn. Oedodd am eiliad cyn gadael.

'Oes rhywun wedi clywed unrhyw beth gan yr adran Dechnoleg Gwybodaeth? Maen nhw wedi addo rhyw gîc i ni ...'

'A dyma fi ar y gair,' atebodd dynes wrth ei benelin. 'Oes siawns am ddishgled? 'Wy 'di cael taith deirawr o Gaerfyrddin.'

'Ty'd i mewn, lodes. Mi wnaiff Delyth baned i ni toc.'

Ar ôl sawl profiad anffodus efo'r tîm TG roedd Daf yn wyliadwrus, ond wrth edrych ar y ddynes oedd yn gwenu arno ymlaciodd ryw ychydig. Roedd hi dros oedran ymddeol, yn llawer hŷn na saith deg, ond roedd rhywbeth ffres ac egnïol yn ei chylch. Er mwyn cadw ei gwallt gwyn trwchus oddi ar ei hwyneb siriol roedd hi wedi gwthio sawl pìn gwallt iddo, ond heb lwyddiant – roedd ei llygaid yn cuddio y tu ôl i gudynnau hir, oedd yn atgoffa Daf o fwng Tinciwinci. Tynnodd ei cherdyn busnes o boced ei hwdi. Arno roedd llun sepia o ddynes o oes Fictoria, y geiriau 'What would Ada do? Dr Petunia Rice', a chyfeiriad e-bost.

'Pwy ydi Ada?' gofynnodd Daf.

'Ada Lovelace. Hi ddatblygodd y syniadau sylfaenol ynglŷn â chyfrifiaduron.'

'Ac mi wyt ti'n feddyg?'

'Nid meddyg meddygol. Mae gen i radd uwch, dyna'r cyfan. Gwranda, ble mae'r gliniadur 'ma?'

Gosododd Daf liain plastig dros ei ddesg, dadbacio'r gliniadur a chamu'n ôl.

'Nawr 'te, bobl bach, be sy gennyn ni fan hyn?' ebychodd Dr Petunia, gan rwbio un llaw yn erbyn y llall.

'Ti 'di clywed hanes y peiriant?'

'Do, do.'

Symudodd Petunia y gadair er mwyn rhoi ei bag arni – bag enfawr wedi'i greu o garped fel bag Mary Poppins. Tynnodd o'i ddyfnderoedd ddau focs plastig fel y rhai mae crefftwyr yn eu defnyddio i gadw eu taclau, un coch ac un du. Agorodd yr un du – synnodd Daf pan welodd ei fod yn llawn o fferins, math gwahanol ym mhob un o'r adrannau bach. Wrth iddi godi'r clawr, daeth dwy lefel arall i'r fei, y rhain eto yn llawn fferins.

'Ti moyn pear drop?' cynigiodd.

'Plis,' atebodd Daf. 'Dwi'n reit hoff o bear drop bach bob hyn a hyn.'

Roedd cynnwys y bocs coch dipyn yn fwy arferol: sawl sgriwdreifer bach, gefelau a rhes o lifiau bychain. Ar ôl gwisgo menig plastig trodd Petunia'r gliniadur wyneb i waered. Roedd hi'n siarad wrth weithio.

'Fyset ti'n synnu sawl gwaith 'wy wedi gweld hyn ... pobl yn malu'r sgrin heb sylwi pa mor gryf yw'r casin o gwmpas y gyriant caled.'

Rhyddhaodd Petunia y sgriws bychan mewn ychydig eiliadau a rhyfeddodd Daf at ei gallu i wneud y cyfan heb sbectol yn ei hoed hi. Llithrodd flaen fflat sgriwdreifer i mewn i'r bwlch rhwng blaen a chefn y peiriant ond wnaeth o ddim agor gan fod un cornel wedi malu. Gydag un o'r llifiau bach, torrodd drwy'r plastig a daeth y cefn yn rhydd i ddatgelu'r hyn oedd y tu mewn.

Cyn i Daf fedru holi Petunia am y peiriant cyrhaeddodd Delyth Joy efo'r te.

'Dyma i chi baned bob un. Daf, be ti isie i mi wneud?'

'Wnei di jecio pwy fyddai'n gallu dod o hyd i bowdwr gwn yn rhwydd, plis, Del? Rhywun sy'n blastio cerrig, pobl sy'n gwerthu gynnau ac ati. Jest cofia ei bod hi'n ddigon hawdd gwneud bom efo cynhwysion sy ar gael mewn siopau ac ar y we – os wnaeth rhywun benderfyniad i ddefnyddio powdwr gwn, mae'n rhaid bod rheswm am hynny.'

'Dwi'n deall. Gyda llaw, 'dyw cetris gynnau ddim yn cynnwys powdwr gwn ers y Canol Oesoedd. A deinameit maen nhw'n ei ddefnyddio mewn chwareli.'

'Ti'n meddwl fel plismones yn barod, lodes. Well i ti gadarnhau efo Nev be yn union achosodd y ffrwydrad, a chwilio am bethau tebyg, ie?'

'Ocê, bòs.'

'Dydi coegni ddim yn dy siwtio di, Delyth.'

'Wela i di'n nes ymlaen.'

Yn chwilfrydig, gofynnodd i Dr Petunia, 'Sut wyt ti'n bwrw 'mlaen efo gweddill y giang Technoleg Gwybodaeth?'

'Wel, ar ôl i mi fod yn dysgu Lefel A Mathemateg am ddeng mlynedd ar hugain, dwi 'di hen arfer efo giamocs dynion ifanc.'

'Dipyn o gam, mynd o ddysgu i'r heddlu.'

'Es i ddim yn syth o'r ysgol i'r heddlu – ro'n i'n gweithio i gwmni diogelu data, ond ...' Cymerodd gegaid o'i the cyn gorffen y frawddeg. 'Does dim rheswm i mi guddio dim – mae popeth yn fy ffeil. Ges i fy nhemtio i fynd i'r ochr dywyll ond penderfynais weithio i'r bobl dda yn y pen draw.'

'Yr ochr dywyll?'

'Mae data'n werthfawr, Arolygydd Dafis. Ges i gynnig swm sylweddol o arian i roi mynediad i droseddwyr i gronfeydd data, ond yn hytrach na chodi'r tŷ gwydr 'wy wedi bod yn ysu amdano ers ache, es i at yr heddlu.'

'Chwarae teg. Ers faint ti 'di bod efo ni?'

'Tair blynedd nawr. A chyn i ti ofyn, saith deg tri ydw i. Symudodd fy wyres o Lundain 'nôl i Gymru heb feddwl gofyn oeddwn i ar gael ddydd a nos i garco'i phlant, ond ddwedes i fod yn well o lawer gen i ddatrys troseddau na newid cewynnau.' Trodd yn ôl at ei gwaith, gan ddatgysylltu petryal lliw arian â phlicwyr, a symud sawl gwifren goch, melyn a glas.

Agorodd y drws heb gnoc a daeth Picton-Phillips i mewn yng nghwmni'r ddynes y bu i Daf ei chyfarfod i fyny yn Neuadd y bore hwnnw – roedd y cyfarfod Silver Command wedi gorffen, felly. Yn eu dilyn roedd dyn tenau, bron fel sgerbwd, ei siwt ddrud yn hongian o'i gorff fel lliain amdo.

'Dafis,' cyfarthodd Picton-Phillips, ''dan ni angen gair.'

'Mae Dr Rice yn braidd yn brysur yn fan hyn, syr. Awn ni i'r ystafell gyfweld?'

Syllodd Picton-Phillips ar Petunia. Erbyn hyn, roedd y pinnau a oedd i fod i glymu ei gwallt yn ôl wedi colli'r frwydr ac roedd ei hwyneb wedi'i fframio gan donnau gwyn. Pan gododd ei phen sylwodd Daf ei bod yn dal darn o wifren goch yn ei dannedd. Er ei bod hi'n arogli fel siop fferins hen-ffasiwn a bod golwg ecsentrig y diawl arni, roedd yn amlwg ei bod hi'n gwybod yn union beth oedd hi'n wneud. Doedd Daf ddim am i'r Cyrnol ymyrryd â'i gwaith felly brysiodd i'w dywys allan.

'Braidd yn hen i wneud y fath waith, yn tydi hi?' sylwodd y Cyrnol wrth adael.

'Dwi'n derbyn pwy bynnag mae'r pencadlys yn ei ddanfon i mi, syr.'

Gwnaeth y Cyrnol sŵn amheus yn ei wddf, a theimlodd Daf don arall o gasineb tuag ato. Trodd ei sylw at y ddynes o'r Cyngor Sir.

'Thank you for coming up to Neuadd this morning. Much appreciated.'

'Not at all. If the Rally had had to be cancelled because of that lad's tragic death, I wouldn't like to think of all the wasted effort for all the competitions the members have prepared for.'

Roedd agwedd ddiamynedd y Cyrnol mor amlwg, roedd Daf yn hanner disgwyl gweld stêm yn dod o'i glustiau, ond roedd yn rhaid i Picton-Phillips a phwy bynnag oedd y sgerbwd fod yn gwrtais â'r ddynes o sir Faesyfed. Partneriaeth oedd Silver Command, ac roedd gan y Cyngor rôl hollbwysig ynddi.

Roedd digon o le a llonydd iddyn nhw yn ystafell gyfweld 2, yr un â chadeiriau cyfforddus. Eisteddodd Daf ger y ddesg a setlodd y ddynes o'r Cyngor ar y soffa, camodd y Cyrnol o un gornel o'r stafell i'r llall a safodd y dieithryn ger y drws fel petai angen gwrando am sŵn traed yn y coridor.

'Do you have all the resources you need for this stage of the investigation?' gofynnodd y ddynes i Daf.

'Yes, diolch yn fawr.'

'I'll leave you with these gentlemen, then – I'm pretty sure I'm not cleared for the level of conversations you may need to have. I'll see myself out.'

'Dynes glên,' meddai Daf wrth y Cyrnol.

'Boneddiges gymwynasgar iawn,' atebodd y dieithryn o'r drws. Roedd ei lais braidd yn gryg ond yn glir, heb acen o gwbl. 'James Hanshaw, MI5.'

Estynnodd ei law i Daf heb symud o'r drws fel bod yn rhaid i Daf godi i'w hysgwyd. Llaw ryfedd oedd hi hefyd, yn esmwyth ond â chreithiau dros y rhan fwyaf o'r cledr a'r bysedd. Nid oedd llaw fel hon yn gadael olion bysedd, sylwodd Daf, a dechreuodd grynu heb wybod yn iawn pam.

'Falch iawn o glywed dy fod ti'n siarad iaith y Nefoedd,' meddai, gan na wyddai beth arall i'w ddweud.

'Mi ddysgais i'r Gymraeg yn y Brifysgol ond, yn anffodus, tydw i ddim yn cael y cyfle i'w defnyddio'n ddigon aml.'

'Aberystwyth?'

'Caergrawnt.'

'Does dim amser i fân siarad,' arthiodd y Cyrnol. 'Lle ydan ni efo Yilmaz?'

'Tyden ni ddim wedi dod yn bell o gwbl, syr,' atebodd Daf. 'Does dim tystiolaeth i gysylltu Bahri â syniadaeth eithafol.'

'Er bod ei chwaer yn gwisgo hijab, ei dad ym mynychu'r mosg yn selog a'i fod wedi colli cefnder yn Syria?'

'Penderfynodd Zehra wisgo'r sgarff ar ôl cael llond bol ar ymddygiad rhywiaethol dynion ifanc o'i chwmpas.'

'Rhywiaethol?' gofynnodd y dyn o MI5. Roedd Daf yn synnu at ei barodrwydd i ofyn cwestiwn – doedd o ddim wedi disgwyl y byddai aelod o'r gwasanaethau diogelwch mor barod i ddangos anwybodaeth.

'*Sexist*. Gweithio mewn siop cebábs mae hi, felly mae'n rhaid iddi ymdopi ag ymddygiad meddwon yn rheolaidd.'

'Wrth gwrs. Gair defnyddiol ond wnes i ddim ei ddysgu yn ystod fy ngradd – doedd rhywiaeth ddim yn un o themâu hanesion y seintiau cynnar.'

'Hanes oedd dy bwnc di felly?' gofynnodd Daf.

'ASNAC.'

'Be?'

'Anglo Saxon, Norse and Celtic. Cwrs difyr iawn.'

'A pharatoad da ar gyfer gyrfa yn … wel, yn y gwasanaethau diogelwch?'

'Cystal ag unrhyw gwrs arall.'

'Gawn ni ganolbwyntio, plis?' taranodd y Cyrnol, yn amlwg yn flin fod Daf yn cynnal sgwrs mor hamddenol â dyn mor bwysig.

'Gyda phob parch, Picton-Phillips,' atebodd Hanshaw mewn llais fel iâ, 'does dim rhaid i mi dderbyn gwersi ynglŷn â sut i gynnal ymchwiliad gan gyn-filwr dibrofiad. Yn ôl at y naratif, Arolygydd Dafis, os gweli'n dda.'

'Ddwedest ti fod y tad yn mynychu'r mosg,' grymialodd Picton-Phillips. 'Mae hynny'n golygu rhywbeth.'

'Dim mwy na'r ffaith fod ein haelod seneddol ni'n mynd i'r eglwys bob dydd Sul,' atebodd Daf. Penderfynodd beidio sôn am stori Zehra ynglŷn â chynlluniau Mr Yilmaz ar gyfer Bahri. 'Fel sawl dyn, mae o wedi mynd yn ôl at ei wreiddiau wrth fynd yn hŷn.'

'A'r cefnder? Dyna i ti gysylltiad clir efo Syria. Rydech chi, fois MI5, wedi anwybyddu cysylltiadau â Syria o'r blaen,' meddai'r Cyrnol wrth Hanshaw yn ymosodol. Cyn i Hanshaw ateb, bachodd Daf ar y cyfle i egluro.

'Cafodd y cefnder ei ladd yn brwydro yn erbyn ISIL ym myddin Twrci. Does dim rheswm o gwbl i Bahri gefnogi Islamic State. I'r gwrthwyneb, yn debycach.'

'A beth am y busnes Prevent? Ti'n gweithio'n galed i greu esgusodion drosto, Dafis, ond mae'r dystiolaeth yn pentyrru yn ei erbyn.'

'Cafodd ei ddal yn edrych ar wefannau oedd wedi'u gwahardd ar system yr ysgol, ond does ganddon ni ddim syniad pa fath o wefannau oedden nhw. Aelod o staff wedi gorymateb, fysen i'n dweud.'

'Gorymateb ar ôl cael ei hyfforddi ynglŷn â Prevent? Roedd hi'n ddigon awyddus i roi'r bachgen i mewn yn y system,' dadleuodd Picton-Phillips.

'Wrth gwrs. Dwi'n cofio, bron air am air, yr hyn ddywedodd yr hyfforddwr ddaeth i'r ysgol: "Gwell i'r athrawon gyfeirio cant ar gam na gadael i un fynd drwy'r rhwyd heb gymorth". Dyna yn union wnaeth Gwerfyl.'

'Mae'r Arolygydd Dafis yn digwydd bod yn llywodraethwr yn yr ysgol dan sylw. Yr ysgol lle cafodd y terfysgwr ifanc ei addysg,' achwynodd y Cyrnol.

'Ffor ffycs sêc!' ffrwydrodd Daf. 'Does dim cysylltiad rhwng ein hysgol ni ac ISIL. Be sy'n bod arnoch chi, syr?'

'Dwi'n tueddu,' meddai Hanshaw, 'i ymddiried ym marn yr Arolygydd Dafis. Hyd yn hyn, does dim tystiolaeth i gysylltu Bahri Yilmaz, ond ...'

'Ond mae rhywun wedi ceisio malu ei liniadur, ac mae o wedi rhedeg i ffwrdd! Be arall ydech chi ei angen? CCTV yn ei ddangos o'n gosod y bom?'

'Wyddon ni ddim pwy sy piau'r gliniadur y mae Dr Petunia ...' protestiodd Daf.

'Doctor Petunia!' ffrwydrodd Picton-Phillips. 'Mae hi'n swnio fel cymeriad o Wlad y Rwla.'

'Does gen i ddim syniad ble mae Gwlad y Rwla,' meddai Hanshaw, 'ond mae'n hollol glir beth yw'ch bwriad chi, Cyrnol Picton-Phillips. Cyfiawnhau eich swydd rhag y gostyngiad arfaethedig yng nghyllideb yr heddlu. Ar hyn o bryd, ymchwiliad arferol yr heddlu sy'n digwydd yma, a hwnnw yn nwylo medrus yr Arolygydd. Os nad ydi'r gliniadur yn cysylltu Yilmaz â'r achos, bydd gan bwy bynnag a benderfynodd mai achos o derfysgaeth oedd hwn sawl cwestiwn i'w ateb. Yn enwedig ynglŷn â rhagfarn.'

Gwthiodd Picton-Phillips heibio i'r swyddog MI5 yn ddigon nerthol i wneud i hwnnw golli'i falans. Clepiodd y drws ar gau ar ôl y Cyrnol ond roedd Hanshaw yn dal i frwydro rhag disgyn. Gafaelodd Daf yn ei benelin i'w sadio.

'Ti'n iawn?' gofynnodd.

'Ydw, ydw.' Gwenodd am y tro cyntaf. 'Llawer gwell na'r Cyrnol Picton-Phillips.'

'Tydi'r Cyrnol ddim yn ddyn hawdd i'w drin, yn anffodus.'

'Mae sawl un tebyg iddo o ganlyniad i allu Comisiynwyr yr Heddlu i gyflogi ymgynghorwyr fel y Cyrnol, a does gan y mwyafrif ohonyn nhw ddim clem am gymhlethdodau ymchwiliad i derfysgaeth.'

'Wel, na finne, chwaith.'

'Ond, Arolygydd Dafis, dwyt ti ddim yn honni bod yn arbenigwr.'

'Digon teg. Gwranda, ti isie iste lawr?'

'Efallai y dylwn i.'

'Wyt ti'n iawn?' gofynnodd Daf drachefn, â golwg boenus ar ei wyneb.

Chwarddodd Hanshaw. 'Na, tydw i ddim gant y cant, Arolygydd Dafis.'

'Fyddai paned yn helpu?'

'Paned?'

'Paned o de. Peth arall nad oedd yn berthnasol i'r seintiau?'

'Mi fyswn i'n mwynhau paned yn fawr iawn, diolch yn fawr.'

'Dim problem. Wyt ti isie gweld meddyg?'

'Yn anffodus, mae'n rhaid i mi weld y meddyg yn reit aml y dyddiau yma. Anodd credu 'mod i unwaith wedi ennill y Glas wrth rwyfo.'

'Ti 'di 'ngholli fi, rŵan, syr.

'*Rowing Blue*. A does dim rhaid i ti fy ngalw i'n 'syr' – does gen i ddim rheng benodol bellach.'

Piciodd Daf i drefnu paned a bisged, a phan ddychwelodd roedd Hanshaw yn eistedd wrth y ddesg, yn gafael mewn dwy o'i chorneli yn dynn a mwgwd o boen ar ei wyneb.

'Ti'n siwr nad wyt ti am i mi alw meddyg i ti?'

'Na, mi fydd yn pasio.'

'Ti'n iawn i weithio?'

'Ydw, yma yng nghanolbarth Cymru. Mae gen i ddigon o nerth i weithio yma ond allwn i byth fynd yn ôl i weithio yn rhywle fel Kazakhstan. Mae'r dyddiau hynny ar ben i mi, Arolygydd Dafis.'

'Daf. Mae fy ffrindie'n fy ngalw i'n Daf.'

Daeth golwg o ddryswch dros wyneb Hanshaw am eiliad fel petai o ddim yn hollol sicr o ystyr geiriau Daf, ond sylweddolodd Daf mai'r boen oedd yn gyfrifol am hynny.

'Mae'r te ar ei ffordd.'

'Diolch yn fawr.' Dechreuodd ei ddwylo ymlacio ar bren y ddesg fel petai'r sbasm wedi llacio rhywfaint. 'Ond yn ôl at yr achos; mae'n rhaid i mi ddweud 'mod i'n dal yn amheus ynglŷn â'r bachgen Yilmaz.'

'Llanc sy'n cadw cyfrinachau ydi Bahri, nid terfysgwr.'

'Cyn dod yma mi wnes i ychydig o ymchwil. Mae'r holl dystiolaeth yn dangos dy fod ti'n ddyn solet, yn heddwas call. Tydi'r dogfennau yn yr archifdy ddim yn dweud yr un hanes am Picton-Phillips. Felly, wrth glywed y ddau ohonoch chi'n tynnu'n groes i'ch gilydd, penderfynais gefnogi'r dyn â'r record orau. Dyna'r drefn yn ein gwasanaeth ni – defnyddio tystiolaeth i weithredu'n gyfiawn. Ond tydi'r ffaith fod Picton-Phillips yn anghywir ddim yn gwarantu fod Yilmaz yn hollol ddiniwed.'

'Dwi'n deall hynny'n iawn. Fy mwriad i ydi darganfod yn union be oedd y cyfrinachau roedd o'n fodlon malu ei liniadur i'w gwarchod.'

'Ydi hi'n bosib ein bod ni'n mynd o flaen gofid, Daf?'

'Sut, felly?'

'Ydyn ni'n hollol sicr mai Yilmaz sydd piau'r cyfrifiadur?'

'Na, ti'n berffaith iawn. Rhaid i ni aros i Dr Petunia wneud ei stwff.'

'A'r metadata?'

'Mae un o'r bois yn gweithio ar hynny rŵan.'

'Oes gen ti theori, Daf?'

'Na. Còg cyffredin oedd o. Ydi o. Gobeithio y bydd o'n dal mor normal ar ôl ei brofiad fyny yn Strangeways.'

'Pa mor wydn ydi o?'

'Dwi ddim yn siŵr. Mae o wedi cael ei warchod gryn dipyn dros y blynyddoedd gan ei chwaer fawr.'

'Iawn. Mae gen i gryn dipyn o waith i'w wneud i gyfiawnhau'r penderfyniad i gau llwybrau'r ymchwil ynglŷn â therfysgaeth, felly.'

'Ti isie defnyddio'r stafell hon?'

'Diolch yn fawr iawn. Rwyt ti mor groesawgar ag Ifor Hael,' atebodd Hanshaw, gan dynnu cledriadur o boced ei siaced.

Allan yn y coridor, roedd tipyn o fynd a dod. Llwyddodd Daf i ddal sylw Sheila, oedd yn ceisio dod o hyd i le i rai o swyddogion y Cyngor Sir weithio.

'Mae 'na foi o'r enw Hanshaw yn ystafell gyfweld 2,' meddai wrthi. 'Wnei di gadw llygad arno fo a mynd â phaned iddo fo bob hyn a hyn?'

'Dim probs, bòs. Well i ti bicio fyny i weld y teulu Yilmaz – maen nhw'n desbret i glywed be sy'n mynd ymlaen. Roedd y ferch yn gofyn am rif ffôn cyfreithiwr Bahri.'

'Does ganddo fo ddim cyfreithiwr ar hyn o bryd.'

'Ond mae ganddo fo hawliau ...'

'Ddim yr un hawliau â charcharorion eraill, Sheila, gan ei fod yn cael ei ddal ar amheuaeth o derfysgaeth.'

'Druan ohono fo.'

'Dwi ddim yn ceisio osgoi mynd yno, Sheila, ond dwi ddim yn siŵr fydd gen i ddigon o amser i fynd i'w gweld nhw. Ti ydi'r FLO.'

'A ti 'di'r SIO. Maen nhw'n gofyn cwestiynau alla i mo'u hateb.'

'Jest atgoffa nhw na allwn ni ddweud llawer wrthyn nhw, oherwydd natur yr ymchwiliad.'

'Natur yr ymchwiliad! Dech chi'n dal i fynd ar ôl *terrorism*, felly?'

'Ar hyn o bryd, ydyn.'

'A be sy'n cnoi'r Cyrnol? Aeth o o'ma fel *bat out of hell*.'

'Ystlum o uffern ydi'r cyfieithiad, ond does neb yn dweud hynny yn Gymraeg. Defnyddia di "fel cath i gythraul", ie?'

'Iawn. Gyda llaw, mae un o'r bobl newydd 'ma wedi darganfod rwbeth difyr am hanes y rheilffordd.'

'O?'

'Ac mae Nev yn dweud ei fod o'n disgwyl clywed gan y darparwr ISP mewn awr, os ydi hynny'n gwneud rhywfaint o synnwyr.'

'Diolch. Danfona di'r person oedd yn ymchwilio i'r rheilffordd i 'ngweld i rŵan, plis.'

Agorodd ddrws ei swyddfa. Doedd Dr Petunia ddim yno, ond ers iddo ei gadael yno roedd hi wedi gwasgaru ei thaclau dros ei desg. Roedd gliniadur dieithr wedi'i agor yng nghanol y llanast, ac ar y sgrin gwelodd Daf ddelwedd o ddyn ifanc du, cyhyrog. Dim ond mwclis aur trwm oedd ganddo amdano, ac wrth edrych i lawr gwelodd Daf fod ganddo'r codiad mwyaf a welodd erioed. Caeodd y gliniadur â chlep, yn llawn embaras. Gollyngodd ei hun i'w gadair a chuddio'i wyneb yn ei ddwylo pan glywodd y drws yn agor. Allai o ddim meddwl am ddim i'w ddweud wrth y nain oedd yn gwylio porn yn ei swyddfa.

Pennod 11

Yn ddiweddarach ddydd Mawrth

'Wyt ti'n iawn, Daf?' gofynnodd Susie, y SOCO ddaeth i mewn i'w swyddfa. 'Ti'n edrych fel petaet ti ar fin cael strôc.'

'Na, dwi'n iawn. Ti ddim wedi digwydd gweld dynes â gwallt gwyn sy'n gweithio i'r tîm IT?'

'Dr Petunia? Mae hi wedi picio allan am snacsen.'

'Snacsen? Mae'n hollol amhroffesiynol ohoni i adael yng nghanol ...'

'Daf, cau dy ben. Mae clefyd y siwgr arni.'

'O. Wel. Beth bynnag.'

'Paid â dweud nad wyt ti'n ei hoffi hi? Mae hi'n ddynes a hanner.'

'Debyg iawn, ond mi fysen i'n disgwyl i rywun fel hi ganolbwyntio ar ei gwaith tra mae hi'n gweithio.'

Cododd Susie ei haeliau. 'Fel arfer, dwi'n ffeindio bod pobl ecsentrig yn gyrru 'mlaen yn dda efo'i gilydd. Chi'ch dau ydi'r eithriad, felly.'

'Does neb yn dy dalu di i sarhau swyddogion, Miss. Be sy gen ti i'w gynnig i mi?'

'Fyset ti'n synnu, *big boy*,' meddai Susie gan dynnu iPad o'i bag. 'Maen nhw wedi danfon lluniau draw.'

Fel arfer byddai Daf wedi dweud rhywbeth awgrymog wrth Susie ynglŷn â natur y lluniau, ond ar ôl gweld beth oedd ar liniadur Dr Petunia, penderfynodd beidio.

'Grêt – be sy gen ti?'

Pwysodd Susie ei bys y sgrin sawl tro ac ymddangosodd delwedd o ddarn o blastig pinc a du ar gefndir gwyn.

'Lluniau'r *timer*,' meddai. 'Mi fyddan ni'n gwybod mwy pan fyddwn ni wedi darganfod un union pa fath o amserydd cegin oedd o.'

'O?'

'Dydi'r mecanwaith ddim yn cyd-fynd â chloc. Oes gen ti syniad pryd yn union y cafodd y bom ei osod?'

'Na. Ydi hynny'n berthnasol?'

'Byddai'n help mawr cael gwybod ei faint o.'

'Sori, lodes, be wyt ti'n feddwl pan ti'n sôn am faint yr amserydd?'

'Ydi'r gwres wedi ffrio dy frêns di, Daf? Reit, dweda di dy fod ti'n dewis defnyddio mesurydd tywod, dim ond munud mae hi'n ei gymryd i'r tywod fynd o un ochr i'r llall, felly dim ond munud mae'r teclyn yn gallu ei fesur.'

'Wrth reswm.'

'Wel, dyna i ti faint yr amserydd. Byddai cael yr wybodaeth honno yn gam mawr ymlaen.'

Ystyriodd Daf y safle wrth droed y bont. Roedd yr afon yn llydan a'r dolydd yn wastad, wedi eu rhannu gan sawl sietin go isel a dim ond hanner dwsin o goed mawr yn y cyffiniau. Er nad oedd yr un tŷ'n agos, roedd tri neu bedwar yn edrych dros y safle, a wastad digon o fynd a dod ar y briffordd.

'Yden ni'n gwybod a gafodd y ddyfais ei gadael ar y llawr neu oedd hi wedi cael ei chlymu i'r bont?'

'*Cable ties.*'

'Ocê. Mae hynny'n golygu nad dim ond mater o'i gollwng yno oedd o?'

'Na.'

'Felly byddai wedi cymryd sawl munud i'w gosod, ac os ydi'n damcaniaeth ni fod y troseddwr wedi mynd yno o'r wtra gefn yn gywir, byddai wedi bod yn syniad iddo fo neu hi wneud y job dros nos yn hytrach nag yng ngolau dydd mewn lle mor agored.'

'Digon posib.'

'Ffrwydrodd y bom tua dau o'r gloch y pnawn. Felly, byddai'r amserydd wedi bod yn gweithio am o leia naw awr, fysen i'n dweud. Mae'r wawr yn torri cyn pump.'

'Ti'n dweud wrtha i! Yr eiliad mae'r haul yn codi mae'r blydi ci yn deffro, yn cyfarth fel dwn i'm be.'

'Dy fai di am gael anifail anwes.'

'Ci fy mam yng nghyfraith ydi o. Wnaethon ni gytuno i'w warchod er mwyn iddi hi gael mynd am hoe fach i Sbaen ar ôl colli ei gŵr, ond erbyn hyn, mae ei *me time* hithe wedi para am dair blynedd ac mae Bastard Buster yn dal i ddinistrio'n bywydau ni.' Ochneidiodd Susie wrth newid y llun i ddangos darn bach o fetel â phaent lliwgar ar un cornel.

'Darn o'r blwch oedd yn dal y bom. Be wyt ti'n feddwl am y lliw?'

'Wel, piws ydi hoff liw fy merch fach, felly dwi'n ei hoffi o.'

'Nid gofyn am dy farn di ydw i – ydi o'n dy atgoffa di o rwbeth?'

'Dolig, am ryw reswm. Efallai fod addurniadau coeden tebyg acw ...'

'Ti wir yn cael diwrnod araf, yn dwyt ti, Daf? Be sy'n dod mewn bocs porffor dros y Dolig?'

Canolbwyntiodd Daf ar y sgrin am eiliadau hir cyn sylweddoli beth oedd ar feddwl Susie.

'Quality Street! Ti'n dweud bod rhywun wedi rhoi bom mewn tun Quality Street?'

''Den ni'n aros am gadarnhad gan y cwmni sy'n gwneud y paent, ond 'den ni bron yn sicr. Os yden ni'n gywir, mae'n rhaid bod y tun wedi cael ei gadw yn rhywle am amser hir – mae'r cwmni wedi bod yn defnyddio tybiau plastig yn hytrach na rhai metel i ddal y fferins ers rhai blynyddoedd, ac mae'r paent yn hŷn na'r stwff ar y tuniau metel newydd sy'n y siopau rŵan.'

'Dydi hynna ddim yn swnio fel ISIL.'

'Mae'r cyfan yn hollol ddi-glem. Defnyddiwyd sawl taniwr bach hefyd yn hytrach nag un cryf – os mai tun Quality Street oedd o, roedd 'na fwy o danwyr na ffrwydron ynddo fo.'

'Be am y tanwyr, felly? Pa fath o bethau ydyn nhw, dwêd?'

'Teclynnau bach go rhad. Ti'n gallu eu prynu nhw ar ebay.'

'I wneud bom?'

'I danio tân gwyllt.'

'A phowdwr gwn oedd yn y ddyfais ...' Oedodd Daf er mwyn hel ei feddyliau. 'Ydi hi'n bosib mai rhyw fath o dân gwyllt oedd o, yn hytrach na bom?'

'Pwy sy'n rhyddhau tân gwyllt yn ystod y dydd, yn enwedig yng nghanol mis Mai?'

'Wn i ddim. Nytar o ryw fath.'

'Ond mae clymu bocs llawn powdr gwn i droed pont sy'n cael ei chroesi gan drên efo cant o deithwyr arno yn beth hurt iawn i'w wneud, a dweud y lleia,' rhyfeddodd Susie.

'Digon teg.'

'A dwi'n gwybod 'mod i'n hollol ddibrofiad yn y maes ond roedd pwy bynnag wnaeth y bom hollol crap 'ma wedi gwneud ymdrech o ryw fath, hyd yn oed os oedd hynny'n debycach i bennod o lyfr *Ladybird Terrorism for Children* na llawlyfr ISIL.'

'Diolch o galon, Susie. Mae 'na dipyn o waith meddwl i'w wneud.'

'A phaid ag anghofio fy ngwaith trylwyr yn y gilfan. Car a rhywun eitha main yn ei yrru.'

'Ond pwy sy'n eitha main ac yn bwyta Quality Street?'

'Does dim tystiolaeth i awgrymu bod y bomiwr wedi bwyta'r siocled – roedd y tun yn hen, cofia.'

'Diolch o galon i ti, Susie: dwi'n teimlo'n llawer mwy cyfforddus yn delio â thystiolaeth go iawn yn hytrach na lol am Syria.'

'Goelia i. Un peth bach arall – ti'n cofio i mi drafod y llystyfiant yn y gilfan?'

'Ie?'

'Mae 'na gryn dipyn o *galium aperine* yno, a ti'n gwybod sut mae hadau hwnnw'n sticio i bob dim.'

'Sori, Suse, dwi ar goll eto.'

'Planhigyn efo hadau bach sy'n glynu i bob dim? *Goosegrass* maen nhw'n ei alw yn Saesneg, dwi'n meddwl.'

'Cacimwnci? Pam na ddwedest ti hynny yn y lle cynta? Felly, ti'n dweud ei bod hi'n bosib fod pwy bynnag osododd y bom wedi codi dipyn o hadau cacimwnci?'

'Mae'n fwy na phosib – yn debygol.'

'Help mawr. Mi bryna i ddiod i ti ryw dro.'

'Dim ond gwneud fy swydd o'n i.' Oedodd Susie am eiliad.

'Ac roedd yn well gen i aros yn y gwaith yn hwyr neithiwr na delio efo dolur rhydd y ci. Ta waeth, well i fi fynd – mae 'na waith diddiwedd yn y Drenewydd ar hyn o bryd efo County Lines.'

'Hwyl am y tro, lodes.'

Ers deunaw mis, roedd canolbarth Cymru wedi bod yn darged i gangiau o Lerpwl, Manceinion a Birmingham, a hyd yn oed o Fryste a Llundain. Daethai pobl ifanc dreisgar o'r tu hwnt i'r ardal i fygwth delwyr cyffuriau lleol a chymryd eu cwsmeriaid. Gan ddefnyddio tai pobl fregus a llanciau ifanc ar feics roedden nhw'n dosbarthu eu cyffuriau budr yn eang, ac er bod dros ddwsin o bobl wedi cael eu carcharu, roedd yn anodd iawn atal y llif. Heb os, roedd y sefyllfa yn achosi cur pen i bawb – roedd pris heroin wedi gostwng i £30, llai na noson o yfed rownd y dre. Roedd Daf yn ddiolchgar iawn i'r Ffermwyr Ifanc am gadw Rhodri'n ddigon pell oddi wrth y trafferthion hynny.

Pan daeth y gnoc nesaf ar y drws, penderfynodd Daf na fyddai'n crybwyll y llun anweddus wrth Dr Petunia – byddai'n haws cael sgwrs broffesiynol â hi petai o'n ceisio anghofio am gynnwys ei gliniadur – ond nid Dr Petunia oedd yno, ond Toscano.

'Mae gen i dipyn o wybodaeth am hanes y rheilffordd i chi, bòs,' dechreuodd, yn wên i gyd. 'Ryw ddegawd yn ôl, derbyniodd un o'r cyfarwyddwyr lythyr gan rywun oedd yn bygwth gosod bom ar y lein os nad oedd criw'r rheilffordd yn talu deng mil o bunnau iddyn nhw.'

'Blacmel?'

'Yn union.'

'Be ddigwyddodd wedyn?'

'Yn anffodus, doedd fy ffynhonnell i ddim yn gallu rhoi mwy o fanylion, heblaw dweud bod y Bwrdd wedi penderfynu cadw'r busnes yn dawel rhag ofn i'r peth amharu ar eu busnes nhw. Heb deithwyr allan nhw ddim talu am y gwaith sy wastad angen ei wneud yn y lle.'

'Be am i ni gysylltu efo'r cyfarwyddwr?'

'Yn anffodus, mae o wedi marw.'

'Dratia.'

'Mi ffoniais ei weddw, ond mae Alzheimers arni. Ges i sgwrs efo'i ferch.'

'Oes gwybodaeth ganddi *hi*?' gofynnodd Daf braidd yn swta, gan ei fod erbyn hyn wedi sylweddoli fod Toscano yn gwasgu pob tamaid posib o ddrama o'i gyfrinach.

'Nag oes. Does ganddi hi ddim ddiddordeb o gwbl yn y rheilffordd. Ond mi ddwedodd hi fod ei thad wedi gadael ei holl ddogfennau i'w ŵyr, sy hefyd yn ymwneud â'r trêns.'

'Paid â meiddio dweud bod yr ŵyr yn fud ac yn fyddar ac yn byw yn Mhegwn y De.'

'Pegwn y De, bòs?'

'Sori. Jôc, lanc,' atebodd Daf yn sych. 'Oes gen ti fanylion cyswllt ar gyfer yr ŵyr?'

'Oes. Dwi wedi ei ffonio fo ond does dim ateb. Mi ffoniais ei gyflogwyr – mae o'n gweithio adre heddiw. Gawn ni fynd i'w weld o?'

'Lle mae o'n byw? Mae gen i lot ar fy mhlât fan hyn ...'

'Dim ond fyny yn Nghefn Coch. Ac mae'n bwysig i ti fynd, bòs, achos ti'n ei nabod o'n barod.'

'Pwy ydi o, felly?'

'Deiniol Dawson.'

Dewisodd Daf yrru yno, gan ddychmygu y byddai'r holl siwrne yno ac yn ôl i gyfeiliant y CDs carioci a Disney yng nghar Toscano yn ormod iddo.

'Ti'n nabod yr ardal hon o gwbl, còg?' gofynnodd Daf wrth iddyn nhw groesi Pont Ystrad.

'Dim o gwbl. Erioed wedi cael rheswm i ddod yma, a chwedl Nain, ddaeth ei brawd hi erioed yn ôl o'i drip bach fyny i Gefn Coch.'

'Cofia di, còg, does gan dy Nain ddim smic o dystiolaeth yn erbyn y teulu 'na.'

'Dwi'n gwybod, ond ...'

'Ond dim byd: dwi'n disgwyl ymddygiad hollol broffesiynol gen ti heddiw.'

'Dwi wastad yn ceisio ...'

'Ond dwyt ti ddim wastad yn mynd i Lwynderi, fferm y Woosnams.'

Gan fod y ffordd wedi ei lledu rhwng Pont Ystrad a throad New Mills, roedd yn ddigon saff i Daf dynnu ei sylw oddi ar y ffordd am hanner eiliad er mwyn gweld ymateb Toscano i'r newyddion. Newidiodd lliw wyneb y dyn ifanc fel petai rhywun wedi rhoi ffilter Instagram drosto. Agorodd a chaeodd ei geg sawl gwaith cyn ei chadw ar agor fel pysgodyn.

'Y Woosnams? Y Woosnams?' ailadroddodd.

'Ie. Teulu'r bobl mae dy nain yn eu cyhuddo o ladd ei brawd. Mae Deiniol Dawson yn rhentu tŷ ganddyn nhw. Mae 'na andros o lot o bethau rhyfedd am y lle: curo od ar eu ffenestri, rhywun yn yfed fodca yn ystod y dydd a phlanhigfa ganabis.'

Pesychodd Toscano cyn ymateb. 'Coblyn o le, bòs,' mwmialodd. 'Ffasiwn bobl yden nhw?'

'Wel, dydyn nhw ddim yn bobl anfad, ond mae rwbeth yn digwydd yna, yn bendant. Mae bod yno fel petaet ti'n gwrando ar biano sy heb ei diwnio.' Nodiodd Toscano ei ben sawl tro. 'Felly, cadw dy lygaid a dy glustie ar agor, a dy geg ar gau, ie?'

'Mi wna i, bòs.' Wedyn, ar ôl saib, ychwanegodd, 'Fysen i ddim yn meiddio mynd yno ar fy mhen fy hun.'

'I ffermdy yng Nghefn Coch 'den ni'n mynd, nid y gwesty yn *The Shining*.'

Chwarddodd Toscano fel actor mewn drama wael ond gallai Daf weld bod ei law yn crynu.

'Mi fyddwn ni'n iawn, còg. Dwi'n un da am oroesi.'

Doedd dim arswydus ynglŷn â'r darlun o Lwynderi yn yr heulwen. Roedd gwyrdd y dolydd yn llyfn a blodau melyn yn addurno pob sietin, bron. Roedd y blodau'n dlws fel gwallt merch yn disgyn o'r ceinciau yn dresi aur, ond cofiodd Daf helynt flynyddoedd yn ôl yn Neuadd pan dorrodd John bob un o'r coed hardd i lawr oherwydd bod gwenwyn yn eu hadau. Pam oedden nhw'n dal i flodeuo yng nghaeau Llwynderi. felly? Efallai fod y teulu yn rhy draddodiadol i'w torri, dychmygodd Daf. Dylanwad y cyndeidiau, efallai.

Dim ond dau gar oedd wedi eu parcio ar y buarth: Porsche a hen Gorsa, a hynny ger y bythynnod ac yng nghysgod y sied fawr.

'Mae'n lle neis,' synnodd Toscano.

'Be oeddet ti'n ddisgwyl, dwêd? Y math o le mae'r Mystery Machine yn torri i lawr ynddo fo yn *Scooby Doo*?'

Nid atebodd Toscano, dim ond agor ei fag a thynnu banana mewn cas plastig pinc ohono.

'Does dim amser i ti fwyta rŵan,' dwrdiodd Daf, a cherdded oddi wrtho at ddrws ffrynt y bwthyn canol.

Cnociodd Daf ddwywaith, ond doedd dim ateb.

'Mae 'na rywun lan staer,' sylwodd Toscano. 'Mi welais y llenni'n symud ond does dim awel o gwbl.'

Cnociodd Daf eto, ac agorodd drws y bwthyn ar y chwith.

Dynes ryw bum mlynedd yn hŷn na Daf oedd yno. Roedd hi'n denau iawn, ei bochau'n llwyd a phantiog, a'i gwallt du wedi'i dorri'n fyr ac yn dangos arwyddion cynnar o fritho. Sylwodd Daf fod blotyn mawr du o fasgara wedi disgyn o'i llygad dde ar ei boch, a bod arogl fodca ar ei hanadl.

'Be dech chi isie?' gofynnodd, ei thafod yn dew.

'Heddweision yden ni. Chwilio am Deiniol Dawson.'

'Does gan Deiniol ddim byd i'w ddweud wrthoch chi,' atebodd yn bendant.

'Sut dech chi'n gwybod hynny?'

'Mae o'n brysur. Wastad yn gweithio gartre ar ddydd Mawrth.'

'Does neb yn rhy brysur i weld yr heddlu,' mynnodd Toscano, braidd yn rhodresgar.

'Gweithio mae o, ar ei bontydd ...' mwmialodd y ddynes cyn camu'n ôl i'r bwthyn, a tharo'r drws ynghau ar ei hôl. Clywodd Daf sŵn y bollt yn cael ei gloi. Cofiodd y llais y tu allan i ffenest

Llwynderi y noson cynt a'r chwd – yn amlwg, hon oedd yn gyfrifol am y ddau.

'Doedd hi ddim yn groesawgar iawn,' sylwodd Toscano.

'Mae gan y ddynes dipyn o broblemau, 'sen i'n amau,' atebodd Daf, gan gnocio drws y bwthyn canol eto. 'Mr Dawson! Mr Dawson, Daf Dafis sy 'ma, o'r heddlu,' galwodd.

Clywodd y ddau sŵn traed, fel petai rhywun yn rhuthro i lawr y staer, a chododd Toscano ei aeliau. Agorodd y drws yn sydyn. Roedd Deiniol Dawson yn sefyll ar y mat croeso o'u blaenau yn ei focsars a gwrid ar ei wyneb. Nid cynllunio pontydd oedd o, meddyliodd Daf.

'Mr Dawson, mae DC Toscano a finne angen gair. Gawn ni ddod i mewn?'

'Wrth gwrs. Mae gen i lemonêd yn yr oergell.'

'Mi fydd hynny'n hyfryd. Diolch yn fawr.'

Dim ond un ystafell oedd llawr isaf y bwthyn, efo grisiau gyferbyn â'r drws ffrynt. Yn y cefn, roedd drysau Ffrengig yn agor allan ar hances boced o ardd oedd â mwy o batio na lawnt. Doedd dim cegin ar wahân, dim ond gali fach, ac er nad oedd cynllun y bwthyn yn gartrefol roedd Dawson wedi gwneud ei farc arno. Ar y waliau roedd oddeutu hanner cant o luniau, pob un yn dangos pont o ryw fath, rhai yn hanesyddol ac eraill yn gyfoes. Roedd y silffoedd llyfrau yn gorlifo a phentyrrau o lyfrau yn balansio ar y bwrdd coffi, y stôl o dan y ffenest ffrynt a'r oergell. Tra oedd Dawson yn nôl y lemonêd, edrychodd Daf ar deitlau rhai ohonynt: hanes rheilffyrdd India, hunangofiant Frank Whittle, y dyn ddyfeisiodd y peiriant jet, llyfr technegol yn egluro sut i leihau ôl troed carbon concrit. Roedd pob un o'r llyfrau, hyd yn oed yr hunangofiant, am bethau yn hytrach na phobl.

'Sut alla i'ch helpu chi?' gofynnodd Dawson gan roi gwydr bob un o flaen Daf a Toscano.

'Yn dilyn yr hyn ddigwyddodd ddydd Sadwrn, mi wnaethon ni ymholiadau ynglŷn â hanes y rheilffordd. Deallodd DC Toscano fan hyn fod ymgais wedi bod i gael arian gan fwrdd y rheilffordd drwy fygythiad. Roedd dy daid yn delio efo'r busnes a 'den ni angen y manylion, os ydyn nhw gen ti.'

Chwarddodd Dawson. 'Hen hanes ydi hynna,' atebodd yn wamal.

'Hen hanes i chi, tystiolaeth bwysig i ni,' meddai Toscano.

'Mae'r ffeil yma'n rhywle, os wyt ti awydd ei gweld hi.'

'Plis.'

Tra oedd Dawson yn chwilota drwy hen gist, clywodd Daf sŵn o'r llofft: sŵn traed, drws yn agor ac yn cau, tynnu'r dŵr yn y tŷ bach. Wedyn mwy o sŵn traed. Tynnodd Dawson amlen fawr frown o'r bocs ar yr un pryd ag y cerddodd merch i lawr y staer yn hamddenol. Y tro diwethaf i Daf ei gweld hi, roedd mab Llwynderi yn ei thywys i fyny grisiau eraill. Chymerodd hi ddim sylw o'r dynion, dim ond diflannu drwy'r drws ffrynt heb ddweud gair.

'Pwy oedd hi?' gofynnodd Daf.

'Ffrind i mi,' atebodd Dawson. 'Dyma i ti hanes y lol hwnnw.'

Yn yr amlen roedd copi o'r llythyr bygythiol, cofnodion o sawl cyfarfod o gyfarwyddwyr y rheilffordd a nodyn bach mewn llawysgrifen hardd, hen-ffasiwn: 'Visit to LW, 16th March 2004. Successfully concluded.'

'Pwy ydi LW, felly?' gofynnodd Daf.

'Cyn-reolwr yr orsaf, Len Williams. Rhoddodd ei ddwylo yn y til, felly cafodd y sac. Ar ôl hynny sgwennodd i'r Bwrdd i ofyn am bres. Ffŵl o ddyn oedd o.'

'Llawysgrifen dy daid ydi hon?'

'Ie.'

'Beth ydi ystyr *successfully concluded*, dwêd?'

'Ddwedodd Taid wrtho fo petaen nhw'n clywed gair ganddo eto, y byddai'r heddlu yn derbyn tystiolaeth ynglŷn â sut y bu o'n dwyn gan ei gyflogwyr am flynyddoedd. Daeth y peth i ben heb drafferth wedyn.'

'A ble mae'r LW 'ma erbyn hyn?'

'Yn Sbaen, dwi'n meddwl.'

'Chlywaist ti ddim o'i hanes wedyn?'

'Na, ond ...' Tynnodd Dawson waled blastig o'r amlen yn cynnwys toriadau o bapur newydd y *County Times*, a'i hestyn i Daf. 'Dwi ddim wedi gweld hwn o'r blaen, ond roedd cyfiawnder yn bwysig i Taid.'

Darllenodd Daf y stori fer o dan y pennawd: 'Suicide verdict on former train boss.' Roedd crwner de Cymru wedi barnu ar farwolaeth dyn yn ei chwedegau a grogodd ei hun mewn lloches i'r digartref. Y dyddiad ar gornel y toriad oedd 11/10/2009. Cododd Daf ar ei draed.

'Wel, mae hyn yn grêt, diolch yn fawr, Mr Dawson. Gen ti mae archif y rheilffordd bellach?'

'Nage, nage, dim ond papurau Taid sy gen i. Mae 'na ystafell llawn stwff yn yr orsaf.'

'Jobyn bach arall i ti, DC Toscano,' meddai Daf i gloi, ac ymatebodd y llanc ag ochenaid isel. 'Diolch am dy gymorth, Mr Dawson.'

Tu allan i'r drws, gofynnodd Toscano'n syth: 'Pwy oedd y ferch, dwedwch?'

'Dwi ddim yn gwybod ei henw hi ond mi welais i hi ddoe, yn y ffermdy. A chyn i ni adael, mae 'na un peth arall i'w wneud fan hyn. Wyt ti'n gwrando ar Radio 4 o gwbl?'

'Na – Heart FM.'

'Ddylet ti roi go ar Radio 4. Rhaglenni addysgol iawn, yn cynnwys *Gardeners' Question Time*. A dyna'n union be 'den ni'n mynd i'w wneud rŵan – cynnal pennod o *GQT* fan hyn.'

Camodd Daf draw at fwthyn y ddynes chwil a chnocio ar y drws. Nid y ddynes atebodd y tro hwn ond y ferch oedd newydd adael tŷ Dawson. Tynnodd Daf ei gerdyn gwarant o'i boced a'i godi er mwyn iddi gael gweld y llun arno.

'Arolygydd Dafydd Dafis a Ditectif Gwnstabl Padraig Toscano. 'Den ni isie sgwrs.'

'Am be?' gofynnodd y ferch. Roedd golwg sur ar ei hwyneb tlws fel petai presenoldeb yr heddweision yn niwsans. 'Tydi hi ddim yn gyfleus ar hyn o bryd.'

'Dweud, nid gofyn, ydw i, lodes. Ti isie i mi bicio draw i'r orsaf i nôl gwarant? Achos os oes rhaid i mi ddechrau ar y gwaith papur, pwy a ŵyr ble fydd pethe'n arwain.'

'Ocê. Ond doedden ni ddim yn disgwyl fisitors.'

Roedd hi'n dweud y gwir. Doedd yr ystafell ddim yn fudr ond roedd yr anhrefn yn sylweddol, a chylchgronau, llestri a dillad dros y lle. Yn gorwedd ar y soffa â gwydraid o hylif clir yn ei llaw, yn gwylio teledu mawr, roedd y ddynes ddaeth allan yn gynharach. Cododd y ferch y rimôt a'i diffodd.

'Cer di fyny am hoe fach, Mami,' gorchmynnodd mewn llais amyneddgar ond pendant.

'Dwi'm isie. Dwi isie siarad efo dy ffrindie newydd di. Golwg bois clên arnyn nhw, ac un bob un i ni 'fyd. Fy un i ydi'r un golygus.'

'Nid ffrindie yden nhw, Mami. Isie trafod busnes efo fi maen nhw.'

'Ond does gen ti ddim busnes heblaw shagio'r cochyn am ein rhent ni. Dyna dy fusnes di.'

Roedd Daf wedi gweld sefyllfaoedd tebyg o'r blaen, pobl ar y ffin rhwng salwch meddwl a dibyniaeth, ond roedd ei chwerthiniad gwrachaidd wedi dychryn Toscano. Ochneidiodd y ferch fel petai'n paratoi i ailadrodd llinellau o hen ddrama.

'Be am i ti fynd lan staer ac mi ddo i â diod bach neis i ti nes ymlaen, hei? Rhew a sleis, bob dim.'

Cododd y ddynes yn sigledig. Gallai Daf weld bod ei chyflwr wedi gwaethygu ers iddi siarad â nhw hanner awr ynghynt. Wrth iddi siglo heibio i Daf, oedodd am eiliad. Cododd ei llaw i gyffwrdd ei wallt.

'Lot o bobl dyddie 'ma yn dweud bod dynion moel yn secsi, ond dwi'n hoffi bois efo gwallt lyfli, fel ti. Gawn ni fodca bach efo'n gilydd nes ymlaen, ar ôl i mi gael *rest*. Dwi ddim wedi bod yn dda iawn, wyddost ti. Paid â mynd heb i ni gael y fodca 'na.'

Rhoddodd ei llaw esgyrnog ym mhoced Daf a thynnu hances ohoni. Lledodd golwg fuddugoliaethus dros ei hwyneb a brysiodd i fyny'r staer, gan lapio a dadlapio'r hances o gwmpas ei bysedd hirion. Roedd Daf ar fin dweud rhywbeth ond sylwodd ar lygaid y ferch – doedd o ddim yn fodlon ychwanegu at ei hembaras, hyd yn oed os oedd hynny'n golygu colli ei hances am byth.

'Mae ganddon ni gwpl o bethau i'w trafod efo ti, lodes,' dechreuodd Daf, gan aros am wahoddiad i eistedd lawr. 'Ond 'den ni angen gwybod dy enw di gynta.'

'Iola Francis ydw i. Ti 'di cwrdd â fy mam, Lauren.'

'A be ti'n wneud o ran gwaith?'

'Chydig o lanhau, fan hyn a'r ochr arall i'r buarth. Helpu ar y buarth weithie. Maen nhw'n rhoi pres poced i mi. Ac mae gan Al *thing* am fynd â fi i brynu dillad felly 'den ni'n ocê.'

'A dy fam?'

'Fyset ti'n fodlon rhoi swydd iddi hi?'

'Na, dim ar hyn o bryd. Ers faint mae hi 'di bod fel hyn?'

'Dwi'm yn ei chofio hi erioed yn wahanol iawn i sut mae hi rŵan.'

'A dy dad?'

'Wedi mynd. Neu, i fod yn fanwl gywir, heb ddod yn ôl. Gweithio ar y tarmac oedd o, lawr yn Lloegr. Bedair blynedd yn ôl ddaeth o ddim adre, a wnaeth o ddim rhoi ceiniog o bres yn y banc iddi hi chwaith.'

'Faint oedd dy oed di bryd hynny?'

'Un deg saith.'

'Oeddet ti'n dal yn yr ysgol?'

'O, bendant, achos roedd gen i *pushy parents* yn fy ngwthio fi i Rydychen siŵr, neu'r holl ffordd i'r Guildhall, fel Carys blydi la-di-dah-tonic-sol-fa Dafis.'

'Sy'n digwydd bod yn ferch i mi.'

'Dyna ni, felly. Nid merch i lysh a slob o'r tarmac ydi hi.'

'Paid â dweud dy fod ti'n ferch i Fat Frank?'

'Ydw.'

'Ti ddim byd tebyg iddo fo.'

'Lwcus. Ond dwi'n bendant yn ferch iddo fo – aethon ni am

drip bach i gael profion DNA ryw dro, fel petaen ni'n fyw ar raglen Jeremy Kyle.'

'Mi glywais i si fod Frank wedi mynd i Lincoln, neu rywle felly, efo dynes o ddwyrain Ewrop.'

'Wn i ddim. Dydi o ddim yn gwneud smic o wahaniaeth i mi beth bynnag mae o'n wneud.'

Roedd her yn ei llais ond roedd hi'n rhy ifanc i rwystro'i gwefus rhag crynu.

'Gwranda, lodes, oeddet ti'n digwydd bod o gwmpas pan gyrhaeddodd Bahri Yilmaz ddoe?'

Yn amlwg, roedd hi'n disgwyl cael ei holi am rywbeth arall achos roedd y rhyddhad yn glir ar ei hwyneb.

'Oeddwn – fi wnaeth ei ffeindio fo.'

'Sut?'

'Ddaeth o i mewn i dŷ Deiniol, drws nesa. Ro'n i yno ar y pryd.'

'Pam hynny, felly?'

'Fel deudes i, dwi'n glanhau yno.'

'A dipyn bach mwy.'

'Am be ti'n sôn?'

'Paid â bod yn wirion, lodes. Pan aethon ni i weld Deiniol, roedd o yn ei focsars ac wedyn ddest ti lawr y staer. Dwi byth yn rhannu cyfrinachau neb ond mae'n rhaid i mi gael gwybod popeth mewn ymchwiliad fel hwn. Wyt ti mewn perthynas efo Deiniol? Mae o'n ddyn golygus.'

'Na, dwi ddim. Tydi o ddim y math o foi i gael perthynas. Ond 'den ni'n ffansïo'n gilydd felly 'den ni'n picio lan staer bob hyn a hyn.'

'Ond ddoe, yn y ffermdy ...'

'Mi rois i *blow job* i Al, do. Mae o'n meddwl ei fod o'n haeddu lot o'r rheiny. Wedi cael eu sbwylio'n rhacs, plant Llwynderi.'

'Ond rwyt ti ... mewn perthynas efo fo?'

'Wedi ddyweddïo, yn answyddogol. 'Den ni angen sortio rwbeth ynglŷn â'r fodrwy.'

'Wyt ti yn ei garu o?'

'Ti 'di cwrdd â fo. Fyset ti'n ei garu o?'

'Dydi o ddim fy nheip i, sori.'

Am y tro cyntaf, gwenodd Iola, gan ddangos rhesi o fetel dros ei dannedd. 'Dydi o ddim fy nheip i, chwaith.'

'Ond?'

'Ond be mae'r boi 'ma'n wneud, yn sefyll yn fud fel cerflun, yn glustiau i gyd?'

'Yma i'm helpu i efo'r ymchwiliad mae DC Toscano.'

'Cer am dro, DC Toscano. Ti'n mynd ar fy nerfau'n sobor.'

'Fyddai o ddim yn syniad ffôl i ti gael sbrwt o gwmpas,' cytunodd Daf. 'Ceisia weld oes tystiolaeth o sut gyrhaeddodd Bahri fan hyn – ôl traed neu rwbeth.'

'Ocê, bòs.' Oedodd Toscano yn y drws am eiliad a throi at Iola. 'Sut wyt ti'n gyrru 'mlaen efo'r hen *braces* 'na? Ges i wared o fy rhai i llynedd.'

'Rhwng Mam sy'n mynnu 'mod i'n cael dannedd syth erbyn y briodas a dyn sy angen cael ei sugno ddydd a nos, dwi'n teimlo nad oes gen i hawl ar fy ngheg fy hun dyddie yma, wir.'

Cochodd Toscano a sgrialu allan fel cranc.

'Reit ifanc ar gyfer y swydd, yn tydi o?' sylwodd Iola. 'Stedda di. Ti'n meindio os dwi'n cael smôc?'

'Dwi ddim yn smygu.'

Agorodd y ferch ddrôr yn y bwrdd coffi, tynnu cetyn allan ohono a'i lenwi â baco.

'Cetyn Taid,' esboniodd. 'Pethe drud ydi *skins*, ynte?'

Yr eiliad y dechreuodd y mwg godi o bowlen y cetyn, cafodd amheuon Daf eu cadarnhau – roedd rhywbeth cryfach na thybaco ynddo. Caeodd Iola ei llygaid ac anadlu'n ddwfn. Â'r cetyn rhwng ei dannedd, cerddodd at yr oergell a thynnu powlen wen ohoni. Daeth yn ôl at y soffa a chynnig peth o gynnwys y bowlen i Daf.

'Ti awydd gellygen? Dwi'n gwybod bod y rhain wedi teithio o ben draw'r byd ond maen nhw'n dal yn blydi lysh.'

Gwrthododd Daf y cynnig a'i gwylio'n bwyta'r ffrwyth, llyfu ei bysedd a sugno ar y cetyn bob yn ail. Wrth iddi sgwrsio gwelodd Daf ei bod yn ferch fywiog ond sinigaidd, yn fodlon rhedeg ar ei mam ar yr un pryd â gofalu'n dyner amdani.

'Y drafferth efo gellyg ydi eu bod nhw'n galed fel pren pan wyt ti'n eu prynu nhw, ond os wyt ti'n troi dy gefn am eiliad maen nhw'n sbwylio. Ar y silff ffenest dwi'n eu cadw nhw fel arfer, ond mae Mam yn mynnu busnesa a'u rhoi nhw yn y ffrij.'

Roedd hi'n ceisio bod yn ffraeth ond roedd y llifeiriant o eiriau'n atgoffa Daf o rywun oedrannus oedd yn byw ar ei ben ei hun, rhywun oedd yn cadw pob jôc a sylw ffraeth at yr adegau prin hynny pan oedden nhw'n cael cwmni.

'Felly glanhau tŷ Deiniol oeddet ti pan ...?'

'Pan glywais i o. Es i lawr staer i weld be oedd y sŵn.'

'Doedd gen ti ddim ofn?'

'Pan fydd gen i awr neu ddwy yn rhydd, dwi'n hoffi gwylio darlithoedd ar-lein. Roedd un ohonyn nhw'n trafod ofn – yn dweud ei fod yn dod o ddau gyfeiriad, sef rwbeth y dylen ni ei ofni, fel llew, er enghraifft, a phethau sy'n codi ffieidd-dod arnon ni. Wel, dwi 'di hen arfer â chywilydd a ffieidd-dod. Ym mlwyddyn tri o'n i y tro cyntaf i Mami annwyl wlychu ei hunan wrth giât yr ysgol. Roedd rhaid i mi ei golchi hi wedyn. Felly, mae hanner ffynonellau ofn yn sych i mi.'

'Felly pan ddest ti lawr ...?'

'Pwy oedd yn sefyll yn y drws ond brawd bach Zehra Yilmaz. Roedd golwg ryfedd arno fo.'

'Ym mha ffordd?'

'Wel, roedd o'n chwys i gyd ac fel arfer, mae o'n smart. Doedd o ddim yn siarad yn glir iawn, dim ond parablu am Deiniol.'

'Maen nhw'n ffrindie, glywes i.'

'Wir? Does gan y ffasiwn fachgen ddim yn gyffredin â dyn fel Deiniol.'

'Ti newydd ddweud "dyn fel Deiniol" ond dwi ddim yn ei nabod o. Ffasiwn ddyn ydi o?' gofynnodd Daf.

Gorffennodd Iola ei chetyn cyn ateb. Roedd effaith y canabis i'w weld yn ei llygaid ond doedd hi ddim yn chwil.

'Wyddost ti be, tad parchus Carys bob-dim-ar-blât, dwi 'di treulio'r rhan fwya o 'mywyd efo pobl dlawd a *losers*. Ym mharti Dolig yr ysgol pan o'n i'n unarddeg oed, ges i sws o dan yr uchelwydd gan Geraint Pont, ac roedd pawb yn chwerthin am ei ben achos ei fod o'n gòg o gefndir neis a finne'n ddarn o *trash* o'r tai cyngor. Ac erbyn hyn, dwi'n gweld pethe'n eitha clir. Dwi'n *loser* hefyd, a dwi ddim yn haeddu mwy na'r hyn sy gen i fan hyn. Dweud y gwir, dwi 'di bod yn eitha ffodus – allen i fod yn sefyll tu allan i Pinewood yn gofyn i fois o Wlad Pwyl ydyn nhw'n ffansïo jymp am bapur ugain. Ond mae Deiniol yn wahanol. Mae o 'di teithio, wedi bod yn y coleg, wedi codi sawl pont. Mae ganddo fo gar smart a dillad neis. Dydi o ddim yn drewi o gach na Lynx. Pan dwi efo fo, mae o fel petawn i'n edrych i mewn i fyd gwahanol.'

'Wyt ti'n ei garu o, felly?'

'No we José. Mae jest yn neis bod efo rhywun sy ddim yn *loser* llwyr, dyna'r cyfan.'

'Be sy'n mynd i ddigwydd iddo fo ar ôl i'r ffordd osgoi gael ei gorffen?'

'Fydd ei nain o wedi marw erbyn hynny, ac mae o wedi derbyn cynnig i dreulio pum mlynedd yn yr UAE.'

'UAE?'

'Yr Emirates. Mae o wedi bod yno o'r blaen.'

'A ti awydd mynd efo fo?'

'O ty'd 'laen. Fo, efo'r holl ddewis sy ganddo fo, yn mynd draw i'r Emirates efo *stoner* fach dew o Lanfair Caereinion? Dim ffiars o beryg.'

'Felly, ar ôl i ti weld Bahri, be wnest ti wedyn?'

'Wnes i feddwl dweud wrtho fo am ei ffwcio hi o'ma, ond petai Al wedi ei weld o'n mynd i mewn i'r tŷ a fynte'n digwydd gwybod 'mod i yno, mi fyse fo'n dechre mynd yn genfigennus. Do'n i ddim angen y drafferth, felly mi ffoniais Al i ddweud 'mod i wedi dal Bahri yn torri i mewn i'r bwthyn. Wedyn galwodd Mrs Woosnam yr heddlu a ddwedson nhw fod pawb yn chwilio amdano fo.'

Roedd golwg flinedig iawn yn ei llygaid a theimlodd Daf druени drosti.

'Sut wnest ti landio yn fan hyn, lodes?'

'Es i i'r Sioe un flwyddyn, pan o'n i'n bymtheg. Ges i *fake* ID i fynd mewn i'r Members a ges i andros o sesh. Mi ddihunais yng ngharafán Al, yn y Stockmans. Roedd 'na res o fois Bro Mawddach yn yr adlen – wnes i gytuno i shagio bob un ohonyn nhw, yn ôl y sôn, ond ddwedodd Al wrthyn nhw mai ei gariad o o'n i. Ac erbyn hynny, *I suppose*, dyna o'n i.'

'Wnaeth o dy dreisio di yn dy gwsg?'

'Rwbeth fel'na. Ond chwarae teg iddo fo, roedd o wir yn bihafio fel cariad i mi, yn mynd rownd y Sioe efo fi, prynu ffrog neis i mi a beth bynnag arall o'n i'n ei ffansïo. Fo oedd yr unig beth do'n i ddim yn ei ffansïo ond dyna ni. Wedyn, dipyn yn ôl, cafodd Mam a finne gic owt o'r tŷ achos doedd Dad ddim wedi talu'r rhent. Cynigiodd Mrs Woosnam y lle 'ma i ni, yn rhad ac am ddim, ac ers hynny mae Al wedi gofyn am chydig bach mwy am ei bres. Pethe mae o wedi'u gweld ar y gwefannau porn, ond dim byd dwi'n methu ei handlo.'

'Does dim rhaid i ti fyw fel hyn, Iola. Mae 'na bethe eraill alli di eu gwneud. Mi alla i dy helpu di.'

Ag ochenaid fach, tynnodd Iola ei chrys T a symudodd ei llaw i gopis ei jîns.

'Mae Mam lan staer,' meddai mewn llais fflat. 'Well i ni wneud hyn ar y soffa, ie?'

'Rho dy ddillad 'nôl 'mlaen rŵan, lodes,' gorchmynnodd Daf. 'Does gen i ddim ddiddordeb ynddat ti o gwbl, ddim fel'na. Mae gen i ferch bron yr un oed â ti a dwi mewn perthynas.'

'Ond ddwedest ti dy fod ti'n gallu fy helpu fi.'

'Ddim fel'na. O gwbl.'

'Pam fyset ti isie fy helpu i, felly?'

'Achos ... achos dwi'm yn hoffi gweld pobl mewn sefyllfaoedd anodd, a dyna un rheswm pam dwi yn y swydd 'ma. Hefyd, wnaeth dy dad achub fy mywyd i ryw dro, wrth chwarae rygbi yn yr ysgol. Ro'n i allan ar yr asgell efo'r bêl a daeth mynydd o foi o nunlle yn syth ata i, ond yr eiliad cyn iddo fo fy chwalu fi'n rhacs, mi glywais sŵn fel dau rheino yn cwffio – roedd dy dad wedi ei flocio. Torrodd y boi mawr ei benelin a chafodd dy dad *ban* am dair gêm.'

Rhoddodd Iola ei chrys T yn ôl amdani, a phan ddaeth ei hwyneb yn ôl i'r golwg, roedd hi'n gwenu.

'Ocê. Gawn ni sgwrs eto ryw dro?'

'Bendant. Mi alla i ffeindio swydd i ti yn ddigon hawdd. Sgen ti alergedd i ieir?'

'Nag oes.'

'Felly mae 'na swydd i ti rownd pob cornel.'

'A Mami?'

'Mae hi angen help. Cynllun proffesiynol. Mae 'na wasanaethau ar gael, rhai da hefyd.'

Cododd Iola ei chetyn a'i daro dair gwaith ar gledr ei llaw. Daeth chydig o hen faco allan.

'Gwranda, lodes, dwi'm yn mynd i roi pryd o dafod i ti ynglŷn â'r hen waci baci, ond plis cuddia dy *homegrown*, wnei di?'

'Pwy sy'n mynd i'w weld o yn yr ardd gefn?'

'Finne, i gychwyn. Callia. Mae gen i ormod ar fy mhlât i botsian efo dy ddôp di, ond bydda'n gall, ie?'

Aeth Daf allan i'r awyr iach a gwelodd fod dwy neges destun ar ei ffôn. Roedd y gyntaf gan Nev: 'Hanshaw angen gair' a'r ail gan Chrissie: 'Ffoniwch fi plis, Mr Dafis. Wir angen siarad.'

Pennod 12

Yn nes ymlaen ddydd Mawrth

Llifodd teimlad o ryddhad dros Daf wrth iddo gamu allan o fwthyn myglyd Iola i'r awyr iach. Roedd sefyllfa'r ferch yn un drist ac yn un hollol annerbyniol – doedd dim rheswm i lodes fel hi deimlo ei bod yn gorfod puteinio'i hun er mwyn cael to dros ei phen. Er mwyn ceisio troi ei feddwl at rywbeth arall, ffoniodd Chrissie.

'Mr Dafis, ble ydech chi?'

Doedd hi erioed wedi gofyn hynny iddo o'r blaen, ac er bod y ddau deulu wedi dod yn agos iawn, roedd o'n falch o'r pellter rhwng ei sgyrsiau â Chrissie a phroblemau bach bob dydd. Fyddai o byth yn cymharu Gaenor, a'r cariad dwfn a deimlai ati, â Chrissie, ond hyd yma, cornel bach ar wahân yn ei fywyd oedd ei gyfeillgarwch â hi.

'Fyny yng Nghefn Coch, ond dwi ar fin cychwyn lawr i'r orsaf. Pam wyt ti'n gofyn?'

'Achos mae'n rhaid i mi siarad efo chi heddiw. Dwi bron â gorffen fan hyn yn Aberriw – gawn ni gwrdd mewn tri chwarter awr?'

'Dwi'm yn siŵr. Mae gen i lot i'w wneud ar hyn o bryd, a ...'

'Dwi erioed wedi gofyn o'r blaen, Mr Dafis, a wna i byth ofyn eto.' Roedd ei llais yn daer ac yn flinedig a doedd ganddo ddim ddewis ond cytuno.

'Ble? Tydi o ddim yn syniad da i ti ddod i'r orsaf – mae'r lle fel ffair heddiw.'

'Dwi ddim isie bod yn niwsans.'

Eto, roedd rhywbeth newydd yn ei llais, bron fel petai hi'n pwdu. Oherwydd fod ganddyn nhw blant o'r un oed anghofiai Daf yn aml fod Chrissie ddegawd yn iau na fo, ac fel arfer roedd hi'n un o'r bobl fwyaf aeddfed yr oedd o'n eu hadnabod. Ond rŵan, roedd hi'n siarad fel merch yn ei harddegau.

'Wel, dydi'r gamlas ddim yn bell o'r orsaf.'

'Ocê. Sori, Mr Dafis, am dorri ar draws eich gwaith pwysig ond ... dwi wedi cyrraedd pen fy nhennyn, wir. Allai i ddim byw fel hyn.'

Ar ôl i Daf roi'r ffôn i lawr gwelodd Toscano yn nesáu tuag ato ar draws y buarth. Roedd golwg flinedig a siomedig ar ei wyneb.

'Ti 'di ei harestio hi?' gofynnodd y llanc.

'Am be?'

'Possession with intent to supply?'

'Naddo. Mae gen i fwy o ddiddordeb yn ei hanes hi na busnes y dôp.'

'Ond mae llond ei gardd o blanhigion!'

'Does gen i ddim tystiolaeth ei bod hi'n gwerthu. Beth bynnag, well i ni fynd yn ôl i'r orsaf.'

Yn y car ar y ffordd i'r Trallwng bwytaodd Toscano gynnwys ei focs bwyd, un â llun Indiana Jones arno. Yn anffodus, doedd o ddim wedi ystyried y tywydd wrth baratoi ei bryd y bore hwnnw ac roedd ei frechdanau tiwna yn drewi fel rhywbeth marw, a phan ddadlapiodd ei Tunnocks Teacake, roedd y siocled i gyd wedi toddi. Petai Daf wedi darganfod y ffasiwn lanast yn ei focs bwyd byddai wedi lluchio'r cyfan ond brwydrodd Toscano i orffen bob tamed, cyn ceisio glanhau'r siocled oddi ar ei fochau.

'Ffeindiais i ddim tystiolaeth, bòs,' meddai o'r diwedd.

'Tystiolaeth o be?'

'Wel, efo lefel y dŵr yn is nag erioed, ro'n i wedi disgwyl y byse rwbeth wedi dod i'r golwg, botwm o'i wisg neu rwbeth.'

'Ti'n sôn am dy hen ewythr?'

'Ydw.'

'Gwranda, còg, mi wnes i addo i ti, pan fydd gen i dipyn o amser rhydd, y bysen i'n agor y ffeil. Ond ar hyn o bryd, be sy'n digwydd yn Llwynderi heddiw sy'n bwysig.'

'Dwi'n gwybod.' Roedd y siom yn amlwg ar ei wyneb.

'Paid â phoeni, lanc, mi gawn ni'n dau ddod yn ôl i Lwynderi cyn bo hir, bendant.'

'Ond ro'n i'n meddwl ...' Wrth i'w lais ddiflannu cofiodd Daf fod Toscano yn nes o ran oed i Carys nag iddo fo'i hun.

'Be am i ti wneud rwbeth braf ar ôl gorffen dy shifft heno, lanc? Ffonio ffrindie a mynd i fowlio deg, neu i'r pictiwrs neu rwbeth? Cymryd dy feddwl oddi ar y peth, ie?'

'Mi wna i, bòs.'

Ni fu llawer mwy o sgwrs rhyngddynt am weddill y daith, a phan gyrhaeddon nhw orsaf yr heddlu, roedd y sefyllfa barcio wedi gwaethygu. Ar y ffordd o flaen yr orsaf roedd tractor mawr gwyrdd a thorrwr gwair yn sownd ynddo.

'Mae'r ffermwyr yn bihafio fel petaen nhw'n berchen ar y sir gyfan,' sylwodd Toscano, yn ailadrodd agwedd go gyffredin yn y Drenewydd.

'Nhw *sy* piau'r sir, dyna pam,' atebodd Daf gan wasgu ei gar i gornel fach fel bod yn rhaid i Toscano stwffio allan rhwng y drws a'r wal.

Wrth edrych arno'n stryffaglu, cofiodd Daf eiriau Susie ynglŷn â'r gilfan, ond roedd sylw Toscano wedi cael ei ddwyn gan Chrissie, oedd yn brasgamu ar draws y lawnt yn ei bŵts mawr a'i shorts bach.

'Helô, Mr Dafis.'

'Haia, Chrissie.' Trodd at Toscano, oedd yn syllu arni'n gegagored. 'Jest dwêd wrth y giang 'mod i'n mynd am dro bach, wnei di, lanc?'

Cododd Toscano ei aeliau ond chymerodd Daf ddim sylw. Roedd y gofid yn llygaid Chrissie yn bwysicach iddo na barn y llanc am natur perthynas ei fòs â chontractwraig amaethyddol orau'r fro. Doedd o ddim yn poeni chwaith am y bobl a ganodd gorn eu ceir wrth eu gweld nhw'n cerdded fyny at bont y gamlas, ond roedd o'n falch o weld fod hynny wedi codi gwên ar wyneb Chrissie.

'Fydd hyn yn fêl ar fysedd rhai sy'n hoffi dipyn o sgandal, Mr Dafis.'

'Dim ond cerdded fyny'r stryd yden ni,' atebodd Daf. 'Ac yn amlwg 'den ni ddim yn ceisio cuddio dim byd gan fod dy dractor anferth wedi'i barcio reit tu allan i orsaf yr heddlu.'

'Digon teg. Ac mae pobl yn meddwl ein bod ni'n shagio ers Steddfod Meifod beth bynnag. A dweud yn gwir, dwi dal ddim yn deall pam 'den ni heb wneud.'

Fel arfer, byddai Chrissie'n chwerthin wrth ddweud rhywbeth fel hyn ond heddiw roedd ei hwyneb yn llonydd, fel petai hi'n gwneud ymdrech arbennig i guddio'i theimladau. Cyflymodd ei cherddediad a gwibiodd i lawr y grisiau ger y bont. Roedd hi'n aros am Daf yn y cysgod o dan y bont, a phan gyrhaeddodd, taflodd ei breichiau o'i gwmpas.

'Rŵan 'te, lodes, dwi dipyn bach yn rhy hen i gael snog ar y llwybr towio.'

'Jest daliwch fi'n dynn am eiliad, Mr Dafis, a dwedwch wrtha i y bydd popeth yn iawn yn y pen draw.'

'Wel, o 'mhrofiad i, mae'r rhan fwya o helyntion yn diflannu'n go sydyn.'

'A fyddwch chi wrth fy ochr i, Mr Dafis? Bob cam?'

'Ti'n gwybod yn iawn 'mod i'n meddwl y byd ohonat ti, Chrissie. Ac os alla i dy helpu di, mi wna i.'

Gwahanodd y ddau.

'Doeddech chi ddim yn nabod Glyn, nag oeddech, Mr Dafis,' datganodd. Anaml iawn roedd Chrissie yn sôn am ei gŵr cyntaf.

'Ches i mo'r fraint, na.'

'O ran golwg, roedd Glyn a Bryn yr un ffunud â'i gilydd. A weithie, yn enwedig y peth cynta'n y bore cyn iddo agor ei lygaid, dwi'n gallu twyllo fy hunan, perswadio fy hunan, 'mod i heb ei golli fo. Dwi ddim yn or-ramantus, Mr Dafis, ond dwi'n credu mai dim ond unwaith yn eich bywyd dech chi'n cwrdd â rhywun sy wir yn enaid hoff cytûn. Chi a Gaenor, er enghraifft. Weithie mi fydda i'n eich gwylio chi'ch dau efo'ch gilydd, chi yn sychu'r llestri a hithe'n sylwi bod angen cadach sych ac yn estyn un heb i chi ofyn amdano. Yr olwg yn eich llygaid chi bob tro dech chi'n rhannu jôc. Does gen i ddim perthynas debyg felly rhaid i mi ofyn am eich cefnogaeth chi, Mr Dafis. Neu alla i ddim gweld ffordd ymlaen.'

'Alla i ddim dy helpu di os nad wyt ti'n fodlon dweud wrtha i be sy'n rong, lodes.'

Ochneidiodd Chrissie a cherdded yn ei blaen at fainc mewn llecyn tawel ger y cae rygbi.

'Be dech chi'n wybod am hanes fy nheulu i, Mr Dafis?'

'Dim llawer, Chrissie. Mae fy mhen i'n llawn troseddwyr, felly dwi ddim yn cofio llawer am y bobl dda.'

'Digon teg. Wel, cogyddes yn ysgol Pontrobert oedd Mam, a Dad yn gwneud dipyn o bob dim: gyrru lorris, labro, cneifio weithie. Mae pump ohonon ni blant, a fi ydi'r hynaf. Doedd pethe ddim yn rhwydd, ond doedden nhw ddim yn rhy ffôl chwaith, nes i Mam fynd yn sâl. Bu farw a hithe jest dros ei deg ar hugen.'

'Mor sori i glywed hynny.'

'Hen hanes erbyn hyn, ond dwi'n teimlo fel petai'r tristwch yn ailgodi.'

Doedd Daf erioed wedi ei chlywed hi'n siarad fel hyn, yn trafod pethau oedd yn bwysig iddi.

'Ydych chi'n gwybod be ydi BRCA1, Mr Dafis?'

'Dim syniad. Ffurflen dreth?'

'Nage, nage. *Gene* ydi o, ac os ti'n digwydd bod un o'r bobl sy efo BRCA1, ti'n llawer mwy tebygol o gael canser y fron.'

'Dwi'n gweld.'

'Chwe mis yn ôl, bu farw Lee-Ann, cyfnither i mi ar ochr Mam. Tri deg pedwar oedd hi.'

'Mae'r peth 'ma yn y teulu felly?'

'Ydi. Aeth mam Lee-Ann, fy modryb Marj, cyn fy mam i.'

'Oes 'na brofion alli di eu cael? I ddeall y sefyllfa'n well?'

'Oes. Ond doeddwn i ddim yn barod i aros ar yr NHS felly mi es i'n breifat.'

'A be oedd y canlyniad?'

'Tydi o ddim wedi cyrraedd eto. Unrhyw ddiwrnod. Dwi'n methu ymdopi efo'r holl aros.'

Gafaelodd Daf yn ei llaw, ac fel arfer roedd y cyferbyniad rhwng yr ewinedd *gel* perffaith a'r marciau olew a silwair ar ei chroen yn drawiadol.

'Be ydi'r rhagolwg?'

'Y rheswm am gael y prawf ydi rhoi'r dewis i mi – cael mastectomi dwbl a chael gwared o'r *ovaries* ar yr un pryd. A hynny cyn i mi fynd yn sâl o gwbl. Dwi ddim yn lodes sentimental, ond dwi ddim yn hoffi'r syniad o feddyg yn fy ngherfio fi fel rhost cinio Sul.'

'Ond, os ydi hynny'n golygu dy fod ti'n byw am ddegawdau'n hirach, gweld dy blant yn tyfu i fyny ac ati ...?'

Ar hynny daeth y dagrau, yn powlio i lawr ei hwyneb hardd heb gael unrhyw effaith ar ei masgara.

'Dyna i chi'r drwg, Mr Dafis: Anni fech. Os dwi'n cael canlyniad positif, ddyle hi gael y prawf, a phetai hwnnw'n bositif hefyd, pa fath o fywyd gaiff hi? O leia dwi 'di cael byw heb yr wybodaeth, wedi cael llond tŷ o blant, wedi mwynhau bywyd efo Glyn a Bryn. Dwi ddim isie iddyn nhw fy nhorri fi'n ddarne a dwi ddim isie i hynny ddigwydd i Anni chwaith. Ddyle 'mod i ddim wedi bridio, a finne'n llawn o'r gwenwyn 'ma.'

'Paid â siarad lol. Mae dy blant di'n ffantastig a ti ydi'r fam orau yn y byd mawr crwn.'

'I'r cogie, bosib, ond iddi hi?'

'Dwi erioed wedi gweld plentyn mor hapus â hi.'

'Hapus achos nad ydi hi'n gwybod be sy o'i blaen hi.'

'A tydi hynny ddim yn wir am bob plentyn? Doeddwn innau ddim yn disgwyl, wrth roi Carys yn ei chrud, y byddai hi'n treulio'i bywyd yn ofalwr i ddyn anabl, ond dyna be sy o'i blaen hi, ar hyn o bryd beth bynnag.'

Cuddiodd Chrissie ei hwyneb yng nghesail Daf a dechreuodd ei dagrau wlychu ei grys.

'Dwi'n meddwl am y peth ddydd a nos,' meddai yn aneglur. 'Be fydd y canlyniad? Be wna i wedyn? Ydw i'n ddigon dewr i wneud y penderfyniadau? Be dwi'n ddweud wrth Anni? Mae hi'n rhy ifanc i ddeall.'

'Be mae Bryn yn ddweud?'

'Pa fath o iws ydi Bryn? Ffyc ôl. Chi'n gwybod be wnaeth o ddoe? Gwglo ffasiwn brofiad oedd gafael mewn bron ffug. Dwi ddim wedi penderfynu eto os ydw i am gael rhai newydd plastig, ond dyna oedd y peth pwysica iddo fo.'

'Mae pobl yn ymdopi'n wahanol i sefyllfaoedd, wyddost ti.'

'Dwi'n gwybod hynny. Dyna pam dwi angen help. Dwi isie i chi ofalu amdana i ac i Gae ofalu am Bryn.'

'Sy'n golygu be, yn union?'

'Wel, mi fydda i angen rhywun i fynd â fi i sesiwn gwnsela, i drafod dewisiadau efo'r doctors, falle cysylltu efo pobl sy 'di bod drwy hyn o'r blaen ynglŷn â be i wneud am Anni. Dwi isie i chi wneud hynny. Bydd Bryn angen rhywun i wrando arno'n trafod yr holl fusnes, a Gae fydd honno.'

'Iawn, Chrissie,' atebodd Daf yn syth, gan geisio tawelu'r llais bach yn ei ben oedd yn dweud wrtho na fyddai Bryn yn trafod dim heb fod ei ben ar obennydd Gaenor. 'Be mae'r plant yn wybod?'

'Dim. Maen nhw'n rhy ifanc, heblaw Rob, ac mae ganddo fo ei broblemau ei hun.'

'O ie, mi glywais ei fod o ac Ebrillwen wedi gwahanu.'

'Ro'n i mor falch o weld yr ast fech snobyddlyd yn gadael. Gobeithio y bydd o'n dewis rhywun â'i thraed ar y ddaear y tro nesa.'

'Paid â gobeithio'n rhy galed – mae merch Doris wedi rhoi ei bryd arno fo.'

'Wel, wel, wel.' Trodd Chrissie ei phen i fyny a gwenu, er bod ei bochau'n sgleinio. 'Dech chi wastad yn dweud pethe sy'n codi fy nghalon, Mr Dafis. Fysen i ddim yn meindio codi mwy na'ch calon chi, fel dech chi'n gwybod yn iawn.'

'Bihafia!' gorchmynnodd Daf gan symud ei llaw oddi ar ei goes. Byddai'n rhaid iddo drafod y cyfan efo Gaenor – roedd yn anodd rhag-weld sut i gysuro Bryn a Chrissie heb i bethau fynd dros ben llestri.

Cododd Chrissie ar ei thraed a rhwbio'i hwyneb â chledr ei llaw chwith.

'Ers colli Mam, dwi ddim wedi dibynnu ar neb,' meddai, gan syllu i'r pellter. 'Roedd Glyn a finne, wel, roedden ni'n cefnogi'n gilydd.'

'Ffrindie yden ni, Chrissie. 'Den ni wastad yn mynd i gefnogi'n gilydd, os allwn ni. Cymera bethe'n ara deg, ac mi fydda i wrth dy ochr di bob cam, iawn?'

'Iawn, Mr Dafis.'

'Well i ti fy ngalw fi'n Daf erbyn hyn, Chrissie.'

'Dech chi'n iawn fel arfer, Mr Dafis.'

Yn ôl yn yr orsaf, roedd rhes o bobl yn aros i gael gair efo Daf, ond ei flaenoriaeth, oherwydd mai hi oedd yn ei swyddfa, oedd Dr Petunia. Pan agorodd Daf y drws, cododd ei phen i'w gyfarch a throdd meddwl Daf yn ôl at sgrin ei chyfrifiadur. Ceisiodd anwybyddu'r ddelwedd.

''Wy wedi siarad â Nev,' meddai Petunia fel petai'n hen ffrind. 'Roedd hi'n dipyn o dalcen caled i ddechre ond 'da cymorth dy ffrind, yr un sy'n edrych yn debyg i Sgerbwd yng nghartŵn Superted, mae'r metadata ganddo fe. Mae'r ddisg galed yn dweud yr un stori – sai'n synnu nad oedd e'n gallu defnyddio cyfrifiaduron yr ysgol. Porn oedd diddordeb Bahri Yilmaz. Mae 'na filoedd o ddelwedde ar y cyfrifiadur ... ac ie, fe oedd berchen ar y gliniadur.'

'Pa fath o born? Hynny ydi, pa mor ddrwg?'

Chwarddodd Dr Petunia.

'Dim plant nac anifeilied. Dim ond llwyth o ddynion cyhyrog yn ca'l hwyl 'da'i gilydd.'

'*Gay porn*?'

'Yn gwmws.'

Lluniau o archif Bahri oedd ar sgrin Petunia felly, sylweddolodd Daf â rhyddhad. Er nad oedd erioed wedi meddu ar *gaydar* cryf roedd o'n methu credu nad oedd o wedi ystyried rhywbeth mor amlwg. Llanc heb gariad, yn treulio llawer o'i amser ar-lein, yn achos pryder i'w dad traddodiadol. Efallai fod hyn hefyd yn esbonio pam fod gan y llanc gymaint o ddiddordeb yn Deiniol Dawson.

'A does dim byd anghyfreithlon yn y stwff ti wedi'i weld?'

''Sai wedi gorffen eto, ond na. Yn y gêm hon, 'wy 'di gweld

lot o bethe erchyll, ond mae 'na rwbeth bron yn drist yn ei ddewis o ddelwedde.'

'Pam hynny?'

'Mae'r cyfan fel ffantasi – cryn dipyn o lunie o ddyn ifanc 'da partner hŷn. Llwyth yn dangos bechgyn tebyg iddo fe'i hunan. Ei hoff wefan oedd Turkish Boys. Byw bywyd ar-lein yn hytrach nag arbrofi yn y byd go iawn.'

Roedd yr esboniad yn taro deuddeg. Cofiodd Daf am ddicter tad Bahri – roedd o'n daer eisiau gorfodi'r llanc i briodi, a Bahri druan heb gael amser i ddod i delerau â'i rywioldeb ei hun. Trafferthion teuluol arferol a gwrthdaro diwylliannol oedd yn siop cebábs Llanerfyl, a dim byd mwy anfad na hynny.

Gadawodd Daf Dr Petunia wrth ei gwaith â pheth rhyddhad, a mynd i chwilio am Hanshaw. Daeth wyneb yn wyneb â Nev, oedd â gwên fawr ar ei wyneb.

'Ges i dipyn o drafferth efo'r ISP i ddechrau ond mae gen i ddarlun clir bellach o'r math o safleoedd roedd ein ffrind Yilmaz yn ymweld â nhw.'

'Roedd ei *hard drive* yn galed yng ngwir ystyr y gair, dwi'n deall – roedd ei hanes pori'n debyg, felly?'

'Oedd. Dwi ddim yn ddyn swil, bòs, ond ...'

'Does gen i ddim amser i wrando ar dy sylwadau homoffobig, diolch yn fawr, Nev. Ble mae Mr Hanshaw?'

'Roedd yn rhaid iddo fynd i Gaer ar frys. Ddywedodd o'i fod o'n bwriadu dod yn ôl yn nes ymlaen.'

'Ocê.'

'Os ydi boi'r siop cebábs yn ddieuog o osod y bom, bòs, ble yden ni'n sefyll rŵan?'

'Os 'den ni'n anghofio'r holl lol am derfysgaeth, falle mai dim ond rhywun yn chwarae triciau oedd o. Doedd ddim digon o ffrwydron yno i wneud mwy na chlec go fawr, ond yn bendant, roedd pwy bynnag oedd yn gyfrifol wedi amseru'r peth i ffrwydro pan oedd y trên yn agos.'

'Rhywun isie tynnu sylw at rwbeth, ti'n feddwl?'

'Wel, os mai hynny oedd y bwriad, maen nhw wedi methu'n

llwyr. Dydi'r wasg ddim wedi cymryd smic o ddiddordeb – ond wedi dweud hynny, mi fyse un alwad ffôn gan rywun fel Hanshaw yn ddigon i dawelu gwasg y wlad i gyd.'

'Ai un o MI5 ydi o? Tydi o ddim yn edrych fel ysbïwr.'

'Nid ysbïwr ydi o; mwy fel ... wel, math o heddwas dirgel.'

'Sôn am heddwas sy ddim hanner digon dirgel, allet ti berswadio Toscano i beidio rhoi stwff sy'n drewi yn y bin ger y ddesg ffrynt? Mae'r lle yn drewi fel cwch pysgota.'

'Ei ginio fo oedd hwnna.'

'Blydi hel. Hen bryd iddo fynd yn ôl i'r Drenewydd. Mae 'na giang newydd o fastards County Lines wedi cyrraedd yno, yn ôl y sôn.'

''Den ni angen ei help o am dipyn eto. Ble mae o rŵan?'

'Yn pori drwy'r manylion fforensig – dyna mae o wedi bod yn wneud ers i ti fynd am dro efo dy ffansi.'

'Tydi Chrissie Humphries ddim yn ffansi i neb, diolch yn fawr iawn. Cer i chwilio am rwbeth defnyddiol i'w wneud – fel ymchwilio i'r achos. Os nad Bahri roddodd y bom ger y bont, pwy wnaeth? A pham? Ai isie brifo rhywun oedd y troseddwr? Yden ni wedi edrych ar y rhestr o deithwyr? Efallai fod rhywun yn darged.'

'Ti ydi'r un amlwg.'

'Digon teg. Ond pwy fyse isie 'mrifo i?'

'Neb, heblaw gwerth dros ugain mlynedd o droseddwyr.'

'Reit. Cer di i nôl y rhestr deithwyr, i weld a oedd rhywun amlwg yno, ac mi feddylia i am y troseddwyr sy wedi 'mygwth i dros y blynyddoedd.'

'Mi wna i.'

'Diolch. Mi fydda i yn ystafell gyfweld 2 nes y bydd Dr Petunia wedi gorffen ei gwaith yn fy swyddfa i.'

'Dwi ddim yn dy feio di, wir.'

'Be?'

'Am ei hosgoi hi. Pa fath o nain sy'n treulio'i hamser yn chwilio am born ar gyfrifiaduron pobl?'

'Weithiau, Nev, ti'n glytwaith o ragfarn, yn barod i rannu

unrhyw agwedd ystrydebol. Ffor ffycs sêc, cer i wneud paned i mi.'

Â'r baned yn ei law, setlodd Daf ar y soffa yn yr ystafell gyfweld i geisio asesu'r ymchwiliad. Gan fod ei gyfrinachau cyfrifiadurol yn go amlwg erbyn hyn, ni welai fod achos yn erbyn Bahri mwyach. O ganlyniad, gobeithiai Daf, byddai lol y Gorchymyn Arian yn dod i ben. Beth fyddai ei flaenoriaeth wedyn? Roedd yn rhaid iddo gyfaddef ei fod yn poeni mwy am Iola na dim byd arall. Nid perthynas oedd ganddi â mab Llwynderi ond rhyw drefniant puteiniol, a hynny ar ôl iddi gael ei threisio dan oed ganddo. Ei flaenoriaeth oedd rhoi dewis iddi o fywyd gwahanol. Cododd y ffôn.

'Tina? Daf Dafis sy 'ma. Sut mae dy dad?'

'Weddol, diolch, Daf. A dwi ddim wedi dy weld di ers y cynhebrwng – diolch i ti am ddod.'

'Dynes lyfli oedd dy fam, un o hoff gwsmeriaid Mam a Dad yn y siop. Fydd hi'n golled fawr i'r ardal gyfan.'

'Bydd. Reit, be alla i wneud i ti? Dwi'n siŵr nad wyt ti wedi ffonio'r adran dai cyngor er mwyn cael sgwrs i basio'r amser.'

'Siŵr iawn, Tina. Dyma i ti'r sefyllfa. Mam a merch, y fam yn alcoholig a'r ferch yn shagio'r landlord er mwyn cael to uwch eu pennau. Os gwnaiff y ferch gŵyn yn erbyn y boi, mi fyddan nhw'n colli'u cartref. Be sy gen ti i'w gynnig?'

'Swnio fel blaenoriaeth i mi, Daf, ond falle ddim ar dop y rhestr. Does dim plant yn yr achos?'

'Na. Ond mae hi'n berson ifanc mewn sefyllfa anodd – rhaid i ni, yr awdurdodau, ei hamddiffyn.'

'Be am i ti siarad efo criw y Ganolfan Argyfwng Teuluol? Maen nhw'n arfer delio â sefyllfaoedd fel hyn. Ydi hi dros ei deunaw?'

'Ydi. Mi wna i, diolch, Tina. Cofia fi at dy dad.'

Wnaeth tîm y Ganolfan Argyfwng Teuluol ddim llawer – roedd lle i un yn eu lloches yn y Drenewydd ond roedd ganddyn nhw reolau llym iawn ynglŷn ag alcohol. Doedd Daf ddim yn adnabod Iola, wrth gwrs, ond os oedd hi'n fodlon cysgu efo rhywun fel Alun Woosnam er mwyn rhoi to dros ben ei mam, roedd hi'n annhebygol o adael Llwynderi hebddi. Wedyn cafodd ysbrydoliaeth. Ffoniodd rif yng Nghaerdydd.

'Swyddfa Rhys Bowen, Aelod Cynulliad. Sut alla i helpu?'

'Arolygydd Daf Dafis, Heddlu Dyfed Powys. Ydi Mr Bowen ar gael?'

'Wastad ar gael i ffrind,' meddai llais dwfn, ar ôl cymryd y ffôn gan ei ysgrifenyddes. 'Sut wyt ti, còg?'

'Go lew, Rhys. Sut mae Caerdydd?'

'Dal yn ffycin bell o Sir Drefaldwyn. Be sy?'

'Angen help ydw i. Chwilio am lety i ferch ifanc.'

'Wyt ti wir, Daf? Ro'n i'n meddwl dy fod ti 'di setlo, debyg i fi ...'

'Paid â mesur pawb â dy linyn dy hun, Bowen.'

'Nid fi redodd i ffwrdd efo fy chwaer yng nghyfraith, cofia.'

'Does gen i ddim diddordeb yn y ferch o gwbl, heblaw diddordeb proffesiynol, wrth gwrs.'

'Felly mae pethe'n cychwyn, yn aml iawn.'

Doedd neb yn fwy pryfoclyd na Rhys Bowen, ym marn Daf. Roedd o'n Dori, yn siarad am fenywod fel petaen nhw'n deganau a'i hiwmor yn drwm fel bricsen. Hefyd, doedd o erioed wedi cuddio'r ffaith ei fod o'n ffansïo Gaenor. Ond roedd yn rhaid i Daf gyfaddef ei fod o'n onest, yn ei ffordd ei hun, wastad yr un fath efo pawb ac yn ffrind da, yn enwedig ers i'w bartner, Daisy, a Gaenor ddod yn ffrindiau. A doedd dim amheuaeth ei fod o'n ddyn hael, felly anwybyddai Daf ei jôcs fel arfer.

'Wel, ti 'di'r arbenigwr yn y maes hwnnw, Mistar Bowen. Ta waeth, mae gan y lodes fam sy'n yfed llawer gormod.'

'Lle maen nhw rŵan?'

'Yn rhentu bwthyn gan deulu lle mae'r mab yn cymryd mantais o'r lodes, dweud y gwir. Tydi o ddim yn gwneud lles iddi fod yno, ond does ganddyn nhw unlle arall i fynd.'

'Pobl leol yden nhw?'

'Ie. Ro'n i yn yr ysgol efo'i thad hi, ond mae o wedi diflannu ers tipyn.'

'Yden nhw'n gweithio? Mae rhentu i rai ar yr Universal Credit yn dipyn o beth y dyddie 'ma ...'

Roedd Daf ar fin dweud rhywbeth am y blaid a greodd yr holl lanast, ond rhwystrodd ei hun mewn pryd.

'Ar y ffeirm mae hi'n gweithio, ond byddai'n rhaid iddi hi gael swydd newydd, wrth gwrs.'

Oedodd Bowen am eiliad.

'Dwi'n brin o bobl i bacio i mi ar hyn o bryd. Ac os ydi hi'n fodlon cymryd lle sy heb ei beintio'n ddel, mae gen i dŷ bech ger y Ganolfan Hamdden. Newydd brynu'r lle ac mae angen gwaith twtio, ond mi allwn ni adlewyrchu hynny yn y rhent ...'

'Diolch o galon, lanc. Isie rhoi cyfle iddi hi, opsiwn, fel petai.'

'Chware teg i ti, Daf. Ti'n heddwas a hanner. A be am y busnes ISIL ar y rheilffordd?'

O'r tinc ei lais, gwyddai Daf nad oedd yr Aelod Cynulliad lleol yn credu bod ei etholaeth dan fygythiad.

'Dwi ddim yn meddwl y bydd Caereinion yn ymuno â chaliffiaeth yn fuan.'

Chwarddodd Bowen er bod Daf bron yn sicr nad oedd o wedi deall y jôc. Wedyn, diflannodd yr hiwmor o'i lais.

'Ti 'di gweld Daisy heddiw?' gofynnodd mewn llais isel.

'Naddo. Dwi'n gweithio – es i ddim i'r Cylch Meithrin.'

'Wrth gwrs. Welodd Gaenor hi ddoe, yn Ti a Fi?'

'Do, ac mi oedd hi'n synnu pa mor ddel ydi'r babi o ystyried pa mor hyll ydi'i dad o.'

'Dwi'n eu colli nhw'n ddifrifol. Reit – ffonia di Joni yn y ffatri i drefnu swydd i'r ferch, a Tom Parry yn Morris Marshall am allwedd y tŷ.'

'Diolch yn fawr iawn i ti. Mae'r lodes yn haeddu bywyd gwell na'r un mae hi'n gael ar hyn o bryd.'

Rhoddodd Daf y ffôn lawr â theimladau cymysg. Roedd Bowen ei hun yn ddyn digon caredig i ddatrys y broblem yn syth, ond ar y llaw arall yn falch o fod yn aelod o'r blaid oedd wedi creu sefyllfaoedd fel un Iola yn y lle cyntaf. Rhyfedd o fyd.

Ar ei ffordd allan, gwelodd Sheila.

'Falch o weld dy fod ti ar dy ffordd adre, bòs. Mae ganddoch chi lwyth o waith i'w wneud heno.'

'Am be ti'n sôn?'

'Mae Tom yn dweud bod pawb yn mynd i Neuadd heno, i lanhau'r sguboriau ar gyfer y Rali.'

'O blydi hel. Y peth ola dwi isie heno.'

'Alli di ddim osgoi'r peth. Dwi ddim yn cael mynd gan 'mod i'n *delicate*, ond rhaid i bawb arall yn fynd yn ôl Tom.'

Derbyniodd Daf dair galwad ffôn yn ystod y deng munud canlynol yn cadarnhau'r hyn ddywedodd Sheila: un gan Gaenor, un gan Siôn a'r drydedd gan Belle. Felly, yn hytrach na gadael gorsaf yr heddlu am bump am noson dawel i fyfyrio dros ei waith, dim ond picio adre wnaeth o, i newid ei ddillad cyn mynd fyny i Neuadd.

Y dyn cyntaf i Daf ei weld pan gyrhaeddodd Neuadd oedd Bryn, heb grys. Roedd ei groen yn esmwyth ac yn frown a sglein chwys drosto, gan ei wneud yn debycach i fodel mewn cylchgrawn na ffermwr lleol. Ochneidiodd Daf cyn gweiddi ar Belle:

'Be ti isie i mi wneud, bòs?'

Doedd y rhestr o dasgau ddim yn un hir, ond roedd pob tasg yn golygu llwyth o waith. Roedd pedair sied angen cael eu clirio a'u golchi â *pressure washer*. Roedd John yn nerfus tu hwnt wrth wylio'i eiddo'n cael ei symud o un lle i'r llall.

'Be dech chi isie i mi wneud efo'r hen *pallets* 'ma, Mr Jones?' gofynnodd Chrissie. 'Rhoi matsien arnyn nhw?'

'Na, na, na! 'Den ni 'di cael digon o dân ar y fferm yr wythnos yma. Dwi angen eu cadw nhw, ond ble? Dyna i ti gwestiwn. Roedd pethe mor drefnus fan hyn ...'

'Mi fyddan nhw eto, Dad,' cysurodd Siôn. 'Bore Sul, allwn ni ddechre rhoi popeth 'nôl yn eu llefydd iawn.'

'Be am i ni wneud pentwr o stwff yn y gornel bella a lluchio chydig o lap silwair drosto fo i gyd?' cynigiodd Rhodri. 'Wnaiff hynny'r tro, Wncl John?'

'Na wnaiff, còg, a dwi wir yn synnu atat ti. Neuadd ydi'r fferm yma, ac os 'den ni'n croesawu hanner y sir yma ddydd Sadwrn, rhaid cael trefn. Os 'den ni'n symud yr holl stwff o'r fan yma draw i'r bing, fydd digon o le wedyn, siŵr.'

'Biti bod rhaid i ni wneud y cwbwl lot heno,' meddai Gaenor, gan lenwi bocs mawr plastig â chaniau aerosol. 'Achos mewn cwpl o ddyddiau ...'

'Mae'n rhaid i'r ffens ddiogelwch gael ei chodi'n gynnar bore fory,' atebodd Belle, yn gyfeillgar ond â thinc o awdurdod yn ei llais. 'Cyn arolwg pobl Iechyd a Diogelwch y Cyngor.'

'Mae'n siom fod cymaint o bobl ar y silwair,' sylwodd Siôn. 'Tase ganddon ni ddeg arall, mi fysen ni wedi gorffen y busnes cyn naw o'r gloch heno. Mae Ed a Ceri yn dod yr eiliad y byddan nhw'n gorffen torri dolydd Pantybrodyr.'

'Wnaiff siarad ddim clirio dim byd,' cyfarthodd Rob â thensiwn anarferol yn ei lais.

Camodd Chrissie draw at Daf a sibrwd yn ei glust.

'Angen dipyn o be mae o'n arfer ei gael, druan ohono fo. Gobeithio y bydd o'n lwcus yn y ddawns. Mae o wedi bod fel arth a'i phawen mewn trap.'

Roedd gormod iddyn nhw ei gyflawni heb gymorth, penderfynodd Daf, ac estynnodd ei ffôn i ddanfon neges.

Gwnaeth John bob ymdrech i beidio â chynhyrfu, ond methodd. Iddo fo, roedd pob bocs, pob teclyn, pob un darn o gortyn bêl hyd yn oed, yn drysor, ac allai o ddim stopio'i hun rhag ymyrryd ym mhopeth. Stelciodd ar ôl Rob, a oedd yn cludo hen gadair deircoes i fyny i'r talent, â golwg ffyrnig ar ei wyneb.

'Cymer di ofal, còg.'

'Dim ond hen beth ydi hi, Mr Jones. Does neb yn gallu eistedd arni hi.'

'Pwff! Mi alli di ei throi hi wyneb i waered a defnyddio'i choesau hi i greu rîl mawr o gortyn bêl. Rhoi rhes o dagiau ar ei sedd hi cyn eu rhoi nhw yng nghlustie gwartheg. Dwi 'di bod yn ei rhoi hi mewn corlan efo dafad ac oen wrth fabwysiadu – mae hi'n dal y fam yn llonydd tra mae'r un bech yn bwydo. Dyna i ti be sy'n rong yn y wlad 'ma. Does neb yn trysori'r hen bethe ddim mwy. Jest eu lluchio nhw a phrynu rwbeth newydd … ond dim fan hyn, dim yn Neuadd. Dwi'n gwybod lle mae pob hoelen, pob bollt a phob colyn. Roedd gen i system, rhyw fath o drefn a phopeth ar flaenau fy mysedd i. Rŵan mae'r cyfan yn siop siafins i gyd.'

'Dim ond symud hen gadair oedd Rob,' torrodd Siôn ar ei draws, 'nid llosgi'r *herdbook*.'

'Mae'n gas gen i anhrefn, a does neb i gael gwared o ddim byd, ti'n dallt? Heb y gadair 'ma, fyse'r busnes yn chwalu cyn pen yr wythnos!'

Brysiodd Belle i fyny atyn nhw a hen focs metel yn ei breichiau.

'Paid â deud ein bod ni angen cadw hwn, John,' meddai â gwên fyddai fel arfer yn gallu toddi unrhyw ddyn dan haul.

'Paid ti â meiddio lluchio'r deorydd 'na, Belle!' bloeddiodd, ei wyneb yn biws. 'Be tasen ni isie cadw ieir ryw dro?'

'Wel, fysan ni ddim yn medru defnyddio hwn, John, achos mai pinnau crwn sy yn y plwg.'

'Falle bydd y plygs yn newid yn ôl ryw dro, ac wedyn faset ti'n teimlo fel ffŵl llwyr, Belle, a tithe wedi lluchio'r unig beth sy'n gweithio!'

Yn y pen draw, llwyddodd Belle i'w berswadio i fynd yn ôl i'r tŷ i helpu Doris. Grymialodd ond ufuddhaodd.

Doedd Siôn ddim wedi disgwyl gweld bws mini ar y buarth felly rhegodd o dan ei wynt pan welodd un yn gyrru tuag ato yn llawn dynion ifanc. Y peth olaf roedd o ei angen oedd ymwelwyr i dorri ar draws y gwaith. Ond roedd Daf yn adnabod y Pwyliad mawr a ddaeth allan o sedd y gyrrwr, a gwenodd.

'Milek Bartoshyn,' datganodd, gan bwyntio'i fys at ei frest. 'We come from factory Mr Bowen, in the Welshpool. He say he pay us if we come for help you.'

Toc ar ôl deg roedd Daf yn eistedd ar y swing fawr yng ngardd Neuadd, ei fraich dros ysgwydd Gaenor a chan oer o lager yn y llaw arall. Roedd Chrissie wedi rhoi lifft adre i'r plant i gyd a Rhodri yn ddigon bodlon rhoi bàth i Mali Haf. Roedd Belle wedi llwyddo i ychwanegu at ei rhestr o stiwardiaid gan fod pedwar o'r bois o Wlad Pwyl wedi gwirfoddoli i helpu. O'r diwedd, roedd yn edrych fel bod y syniad o gynnal y Rali yn Neuadd yn un da wedi'r cyfan.

Teimlodd Daf ei ffôn yn crynu yn ei boced a rhoddodd ei gan lager i lawr.

'O, gad y blydi peth am unwaith, Daf,' crefodd Gaenor. 'Does dim byd mor bwysig â hynny.'

'Mae'n rhaid i mi jecio, neu alla i ddim ymlacio.'

Ond roedd y neges destun yn un bwysig: gan Hanshaw.

'Heddiw yng Nghaer, arestiwyd dynes ifanc yn gwisgo fest hunan-ladd. Pan chwiliodd yr heddlu ei chartref, bu iddyn nhw ddarganfod cant a hanner o luniau o un dyn ifanc: Bahri Yilmaz.'

Pennod 13

Bore Mercher

Yn y golau cynnar, sylwodd Daf ar smotyn bach o baent gwyn ar y croen brown, meddal uwchben llygad dde Gaenor, er ei bod hi wedi cael cawod yn syth ar ôl dod o Neuadd y noson cynt. Cododd a mynd draw at fwrdd gwisgo Gaenor i chwilio am wlân cotwm a hylif tynnu colur.

'Be ti'n wneud?' gofynnodd Gaenor rhwng cwsg ac effro.

'Mae 'na baent ar dy wyneb di. Ro'n i'n poeni rhag ofn i'r paent rhad 'na oedd gan John ...'

Cymerodd Gaenor y gwlân cotwm o law Daf a gorffen y gwaith ei hun ar ôl eistedd i fyny yn y gwely.

'Rhaid i ti addo peidio gwneud pethau i mi yn fy nghwsg, Daf Dafis.'

'Na, ond o'n i'n poeni....'

'Dwi'n gwybod pam ti'n poeni. Meddwl am sefyllfa Chrissie wyt ti.'

'Ti'n iawn, fel arfer. Ydi hi wedi trafod y peth efo ti?'

'Nac'di, ond mae Bryn wedi gwneud.'

'Peth rhyfedd, ei bod hi'n dod ata i am gefnogaeth yn hytrach na'i gŵr.'

'Does gan Bryn ddim llawer o rinweddau heblaw bod yn rhywiol ac yn weithgar, ac fel arfer dydi Chrissie ddim yn gofyn am fwy na hynny. Ond rŵan, mae hi angen rhywun efo dipyn o ddyfnder, a brêns.'

'A fi wnaeth hi ddewis ...'

'Nage – Glyn oedd ei dewis cynta hi. Cael Bryn fel rhyw fath o BOGOF wnaeth hi ar ôl i Glyn farw. Mae Chrissie'n dy edmygu di. Dyna i ti'r gwahaniaeth – all neb edmygu Bryn.'

'Ti'n ei edmygu o.'

'Dwi'n ei ffansïo fo, sy'n hollol wahanol. Ti isie gwybod pa ddyn dwi'n ei edmygu?'

'Paid â meiddio dweud Rhys ffycin Bowen.'

'Ti. Ti'n gadael y tŷ 'ma ben bore a finne'n gweiddi ar dy ôl di i wneud ryw negeseuon o hyd, a ti'n camu i mewn i fôr o alar, poen, casineb ac ofn, gan geisio gwneud dy orau glas i bawb. Wedyn, ti'n cerdded yn ôl drwy'r drws a gwên ar dy wyneb a gair caredig i bawb. Ti'n arwr i mi, wir.'

'Paid â siarad lol. Dyn gwan ffodus ydw i, achos dwi'n gallu gadael yr holl *crap* ar y trothwy a chamu'n ôl i loches y tŷ 'ma. Na, nid "lloches" ydi'r gair iawn – dwi'n ddigon ffodus i dreulio pob noson ym mharadwys dy wely di.'

O ganlyniad i'w sgwrs, cymerodd hanner awr ychwanegol iddyn nhw ddechrau'r diwrnod, a dechrau da oedd o hefyd.

Dros frecwast, cafodd ei dynnu'n ôl i realiti.

'Dad,' gofynnodd Rhodri, 'mae'r heddlu wedi bod dros yr ysgol fel brech yr ieir, Baz Yilmaz wedi diflannu oddi ar wyneb y ddaear a does dim byd ar y newyddion – hyd yn oed ar Trydar. Be sy'n mynd ymlaen?'

'Alla i ddim dweud llawer ond mae Bahri'n saff,' atebodd Daf, er nad oedd o'n sicr os oedd ail hanner y frawddeg yn wir.

'Ond ble mae o? A ble mae'r wasg? Mae'r Alison 'na o'r County Times yn dilyn lot ohonon ni ar Insta ers y penwythnos, ond heb ofyn unrhyw gwestiynau. Mae hi fel petai rhywun yn cadw'r stori allan o'r cyfryngau.'

'Rhods, ti'n gwybod na alla i roi ateb i ti.'

'OMB, Dad, ydi'r sbŵcs yn cadw'r peth allan o'r papurau?'

'Pa sbŵcs?'

'MI5, MI6, y bobl ddirgel ...'

'Yn Sir Drefaldwyn yden ni, lanc, nid Moscow,' atebodd Daf yn gyflym, gan feddwl am Hanshaw.

Tu allan i orsaf yr heddlu roedd car mawr du, a hyd yn oed i ddyn â chyn lleied o ddiddordeb mewn ceir â Daf, roedd o'n chwip o gar. Roedd yn foethus heb hysbysebu hynny'n ormodol, a'i injan yn troi fel cath yn canu grwndi. Tu ôl i'r olwyn roedd dyn mawr mewn siwt ddu.

'Inspector Davies,' meddai yn acen gyfoethog Swydd Henffordd. 'Jump in. I'm taking you and Mr Hanshaw to talk to the lad in Strangeways.'

'Can I just ...?' gofynnodd Daf.

'Better not. We like to keep to time.'

Agorodd Daf y drws ffrynt ond doedd hynny ddim yn dderbyniol.

'You and Mr Hanshaw will be in the back together, so you can talk.'

Nid cynnig ydoedd ond gorchymyn cwrtais. Eisteddodd Daf yn y cefn a gweld, ar ledr du y sedd, ffeil frown a'i enw ar ei blaen: At Sylw'r Arolygydd Dafis. Ynddi roedd sawl dogfen – crynodeb o waith y diwrnod cynt. Roedd rhywun wedi bod yn drefnus iawn: ymysg y papurau roedd hanes byr y rheilffordd, hanes pori cyfrifiadur Bahri a rhestr hir o bobl leol oedd â chaniatâd i ddefnyddio powdwr gwn, ynghyd â sawl neges fer o'r ddesg yn llawysgrifen Nev a Sheila. Roedd rhai angen ymateb ganddo ond cyn iddo gael cyfle i dynnu ei ffôn o'i boced, llithrodd y car i fyny at y Royal Oak, lle roedd Hanshaw yn aros amdanyn nhw. Yng ngolau dydd, yn enwedig yn heulwen bur Sir Drefaldwyn, roedd golwg ofnadwy arno, ei groen mor welw â phwti. Roedd Daf yn chwilfrydig ynglŷn â iechyd y dyn o'r Gwasanaethau Cudd – roedd o wastad wedi meddwl am ysbïwyr fel pobl sionc, yn barod i neidio dros bwll o siarcod pe byddai angen gwneud hynny. Allai Hanshaw ddim neidio draw i siop fferins Molly's, yn ôl ei olwg. Efallai y byddai cyfle iddo holi yn ystod y daith i Fanceinion, meddyliodd Daf, ond roedd pethau pwysicach i'w trafod yn gyntaf.

'Bore da ... Dafydd,' cyfarchodd Hanshaw ef, fel petai anffurfioldeb yn anodd iddo.

'Am gar smart,' atebodd Daf, i ysgafnhau'r awyrgylch. 'Dwi erioed wedi teithio mewn un tebyg, hyd yn oed ar ddiwrnod fy mhriodas.'

'Car ymarferol i'r gwaith sy ar droed, Dafydd. Un o'r cyfnodau mwya peryglus yn ein gwaith ni yw pan mae un aelod o gell o derfysgwyr dan glo tra mae'r lleill yn dal yn rhydd. Mae'r cerbyd yn ddigon solet i wrthsefyll y rhan fwyaf o fomiau sy'n debygol o gael eu gosod, a bwledi o *submachine gun*.'

'Am gysur!' ebychodd Daf, yn ceisio anwybyddu goblygiadau'r geiriau 'rhan fwyaf o fomiau'.

'Gofynnais i Ditectif Cwnstabl Francis baratoi'r gwaith papur yna i ti, er mwyn sicrhau nad yw ein taith heddiw yn creu problemau. Fydd hi ddim yn bosib i ti gysylltu â'r tîm nes y byddwn ni'n dychwelyd.'

'Diolch yn fawr iawn.'

'Rydw i'n hollol ymwybodol o'r galwadau ar dy amser, Dafydd, ac yn falch iawn dy fod wedi cytuno i ddod fyny i siarad â Yilmaz. Fel y dywedais o'r blaen, y cyfnod peryclaf ydi'r cyfnod ar ôl i'r troseddwr cyntaf gael ei arestio.'

'Dim ond y còg o siop cebábs Llanerfyl ydi o, nid pennaeth ISIL.'

'Còg efo cariad a gerddodd i mewn i ganol dinas Caer ddoe â digon o *plastic explosive* o dan ei dillad i ladd hanner cant o bobl.'

'Â phob parch, does gan Bahri ddim diddordeb yn y byd ynddi. Mae hanes pori ei liniadur a'r ddisg galed yn llawn o ddelweddau homoerotig.'

'Ffaith hynod o ddifyr, a bore ddoe byddai'r esboniad hwnnw'n ddigon i dawelu fy meddwl, ond erbyn hyn ...'

Dangosodd Hanshaw lun i Daf o lofft merch mewn tŷ moethus. Roedd popeth yn swanc ac yn gwbl nodweddiadol o lofft merch ifanc heblaw am y wal uwchben y gwely. Roedd perchennog yr ystafell yn y llun wedi creu *collage* â lluniau – cannoedd o luniau o'r un person. Gwthiodd Hanshaw fotwm i wneud y ddelwedd yn fwy, a gwelodd Daf mai lluniau o Bahri Yilmaz oedden nhw i gyd.

'Dwi'm yn deall,' dywedodd Daf yn dawel. Roedd o wir yn teimlo ar goll ac, yn hollol groes i'w egwyddorion, yn ddiolchgar iawn i Hanshaw a'i sbŵcs am eu gwaith. 'Be ddigwyddodd ddoe?'

Roedd Daf yn falch o glywed sŵn ei ffôn. Sheila.

'Bòs, mae rhyw foi o Gefn Coch wedi dod i mewn i chwilio amdanat ti. Ffermwr ydi o, ond dwi ddim yn ei nabod o.'

'Dwyt ti ddim yn nabod pob ffermwr yn y sir, Sheila.'

'Bron iawn. Mae o'n bris dwi'n ei dalu am fod yn wraig i Tom.'

'Ti 'di dweud wrtho am alw 'nôl nes ymlaen?'

'Do.'

'Da lodes.'

'Wela i di'n nes 'mlaen, bòs.'

Roedd gwên ar wyneb Daf wrth iddo roi ei ffôn yn ôl ym mhoced ei siaced ond roedd golwg go ryfedd ar wyneb Hanshaw.

'Peth braf yw bod yn aelod o dîm, yntê?' sylwodd, mewn llais llai penderfynol nag arfer. 'Dyna un o anfanteision mawr fy swydd i – does dim cyfle i datblygu perthynas gyda chriw o gyd-weithwyr. Wastad yn mynd o un achos i'r llall.'

'Ond tydi bywyd ddim yn ddiflas.'

'Yn hollol. Reit, ein bwriad ni heddiw yw darganfod yn union beth oedd y berthynas rhwng Bahri Yilmaz a Fatima Farooqi.'

'Dwi 'di cael y cefndir gan ei chwaer, Zehra. Gan dad Fatima mae'r teulu Yilmaz yn prynu cynnyrch i'r siop cebábs. Gwelodd y ferch Bahri yno yn helpu ei dad, a chymryd ffansi ato. Wedyn, bu trafodaeth rhwng y ddau deulu ynglŷn â threfnu priodas, ond doedd Bahri ddim yn awyddus i gytuno i'r peth.'

'Am resymau sy'n ddigon amlwg o'i hanes pori,' cytunodd Hanshaw.

'Debyg iawn. Ond, o be glywais i gan ei chwaer, prin y bu iddo gwrdd â'r ferch.'

'Ond mi ddefnyddiodd hi ei wyneb fel papur wal?'

'Rhyw fath o obsesiwn, mae'n siŵr gen i. Be ydyn ni'n wybod amdani, felly?' Sylwodd Daf ei fod o'n defnyddio'r gair 'ni' fel petai'n aelod o dîm Hanshaw yn hytrach na heddwas arferol. Erbyn hyn, roedden nhw wedi cyrraedd ffordd osgoi

Croesoswallt a synnodd Daf fod pob un o'r rhes o oleuadau traffig yn wyrdd. 'Duwcs, 'den ni'n lwcus efo'r goleuadau 'ma,' sylwodd, heb feddwl.

'Tydi lwc ddim ynddi, Dafydd. Rydan ni ar frys felly dwi wedi trefnu iddyn nhw fod yn wyrdd i ni. Hefyd,' ategodd mewn lais hamddenol, 'mae car yn sefyll wrth oleuadau traffig wastad yn darged.'

Rhedodd ias oer i lawr cefn Daf. 'Yn ôl yr hyn glywais i gan Zehra, roedd tad Bahri yn meddwl y byddai setlo â merch gyfoethog yn syniad da iddo. Rhaid i mi ddweud, fysen i ddim yn ffansïo'r cyfrifoldeb o ddewis partneriaid i 'mhlant – gormod o gur pen. Dwi'n deall yn iawn bod eu diwylliant nhw'n wahanol, ond ... Be amdanat ti?'

'Does dim plant gen i,' atebodd Hanshaw yn ofalus, fel petai'n anfodlon dangos ei deimladau. 'Na phartner, chwaith. Tydw i ddim yn llawer o *catch*, a dweud y gwir.'

'Na finne. Ond cofia di, ffrind, mae ganddon ni'n dau rwbeth sy'n hynod o ddeniadol y dyddie yma.'

'Sef?'

'Pensiwn da. Efallai ei bod hi'n her byw efo ni, ond bydd digonedd o arian ar ôl i ni fynd.'

'Digon teg.'

Trodd Daf y sgwrs yn ôl at yr achos rhag gwneud Hanshaw yn fwy anghyfforddus. 'Be ydi hanes y ferch, dwêd?'

'Unig blentyn i deulu cyfoethog, a phawb yn dweud bod ei rhieni yn ildio i bob mympwy ganddi.'

'Ddwedodd Zehra ei bod hi 'di cael ei sbwylio'n rhacs.'

'Derbyniodd addysg ragorol ond ers y dechrau, bron, roedd yr ysgol yn dweud bod ganddi broblemau ymddygiad. Dim byd eithafol, ond fel y dywedodd un athrawes, roedd hi'n ferch anhrefnus, yn anaml yn gwrando a byth yn rhoi pobl eraill o flaen ei dymuniadau ei hun.'

'Dwi'n gweld.'

'Yn ystod ei chwrs Lefel A, dechreuodd ei hymddygiad newid – dechreuodd weddïo sawl gwaith y dydd, ymprydio yn ystod Ramadan a gofyn am ganiatâd i golli gwersi ar ddydd Gwener er mwyn mynd i'r mosg. Ac yn anffodus, roedd y mosg agosaf i'r ysgol yn un nodedig am wahodd eithafwyr enwog yno.'

'Wnaethon nhw ei rhoi hi yn y system Prevent, felly?'

'Na. A dweud y gwir, rydyn ni'n cael ysgolion bonedd yn dipyn o dalcen caled. Mae digon o brifathrawon yn y sector preifat sy'n fodlon cau eu llygaid i sawl peth rhag gwneud drwg i enw da'r ysgol. Yn yr achos hwn, roedd yr ysgol yn gweld ei hymddygiad fel rhywbeth i'w drafod â'i rhieni, ond dim byd gwaeth na hynny. Ond roedd Fatima dan ofal cwnselydd er pan oedd hi'n ddeuddeg oed.'

'Felly, cafodd ei radicaleiddio yn y cyfnod hynny?'

'Do, ond yn hytrach na chydweithio â'r ysgol, penderfynodd y rhieni ei thynnu hi allan o'r ysgol a'i gyrru i aros gydag aelodau o'r teulu yn Pakistan am chwe mis. Yn ôl ei mam, roedden nhw'n gobeithio y byddai hi'n priodi cefnder yno ond gwrthododd, ac ildiodd y teulu cyfan iddi hi.'

'Swnio fel merch ifanc go benstiff.'

'Mae cyfuniad o rinweddau anffodus iawn fan hyn. Personoliaeth wan heb hunanddisgyblaeth, cysylltiad â ffydd eithafol a thuedd i'w disgrifio'i hun fel dioddefwr. Roedd hi mewn cyflwr go fregus pan ddychwelodd hi o Pakistan, a chafodd dair sesiwn â meddyg preifat ym Manceinion, dyn ag arbenigedd mewn trin iselder.'

'Ac wedyn, mi welodd hi Bahri?'

'Gan fod ganddi bersonoliaeth obsesiynol, roedd hi wastad yn chwilio am wrthrych. A gwyddai, petai'n mynd at ei rhieni i ofyn am rywbeth, y byddai hi'n cael ei dymuniad.'

'Ond sut mae merch sili sy'n ffansïo còg golygus yn datblygu yn rhywun sy'n ceisio lladd ei hun a phwy a ŵyr faint o bobl ddiniwed?'

'Ddydd Llun, roedd y teulu Farooqi yn disgwyl gweld y teulu Yilmaz – roedden nhw wedi trefnu cael swper efo'i gilydd, ond wrth gwrs, erbyn hynny roedd Bahri wedi diflannu. Felly roedd yn rhaid i Mr Yilmaz ffonio i roi rhyw fath o esboniad am eu habsenoldeb. Yn ôl Mr Farooqi, disgrifiodd Mr Yilmaz y cyfan fel camgymeriad anffodus, a phan ddeallodd Mr Farooqi beth oedd wedi digwydd, doedd o ddim yn fodlon parhau i gael unrhyw fath o gysylltiad â'r teulu Yilmaz. O ganlyniad cafodd Fatima bwl o dymer ac aeth hi fyny'r grisiau fel corwynt.'

'Mae Mr Farooqi wedi cydweithio â ni, felly?'

'Do. Ond er bod ffocws Fatima ar Bahri, wnaeth hi ddim anghofio'i chysylltiadau ym myd yr eithafwyr. Penderfynodd mai merthyr oedd Bahri ac felly, y peth gorau iddi hithau ei wneud oedd paratoi ei hun i fod yn wraig iddo yn y nefoedd.'

'Ti'n jocian!'

'Mae'r bobl sy'n bachu'r ieuenctid fel hyn yn gwybod yn union beth i'w wneud. Maen nhw'n paratoi'r person ifanc â syniadau sy'n creu teimladau o nerth a llwyddiant, yn ymwybodol y byddan nhw'n debygol iawn o droi at unrhyw beth sy'n eu helpu nhw i deimlo'n gryf pan fyddan nhw dan straen. Aros am greisis mae'r bastards, wedyn maen nhw'n cynnig ffordd i ddatrys pob problem gymhleth ag un weithred syml.'

Synnodd Daf o glywed Hanshaw yn rhegi – yn amlwg, roedd o'n teimlo'n gryf ynglŷn â'r pwnc dan sylw.

'Ond sut all rwbeth fel hyn gael ei drefnu dros nos? A sut wnaeth dy griw di ei rhwystro hi?'

'Os alli di ddychmygu pos jig-so heb lun arno, wel, dyna sydd o'n blaenau ni. Pob darn yn cysylltu â darnau eraill. Roedden ni'n gwylio sawl person yn ardal Manceinion a phan logodd aelod o un grŵp fan, roedden ni'n ei ddilyn. Cwrddodd â Fatima ym maes parcio'r Roadchef ar yr M56 a rhoi parsel iddi yn cynnwys fest hunanladdiad. Aeth hi i'r Park and Ride yn Boughton Heath ac mi wnaethon ni ei dal hi tu allan i fwyty Upper Crust.'

'Hels bels.'

'Mater hawdd oedd olrhain ei hanes cyfathrebu, ac roedd ganddi gysylltiadau â sawl person sydd o ddiddordeb i ni. Heb wybod pwy oedd hi, rydan ni wedi bod yn ei gwylio hi ers tair blynedd.'

'A'r boi arall, yr un roddodd y fest iddi?'

'Yn ein helpu ni â'n hymholiadau, fel maen nhw'n arfer dweud. Erbyn hyn mae saith o bobl wedi cael eu harestio.'

'Yn cynnwys Bahri Yilmaz?'

'Mae Bahri mewn categori gwahanol. Mae'n ddigon posib nad oes cysylltiad o gwbl rhwng Bahri a'r eithafwyr eraill. Gawn ni weld.'

'Cawn,' cytunodd Daf.

Ni fu llawer iawn o sgwrs am weddill y siwrne. Roedd Hanshaw yn brysur yn danfon a derbyn negeseuon ar ei iPad ond wnaeth Daf ddim mentro edrych drwy'r gwaith papur yn ei ffeil – roedd o'n teimlo'n ddigon sâl fel roedd hi. Roedd cefn y car yn rhy dwym i fod yn gyfforddus a hyd yn oed i heddwas cefn gwlad fel Daf, roedd yn amlwg yn wastraff o arian agor ffenestri oedd â gwydr atal bwledi ynddyn nhw.

Am sawl rheswm, yn brofiad ac yn rhagfarn, doedd Daf ddim yn hoffi Manceinion o gwbl. Am dair blynedd mynnodd ei gyn-wraig, Falmai, mai ysgol enwog Chetham's yn y ddinas oedd y lle gorau i Carys ond nid oedd y ferch ei hun – na Daf chwaith – yn cytuno. Ond yn y cyfamser, bu iddyn nhw deithio yno i sawl cyngerdd gan gerddorfa'r Hallé a sawl cynhyrchiad gan Opera North, a chael sawl ffrae. Wrth feddwl am y cyfnod hwnnw cofiodd Daf am y gofal a'r croeso gafodd Rhodri gan Gaenor tra oedden nhw yn y ddinas, a danfonodd neges sydyn, gariadus iddi. Ni chafodd ateb am dros ddeng munud, ac yn y cyfamser, aeth pob math o bethau drwy feddwl Daf: ei bod wedi cael damwain car, wedi cwympo yn yr ardd neu ei bod hi'n 'cysuro' Bryn Berllan. Y gwirionedd oedd ei bod wedi mynd â Tinciwinci at y ffarier, ac ymlaciodd Daf.

Y rheswm arall nad oedd Daf yn hoff o Fanceinion oedd y math o droseddwyr ddeuai oddi yno i ganolbarth Cymru. Doedden nhw ddim gwaeth na'r Sgowsars ond o leiaf roedd rhyw fath o hiwmor a pharch i'w gael gan fois Lerpwl.

Drwy system awyru'r car gwyntodd Daf y ddinas: disel,

arogleuon bragu a sbwriel. Roedd o wedi ymweld â Strangeways sawl tro.

'Am dwll o le,' mwmialodd o dan ei wynt wrth iddyn nhw gyrraedd yr adeilad gormesol.

'Nid creu gwesty moethus oedd y bwriad,' atebodd Hanshaw yn swta, ei wefusau main yn llinell gadarn.

Cymerodd hanner awr iddyn nhw gyrraedd yr ystafell ymweld – nid oherwydd bod unrhyw un wedi eu rhwystro nhw ond oherwydd y nifer o ddrysau roedd angen eu hagor a'u cloi ar eu holau. Arweiniodd y ddrysfa o goridorau cul at ddrws gwyn. Tu ôl iddo roedd ystafell fawr, foel ac ynddi fwrdd llydan a thair cadair. Yn eistedd yn un ohonynt, ei lygaid yn goch a'i wallt yn flêr, roedd Bahri Yilmaz.

'He's a funny one, 'im,' meddai'r ceidwad a safai y tu ôl iddo. 'Been singing half the night away, he has. And we got him interpreters, any number, but none of them speak his language. Turkish we started with, then Farsi, Urdu and Arabic but no go.'

'It's Welsh,' esboniodd Daf â balchder hynod.

'There's something new every day,' rhyfeddodd y ceidwad. 'I thought you lot were a bit paler.'

'I've got two words to say about that,' atebodd Daf. 'One of those words is Shirley and the other is Bassey. There's all sorts in Wales.'

Cododd Bahri ei ddwylo a gosod y cledrau dros ei lygaid. Dechreuodd ganu fel petai'n ceisio dianc yn ôl i ddiogelwch y gorffennol.

'Gofynnais i'r titw bach
Ble gest ti gôt mor las?
A dyma'r ateb ges i:
O, Mam wnaeth gôt i mi ...'
Ymunodd Daf i ganu efo fo.
'... O ddarn o awyr fry
Pan oedd hi'n ganol haf.'

'Mae rhai yn dweud,' meddai Hanshaw, 'y gall pob Cymro ganu. Diolch am wrthbrofi'r theori, Arolygydd Dafis.' Roedd ei lais mor sych ag erioed ond gwelodd Daf sbarc o hiwmor yn ei lygaid.

'Mr Dafis?' gofynnodd Bahri.

'Dyma fi, lanc.'

'Ydw i'n cael mynd adre rŵan?'

'Dim cweit eto.'

'Pam hynny? Dwi ddim wedi gwneud dim byd drwg.'

Eisteddodd Hanshaw i lawr yn ofalus fel petai ei glun chwith yn gwrthod symud fel y dylai. Eisteddodd Daf yntau wrth ei ochr. Agorodd Hanshaw ffeil a thynnu llun ohoni – llun o ferch o gwmpas yr un oed â Bahri a chanddi lygaid bach tywyll a fflach go beryg ynddyn nhw. Doedd hi ddim yn edrych yn ddel oherwydd yr ystum bwdlyd ar ei hwyneb.

'Pwy ydi hi?' gofynnodd Hanshaw yn ei lais amyneddgar, digymeriad.

'Wn i ddim.'

'Edrycha eto.' Gosododd Hanshaw ddarn o gardfwrdd du â thwll hirsgwar ynddo ar ben y llun. Wrth symud y cardfwrdd dipyn, daeth llygaid y ferch yn y llun i'r golwg drwy'r twll. Gwgodd Bahri.

'Hi!' sibrydodd.

'Pwy ydi hi, lanc?' gofynnodd Daf yn hamddenol.

'Merch Mr Farooqi. Sgen i'm syniad be ydi'i henw hi, heblaw ei bod hi'n ferch i ddyn yr *wholesalers* sy'n gwerthu stwff i Dad ar gyfer y siop.'

'Sawl gwaith ydych chi wedi sgwrsio?' gofynnodd Hanshaw.

'Erioed.'

'Ond mae dy dad a'i thad hithau ...'

Ochneidiodd Bahri a rhwbio'i lygaid cyn ateb.

'Maen nhw'n *mad*, Mr Dafis. Off eu pennau.'

'Ond yn eich diwylliant chi ...' dechreuodd Hanshaw.

'Mi ges i fy magu yn Nyffryn Banw, felly dydi fy niwylliant i ddim gwahanol i ddiwylliant eich plant chi, Mr Dafis. Es i i ysgol

Llan, a dyna lle dysgais bopeth, bron. Dwi jest isie bod fel pawb arall. Mae Zehra wedi mynd dros ben llestri, yn gwisgo'r peth 'na ar ei phen, ac mae Dad yn smalio'n bod ni'n deulu andros o grefyddol er mwyn i mi gael priodi'r hwch 'na a threulio fy mywyd yn gwerthu samosas. No wê. Dwi 'di gwrthod, sawl tro.'

'Ond,' mynnodd Hanshaw, 'mae'r Proffwyd yn dweud bod yn rhaid i'r mab ufuddhau i'r tad.'

'Byth. No wê. Mae gen i gynlluniau gwell na hynny, Proffwyd neu beidio.'

'Be ti'n bwriadu wneud, lanc?' gofynnodd Daf.

'Sgwennu. I gylchgronau, rhai fel *GQ*, rhai efo chydig o steil. Dim byd *trashy*.'

'Rhaid i ti fynd i goleg gynta, a bydd hynny'n golygu cyfaddawd o ryw fath efo dy dad.'

'Gawn ni fynd yn ôl at yr achos?' cyfarthodd Hanshaw mewn llais awdurdodol. 'Ddoe, cafodd Fatima Farooqi ei harestio. Roedd hi'n gwisgo fest hunanladdiad o dan ei *chadaree*, digon i ladd hanner cant o bobl.'

Roedd y syndod ar wyneb Bahri'n syfrdanol.

'Be? Merch Mr Farooqi yr *wholesaler*? No wê.'

'Sut wyt ti mor sicr o hynny, lanc, a tithe'n dweud dy fod ti erioed wedi siarad efo hi?'

'Achos ... achos tydi hi ddim yn un i weithredu unrhyw beth. Mae hi'n ferch sy'n gofyn am bob dim ar blât. Tydi hi ddim yn credu mewn dim byd ond hi'i hunan.'

Gwthiodd Hanshaw sawl llun dros y bwrdd o wynebau dynion yn ei hugeiniau. Dair, bedair gwaith, siglodd Bahri ei ben.

'Dwi ddim yn nabod neb, bron. Dim ond ffrindie ysgol a chwpl o bobl o'r rheilffordd, dyna'r cyfan.'

'Yn cynnwys Deiniol Dawson?' gofynnodd Daf.

Cochodd Bahri cyn ymateb. 'Yn cynnwys Deiniol. Mae o wedi bod yn ffrind da i mi.'

'A dyna pam wnest ti redeg i'w dŷ o?'

'Ie.' Roedd llais Bahri yn isel, fel petai'n mygu mewn swildod.

'Ti 'di bod yno o'r blaen?'

'Na.'

'Ond roeddet ti'n sicr y byddet ti'n cael help gan Mr Dawson? Achos pan siaradais i efo fo, ches i mo'r argraff ei fod o'n fodlon mentro helpu rhywun fyddai'n rhedeg rhag yr heddlu. Pa mor agos ydech chi'ch dau?'

'Ddim mor agos â ... wel, dim yn agos o gwbl.'

Ochneidiodd Hanshaw yn ddiamynedd. 'Beth yw eich syniadau gwleidyddol, Mr Yilmaz?'

'Fawr o ddim. Braidd yn flin 'mod i 'di colli'r cyfle i gymryd rhan yn y refferendwm ar Ewrop – dyna'r unig agwedd o wleidyddiaeth sy wedi cymryd fy sylw i.'

'Mewn neu allan, Bahri?' gofynnodd Daf, yn ymwybodol nad oedd hynny'n berthnasol o gwbl.

'O, allan, wrth gwrs. Dech chi 'di gweld y Trallwng yn ddiweddar? Mae'r dre'n sneifio efo Poles a ballu.'

Roedd yr olwg yn llygaid Hanshaw yn ddigon i rwystro Daf rhag mynd â'r sgwrs honno ymhellach.

'Beth am faterion tramor?' gofynnodd Hanshaw.

'Be?'

'Mae Mr Hanshaw yn gofyn be wyt ti'n feddwl am yr hyn sy'n mynd ymlaen mewn gwledydd eraill?'

'Fel Trump, dech chi'n feddwl, Mr Dafis? Does gen i ddim gwybodaeth am America.'

'Nid am America rydyn ni'n sôn, Mr Yilmaz,' meddai Hanshaw. 'Syria. Beth yw'ch barn chi am yr hyn sydd wedi digwydd yn Syria?'

'Dim llawer. Mi gwrddais ag un o'r ffoaduriaid ar noson allan yn y Steam Mill. Roedd o'n meddwl dipyn ohono'i hun, ond felly mae sawl un yn y Drenewydd beth bynnag, felly mwy na thebyg ei fod o wedi setlo'n iawn.'

'Beth yw ystyr y gair "califfiaeth" i chi, Mr Yilmaz?' gofynnodd Hanshaw.

'Dwi'm yn siwr. Rwbeth crefyddol, bendant. Mi gollais dipyn o ysgol ym mlwyddyn naw, achos ges i dynnu fy nhonsils – bosib eu bod nhw wedi gwneud y ... y peth califf 'na pan o'n i ffwrdd.'

Gwibiodd gwên fach dros wyneb Hanshaw ond gwgodd yn syth wedyn, fel petai'n anfodlon cyfaddef fod naïfrwydd Bahri wedi effeithio arno.

'Syniad pwerus yw'r califfiaeth, Mr Yilmaz: uno pob Mwslem ledled y byd o dan un faner, i greu gwlad i weithredu gorchymyn y Proffwyd, heddwch fydd arno.'

'Swnio fel uffern i mi.'

'Oherwydd eich bod chi'n hoyw, Mr Yilmaz?'

Ers iddo gyrraedd yr ystafell, roedd Daf yn ymwybodol fod Bahri'n ofnus iawn, ond cododd yr ofn i lefel newydd yn dilyn cwestiwn Hanshaw. Dechreuodd ei law grynu ar y bwrdd fel petai ganddo ddim rheolaeth drosti.

'Am ... am be dech chi'n sôn, syr?' mentrodd, mewn llais tawel, ifanc.

'Rydyn ni wedi gweld y lluniau ar eich disg galed, Mr Yilmaz. Digon fanila, efallai, ond maen nhw'n bendant yn dangos eich tueddiad rhywiol. Fyddai Fatima Farooqi ddim yn fodlon ar ŵr sy'n hoffi'r fath luniau.'

'Tydi o'n ddim o'i busnes hi. Mae'n gas gen i'r blydi hippo-croca-hwch 'na!'

'Mae hynny'n ddigon amlwg, còg,' sylwodd Daf.

Trodd Hanshaw dudalen ar ei iPad. 'Mi gollaist ti gefnder y llynedd. Wyt ti'n fodlon esbonio i ni sut berthynas oedd rhyngddoch chi?'

'Perthynas, syr? Cefndryd oedden ni. Bob yn ail flwyddyn, mi fydden ni'n mynd draw i aros efo nhw ger Adana.'

'Ffasiwn wyliau oedden nhw?' gofynnodd Daf.

Gwenodd Bahri am y tro cyntaf.

'Mae Mam yn aelod o deulu mawr, wyddoch chi. A rhyngddyn nhw, maen nhw'n gallu fforddio cadw hen dŷ Taid a Nain. Lle hen-ffasiwn ydi o, ond mae'n ddigon mawr i giang ohonon ni gael gwyliau efo'n gilydd. Yusef ... wel, aelod o'r giang oedd o.'

'A rŵan?'

Roedd yn rhaid i Daf edmygu dull Hanshaw o holi – roedd o'n symud yn dawel ac yn bwrpasol o un pwnc i'r llall heb herio Bahri yn ormodol.

'Wel, mae o wedi mynd. 'Den ni ddim wedi bod yn ôl ers hynny.'

'Ac roeddet ti'n agos at Yusef?'

'Ddim yn arbennig. Jest aelodau o'r un giang deuluol. Y tro ola i mi ei weld o, roedd o'n gwisgo'i iwnifform. Mae'n rhaid iddyn nhw fynd i'r fyddin yn Twrci, dech chi'n gwybod. Ro'n i'n falch drosto fo, mewn ffordd. Doedd Yusef yn poeni dim am y peth – maen nhw'n tyfu fyny yn gwybod bod disgwyl iddyn nhw fynd, ie?'

'Nid ei ddewis o oedd ymuno â'r fyddin, felly?' gofynnodd Daf.

'Na, ond mi oedd o'n sôn am aros i mewn ar ôl ei flwyddyn orfodol. Roedd o'n daer isie cael pop ar fastards ISIL. Tydi Adana ddim yn bell o'r ffin efo Syria, ac roedd pawb yn trafod y peryg. Mewn pentre ar lan y môr mae cartref Taid a Nain, a lle hardd ydi o hefyd. Roedd Dad a sawl aelod o deulu Mam wedi dechrau gwneud cynllunie mawr i ddatblygu'r lle fel *resort*, ond wedyn ddechreuodd y lol, a does neb isie mynd ar ei wyliau i draeth efo weiren bigog arno, ar stepen drws y ffycin Islamic State.'

'Dwi'n gweld.'

'Na, dech chi ddim, Mr Dafis. Roedd Dad wedi buddsoddi dipyn draw yno, wedi prynu dwsin o dai i'w gwneud i fyny a'u gosod i dwristiaid. Ond does neb isie mynd yno, fel ddwedes i.'

O leia, roedd Bahri a'i dad yn cyd-weld ar un pwnc, meddyliodd Daf.

'Rydych chi'n hiraethu am Yusef, felly?' gofynnodd Hanshaw.

'Wrth gwrs 'mod i, syr. Mae'n wastraff. Roedd o'n foi neis.'

'Ydych chi wedi ystyried dial?'

'Fi, Baz Yilmaz, yn cosbi'r Islamic State? Sut? Dwi ddim yn

ddewr nac yn fedrus. Mae merched y chweched yn dweud bod gen i dafod miniog ond dyna'r unig arf sy gen i.'

Ni allai Daf gredu nad oedd o wedi sylwi pa mor ferchetaidd oedd Bahri cyn hynny. Byddai'n rhaid i'r còg druan deithio dipyn pellach na Sir Drefaldwyn i ddarganfod ei hunaniaeth yn iawn.

Pwysodd Hanshaw fotwm ar ei iPad ac oherwydd tawelwch yr ystafell, roedd y sŵn yn sylweddol.

'Ar ôl y cyfarfod diddorol hwn, Mr Yilmaz, fydd yr adroddiad yr ydw i'n ei baratoi ar gyfer Gwasanaeth Erlyn y Goron ddim yn awgrymu cymryd unrhyw gamau cyfreithiol yn eich erbyn chi. Ar ôl i mi orffen y gwaith papur, byddaf yn trefnu i chi ddychwelyd adref.'

'Be mae o'n ddweud, Mr Dafis?'

'Ti'n mynd adre, còg, heb gael dy gyhuddo o ddim. Ond y tro nesa mae'r heddlu isie siarad efo ti, jest ty'd draw am sgwrs fach, wnei di, yn hytrach na diflannu i'r anialwch.'

'Sori, Mr Dafis. Ges i banics llwyr.'

Roedd Daf yn synnu nad oedd rhyddhad i'w weld ar wyneb Bahri. 'Paid â phoeni am dy dad, còg. Mi ga i air efo fo.'

'Fyddwch chi'n dweud wrtho am ... am y pethau ar fy *hard drive*?'

'Ddim o reidrwydd, lanc. Ond efallai y byddai'n beth da i drafod pethe efo dy deulu, hei?'

'O leia, all o ddim gwneud i mi briodi merch yr *wholesaler* rŵan, a hithe'n *fanatical Islamic terrorist*.'

Trodd Hanshaw at geidwad y carchar, oedd yn dal i sefyll y tu ôl i Bahri.

'Prepare this young gentleman for immediate release.'

'Thank God for that. Our night shift couldn't take much more of the singing.'

Oedodd Bahri yn y drws am eiliad. 'Diolch i chi, syr, a chithe hefyd, Mr Dafis.'

'Dim problem o gwbl, còg.'

'Chwilio am y gwir ydyn ni, Mr Yilmaz,' ategodd Hanshaw.

'A paid â phoeni am dy dad. Cofia, ti'n well off efo fo nag yn treulio noson arall yn Strangeways.'

'Dech chi'n iawn Mr Dafis, er ei bod hi'n *close call*.'

Tra oedd Hanshaw a Daf yn croesi'r maes parcio, roedd yn rhaid i Daf ofyn cwestiwn oedd wedi bod yn ei blagio ers iddo glywed stori Fatima.

'Wyddost ti pan oedd y ferch yn teithio ar y bws i mewn i ganol dinas Caer, sut oeddech chi'n gwybod pryd oedd hi'n mynd danio'r stwff? Beth petai hi wedi ei danio ar y bws, dwêd?'

Rhoddodd Hanshaw ei law ym mhoced ei siaced a thynnu teclyn bach plastig du ohoni.

'Achos fis yn ôl, mi dynnon ni'r taniwr oddi ar y fest hunanladdiad a rhoi un yn ei le oedd yn cael ei reoli o bell. Dim ond gen i oedd y grym i danio'r bom.'

Rhoddodd y teclyn yn ôl yn ei boced fel petai'n degan diniwed.

Pennod 14

Nes ymlaen ddydd Mercher

'Diolch am hynna,' meddai Daf, gan geisio creu sgwrs i guddio'r rhuo oedd yn dod o'i stumog wag.

'Wnes i ddim ond fy nyletswydd,' atebodd Hanshaw. 'Roedd yn amlwg ei fod yn ddieuog.'

'Ro'n i'n poeni, gan ei fod mor swil, na fyddai o'n creu argraff dda. Dwi'n gobeithio y bydd cefnogaeth y Swyddog Cyswllt Teulu yn ei alluogi i gyfamodi efo'i dad.'

'Ie. Heb os nac oni bai, mae perthynas dda â rhieni'n gymorth i bobl ifanc wrthsefyll naratif yr eithafwyr. Ond mae'n rhaid i mi ddweud bod rhieni sy'n maldodi eu plant yn gwneud cymaint o ddrwg â rhai sy'n eu hesgeuluso.'

'Fel ddigwyddodd yn achos y teulu Farooqi.'

'Yn hollol.'

Teimlodd Daf wasgiad cryf yn ei fol a cheisiodd ymestyn y sgwrs.

'Ro'n i'n gyrru 'mlaen efo 'nhad, ei helpu yn y siop ac ati, ond doedden ni byth yn mynd am dro efo'n gilydd na dim byd fel'na. Dyddie gwahanol. Be amdanat tithe a dy dad?'

Roedd syndod ar wyneb Hanshaw fel petai neb wedi gofyn y fath gwestiwn iddo o'r blaen.

'Yn anffodus, ches i mo'r cyfle i dod i nabod fy nhad. Cafodd ei ladd gan un o sneipers yr IRA ar lôn gul rhwng Coleraine a Bushmills. Er bod Mam gartref yn Wiltshire ar y pryd, roedd ei effaith arni hithau'r un mor farwol.'

'O, dwi mor sori.'

Bu tawelwch am rai eiliadau nes i stumog Daf rwgnach yn uchel.

'Mae'n rhaid i mi ymddiheuro, Dafydd – rydw i'n un drwg am gofio bwyta, wastad wedi bod. Mi wnaethon nhw gynnig tamaid i ni yn y carchar ond gan dy fod ar frys i fynd yn ôl i'r

Trallwng, a 'mod innau wedi blasu bwyd carchar o'r blaen, gwrthodais y cynnig.'

'Ti 'di bod yn y carchar?'

'Dim ym Mhrydain, wrth reswm.'

'A ... sut oedd y bwyd, ble bynnag oeddet ti?'

'Wel, er mawr syndod, roedd bwyd yn Kazakhstan gystal tu mewn a'r tu allan i'r carchar – hynny yw, yn flasus iawn, os ydi cig ceffyl yn dy blesio.'

'Ceffyl?'

'Ie, yn enwedig efo pasta. Hyfryd! *Beshmarmak* maen nhw'n ei alw.'

'A finne heb fentro ymhellach na *bouillabaisse* erioed,' cyfaddefodd Daf, a rhedodd ias oer drwyddo wrth feddwl am Tinciwinci yn prancio'n llawen ar y ddôl. 'Duwcs, mi yrra i un o'r bois allan i nôl brechdan i ni pan gyrhaeddwn ni'r Trallwng.'

'Os wyt ti'n sicr?'

'Berffaith. Well i mi jecio'r ffôn, os nad oes ots gen ti.'

'Mae gen innau sawl neges e-bost i ymateb iddyn nhw.'

Dim ond saith galwad gan Toscano roedd Daf wedi'u methu. Penderfynodd eu hanwybyddu a ffonio Gaenor.

'Sut mae pethe?'

'Iawn, diolch. Ryden ni wedi cael cinio'n gynnar ac mae pawb yn y *paddling pool* erbyn hyn.'

'Pawb?'

'Y cogie, Mali Haf, Rhods, Rob, Netta a finne.'

'Be mae Netta'n wneud acw?'

'Isie mynd dros gostau'r dasg goginio ar gyfer dydd Sadwrn mae hi. Mae Doris wedi ei helpu hi i gynllunio pryd o fwyd lyfli ond does ganddi hi ddim clem sut i wneud y costau na'r asesiad Bwyta'n Iach.'

'Ydi Rhodri'n iawn ar gyfer y Rali? Angen unrhyw beth?'

'Mae Rhods angen côt stoc, gwisg ar gyfer y dawnsio, dillad bob dydd ar gyfer y *Generation Game* ac oherwydd ei fod o a Rob wedi penderfynu chwarae'r Cyflwyniad Iechyd a Diogelwch yn ddoniol, mae o angen crys heb goler a throwsus melfaréd. Mae 'na rai fyny yn Neuadd, hen stwff tad John. O, a mi brynais danc-top iddo fo yn siop yr hosbis ddoe – mae o'n edrych fel ffŵl llwyr ynddo fo.'

'Does dim byd alla i wneud i helpu, felly.'

'Datrys yr achos mewn pryd i roi tipyn o help i Belle, dyna be sy angen i ti wneud. Roedd hi'n edrych yn welw heddiw, a tydi hi byth yn sâl fel arfer.'

'Cofia, mi welodd hi ddamwain car ddifrifol ddydd Sul.'

'Mae Belle wedi gweld lot o bethe yn ystod ei chyfnod yn y fyddin. Ond mae 'na rwbeth o'i le efo hi, dwi'n siŵr.'

'Oes 'na siawns ei bod hi'n feichiog?'

'Heb feddwl am hynny. Dwi'n rhy ifanc i fod yn nain.'

'Ond mae hi gryn dipyn yn hŷn na Siôn, cofia ...'

'Falle 'mod i ar y trywydd anghywir ond mae hi'n reit od, fel petai rhywbeth wedi ei dychryn. Hi o bawb.'

'Dwi bron yn sicr nad ydi hi'n disgwyl babi – yfodd hi dros hanner potel o wisgi nos Sadwrn.'

'Hmm. W, rhaid i mi fynd – mae Rob wedi dechrau gwneud rhwbeth go beryglus efo *wrap* silwair a Fairy Liquid.'

Myfyriodd Daf dros eiriau Gaenor am Belle. Beth yn y byd allai godi ofn ar ferch fel hi?

Ar ôl i Daf orffen ei alwad ffôn cafodd Hanshaw bedair sgwrs ar ei iPhone, pob un mewn iaith wahanol. Newidiai ei wyneb â phob galwad fel petai'n actor yn chwarae cymeriadau.

'Duwcs, ti'n ieithydd o fri!' ebychodd Daf ar ôl iddo orffen yr alwad olaf.

'Mae gen i glust go dda, rhaid i mi gyfaddef.'

'Doeddwn i ddim yn nabod 'run ohonyn nhw ... ond roedd un yn debyg iawn i'r Iseldireg, dwi'n sicr.'

'Agos iawn Dafydd: Fflemeg. Mae ein ffrindiau yn Antwerp yn cael trafferthion â chriw sy'n prynu eu harfau o'r un ffynhonnell â'r rhai roddodd y fest hunanladdiad i Fatima.'

'A'r ieithoedd eraill?'

'Arabeg, Ffarsi a Serbo-Croat.'

'A finne'n meddwl ei bod yn fraint bod yn ddwyieithog ...'

'Dim ond siarad yr ieithoedd ydw i, cofia, nid deall y diwylliant ac ati. Offer i wneud fy ngwaith ydyn nhw.'

'Rŵan dwi'n deall safon dy Gymraeg di.'

Canodd ffôn Hanshaw eto. 'Bonjour, Chantelle, a comment ça va?'

Pan ddihunodd Daf yn y car mawr y tu allan i orsaf heddlu'r Trallwng roedd o'n teimlo'n sâl ac yn llwglyd. Nid oedd Hanshaw yn y car.

'Mr Hanshaw asked me to give you my number,' dywedodd y gyrrwr wrtho yn ei lais tawel. 'If you have any trouble, I'm an hour away.'

Pa fath o drafferth, meddyliodd Daf wrth ddiolch iddo. Os nad oedd elfen derfysgol i'r ffrwydrad ar y rheilffordd, pam roedd Hanshaw yn rhag-weld y byddai Daf angen help gan aelod o'r SAS? Penderfynodd beidio â gofyn ble oedd Hanshaw, a cherddodd i mewn i'r orsaf.

'Esgob, ti'n edrych yn shit, bòs!' ebychodd Nev wrth weld Daf yn agor drws y cyntedd.

'Ti ddim yn bictiwr dy hun, Neville Wynne, ond dwi'n rhy gwrtais i ddweud hynny.'

'Na, ti'n edrych yn sâl, dyna dwi'n feddwl.'

'Dwi'm yn teimlo'n dda iawn â dweud y gwir – un o sgileffeithiau bod yn deithiwr sedd ôl.'

'Ond am gar i deithio ynddo fo! Roedd o fel rwbeth allan o ffilm James Bond. A'r boi oedd yn gyrru, dwi'n bendant fod ganddo fo wn o dan ei gesail, a ...'

'Ac mae ganddon ni waith i'w wneud. Ble mae Sheila?'

'Yn ceisio tawelu'r ffermwr o Gefn Coch sy'n reit flin efo ti.'

Roedd drws swyddfa Daf ar agor a chlywodd leisiau o'r ochr arall iddo – llais Sheila a llais dyn anghyfarwydd.

'Picia 'nôl ar dy ffordd adre o Soswallt ddwedest ti. A dyma fi wedi gwneud, a ble mae o? Ble mae o?'

'Dwi 'di dweud wrthoch chi sawl tro, Mr Woosnam, bod yr

Arolygydd Dafis wedi teithio fyny i Fanceinion heddiw bore ar achos pwysig.'

'I fi, does dim yn bwysicach na be sy 'di digwydd i 'nheulu i. Dwi angen rhoi'r boi 'na yn ei le.'

Cerddodd Daf i mewn i'r swyddfa a chochodd wyneb Woosnam rywfaint. Dyn tal, llydan oedd o, a'i fol yn hongian dros ei wregys er nad oedd gormod o floneg ar weddill ei gorff. Roedd ei gap yn taflu cysgod dros ei lygaid gan ei fod yn pwyso ar y ddesg â'i ddwylo trwm, cochion.

'Mr Woosnam. Arolygydd Dafydd Dafis, Heddlu Dyfed Powys. Sori i'ch cadw chi ond roedd yn rhaid i mi fynd i fyny i Strangeways mewn cysylltiad ag ymchwiliad pwysig.'

Anwybyddodd y ffermwr law Daf. 'I weld y bastard bech brown ddaliodd Iola acw? Be sy'n mynd i ddigwydd iddo fo?'

'Alla i ddim trafod yr achos, yn anffodus, Mr Woosnam. Dech chi awydd paned?'

'Na dwi ddim awydd ciâl paned efo dyn sy'n tresmasu yn fy musnes i, diolch yn fawr iawn.'

'Sheila, cer i nôl dwy baned a phecyn o fisgedi. Os nad ydi Mr Woosnam isie'i de, mi yfa i'r ddwy.' Bachodd Sheila ar y cyfle i adael y swyddfa.

'Steddwch chi, Mr Woosnam, i ni gael sgwrs. Be sy'n eich poeni chi?'

'Does dim hawl gen ti i ddod fyny i Lwynderi i botsian o gwmpas.'

'Ymchwilio i drosedd ddifrifol o'n i. Mae gen i bob hawl.'

'Ond wnest ti ypsetio Iola'n lân. Does ganddi hi ddim cysylltiad efo'r drosedd 'ma.'

'Hi welodd Bahri Yilmaz. Mae hi'n dyst pwysig.'

Chwarddodd Woosnam yn uwch gan greu sŵn fel rhywun yn defnyddio llif rydlyd.

'Dyw Iola erioed wedi cael ei galw'n bwysig. Ti 'di cwrdd â hi; ti'n gwybod pwy 'di hi. Merch Fat Frank a slwten o ddynes o Gaersŵs sy'n chwil o hyd. Dim ond un peth call mae'r lodes wedi'i wneud erioed, sef tynnu sylw Al ni.'

'Nid "tynnu sylw" oedd disgrifiad Iola o'r digwyddiad, a hithe ond yn bymtheg oed.'

'Mae Lauren wedi ailadrodd y sgwrs gyfan i ni, paid â phoeni, Mr Heddwas. 'Den ni'n deall dy gêm di'n iawn.'

'A be yn union ydi fy gêm i, Mr Woosnam?' Roedd Daf bron yn mwynhau'r profiad o gynhyrfu'r hen fwli.

'Mae pawb yn yr ardal yn dy nabod di, còg y siop. Esgus bod yn arwr ond yn rhedeg ar ôl pob dynes o fewn cyrraedd. Tydi Iola ddim yn ddel a does ganddi hi ddim *up top* i'w gymharu â dy ffansi Chrissie Berllan, ond mae hi'n eitha ffres ac yn lot iau na gwraig John Neuadd.'

Tybiodd Sheila iddi achub gyrfa ei bòs drwy agor y drws yr eiliad honno. Roedd Daf wedi cau ei law dde yn ddwrn ac ar fin rhoi clec haeddiannol i Woosnam pan roddodd hi'r hambwrdd ar y ddesg fel rhwystr rhwng y dynion. Dechreuodd Daf gyfrif o dan ei wynt, ond ar ôl cael paned a bisged yn ei law roedd o'n teimlo'n well, er bod Woosnam yn dal i bregethu.

'Ei rhoi hi mewn fflat bech cyfleus, ie, a'i phimpio hi i gyfrannu at y rhent? Dyna be sy gen ti mewn golwg?'

'Mr Woosnam bach, yn Llanfair Caereinion dwi'n byw, nid Los Angeles. Tyst ydi Iola i mi, a dim arall. Tyst yn achos Yilmaz ac, o bosib, mewn achos arall.'

'Pa achos arall?'

'Os aeth eich mab â Iola i'w garafán yn y Stockmans pan oedd hi ond yn bymtheg oed, mae o wedi cyflawni trosedd. Ac mae 'na fater o gydsyniad i'w archwilio hefyd, os oedd hi'n feddw gaib.'

'Ond maen nhw wedi bod efo'i gilydd ers hynny.'

'A be dech chi'n feddwl o hynny fel tad? Ydech chi'n falch o sut y dechreuodd y berthynas? Efo'ch mab annwyl yn treisio merch bymtheg oed?'

'Treisio?'

'Os ydi dyn yn cael perthynas rywiol â merch sy'n methu rhoi caniatâd, mae hynny'n drais.'

'Ond mi wnaeth hi gytuno i fynd efo fo!'

'Roedd hi'n ifanc, ac wedi meddwi'n rhacs. Doedd hi ddim mewn stad i allu cytuno.'

'Ond wedyn ... mae hi'n dal yn fodlon, felly paid â llenwi ei phen hi â nonsens. Dwi ddim isie iddi hi ddechrau gwrthod Al. Tydi'r misus erioed wedi fy ngwrthod i, byth. Pan oedd Al a Soph yn fabis bach, es i erioed heb ... heb fy hawlie priodasol.'

'Duwcs, dech chi'n bobl ramantus!' ebychodd Daf.

'A pheth arall i ti ei ystyried pan ti'n ceisio creu trafferth i'n teulu ni – be sy'n mynd i ddigwydd i Lauren heb ein gofal ni, dwêd? Mae Iols fech wedi bod yn driw iawn i'w mam drwy bopeth er nad ydi hi'n haeddu bygyr ôl.'

Dechreuodd llais yr hen ddyn feddalu a daeth yn amlwg i Daf ei fod, yn ei ffordd ryfedd ei hun, yn gwneud ymdrech i fod yn dad da. Cofiodd helyntion teulu Toscano a phenderfynodd droi'r sgwrs.

'Roedd eich tad yn hapus i'ch gweld chi'n setlo efo merch mor weithgar â Liz, siŵr?'

'Roedd y bòs wedi mynd dipyn cyn i mi gwrdd â Liz. Roedd o'n ... wel, ches i ddim llawer o gyfle i adael y lle i gwrdd â neb tra oedd o'n fyw, dweud y gwir.'

'Ond wedyn mi gawsoch chi wraig ar stepen y drws?'

Am y tro cyntaf, gwenodd Woosnam gan ddangos ei ddannedd gosod gwyn. 'Recordio llaeth oedd hi, ac o'r dechrau roedd hi mor neis, heb yr holl lol o ganlyn.'

'Ond mae 'na reswm am y busnes canlyn, Mr Woosnam – mae'n rhoi amser i bobl ddod i nabod ei gilydd.'

'Roedd Liz yn gwybod pwy oeddwn i o'r dechre.'

'Dim cyfrinachau, felly?'

Gostyngodd Woosnam ei lygaid, fel petai Daf wedi codi embaras arno.

'Dim ond yr ... hen beth. Ac roedd hi 'di clywed y stori sawl tro cyn iddi roi troed ar y buarth acw.'

'Pa "hen beth", Mr Woosnam?'

'Mi wyddost ti'n iawn.'

'Mae pobl yn trafod rhyw brofiad anarferol gawsoch chi yn

eich plentyndod, Mr Woosnam, ond dros y blynyddoedd, dwi
'di clywed sawl fersiwn o'r stori.'

'Does dim rhaid codi'r peth rŵan.'

'Gwrandewch, Mr Woosnam, heddwas ydw i, heddwas sy'n
ymchwilio i sawl trosedd ddifrifol. Dwi'n ystyried cyhuddo'ch
mab, ac ar hyn o bryd dwi'n ceisio deall cyd-destun y drosedd.
Yn fy mhrofiad i, sy'n go eang, mae'r mwyafrif o droseddwyr yn
dysgu patrymau ymddygiad yn eu cartrefi.'

Eisteddodd Woosnam i lawr yn araf. 'Pedair oed oeddwn i,
ond ro'n i'n ddigon hen i wybod be oedd yn digwydd. Roedd
Mami'n gwneud cacen sbwnj – peth mawr oedd hynny achos
dim ond ers mis oedd siwgr wedi dod off y *ration*. Ro'n i'n
treulio lot o amser efo Mam, achos doedd y buarth ddim yn lle
saff i blant ... roedd hyn cyn i ni gael ein Ffyrgi bach cynta a
doedd y 'ffyle gwedd ddim yn hawdd i'w trin. Un dda am gadw
ieir oedd Mami, ac efo'i phres wye a menyn hi gawson ni'r Ffyrgi
yn y pen draw.'

Fel arfer roedd Daf yn casáu atgofion amaethyddol – rhwng
ei ddyddiau tu ôl i gownter siop ei dad a blynyddoedd di-rif o
gwmpas bwrdd cegin Neuadd, roedd o wedi clywed ei siâr a
mwy. Ond wrth weld y newid yn ymarweddiad Woosnam roedd
o'n fodlon dangos chydig o amynedd.

'Un o'r TE 20s oedd eich Ffyrgi chi?'

'Ie, ie, ac mae o'n dal yng nghornel y blaid yn aros i rywun
ei ailwampio fo. Roedd Soph yn meddwl y byse fo'n brosiect da
iddi hi a'r *engineer* 'na ond roedd o'n ormod o snob yn y pen
draw.'

'Ydi Sophie mewn perthynas efo Deiniol Dawson, felly?'
gofynnodd Daf, gan feddwl am yr hyn roedd Iola yn ei wneud
yn nhŷ Dawson.

'Dim ond yn ei breuddwydion, yn anffodus. Byth yn mynd
ar ôl be sydd ar gael, dyna'i phroblem hi. Ddyle hi wrando mwy
ar ei mam ...'

'Roeddech chi'n dweud wrtha i be digwyddodd pan oeddech
chi'n bedair oed, Mr Woosnam ...?'

Rhwbiodd Woosnam gefn ei law chwith dros ei geg cyn ailddechrau ei hanes – ystum o nerfusrwydd, sylwodd Daf.

'Roedd Mami'n hel yr wye bob bore, ar ôl tanio'r stof a chyn gwneud brecwast. Ar bnawn Llun mi fydde hi'n mynd â nhw i siop Adfa i'w gwerthu, yn barod i Meriel Siop eu rhoi nhw ar ei stondin ym marchnad y Drenewydd ar fore Mawrth.' Cofiai Daf Meriel Siop Adfa – dynes hen-ffasiwn a fyddai wastad mewn cystadleuaeth â siop ei dad. 'Dydd Mawrth oedd hi, a dim ond pedwar wy oedd ar ôl. Doedd Mami ddim yn flin yn aml ond roedd hi'n flin y diwrnod hwnnw – roedd Taid wedi mynnu ei bod hi'n gwneud cacen ar gyfer yr yrfa chwist er bod yr wye'n brin, gan ei fod yn bendant fod pawb yn yr ardal yn trafod Llwynderi ers marwolaeth ei ferch, Anti Elsi.'

'Be ddigwyddodd iddi hi?'

'Lladd ei hun. Stori drist. Roedd hi'n disgwyl babi rhyw fastard dierth roedd hi wedi'i gyfarfod lawr yn Drenewydd ... roedd hi'n gweithio yn ffatri Lion Works. *War work*, wyddost ti.'

Nodiodd Daf ei ben, gan geisio cuddio'i awch am fwy o wybodaeth.

'Testun sbort oedd y teulu wedyn, chwedl Taid, er na chlywes i erioed neb yn codi'r pwnc. Ond roedd yn rhaid i ni wneud pethe'n iawn, ti'n gweld, yn cynnwys y gacen 'ma, felly danfonodd Mami fi i chwilio am wy arall. Roedd hi'n sicr fod cwpl wedi eu cuddio yn rhywle – hen ieir call oedden nhw, yn enwedig y rhai brith. Felly, tra oedd Mami'n rhoi'r dillad drwy'r mangl, es i drwy'r drws cefn i chwilio am wy. Ro'n i wastad yn hoffi helpu Mami, a doedd dim siawns i wylltio Taid ar y buarth gan ei fod o a Dadi wedi mynd lawr i nôl llwyth o galch. Mi chwiliais yn y brwyn ger y twlc, achos weithie roedd yr ieir yn nythu yno – dim lwc. Wedyn 'drryches i yn y glaswellt hir ger y domen lle oedd y nadroedd yn nythu. Dim byd yna, felly lawr at y pwll, er 'mod i ofn y penhwyad oedd yn byw yno. Mi laddodd o lo bach un tro, wyddost ti. Doedd dim byd yno chwaith, ac er bod y buarth yn sneifio efo llygod mawr mi es i mewn i'r blaid, gan fod Mami wir angen yr wy. Roedd hi'n reit dawel yno gan fod y gwartheg ar y topie, ac roedd Dad a Taid wedi symud pentwr o wellt yno o'r helm, i wneud lle ar gyfer y calch. Wnes i feddwl y byddai'r ieir yn debygol o weld y gwellt yn lle da i ddodwy, felly, steddais lawr ger y gwellt a gwthio fy mraich i mewn sawl tro. Yn sydyn, mi deimlais rwbeth cynnes, fel wy ffres wedi cael ei lapio yn y gwellt. Mi geisiais afael ynddo'n ofalus rhwng bys a bawd, ond yn sydyn cododd hanner y pentwr o wellt a dyna pryd weles i'r ysbryd.'

'Sut beth oedd yr ysbryd?'

'Fel dyn, yn gwisgo dim byd ond cadachau. Roedd ei wallt yn hongian dros ei sgwydde, ei gorff ddim llawer mwy na sgerbwd ac chadwyn drom ar ei fraich.'

'Ddwedodd o rwbeth?'

'Roedd o'n dweud rhwbeth o dan ei wynt. Ro'n i'n meddwl i mi glywed enw: enw merch.'

'Pa enw? Elsi?'

'Na, rhwbeth tebyg i "Meri".'

'Be ddigwyddodd wedyn?'

'Ro'n i wedi dychryn gormod i symud. Roedd o'n edrych arna i, yn mwmial o hyd, a'i lygaid yn goch. Wedyn, ar ôl sawl munud, baglodd yn ôl gan dynnu'r gadwyn efo fo. Dringodd allan drwy'r ffenest fech, yr un efo caead pren arni. Wedyn es i draw i'r helm ac yna, tu ôl i'r drws mawr, mi ges i wy.'

'Waw, dyna brofiad!'

'Oedd. Mi ddwedais wrth Mami. Yr eiliad ddaeth Taid a Dadi'n ôl, dywedodd hi'r hanes wrthyn nhw. Roedd Taid yn flin a wna i byth anghofio'i wyneb o, yn fflamgoch o dan y llwch gwyn. Roedd o'n flin efo fi, ac mi ges i sawl chwip din ganddo fo, ond dwi'n gwybod be weles i.'

Doedd Daf ddim yn amau'r stori am eiliad. Roedd y manylion yn glir ac yn gredadwy. Heb yn wybod iddo, roedd Woosnam wedi cadarnhau portread Mrs Toscano o'r hen ffermwr a disgrifio cartref llawn ofn. Ond er bod hanes Woosnam wedi taflu golau dros hanes y teulu, doedd hi ddim yn datrys problemau cyfoes Daf.

'Diolch am rhannu'r stori, Mr Woosnam.'

'Be wyt ti'n bwriadu ei wneud am y peth?'

'Gwneud?'

'Ti'n heddwas. Ddylai pobl ddim dychryn plant.'

'Digon teg, ond ar ôl dros hanner canrif, dwi ddim yn siŵr be alla i wneud, a dweud y gwir. Hefyd, does gen i ddim dylanwad dros ysbrydion, os mai ysbryd oedd o.'

'Ie, ie, bendant.'

'Wel, alla i ddim arestio ysbryd ... rhyw fath o fendith, falle, gan weinidog ...'

Plygodd yr hen ddyn ei ben. 'Dwi'm isie mymbo-jymbo.'

'Digon teg. Ond, yn y cyfamser, Iola. Dwi'n mynd i gael gair arall efo hi, er mwyn darganfod be mae hi'n bwriadu ei wneud nesa.'

'Does ganddi hi ddim syniad.'

'Achos hyd yma, tydi hi ddim wedi cael llawer o ddewis. Mae dy fab wedi ei ... wel, be am i ni ddweud ei fod o wedi ei bachu hi, ac oherwydd absenoldeb ei thad a chyflwr ei mam, doedd hi ddim yn gweld dewis arall. Ond fel pob merch ifanc arall, mae Iola'n haeddu cael penderfynu ar batrwm ei bywyd ei hun.'

Wrth reswm, trodd meddwl Daf at Carys a'i dyfodol disglair.

'Mae ganddi hi fywyd lyfli,' protestiodd Woosnam, 'tŷ neis, dim gormod o waith, cariad ffyddlon hawdd i'w drin a dillad smart i'w gwisgo.'

Llyncodd Daf y gegaid olaf o'r ail baned o de, a sylwodd faint o'r gloch oedd hi. 'Mae'n wir ddrwg gen i, Mr Woosnam, yn enwedig ar ôl i chi aros mor hir i 'ngweld i, ond mae'n rhaid i mi fynd. Fel y soniais, dwi'n ddwfn mewn ymchwiliad anodd a chymhleth, felly ...' Cododd ar ei draed ac estynnodd ei law i gyfeiriad Woosnam.

'Ti'n bwriadu dod yn ôl i'n poeni ni eto, lanc?'

'Mae gen i lot fawr ar fy mhlât.'

'Wel, ti 'di cael y neges yn glir bellach – dwi ddim isie i ti roi blaen dy droed ar dir Llwynderi eto.'

'Dech chi'n ceisio fy mygwth i, Mr Woosnam?'

'Cymra fo fel leci di.'

'Hen bryd i chi fynd, syr, cyn i mi ystyried dwyn cyhuddiad o geisio rhwystro swyddog yr heddlu rhag gweithredu ei ddyletswyddau.' Pwysodd fotwm ar y ffôn ar ei ddesg. 'Dwi angen swyddog i hebrwng Mr Woosnam at y drws, os gwelwch yn dda.'

Am funud a hanner, wynebodd y ddau ddyn ei gilydd dros y ddesg yn fud nes i Toscano agor y drws, ei wyneb yn fwgwd o straen.

'Mr Woosnam? Dewch efo fi, plis.'

'A pwy wyt ti? Ddoist ti fyny i Lwynderi ddoe fel ci bech yn dilyn ei feistr, dwêd?'

'DC Padraig Toscano ydw i, a do, mi ges i'r fraint o gydweithio efo'r Arolygydd Dafis ddoe.'

'Toscano? Mae dy Gymraeg di'n rhy dda i fod yn wop siop hufen iâ.'

'Er bod gwaed Eidalaidd yn fy ngwythiennau, o'r Drenewydd dwi'n dod, syr. A rŵan, mae'r Arolygydd Dafis yn ddyn prysur iawn, felly dewch efo fi, os gwelwch yn dda.'

'Diolch am fod mor gwrtais, lanc,' meddai Daf wrtho pan ddychwelodd ymhen munud neu ddau. 'Tydi Mr Woosnam ddim yn hawdd ei drin.'

'Ddwedodd o rwbeth am yr hyn ddigwyddodd i frawd Nain?'

'Dim byd penodol, ond mi ges i'r argraff fod dy Nain yn iawn ynglŷn â natur y bobl 'na. Teulu go beryg oedden nhw jest ar ôl y Rhyfel, ac efallai eu bod nhw'n dal yn beryg rŵan. Cymer di ofal, reit?'

'Mi wna i, syr.' Bu saib bach, wedyn pesychodd Toscano fel petai'n ansicr sut i ddechrau dweud yr hyn oedd ar ei feddwl. Roedd ei swildod achlysurol bron mor boenus â'i CD carioci, meddyliodd Daf. 'Neithiwr, bòs, fel wnest ti awgrymu, es i allan i anghofio am yr achos, ac er bod lefel y dŵr yn eitha isel, mi rois y caiac ar dop y fan er mwyn mynd am dro bach ar y gamlas.'

'Falch dy fod ti wedi ymlacio, ond mae gen i gryn dipyn i'w wneud ...'

'Ond, bòs, gall hyn fod yn bwysig. Es i fyny o Abermiwl i'r Horseshoes, a phan o'n i ger Aberriw, mi stopiais am hoe fach. Yn y parcdir o'n i, lle hardd iawn, ac mi welais ferch yn eistedd ar y lan, yn edrych yn reit welw. Mi ofynnais os oedd hi'n iawn, gan egluro bod gen i rywfaint o sgiliau Cymorth Cynta gan 'mod i'n heddwas.'

'Parcdir Plas Aur? Plas Beuno gynt?'

'Does gen i ddim syniad. Roedd rwbeth yn rong efo'r ferch ... dwi'n meddwl mai sbastig oedd hi.' Oedodd Toscano a chochi fel petai ganddo rywbeth i'w gyffesu. 'Ond – a plis, plis, bòs, peidiwch â meddwl 'mod i'n byrfyrt llwyr, ond roedd hi'n hynod o ddeniadol.'

Ochneidiodd Daf.

'Mae pobl anabl yn gallu bod yn secsi, lanc. Mae fy merch yn caru dyn ifanc sy'n dal i ddenu dipyn o sylw o'i gadair olwyn – gormod weithie, ym marn Carys.'

'Ond mae sefyllfa Garmon yn wahanol – roedd o'n normal cyn cael ei ddamwain.'

'Hen bryd i ti fynd ar gwrs cyfle cyfartal.'

'Newydd ddod 'nôl o un ydw i, ond wnaethon nhw ddim sôn am bethe fel'na. Clamp o foi mewn ffrog oedd yn ei gynnal, yn dweud bod ganddo ymennydd pinc ac felly ei fod o'n ddynes.'

'Mae'n rhaid i ti fod yn ofalus sut wyt ti'n siarad, DC Toscano. Erbyn hyn, mae transffobia yn drosedd. A CP ydi'r term derbyniol am rywun sy'n diodde o sbastigedd yn ei gyhyrau.'

'Nôl i'r lodes. Tallulah oedd ei henw a phan glywodd hi 'mod i'n heddwas, mi ofynnodd i mi roi neges i ti.'

'Pa neges?'

'Mae Gwyther wedi cymryd ei ffôn hi, ac mae hi angen ffôn arall.'

'Ocê. Mae 'na sawl *burner* yn y cwpwrdd yn y cyntedd.'

'Ond, bòs, wyt ti'n cael rhoi ffôns allan fel fferins?'

'Mae Tallulah yn casglu tystiolaeth. Mae 'na rwbeth drwg

yn digwydd ym Mhlas Aur, cynllwyn o leia. Dwi 'di bod yn poeni amdani hi ... ond sut allwn ni roi'r ffôn iddi hi, dwêd? Mae'r Gwyther 'ma, y dyn sy'n rhedeg y lle, yn ddyn cas. Os ydi o wedi cymryd ei ffôn hi, wneith o ddim rhoi'r cyfle iddi gael un arall ar chwarae bach.'

'Mae Tallulah wedi meddwl am hynny ac wedi ceisio danfon neges i ti, ond mae hi'n dweud bod y Plas ar *comms lockdown*, beth bynnag mae hynny'n feddwl.'

'Lwcus ei bod hi wedi cwrdd â ti, felly, yntê?'

'Roedd hi'n gobeithio ffeindio ffordd allan ond does dim llwybr yr ochr honno i'r gamlas ac mae'r ffensys o gwmpas y parc yn go uchel.'

'Mae'n amlwg nad ydi Gwyther wedi meddwl am y gamlas ei hun.'

'Does neb yn sylwi arnat ti mewn canŵ, rywsut.'

'Felly mi fedri di fynd yn ôl efo'r ffôn?'

'Gallaf, ond ddwedodd Tallulah ... wel, nad oedd o'n syniad da i ni gwrdd eto.'

'Paid â dweud nad wyt ti ddim wedi clywed y frawddeg yna o'r blaen, còg.'

Fflachiodd dicter yn llygaid Toscano a chofiodd Daf, yn rhy hwyr, nad oedd y swyddog ifanc wedi dod i arfer â'r tynnu coes o fewn y tîm na'r direidi cyffredinol yng ngorsaf heddlu'r Trallwng.

'Fel mae'n digwydd, Arolygydd Dafis, dwi ddim yn ei chael hi anodd denu'r merched. Rhwng y gwaed Lladin a'r hufen iâ, mae 'na wastad dipyn o alw amdana i ... ond dwi'n chwilio am Yr Un a dwi'm yn gweld pwrpas bihafio fel *manslag* tra dwi'n aros.'

'Sori, còg, dim ond tynnu dy goes di o'n i.'

'Dwi'n gwybod bod rhai yn newid eu partneriaid fel maen nhw'n newid eu ceir, ond tydw i ddim un o'r rheiny.'

'*Touché*. Ond yn ôl at Tallulah ...'

'Mi alla i roi dy rif di yn y ffôn o dan ffugenw – "Dad", falle – a rhoi digon o gredit arno fo. Mi ffeindion ni le addas i mi ei adael o iddi, ger hen dderwen fawr.'

'Cer i wneud hynny, felly.'

'Mi wna i, Arolygydd Dafis, ond jest cyn i mi fynd, rhaid i mi ddweud bod yr ymdrech i chwilio am bobl sydd â rheswm i ddal dig yn erbyn cwmni'r rheilffordd wedi dwyn ffrwyth yn barod.'

'Sut hynny?'

'Roedd dipyn o ffrae ger y caffi yno tua hanner awr wedi pump ddydd Gwener, jest ar ôl i'r trên olaf gyrraedd.'

'Ffrae?'

'Ddaeth ryw ddyn i mewn, yn rhuo fel dwn i ddim be, yn ôl y tyst. Dyn tal oedd o, ffermwr.'

'Mae 'na ddigon o'r rheiny o gwmpas.'

'Cwyno am y trên oedd o, gan ddweud bod peryg i'r gwreichion danio'r sietin a pheryglu ei borfeydd.'

'Aha! Tirfeddiannwr sy'n gymydog anfodlon i'r rheilffordd, felly?'

'Yn gwmws. Wedyn, dechreuodd y boi fygwth gyrrwr y trên, gan ddweud bod y frigâd dân yn mynd i'w gorfodi nhw i gau'r rheilffordd tra mae'r tywydd poeth yn parhau.'

'Difyr tu hwnt.'

'Wedyn, dywedodd, "Os nad ydi'r awdurdodau'n fodlon gwneud dim, mi wna i atal y nonsens fy hunan." Dyna be ddwedodd o.'

'Ac oes disgrifiad?'

'Dyn tal, ysgwyddau llydan, Land Rover coch, crys siec brown a throwsus tywyll.'

'Rwbeth arall?'

'Wel, ddwedodd yr hen ledi fod ganddo fo wddf mawr fel tarw, a chraith jest uwchben ei goler ar yr ochr chwith. Roedd hi'n edrych fel hen graith, medde hi, fel tase fo wedi cael ei frathu gan gi ryw dro.'

'Gad i mi wneud ymholiadau, lanc. Diolch yn fawr iawn i ti.'

'Mae'n rheswm da i osod bom, yn tydi? Os ffeindiwn ni'r ffermwr blin, mi fyddwn ni wedi ffeindio'r troseddwr!'

Gwgodd Daf yr eiliad y caeodd Toscano ddrws y swyddfa ar

ei ôl. Roedd y llanc wedi rhoi disgrifiad da iddo. Gwyddai am sawl tirfeddiannwr ger y rheilffordd, rhai ohonynt yn dal, a sawl un yn berchen ar Land Rover coch. Ond dim ond un oedd â chraith wen hanner crwn ar ei wddf – hyd yn oed uwchben y goler uchaf, gallai pawb weld o leiaf top y graith oedd ar wddf John Neuadd.

Pennod 15

Yn hwyrach ddydd Mercher

Ers peth amser, roedd Daf wedi dechrau ffonio Gaenor o'i waith gydag esgusodion tila, ond y gwir oedd fod arno angen dipyn o hwb i gario 'mlaen tan ddiwedd y pnawn. Felly, doedd ei alwad ddim yn syrpreis i Gaenor.

'Gae, ti'm yn digwydd gwybod lle oedd John ddydd Gwener?'

'Ffermio, siŵr o fod. A tydi hi ddim braidd yn rhyfedd dy fod yn gofyn i dy bartner am symudiadau ei chyn-ŵr?'

'Dim ond gofyn oeddwn i. Ti angen rwbeth o'r siop?'

'Wel, ro'n i wedi bwriadu gwneud quiche ond ches i ddim cyfle, felly, os ti'n mynd heibio'r cigydd, mi fyddai porc pei yn go handi.'

'A be wnest ti efo dy bnawn, dwêd, yn hytrach na gwneud y quiche? Cynnal parti?' Roedd sŵn yn y cefndir, sŵn pobl ifanc yn hytrach na phlant bach.

'Mae Rob wedi gwneud llithren i ni – hwyl i'r teulu oll, fel maen nhw'n dweud.'

Un o'r prif resymau roedd Daf yn caru Gaenor gymaint oedd ei dawn i ymgolli ym mhopeth, i fwynhau pob eiliad. Felly, yn hytrach na phoeni am y diffyg swper dechreuodd ddychmygu Gaenor yn llithro i lawr y llithren o blastig silwair fel lodes ifanc.

'Be ydi barn John am y rheilffordd fach?' gofynnodd.

'Faint o amser sy gen ti, Daf?' chwarddodd. 'Ei hen hen hen daid werthodd y tir iddyn nhw er mwyn codi'r orsaf, ac i John, dyna oedd ei gamgymeriad mwyaf.'

'Ti'n ei nabod o'n well na neb – fyse fo'n gallu rhoi bom o dan y bont?'

Ochneidiodd Gaenor. 'Petawn i'n nabod John, falle y bysen i'n dal i fyw yn Neuadd, Daf,' atebodd, a thinc o dristwch yn ei llais.

'Hei, ti'n swnio fel taset ti'n difaru!'

'Does neb yn hapus i gyfaddef fod ei briodas wedi chwalu, yn enwedig os oes ganddyn nhw blant, ond jest i ti gael gwybod, dwi erioed wedi bod yn hapusach yn fy mywyd, a'r unig beth oedd ar goll yn ystod y pnawn heddiw oedd ti, er y byset ti wedi cwyno am iechyd a diogelwch, fel arfer.'

'Ha ha ha. Tasen i wedi bod yn dy wylio di'n rowlio o gwmpas yr ardd yn dy wisg nofio, beryg y bysen i wedi gorfod mynd â ti i'r llofft.'

'Bygythiad 'ta addewid?'

'Dipyn o'r ddau.' Dewisodd Daf newid y pwnc. 'Hei, nid yn aml mae gan Rob ddiwrnod heb waith – be oedd?'

'Chrissie a Bryn wedi mynd i ryw sesiwn ymgynghori yn y Nuffield yn Amwythig. Ynglŷn â'r profion.'

'Dwi'n gweld. Ble mae gweddill y plant?'

'Efo tad Chrissie yn yr ardd gwrw tu ôl i'r Black. Dwi 'di dweud wrthyn nhw am ddod fyny, os ydyn nhw awydd.'

'Mi bryna i ddwy borc pei, felly.'

Ar ôl rhoi'r ffôn i lawr, ceisiodd Daf chwalu'r ddelwedd o Gaenor yn ei siwt nofio o'i ben a throi ei feddwl at John. Petai'r 'ffermwr blin' a greodd stŵr yn yr orsaf ddydd Gwener wedi dyrnu gyrrwr y trên byddai Daf yn gallu credu mai John oedd yn gyfrifol. Ond mynd adref, tawelu, chwilio am bowdwr gwn a chreu bom dros nos? Na. A chofiodd fod Susie y SOCO wedi dweud nad y math o ffrwydryn a geid mewn cetrisen gwn a ddefnyddiwyd i greu'r bom.

Roedd neges e-bost yn aros amdano – rhestr o'r bobl hynny yn Sir Drefaldwyn oedd â hawl i gadw powdwr gwn, a'r rheswm am hynny. Synnodd Daf faint o bobl oedd yn cadw ffrwydron o amrywiol fathau, ond roedd y rhesymau oll yn dal dŵr. Gwibiodd ei lygaid i lawr y rhestr yn chwilio am enwau cyfarwydd a chyn bo hir gwelodd yr enw John Jones. Cyfeiriad: Neuadd, Llanfair Caereinion. Wedyn y rheswm: 'Small quantities of industrial explosive occasionally securely stored for use at a non-commercial quarry, providing roadstone for farm use.' Roedd Daf yn gyfarwydd â'r twll chwarel mewn llecyn tawel yn y bryn uwchben Neuadd gan ei fod o a Falmai yn arfer mynd yno i garu. Yn y saithdegau cynnar, ildiodd dunelli o gerrig yn flynyddol gan fod budd-dal i'w gael o Ewrop ar gyfer ffyrdd fferm, ond bellach doedd John ddim yn hoff o'r ffwdan, y perygl a'r holl waith papur a ddeuai efo'r broses o danio.

Doedd dim ateb yn Neuadd pan geisiodd Daf ffonio, felly gyrrodd neges destun at John yn gofyn am sgwrs. Fel yr oedd yn rhoi ei ffôn i lawr agorodd y drws heb gnoc a daeth Picton-Phillips i mewn, ei wyneb yn goch gan wres neu dymer. Roedd Daf yn siŵr y byddai'n cael gwybod yn fuan iawn pa un.

'Croeso, Cyrnol,' cyfarchodd Daf ef â gwên lydan. 'Does dim rhaid i hen ffrind gnocio.'

'Does gen i ddim llawer o amser i'w wastraffu efo ti, Dafis,' ffrwydrodd. 'Wyt ti wedi arestio rhywun ynglŷn â'r bom eto?'

'Ddim eto, ond mae gen i sawl trywydd i'w ddilyn.'

'Ac mae 'na gysylltiad rhwng Yilmaz a'r ferch gafodd ei harestio yng Nghaer. Dwi wedi siarad â'r Prif Gwnstabl ac rydan ni wedi penderfynu cadw'r statws Gorchymyn Arian yn ei le nes y bydd Gwasanaeth Erlyn y Goron wedi cytuno i ddechrau erlyn y troseddwr.'

'Iawn gen i. Mae'r cymorth 'den ni'n ei dderbyn gan y Cyngor Sir yn sylweddol a dwi'n fwy na bodlon dal gafael yn y tîm gweinyddol 'na mor hir ag y medra i.'

Roedd Picton-Phillips yn cnoi ei wefus a gwelodd Daf ddafn bach o waed yng nghornel ei geg.

'Dwi'n gwybod dy fod ti'n mwynhau dy hun, yn jolihoetan fyny i Fanceinion fel James Bond. Ydi, mae Hanshaw yn ddyn dylanwadol, ond fydd o na'i sbŵcs ddim yma am lot hirach. Ond mi fydda i wrth dy ysgwydd di am byth.'

'Falch o glywed,' atebodd Daf, gan feddwl tybed beth oedd yn gwneud i'r dyn o'i flaen gorddi cymaint. ''Den ni'n stryglo i ddenu swyddogion o safon i gefn gwlad.'

'Ti'n meddwl dy fod ti'n glyfar, Dafis, yn gwrthod dangos

parch i mi. Doedd gan Hanshaw ddim hawl i fynd â ti i Strangeways, dim hawl o gwbl. *Fi* ydi uwch-swyddog yr ymchwiliad hwn.'

'Er mai fi ydi'r SIO?'

'Er gwaetha hynny. Ti'n ddigon defnyddiol i gnocio drysau ond dim mwy na hynny.'

Ceisiodd Daf gadw'r wên oddi ar ei wyneb wrth weld cenfigen Picton-Phillips.

'Doedd gen i ddim rhan yn y trefniadau, Cyrnol, ond dwi'n cael yr argraff fod Mr Hanshaw yn gwybod be mae o'n wneud.'

'O, paid ag ymddiheuro i mi, Dafis. Tydi hyn ddim yn bersonol. Bydd digon o amser ar gyfer "sori" pan fyddi di'n clirio dy ddesg ar ôl i ni ddarganfod nad wyt ti'n gwneud dy waith yn iawn.'

'Cyrnol, dwi'n deall bod gwahaniaethau mawr yn ein ffyrdd o weithio, ond 'den ni'n aelodau o'r un tîm ...'

'O, un da wyt ti i drafod gwaith tîm ar ôl chwalu gyrfa un o dy swyddogion gorau. Mae'r ffordd wnest ti drin DC Steve James yn cael ei drafod ledled yr heddlu.'

'Mae Steve yn swyddog da iawn ond mi gymerodd fantais o'i sefyllfa broffesiynol i ddechrau perthynas anaddas â thyst.'

'Wel, bydd cyfle i drafod hynny a llawer mwy yn y man. Ond am rŵan, dwi am i ti ddeall yn union ble ti'n sefyll.'

Roedd Daf wedi cael hen ddigon. 'Lle dwi'n sefyll, Cyrnol, ydi yn fy swyddfa, mewn gorsaf heddlu brysur. Mae pentwr o waith i'w wneud, felly, gyda phob parch, Cyrnol, wnewch chi plis roi llonydd i mi ei wneud o?'

Syllodd y Cyrnol yn syth i mewn i lygaid Daf am eiliad mewn ymgais i'w ddychryn, ond methodd yn llwyr. Canodd ffôn Daf a martsiodd y Cyrnol allan gan gau'r drws yn glep ar ei ôl. Hanshaw oedd yn galw.

'Rydw i newydd gael pregeth gan Cyrnol Picton-Phillips, Dafydd.'

'A finne.'

'Mi ddwedais wrtho sawl tro mai fi wnaeth y

penderfyniadau ynglŷn â chyfweliad Bahri Yilmaz ond doedd o ddim yn gwrando. Felly os ydi o'n creu unrhyw fath o drafferth i ti, cyfeiria'r awdurdodau ata i. Does dim rheswm i ti gael dy gosbi am fy mhenderfyniadau i.'

'Diolch yn fawr, ond does dim rhaid.'

'Mae 'na rywbeth yn ei hanes o,' parhaodd Hanshaw, 'wedi gael ei gelu. Mae 'na nodyn annelwig yn ei ffeil ond rydw i wedi methu dod o hyd i'r stori gyfan.'

'Dwi'n synnu dim ... a dwi'n cadw llygad barcud arno.'

Ar ôl i'r alwad ddod i ben, edrychodd Daf ar ei watsh: hanner awr wedi pedwar. Roedd o wedi gwastraffu gormod o'r prynhawn efo Woosnam, ond ar y llaw arall, roedd ganddo jest digon o amser i bicio i weld John cyn swper. Ffoniodd Toscano.

'Gofynna i Tallulah gei di dynnu llun ohoni, wnei di?'

'Pam hynny, bòs?'

'Achos dwi'n poeni amdani, ac isie gweld ydi'i chyflwr hi wedi gwaethygu ers i mi ei gweld hi. Er ei bod hi'n lodes gref a phenderfynol, dwi ddim yn siŵr ydi hi'n ddigon cryf i dynnu Gwyther i'w phen.'

'Mi wna i.'

'A cymer di ofal. Bydd gan Gwyther gryn dipyn i'w golli os all Tallulah brofi be yn union sy'n mynd ymlaen ym Mhlas Aur.'

Cyn gadael y swyddfa, oedodd Daf i argraffu disgrifiad y tyst o'r ffermwr blin a'r rhestr o bobl â thrwydded i gadw ffrwydron – roedd yn well iddo gael rhywbeth swyddogol i'w ddangos i John. O gofio'u cefndir roedd Daf a John yn gyrru 'mlaen yn iawn o ddydd i ddydd ond mater gwahanol oedd cyhuddo rhywun o drosedd ddifrifol. Byddai'n rhaid i rywun arall holi John petai sail i'r amheuon, ond am y tro roedd Daf yn ddigon bodlon mentro i Neuadd ei hun.

Wrth yrru'n ôl i Lanfair Caereinion a'r porc peis ar sedd flaen y car wrth ei ochr, ceisiodd Daf edrych ar yr ymchwiliad fel pos jig-so. Roedd rhai darnau yn ffitio, rhai yn amlwg yn perthyn i bos gwahanol ond roedd twll mawr yn y canol a doedd Daf ddim yn gweld bod John yn mynd i'w lenwi. Ond cofiodd fod y bom wedi ei gosod mewn tun Quality Street, yn union fel y rhesi o hen duniau fferins a bisgedi oedd yn bing Neuadd, pob yn un llawn o werth chwarter canrif o geriach oedd yn bwysig i John, neu ei dad o'i flaen.

Pan gyrhaeddodd Daf roedd car bach melyn ar fuarth Neuadd a'r perchennog yn sgwrsio â Siôn a Belle. Wrth nesáu sylweddolodd Daf mai dadlau yn hytrach na chynnal sgwrs roedd y dyn bychan mewn shorts byr a fflip-fflops.

'You are not going to hold this bloody event here, I am telling yew straight,' gwaeddodd, gan geisio sefyll ar flaenau ei draed i syllu i wyneb Siôn.

'Mr Carpenter, as I explained,' atebodd Belle yn gwrtais, 'the family who were hosting the Rally suffered a bereavement. Young people have been preparing for weeks: they don't deserve to be let down.'

'An' we don' deserve a bloody rock concert at the end of our field. We didn't come out here to be in the middle of shit like this.'

'That field you keep your goats on, Mr Carpenter, that's not your field, it's ours. And that's true of every blade of grass, every tree and every small stone from here to the other side of Brynllwyn. We're holding the YFC Rally here, and that's that.'

Dim ond adrodd ffeithiau oedd Siôn, ond roedd y cyfuniad o ddyfnder ei lais a'i nerth corfforol yn amlwg wedi dychryn Carpenter.

'I'll 'ave the police on you,' ebychodd.

'What for?' gofynnodd Belle, yn methu cuddio'i difyrrwch.

'Intimidation. Breach of the peace. Hate speech.'

'Os ydi o awydd chydig o *hate speech*,' meddai Siôn wrth Belle gan wenu fel giât, 'mi alla i roi llond berfa iddo fo.'

'Ac ar y gair, dyma'r heddlu!' datganodd Belle.

'You what?'

'Detective Inspector Dafis, Dyfed Powys Police. What's the problem?'

Yn amlwg, doedd yn dyn bach ddim wedi disgwyl gweld heddwas yn y cnawd yr eiliad ar ôl bygwth galw am un.

'Officer? Where ... where did you spring from?'

'Just came to check how the arrangements were going.'

'It's gotta be stopped! They can't hold a rave in a place like this.'

'It's a barn dance, sir, hence they hold it in a barn,' esboniodd Daf yn dawel gan chwifio'i law i gyfeiriad y rhes o adeiladau enfawr dur a choncrit.

'I didn't come out to live here for this sort of caper, officer.'

Yn sydyn, newidiodd agwedd Belle. Caledodd ei hwyneb.

'And we all know what you did come out here for, Mr Carpenter, because you say it often enough when you've had a few in the Red, don't you? To say nothing of what happened in Top Shop. If I were Mr Jones, I would take every one of those stinking goats of yours and I would cut their stinking throats instead of letting them eat their heads off on his ground on tack at half the market rate. And if you ever, ever use the kind of language to describe Mr Jones Neuadd's partner or their daughter that you've used before, do you know what I will do, Mr Carpenter? I will go up to your shitty bungalow and I will snog the face off that woman you live with who is no more your wife than Siôn here is, and I will guarantee that she will be closer to an orgasm with one kiss from me than she has ever been with all your pathetic prodding with your four inch lolly stick, annwyl Mr Carpenter.'

Crynodd Carpenter o flaen dicter Belle fel dyn yn wynebu corwynt. Ciledrychodd ar Daf am eiliad, yn disgwyl rhyw fath o gefnogaeth ond cyn i Daf gael siawns i godi ei law i gyfeiriad Belle i'w thawelu hi, sgrialodd y dyn bach yn ôl i'w gar melyn a gwibio oddi ar y buarth.

'Belle,' meddai Daf yn addfwyn ar ôl mynd yn nes ati ac arogli ei gwynt, 'dwyt ti ddim yn arfer yfed yn ystod y dydd.'

'Mae gen i dipyn ar fy mhlât. Rhaid i mi gael chydig o

danwydd i 'nghynnal i drwy'r holl nonsens 'ma. Dwi'n colli deuddydd o waith mewn ymchwiliad i dân mawr mewn warws ger Stafford – roedd hi'n anodd gweld y cŵn yn mynd efo'r hogia bore 'ma a finna'n styc fan hyn.'

'Does dim rhaid i ti aros, cariad, ti'n gwybod hynny,' meddai Siôn yn ofer, gan i Belle droi ei chefn arno a martsio i ben arall y buarth.

'Be sy'n bod arni, Siôn?'

'Wn i ddim. Ti'n nabod y Cyrnol 'ma?'

'Picton-Phillips? Ydw.'

'Wel, roedd o draw yn Sierra Leone yr un pryd â hi, a dwi'n amau bod ei weld o wedi corddi'r dyfroedd, gwneud iddi gofio pethe roedd hi wedi llwyddo i'w hanghofio.'

'Pa fath o bethe, Siôn?'

'Mae hi wedi lladd pobl ... efo gwn ac, unwaith, efo'i dwylo. Dwi'n meddwl am hynny weithie, tra mae hi'n cysgu a'i breichiau o 'nghwmpas i. Peth rhyfedd – mae hi'n dewis fy nghofleidio pan allai hi fy lladd i'n ddigon rhwydd.'

Dewisodd Daf beidio â holi ymhellach. 'Ydi dy dad o gwmpas?'

'Wedi mynd â'r ail dancer lawr i Aberriw i'w drwsio.'

'Fydd o adre heno?'

'Yn hwyr. Mae Doris wedi mynd efo fo.'

'Be, cwtshio yng nghab y tractor?'

'Ti'n eu nabod nhw, Wncwl Daf. Wastad isie treulio pob eiliad yng nghwmni'i gilydd. Mae Netta'n meddwl eu bod nhw'n nyts!'

'A sut mae Netta – ydi hi'n helpu efo'r gwaith paratoi?'

'Mae hi'n gwneud ei siâr, chwarae teg.'

'Reit. Ond i fynd yn ôl at y boi Carpenter 'na, tydi hi ddim yn syniad da ffraeo â chymydog, Siôn. Mi allai o greu pob math o drwbwl i chi ar y fferm – ti ddim angen rhywun yn sbio dros y sietin o hyd, yn chwilio am esgus i greu trafferth.'

'Digon teg.'

'Dweda fod dy Dad yn ffansïo blastio chydig o gerrig o'r hen

243

chwarel – ti ddim isie'r boi 'na'n gofyn cwestiynau am eich gwaith papur.'

''Den ni ddim yn cyffwrdd y chwarel yn aml iawn dyddie yma – Taid oedd yn ffond o flastio.'

'Tydi dy Dad ddim yn defnyddio'r hen bowdwr du y dyddie yma felly?' gofynnodd Daf, gan geisio cuddio'i ddiddordeb.

Ochneidiodd Siôn a gwthio llaw fawr fudr drwy ei wallt trwchus.

'Does dim rheswm iddo fo flastio o gwbl, Wncwl Daf, ond ti'n ei nabod o. Os 'den ni angen dipyn o gerrig mân, well ganddo fo wneud ei hun na thalu i rywun arall wneud. Wir i ti, Wncwl Daf, mae o'n mynnu gwneud, er bod y stwff yn codi cymaint o ofn arno fo. Mae o mewn sterics bob tro mae o'n agor y bocs powdwr du. Wna i byth ei ddeall o.'

'Sôn am sterics, dwi 'di clywed bod dy dad wedi cael dipyn o stranc lawr yn y rheilffordd ddydd Gwener.'

Llanwodd wyneb Siôn â gofid. 'Well i ti siarad efo Dad am hynny,' atebodd yn swta ac, o brofiad, gwyddai Daf na chawsai fwy o sgwrs ganddo. 'Well i mi fynd, mae 'na fur arall i'w wyngalchu cyn amser godro.'

Diflannodd i dywyllwch y sgubor enfawr fel y dychwelodd Belle, yn gwthio berfa. Roedd hi i weld mewn hwyliau gwell.

'Sut mae'r ymchwiliad yn mynd?' gofynnodd.

'Go lew.'

'Mae'r bastard Cyrnol 'na'n dal i hongian o gwmpas felly?' cyfarthodd.

'Fel rhech bresych.'

Nid oedd ei chwerthiniad yn rhwydd ac roedd nodyn o banig ynddo.

'Fedra i ddim jest cario 'mlaen ... efo fo'n stelcian o gwmpas, Daf.'

'Wyt ti'n ei nabod o'n dda?'

'Na.'

'Ac ... oes ganddo fo wybodaeth all o'i ddefnyddio yn dy erbyn di?'

'Be ti'n feddwl, Daf?'

'Wel, os oeddet ti'n ei nabod o pan oeddet ti dramor, wel, dwi'n gwybod bod pethe'n digwydd mewn sefyllfaoedd fel'na, pethe sy'n anodd eu hesbonio wedyn.'

Culhaodd llygaid Belle nes oedd hi'n edrych fel teigr.

'Ti'n iawn, Mistar Ditectif, dyna be ydi o. Allan yn y goedwig yn SL. Hen, hen stori.'

'Belle Pashley,' atebodd Daf, 'ti erioed wedi llwyddo i raffu celwyddau. Does dim rhaid i ti rannu dy gyfrinach efo fi, ond well i ti siarad efo Siôn. Ti'n llenwi ei galon o. Mae cyfrinachau, hyd yn oed rhai dibwys, yn taflu cysgod dros berthynas, a dwi ddim isie gweld cysgod dros rwbeth mor braf â'r hyn sy gen ti a Siôn.'

'Ti'n feddal yn dy ben,' sibrydodd, gan dynnu fflasg fach arian o boced ei shorts. 'Gymri di joch efo fi? Gawn ni yfed i gariad pur.'

Llanwodd Daf ei geg â wisgi cynnes cyn gwylio Belle yn gwagio gweddill cynnwys y fflasg.

'Cofia di, lodes, unrhyw dro ti isie siarad, cofia 'mod i'n un da am wrando. A chadw cyfrinache.'

'Diolch, Daf.' Rhoddodd gusan iddo yn agos iawn i'w wefus. 'Mi gofia i hynny. Mae Gaenor yn ddynas lwcus iawn.'

Doedd ganddo ddim syniad sut i ymateb i'r sylw felly gwenodd Daf ei ffarwél a chamu draw at ei gar.

Roedd fan wen yn giât Hengwrt pan gyrhaeddodd adref, a logo Cyngor Sir Powys yn dal yn weladwy ar y panel ôl er gwaetha'r *re-spray* rhad. Doedd Daf ddim yn synnu gweld Roy Bryncrug tu ôl i'r olwyn – fel cyn-weithiwr i'r Cyngor, roedd o'n gwybod gwerth unrhyw fan ail-law ddeuai i'r farchnad. Stopiodd Daf ger y fan gan ddisgwyl y byddai yn Roy yn pwyso allan drwy'r ffenest i siarad â fo, ond yn hytrach, neidiodd Roy allan a brysio draw, gan wasgu ei hun i'r bwlch rhwng y ddau gerbyd. Roedd bag plastig yn ei law a cheisiodd Daf beidio â gwylltio wrth glywed rhywbeth caled yn taro ochr ei gar.

'Wel helô, Roy,' meddai Daf, gan lygadu'r porc peis wrth ei ochr yn llwglyd.

'Sori i dy boeni di, wir, Dafydd, a tithe mor brysur efo busnes y bom a'r Rali a bob dim, ond dwi 'di ffeindio rhwbeth.' Erbyn hyn roedd Roy yn pwyso ar ddrych ochr car Daf, a doedd o ddim yn ddyn bychan.

'Gwranda, còg, mae fy ngheg i fel nyth cathod. Ty'd fyny i'r tŷ am baned, neu gwrw oer, os wyt ti awydd.'

'Dwi ddim isie dy styrbio di, Dafydd, mae gen ti lond tŷ.'

Roedd sŵn gweiddi a chwerthin yn llifo o gefn y tŷ a suddodd calon Daf – roedd o'n flinedig, yn llwglyd ac yn ysu am gael chydig o amser efo'i blant cyn swper.

'Wel, allwn ni ddim aros fan hyn rhag ofn i Garmon yrru i mewn fel cath i gythraul, fel arfer. Ty'd, Roy.'

Wrth barcio, gwelodd Daf res o bobl a phlant yn gorymdeithio o'r cae. Yn arwain y ffordd roedd Gaenor a'i breichiau'n llawn tyweli, ac yn ei dilyn fel ŵyn bach roedd Mali Haf, Sam ac Aron, yn wlyb at eu crwyn mewn shorts a chrysau T. Wedyn, lodes dal, siapus mewn bicini syfrdanol o wyn oedd yn gyferbyniad perffaith â'i chroen lliw siocled ac yn gwneud iddi edrych fel merch Bond. Ond roedd golwg bwdlyd ar ei hwyneb, a gâi ei esbonio gan Rhodri a Rob oedd yn ei hanwybyddu'n llwyr wrth gario pwll padlo mawr rhyngddyn nhw.

'Hei, cogie,' gwaeddodd Daf. 'Pam na wnaethoch chi wasgu'r awyr allan ohono fo yn y cae?'

'Dwi 'di dweud hynny wrthyn nhw sawl tro, Wncwl Daf,' datganodd Netta, 'ond maen nhw'n rhy dwp i wrando.'

Gollyngodd Rob y pwll a throi i afael yn Netta rownd ei chanol. Er ei thaldra, roedd o'n ddigon cryf i'w chodi i'r awyr a'i throi o gwmpas ddwywaith cyn ei gollwng ar ben y pwll, gan wasgu cryn dipyn o aer allan ohono wrth wneud. Atseiniodd sŵn fel rhech cawr dros yr ardd gan beri i bawb chwerthin, heblaw Netta, a gododd yn araf ar ei thraed.

'Dwi ddim yn synnu bod y Cardi 'na wedi cael llond bol arnat ti, Rob Humphries. Ti mor blentynnaidd.'

Wrth i Rob afael mewn gwlithen a'i rhoi ar fron Netta, cofiodd Daf am Roy, oedd yn sefyll yn lletchwith ryw ddau gam tu ôl iddo. Arweiniodd ef at y bwrdd picnic ac eisteddodd y ddau.

'Rŵan 'te, Roy, be ydi'r stori?'

Gwagiodd Roy gynnwys y bag plastig ar y bwrdd – ffôn bach hen-ffasiwn fel bricsen.

'Ai dy ffôn di ydi hwn, Roy?' gofynnodd Daf, yn gobeithio nad oedd ei lais yn adlewyrchu ei ddiflastod.

'Nage, nage, Dafydd. Brynodd Miriam ffôn swanc i mi ar fy mhen blwydd llynedd. Iphone 8, a dwi'n gallu gwrando ar fiwsig arno fo, a gwylio'r teledu hyd yn oed. Pwy fyse'n meddwl y gallai rhywun weld *Cefn Gwlad* ar ei ffôn, dwêd?'

'Alli di ddim gwneud dim byd felly efo ffôn fel hwn, Roy.'

'Dim ond hen bobl sy â ffôn fel'ma bellach, dwi'n gwybod, Dafydd. Felly, pan welais i o, meddyliais falle fod ryw hen leidi wedi'i golli o, ac yn methu ffonio'i theulu, na'r meddyg ...'

'Le ffeindiest ti o?'

Cochodd Roy. 'Yn y Drenewydd,' mwmialodd, gan droi ei lygaid ymaith.

'Pam na wnest ti fynd â fo i orsaf heddlu'r Drenewydd?'

'Mi es i draw 'na ond ...'

'Ond be, Roy?'

'Wel, roedd cymaint o bobl od yn mynd a dod yn y maes parcio, rhai efo tatŵs a darnau haearn yn eu hwynebau, a ... wel, mi gollais i fy nerf. Dwi ddim wedi arfer efo'r ffasiwn bobl.'

'A dydyn nhw ddim wedi arfer efo pobl fel tithe, chwaith, Roy,' meddai Daf, braidd yn ddiamynedd. 'Paid â phoeni, mi wna i delio efo fo i ti.'

'Diolch o galon i ti, Dafydd.'

'Felly, faint o'r gloch ac ymhle ffeindiest ti o, dwêd?'

Daeth golwg anesmwyth dros wyneb Roy. 'Yn y sietin o gwmpas cae chwarae Dôl Dderwen oedd o.'

'Y cae chwarae bach ar y gornel rhwng Dôl Dderwen a Heol Masarn, ie? Faint o'r gloch?'

'Toc ar ôl pump y bore.'

Ochneidiodd Daf. 'Roy Williams, paid â mentro dweud celwydd wrtha i. Ti'n gwybod be dwi'n olygu wrth y gair *harassment*, yn dwyt ti?'

'Wrth gwrs. Peidio rhoi llonydd i rywun.'

'A be yn union oeddet ti'n wneud yn y sietin gyferbyn â thŷ mam dy blentyn maeth ar doriad gwawr ond ei harasio hi?'

'Cysgu oedd hi. Tydi hi byth yn codi tan ar ôl deg.'

'Tydi gwylio tŷ rhywun tra maen nhw'n cysgu ddim yn swnio fel ymddygiad normal i mi, Roy. Ti'n gwybod dy fod ti'n chwarae efo tân?'

Cuddiodd Roy ei ben yn ei ddwylo. 'Jest isie gwneud yn siŵr nad oedd neb arall yn aros yno efo hi.'

'Dydi ei bywyd hi'n ddim o dy fusnes di, Roy. Ti'n deall hynny'n iawn.'

'Ond Dafydd, maen nhw wedi penderfynu gadael iddi hi dreulio cwpwl o oriau efo'r un fech fory. Dau tan bedwar. Iddyn nhw gael creu perthynas. Dwi ddim isie i fy merch i gael perthynas o gwbl â slwten fel honno.'

'Ond does dim dewis gen ti, Roy.'

'Ond be tase ryw fastard treisgar yno, fel o'r blaen? Mi alle o'i lladd hi. Ti 'di gweld ei chraith hi, Dafydd? Gwaith un o gariadon ei mam oedd hynny.'

'A welest ti rywun?'

'Na. Yn amlwg, roedd hi'n gofalu am blant rhywun arall, achos roedd dipyn o fynd a dod yn gynharach yn y noson, bechgyn yn ôl ac ymlaen ar eu beics, ond neb mewn oed. Wrth gwrs, mae'n ddigon posib fod rhywun tu mewn, achos tydyn nhw ddim yn rai am awyr iach fel arfer ...'

'Roy, mae'n rhaid i ti gamu'n ôl. Mae'r gweithwyr cymdeithasol yn gwybod be maen nhw'n wneud. Mae'n bosib eu bod nhw wedi trefnu'r sesiwn er mwyn ei ddefnyddio yn dystiolaeth ar gyfer cam nesa'r broses.'

'Be ti'n feddwl?'

'Cyn cadarnhau mabwysiad, mae'n rhaid i'r awdurdodau

fod yn sicr nad ydi hi'n bosib i blentyn fynd yn ôl i fyw at ei deulu naturiol.'

'Naturiol? Does dim byd yn naturiol amdani hi.'

'Taw, Roy. Felly, mae'n bosib mai cynnal arbrawf maen nhw, cyn symud ymlaen â'r camau ffurfiol i roi'r un fach i chi am byth.'

'Wir?'

'Mae'n bosib. Ond os wyt ti'n bihafio fel twmffat llwyr bydd popeth yn y fantol.'

'Ocê, Dafydd, dwi'n deall. Mi gallia i.'

Arhosodd Daf nes i Roy adael cyn codi'r ffôn oddi ar y bwrdd gan ddefnyddio'r bag plastig gwag fel maneg er mwyn osgoi gadael olion ei fysedd arno. Efallai fod Roy yn iawn a bod rhyw hen wraig wedi colli ei ffôn wrth fynd â'i hwyres i'r parc, ond roedd mwy o siawns mai *burner* oedd o, ffôn dros dro oedd yn cael ei ddefnyddio gan werthwyr cyffuriau. Felly, rhoddodd Daf y ffôn yn ofalus mewn bag tystiolaeth a'i gloi ym mlwch menig ei car. Wedyn, mentrodd i mewn i'r tŷ llawn bwrlwm.

Pryd o fwyd dau eisteddiad oedd swper. Mali Haf, Sam ac Aron oedd yn bwyta gyntaf, cyn i Rob a Rhodri ddechrau ar y gwaith o fâth, dannedd a jamas. Pan ddaeth y tri i lawr i ddweud nos da, gwirfoddolodd Netta i ddweud stori wrthyn nhw, ac o ystyried y chwerthin a'r gweiddi ddeuai i lawr y grisiau, roedd hi'n gwneud tipyn o ymdrech. Ar ôl yr ail eisteddiad, cliriodd Daf y bwrdd, a thynnodd Netta ddwy bwced fawr o flodau o'r cefn er mwyn parhau i ymarfer gosod blodau ar gyfer y Rali. Felly, pan dderbyniodd Daf decst un gair gan Chrissie, neidiodd yn ôl i'r car â bendith Gaenor. Teimlai Daf yn ffodus – nid pob dynes fyddai'n fodlon danfon ei gŵr draw i gysuro menyw arall, yn enwedig un mor rhywiol â Chrissie. Y gair ar y neges oedd 'Help'.

Y peth cyntaf a sylwodd Daf oedd pa mor dawel oedd buarth Berllan. Toc ar ôl hanner awr wedi wyth oedd hi, ac ar noson braf o haf fel hon byddai Chrissie fel arfer yn dal i weithio, ond heno, doedd 'run o'r peiriannau mawr yn grwgnach, na chanu gwlad yn atseinio o'r beudy. Eisteddai Chrissie ar stepen drws cefn y byngalo mawr, yn edrych yn fach, fach. Pan glywodd sŵn injan car Daf, cododd ei phen.

'Dim ond pum can milltir sy gennoch chi ar ôl yn y beipen egsôst 'na. Mae gen i bymtheg can erw o silwair i'w dorri, felly os ydi'r haul yn dal i dywynnu, alla i ddim edrych arno fo tan ganol yr wythnos nesa. Ond mi ordra i'r darn heno, rhag ofn i ni gael storm.'

Gafaelodd Daf yn ei dwy law a'i chodi ar ei thraed.

'Anghofia'r car am unwaith, lodes. Sut aeth pethe heddiw?'

'Ocê. Ond roedden nhw'n cleber fel dwn i'm be, a dwi ddim un smic callach.'

'Dwi ddim yn arbenigwr chwaith, wyddost ti.'

'Ond dech chi'n well na fi. Awn ni i gŵglo efo'n gilydd?'

A dyna beth wnaethon nhw am dros awr, yn eistedd glun wrth glun ar y soffa ledr fawr.

'Ble mae fy *lymph nodes* i, Mr Dafis?'

'Sbia di ar y llun bach, Chrissie. O dan dy gesail di.'

'Dangoswch i mi.'

Roedd y croen o dan ei chesail yn esmwyth ac yn feddal, yn wahanol i'w breichiau cryf. Roedd hi'n arogli o sebon, dŵr ffynnon a phersawr rhad, fel y merched roedd Daf wedi'u cusanu yn ei arddegau cyn dechrau canlyn Falmai.

'Fan hyn maen nhw.'

'Pethe bech pwysig, yn ôl y sôn. Dwi erioed wedi meddwl ddwywaith amdanyn nhw, a rŵan, mae'r meddygon yn dweud y galla i golli 'nghroth a 'mronnau o'u herwydd nhw. Diawled bech.'

'Ddim yn union, Chrissie. Mae'r wefan yn dweud ei bod yn bosib i'r celloedd canser fynd o dy fron i'r *lymph nodes* wedyn teithio drwy dy gorff i gyd.'

'Dangoswch y daith i mi, Mr Dafis, efo'ch bysedd.'

'Chrissie, paid â chwarae gemau wrth drafod rhwbeth mor bwysig.'

'Nid chwarae gêm ydw i, Mr Dafis. Cerddwch eich bysedd o 'mron i'r *lymph nodes*. Rhowch reswm neis i mi gofio'r holl shit 'ma.'

'Ble mae Bryn?'

'Dwi 'di ei ddanfon o allan. Ro'n i'n methu diodde ei nadu o – mae o wedi mynd drwy focs o Kleenex yn barod.'

Efo bys canol ei law chwith, amlinellodd Daf lwybr o ochr bron Chrissie i'r cnawd o dan ei chesail.

'Eto.'

Ufuddhaodd.

'Rŵan, lapiwch eich breichiau amdana i a dweud bydd popeth yn iawn.'

'Dim problem.'

Eisteddodd y ddau felly am gyfnod hir. Agorodd Chrissie dri botwm uchaf crys Daf a rhoi ei boch ar groen ei frest. Roedd ei hanadl yn gynnes ar ei gnawd.

'Ron i'n ffyrnig pan glywes i'ch bod chi 'di gadael Falmai Neuadd. Dwi wastad wedi'ch ffansïo chi ond dwi erioed wedi potsio efo dyn priod.'

'Chwarae teg i ti.'

'Ond rŵan, ar ôl dod i'ch nabod chi'n well, dwi'n difaru na wnes i o leia gael *go*.'

'A tithe'n cyd-fyw efo Bryn ar y pryd?'

'Dech chi'n deall be sy rhwng Bryn a finne. Mae o'n foi iawn ac o ddydd i ddydd, mae o'n ddigon. Ond mewn trafferth, dwi angen rhywun cryf, rhywun profiadol.'

Estynnodd am ei ffôn a phwysodd y sgrin. Llanwodd yr ystafell â cherddoriaeth – cân egnïol gan fand ifanc Cymraeg.

'Dawnsiwch efo fi, Mr Dafis.'

'Dwi'n shit am ddawnsio, lodes.'

'Fi sy'n barnu, nid chi.'

O rywle yn nyfnder ei fodolaeth dihunodd ei rhythm a rywsut, â Chrissie yn ei freichiau, dechreuodd symud yn rhwydd.

'Dech chi wastad yn disgrifio'ch hun fel hen ddyn – dech

chi ddim yn symud fel hen ddyn rŵan, Mr Dafis,' medai, ei hwyneb yn binc a'i llygaid yn disgleirio. 'Rŵan 'den ni'n haeddu diod.'

'Un gân arall.'

Ar hap neu yn fwriadol, y gân nesaf oedd 'Ceidwad y Goleudy', a'r peth mwya naturiol yn y byd oedd i Daf lapio'i freichiau o gwmpas Chrissie fel petaen nhw mewn dawns ysgol, merch o flwyddyn deg wedi cael ei bachu gan un o'r chweched dosbarth. Am dri munud dim ond nhw oedd yn bodoli: dim partneriaid, dim plant, dim swyddi, dim cyfrifoldebau, ond pan giliodd y nodau olaf, camodd y ddau yn ôl i osgoi'r gusan anochel.

'Ble mae 'niod i, dwêd?'

Rywsut, llwyddodd Daf i yfed tun o Carlsberg er bod llygaid Chrissie arno o hyd.

'Chi ydi fy ffrind gore i, Mr Dafis,' datganodd wrth daflu ei chan gwag ar draws y gegin i'r bocs ailgylchu yn y cefn. 'Arhoswch fan hyn heno.'

'Ond pan ddaw Bryn adre ...?'

'Mae Bryn yn deall y drefn. Bydd un ohonoch chi'n cysgu yng ngwely Rob – mae o'n aros yn Hengwrt heno.'

'Does 'run o'r plant yma?'

'Nag oes. Dwi ddim isie iddyn nhw fy ngweld i fel hyn.'

'Fel be?'

'Mewn hwyliau ... od. Yn isel. Ond pan dech chi efo fi, mae pethe'n newid yn gyfan gwbl.'

'Chrissie,' meddai Daf yn bendant, 'rhaid i mi fynd.'

Pan ddychwelodd yn ôl i Hengwrt dim ond dau olau oedd ymlaen, yn llofft Rhodri a'r lolfa. Wrth gerdded heibio i ffenest y lolfa, gwelodd Daf olygfa roedd o'n hanner ei disgwyl: eisteddai Gaenor ar y soffa a phen Bryn yn ei chôl. Roedd o'n llefain, a bob hyn a hyn roedd hi'n sychu ei ddagrau â'i bysedd. Gwyliodd Daf wrth i Bryn afael yn llaw Gaenor a gwthio'i bys hi, yn wlyb efo'i ddagrau, rhwng ei wefusau a'i sugno.

Trodd Daf ar ei sawdl yn ôl i'r car. Danfonodd neges.

'Oes gen ti wisgi?'

'Llond potel o'r stwff Gwyddelig,' atebodd Chrissie'n syth. 'Peidiwch cnocio – mae'r drws ar agor.'

Pennod 16

Bore Iau

Doedd Daf ddim wedi dychmygu mai profiad fel hyn fyddai deffro ym mreichiau Chrissie. Roedd hi'n dal i gysgu, ei gwallt wedi'i daenu dros y gobennydd a'i hwyneb tawel yn syfrdanol o dlws. Llifodd sawl delwedd i'w feddwl: Chrissie'n yfed jin lliw porffor a wyntai o flodau, crwydro law yn llaw efo hi dan y sêr, blas y Jameson's, y lluniau gonest ar y we o ferched wedi cael triniaeth mastectomi. Wedyn, cofiodd faglu i mewn i'w llofft a dyma fo rŵan, yng ngolau dydd, yn ei gwely ond ar ben y cwilt yn hytrach nag oddi tano. Roedd o'n dal i wisgo'i ddillad ond cofiodd yn glir iddo agor botwm shorts Chrissie er mwyn dangos iddi leoliad ei chroth a'i hofarïau. Mwythodd ei gwallt, gan ystyried pa mor agos oedd o i golli ei galon iddi hi er ei fod o'n caru Gaenor. Gaenor. Bryn. Dros nos, roedd rhywun wedi taflu carthen wen, feddal drostyn nhw. Ond pwy? Doedd plant Chrissie ddim adref, felly dim ond Bryn oedd ar ôl. Wnaeth Bryn ddim treulio'r noson yng ngwely Gaenor. Yn sydyn, cafodd ysfa i ruthro adref at Gaenor er mwyn clywed sut noson gafodd hi a sut y gallen nhw, y ddau ohonyn nhw, helpu teulu Berllan heb ddinistrio'u perthynas.

Cododd yn ofalus: doedd ei ben ddim yn rhy boenus ond roedd o bron â marw o syched. Clywodd sŵn tegell yn berwi islaw iddo, a phenderfynodd godi i chwilio am baned, hyd yn oed os mai pris y te oedd sgwrs efo Bryn. Cerddodd yn ofalus i'r gegin, gan geisio cofio yn union ble roedd ei esgidiau.

'Paned, Mr Dafis?'

Nid Bryn oedd yn eistedd wrth y bwrdd ond Rob, â mŵg o de wrth ei benelin a chylchgrawn llawn lluniau tractors yn ei law.

'Plis, lanc.'

'Dipyn o noson neithiwr,' sylwodd, gan amneidio ar y poteli

gwag wrth ochr y sinc wrth roi cwpan o flaen Daf. 'Gobeithio nad ydech chi'n flin am y blanced – mae Mam wastad yn licio bod yn gynnes. Fel arfer mae hi'n gofalu amdanon ni i gyd, Mr Dafis, ond does neb yn gofalu amdani hi.'

'Mae ganddi hi Bryn.'

'Wrth gwrs. Ond ... wel, ro'n i'n falch o weld eich bod chi yma pan ddois i adre tua tri o'r gloch. Roedd Dad Bryn efo Gaenor neithiwr. Ro'n i'n methu mynd i gysgu. Pa mor sâl ydi hi, Mr Dafis?'

'Dim o gwbl, ac mae siawns go dda na fydd hi byth yn sâl chwaith.'

'Ond ... y driniaeth. Ei thorri hi fel oen mewn siop cigydd.'

'Os oes raid iddi ystyried cael y ffasiwn driniaeth, mi fydd hi'n gwneud hynny am reswm da.'

'Dwi ddim yn teimlo'n gyfforddus ynglŷn â'r holl fusnes, Mr Dafis. Pan fu Dad farw, roedden ni'n dau yn trefnu bob dim efo'n gilydd, a dyma fi rŵan yn rhy brysur efo ffycin lol i sylwi ...'

'Dynes go breifat ydi dy fam, ac rydw i a Gaenor yn falch o gael bod yn gefn iddi hi – wel, i chi i gyd.'

'Diolch. Ac mae wastad croeso mawr i chi fan hyn, Mr Dafis, dech chi'n gwybod hynny. A jest i chi gael gwybod, pan o'n i'n gadael Hengwrt neithiwr, roedd Gaenor lan staer a Bryn yn cysgu yn llofft Garmon a Carys.'

Allai Daf ddim atal y wên fawr dwp rhag lledaenu dros ei wyneb. Cerddodd Rob efo fo at ddrws y byngalo.

'Beth bynnag dech chi'n wneud, chi'r *grown-ups*, fydda i ddim yn busnesa. Mae Mam angen help, am y tro cyntaf yn ei bywyd, bron, a dwi'n falch ei bod hi'n gallu dibynnu arnoch chi, Mr Dafis. Biti nad oeddech chi'n ei nabod hi pan farwodd Dad Glyn.'

Pan gyrhaeddodd Daf fuarth Hengwrt roedd ffenestri'r tŷ i gyd ar agor a'r lein ddillad yng nghornel yr ardd yn llawn. Roedd y drws cefn ar agor a llanwyd ei ffroenau ag arogl hyfryd – roedd Rhodri yn gwneud crempogau.

A'i lygaid yn dal i fod braidd yn goch, roedd Bryn yn eistedd wrth y bwrdd yn helpu Mali Haf i fwyta wy wedi ei ferwi. Yn hytrach na'r embaras disgwyliedig teimlodd Daf don o gydymdeimlad tuag ato, a tharodd ei law ar gefn y dyn arall fel ystum o gefnogaeth.

'Allan o 'nyfnder, Mr Dafis, dyna i ti'r broblem,' mwmialodd Bryn wrth i'w lygaid ddechrau llenwi drachefn.

'Paid poeni, còg. Ti'n gwybod mai tîm yden ni – awn ni drwy hyn efo'n gilydd, ie?'

Nodiodd Bryn ei ben wrth i Gaenor ddod i mewn yn cario basged arall o ddillad gwlyb. Yn ei dilyn, a'u pennau i lawr fel petaen nhw'n chwilio am rywbeth ar goll, roedd Sam ac Aron.

'Ni ydi'r plismons rŵan, Mr Dafis,' datganodd Aron.

'Mae Gae 'di gofyn i ni chwilio am sanau sy ar goll.'

'Must'ri mawr, be sy'n digwydd i'r sanau.'

'A 'den ni'n mynd i sortio'r must'ri, jest fel dech chi'n wneud.'

Rhoddodd Rhodri grempog bob un iddyn nhw cyn i'r ddau fynd allan drwy'r drws cefn.

Bwriad Daf oedd cael sgwrs iawn â Gaenor cyn mynd i'r gwaith ond canodd ei ffôn.

'Ty'd lawr, bòs.' Sheila oedd yno.

'Heb gael brecwast eto.'

'Sgen ti ddim amser i gael brecwast. Mae ymosodiad difrifol wedi bod dros nos yn y Trallwng.'

'Does dim rhaid i mi aberthu fy Coco Puffs bob tro mae rhywun yn cael ei ddyrnu, lodes.'

'Well i ti ddod lawr rŵan – mae'r boi gafodd ei daro yn rhywun ti'n ei nabod yn dda.'

'Pwy, felly?'

'Cyrnol Picton-Phillips.'

Taith hanner awr oedd hi fel arfer o Hengwrt i orsaf heddlu'r Trallwng, ond wrth fynd ar wib â'r golau glas ar dop ei gar, cyrhaeddodd Daf mewn chydig dros chwarter awr. Roedd awyrgylch annifyr yn y cyntedd a Sheila, Nev a Toscano yn disgwyl amdano, eu hwynebau'n llawn pryder.

'Pwyllgor croeso, ie? A be sy gan y Doethion i'w ddweud?'

Toscano oedd y cyntaf i agor ei geg.

'Mae o'n eich beio chi, bòs!'

'Be?'

'Yn dweud mai chi sy wedi'i bwnio fo. Wedi galw'r Prif Gwnstabl, yn ôl y sôn, yn gofyn am i chi gael eich gwahardd.'

'Bolycs llwyr.'

'Roedd o'n nôl pres o'r twll yn y wal ger Sainsburys yn gynnar heddiw bore,' esboniodd Sheila. 'Pedwar o'r gloch. Stopiodd rhywun mewn car – wnaeth Picton-Phillips ddim ei weld o, ond roedd o'n sicr mai 4x4 oedd o – cyn neidio allan a'i daro. Un ergyd oedd hi, ond disgynnodd y Cyrnol ar fin y palmant a brifo'i ben a'i fraich.'

'Druan,' ymatebodd Daf yn swta gan sylwi fod golwg ddigalon ar Nev, fel petai'r byd ar ben.

''Den ni i gyd yn gwybod mai coc oen ydi o, ond mi all o dynnu pob aelod o'r *top brass* i lawr ar eich pen chi, bòs!' meddai Toscano'n bryderus. Roedd o'n dechrau dod yn rhan o'r tîm, meddyliodd Daf.

'Peidiwch â phoeni, bois. Dwi'n mynd i wneud cwpl o alwadau ffôn.'

Roedd yr ail alwad ffôn yn dibynnu ar ganlyniad y gyntaf, ac atebodd Hanshaw yn syth.

'Dim fi wnaeth,' meddai Daf, heb ragymadrodd.

'Rydw i'n gwybod hynny. Am hanner awr wedi naw neithiwr roeddet ti mewn tŷ rhwng Pontrobert a Llanfair Caereinion o'r enw Berllan. Ar ôl wyth y bore, mi est ti'n ôl i Hengwrt, wedyn lawr i'r Trallwng, braidd yn rhy gyflym os ga i ddweud.'

Llyncodd Daf ei boer.

'Sut ...?'

'Oherwydd natur yr ymchwiliad mae'n rhaid i ni fonitro dy ffôn di, ac wrth gwrs, mae 'na GPS arno fo. Ro'n ni braidd yn bryderus neithiwr dy fod ti wedi cael dy herwgipio, ond roedd digon o ... eglurhad yn dy ffeil.'

'Eglurhad?'

'Mae'r ffeil yn dweud bod gen ti berthynas agos â chontractwraig o'r enw Mrs Chrissie Humphries, ond, ar ôl asesu'r sefyllfa, does dim pryder ynglŷn â blacmel.'

Roedd rhaid i Daf chwerthin, er ei fod yn dal i deimlo'n nerfus.

'Blydi hel.'

'Mae hyn yn hollol arferol, Dafydd. Fel arfer, petai swyddog sy'n ymchwilio i achos sydd â chysylltiad â therfysgaeth yn diflannu o'i gartref heb esboniad, bydden ni'n danfon heddlu arfog i'r safle. Rydw i'n sicr na fyddai Mrs Humphries wedi croesawu gweld heddlu arfog yn ei llofft.'

'Felly, mi alli di gadarnhau fy alibi?'

'Gwell na hynny. Ar ôl siarad efo Llundain, mi ffoniais y Prif Gwnstabl. Fydd dim sôn eto am dy wahardd di, Dafydd, ond mae hon yn drosedd arall i'w datrys. Gair i gall – os wyt ti'n bwriadu cau ceg y Cyrnol, bydd yn rhaid i ti ateb rhai o'r cwestiynau sydd wedi codi yn yr achos yma.'

'Ti yn llygad dy le. Ti'n aros yn yr Oak am sbel eto?'

'Gweddill yr wythnos. Mae'n lleoliad cyfleus o gofio bod yr ymchwiliad yn ymestyn o Fanceinion i lawr i Fryste.'

'Waw! Os felly, be am i ti ddod draw am rwbeth i'w fwyta heno, efo'r teulu?' cynigiodd Daf, heb wybod yn iawn pam.

'Gwahoddiad caredig, er nad ydw i fawr o gwmni.'

'Dwi'm yn hoffi meddwl amdanat ti mewn gwesty ar dy ben dy hun heb gyfle i flasu mwynder Maldwyn go iawn. Oes 'na rwbeth ti ddim yn fwyta? Dwi'n cymryd nad wyt ti'n feji, gan i ni drafod bwyta ceffyle, felly ...'

'Na, *omnivore* go iawn ydw i. Ond mae'n rhaid i mi ofyn cwestiwn damed yn ddigywilydd – oes trogod o gwmpas y lle?'

'Dim yn y tŷ, gobeithio.'

'Yn yr ardd?'

'Ryden ni'n byw yno ers llai na chwe mis, ond hyd yma, dwi ddim wedi gweld rhai. Ac mae'r plant wastad yn chwarae yn y glaswellt hir.'

'Falch o glywed. Tydw i ddim yn un am wneud ffŷs fel arfer,

ond fel rwyt ti wedi sylwi, o ganlyniad i sawl ... antur, mae fy iechyd yn fregus.'

'Wrth gwrs. Gwranda, does dim rhaid i ti ddod, os ...'

'Na, Dafydd, byddai'n fraint i mi gael dod. Gan obeithio,' ategodd â chwerthiniad ysgafn, 'na fydd y profiad yn debyg i f'ymweliad â Belarws, pan ddois i adre heb fy chwarren ddu.'

'Dy be?'

'Y *spleen*. Organ o faint dy ddwrn sydd fel arfer yn cuddio tu ôl i dy asennau. Cafodd f'un i gyfarfyddiad â chyllell ddeng modfedd o hyd.'

'O.'

'Felly mae fy system imiwnedd braidd yn fregus, ac mae'r haint sy'n cael ei ledaenu gan drogod, clefyd Lyme, yn un hynod o beryglus i mi.'

'Wel, wel.'

'Gobeithio nad wyt ti'n difaru gwahodd hen gymhercyn fel fi, Dafydd?'

'Dim o gwbl. Mi wnaiff les i'r cogie gael ehangu eu geirfa.'

Doedd dim angen i Daf ffonio'r Prif Gwnstabl bellach, felly ffoniodd yr ysbyty i glywed sut roedd y Cyrnol. Llais cyfarwydd atebodd y ffôn: un o ffrindiau gorau Carys.

'Mr Dafis! Sut mae Carys dyddie 'ma? Rhwng ei choleg swanc a'i chariad o seléb, dwi ddim wedi gweld llawer arni hi'n ddiweddar.'

'Mi fydd hi adre drwy'r haf i dy fwydro di, Mair – mi fyddi di'n falch o'i gweld hi'n mynd yn ôl i Lundain fis Medi! Dwêd i mi, sut mae'r boi gafodd glec neithiwr?'

'Mae o'n barod i fynd adre ers awr ond 'den ni'n ei gadw fo yma am dipyn, i gadw llygad arno fo. Mi aeth o i lawr fel sach o datws.'

'Ydi o'n barod am ymwelwyr?'

'Mwy na pharod, 'sen i'n dweud.'

'Diolch, lodes, mi bicia i heibio toc.'

Doedd y tîm, fodd bynnag, ddim yn meddwl ei fod yn syniad da i Daf holi Picton-Phillips.

'Dim byd ffurfiol, dim ond sgwrs,' eglurodd.

'Paid ag anghofio sut un ydi'r Cyrnol, bòs,' rhybuddiodd Sheila. 'Mae o'n sarff o ddyn.'

'Paid â phoeni, lodes, tydi o ddim yn fy nychryn i.'

''Den ni'n gwybod nad ydi o yn eich dychryn chi, bòs,' ategodd Toscano, 'ond weithie, mae rhywun yn chwarae efo tân. Gadewch i Sheila fynd, tra 'den ni'n canolbwyntio ar y busnes yn Aberriw.'

'Deng munud fydda i.'

Roedd Mair wrth y ddesg, yn gwenu fel arfer, a sylwodd Daf fod modrwy ddiemwnt fawr ar drydydd bys ei llaw chwith.

'Llongyfs, Mair. Ble mae'r Cyrnol?'

'Yn y stafell fach ger Minor Injuries a duwcs, mae o'n flin.'

'Ro'n i'n meddwl y bysen nhw wedi mynd â fo i'r Royal Shrewsbury yn yr ambiwlans.'

'Mi wnaethon nhw, ond yn ôl y sôn roedd y lle fel seilam, felly pan gyrhaeddodd criw ambiwlans Drenewydd yno efo claf wedi cael trawiad ar ei galon, mi wnaethon nhw gynnig dod â fo yma.'

'Ac mae'r rheolau'n dweud ..?'

'Chwe awr o *obs* ar ôl taro'i ben. Ond 'den ni isie cael gwared ohono fo, i gael llonydd.'

Roedd bandej ar fraich Picton-Phillips, clais ar ei dalcen a rhes o *steri-strips* o dan ei lygad dde. Doedd o ddim wedi eillio ac roedd o'n dal i wisgo dillad y diwrnod cynt.

'Cyrnol Picton-Phillips, mae'n ddrwg gen i glywed eich bod chi wedi brifo.'

'Un o dy anwariaid di ymosododd arna i arna i, Dafis, fel y gwyddost ti'n iawn.'

'Does gen i ddim anwariaid, syr. Ac mi fydda i'n ymchwilio i'r achos yn drylwyr, wir i chi.'

'Gawn ni weld.'

'Dwi isie dechrau ar y gwaith cyn gynted â phosib, syr, felly rhaid i mi wirio rhai manylion, os dech chi'n ddigon cryf i siarad.'

'Dwi'n ddigon cryf i siarad â phobl llawer mwy dylanwadol na ti, Dafis.'

'Debyg iawn, syr. Ond y cyfamser, fi sy 'ma, a fi sy'n dechrau ar yr ymchwiliad. Faint o'r gloch ddigwyddodd yr ymosodiad?'

'Dwi'n ansicr.'

'Tynnu arian allan oeddech chi?'

'Ie.'

'Faint?'

'Sut mae hynny'n berthnasol?'

'Os oes rhaid, mi alla i gysylltu â'ch banc chi i gael yr wybodaeth.'

'Does ddim byd amheus am ddyn yn tynnu arian o'i gownt ei hun.'

'Ddwedes i 'run gair am amheuaeth, syr – casglu'r ffeithiau ydw i.'

'Pum cant.'

'Swm sylweddol.'

'Dim ond mewn twll o le fel hwn.'

'Amser rhyfedd i godi arian parod, yn doedd?'

'Ro'n i'n methu cysgu. Es i am dro yn y car, ac wrth i mi nesáu at y Trallwng, mi gofiais 'mod i angen mwy o arian parod.'

'I be, syr?'

'Pwy wyt ti i fy holi i fel hyn? Os oes rhaid i ti gael gwybod, dwi wedi bwcio bwrdd mewn bwyty i ddiolch i fy ffrindiau am y croeso dwi wedi'i gael ganddyn nhw yn y Plas.'

Doedd Daf ddim yn coelio gair o'i stori. Yn un peth, gallai Picton-Phillips brynu car yn Sir Drefaldwyn am bum cant o bunnau, a chael newid ar gyfer y pryd bwyd. Hefyd, gwyddai nad oedd mab bach Haf yn dygymod yn dda iawn â'r tywydd poeth, felly roedd hi'n annhebygol iawn o'i adael er mwyn mynd allan i jolihoetan efo'r Cyrnol. Celwydd noeth oedd y cyfan, ond pam?

'Glywsoch chi sŵn injan y car?'

'Do – un tri litr, fyswn i'n dweud.'

'Wedyn?'

'Sŵn drws yn agor, fel petai rhywun arall yn dod at y peiriant arian parod. Mi drois rownd wrth gyfri'r pres, a dyna pryd ges i'r ergyd. Mi lwyddais i gyffwrdd yr ymosodwr ond allwn i ddim ei ddyrnu'n ôl.'

'Dwi'n siŵr eich bod chi wedi derbyn ergyd o'r blaen, Cyrnol, *man of action* fel chi.'

'Swyddog ym Myddin ei Mawrhydi oeddwn i, nid Rocky.'

'Sori, syr. Gawsoch chi syniad o faint y dyn?'

'Tua'r un taldra â ti, Dafis.'

'Does gen i ddim car ag injan tri litr, yn anffodus, syr. Ac mi alla i brofi nad oeddwn i'n agos i'r Trallwng neithiwr. Be ddigwyddodd i'r holl bres?'

'Sgen i ddim syniad. Ro'n i'n anymwybodol ar y palmant.'

'Wrth gwrs. Sori am holi cymaint, syr, ond mi wyddoch chi o brofiad pa mor bwysig ydi'r pedair awr ar hugain cyntaf ar ôl trosedd.'

'Does gen i ddim syniad, achos nid PC Plod ydw i, ond swyddog yn y Fyddin.'

'Digon teg. Oes rhywun wedi trefnu cludiant i chi?'

'Dwi ddim angen cludiant.'

'Chewch chi ddim gyrru a chithe wedi cael anaf pen. Mi alla i ofyn i un o'r PCSOs roi lifft i fyny i'r Plas i chi.'

'Dwi ddim yn mynd yn ôl i'r Plas. Paid ag ymyrryd yn fy musnes i, Dafis.'

'Be am eich car? Mae o wedi'i barcio ar y stryd tu allan i Sainsburys ers orie – dech chi ddim isie tocyn parcio ar ben pob dim.'

'Cer o'ma.'

'Brysiwch wella, Cyrnol Picton-Phillips.'

Roedd yn anodd i Daf beidio â mwynhau gweld y Cyrnol yn ei sefyllfa bresennol. Ond waeth pwy oedd y dioddefwr, roedd y drosedd ddiweddaraf hon wedi ychwanegu at y pentwr o jobsys oedd eisoes ar ei blât. Felly, penderfynodd ddechrau'r diwrnod â sgwrs efo'i dîm, er mwyn dosbarthu rhai o'r tasgau angenrheidiol rhyngddyn nhw.

Pan gyrhaeddodd orsaf yr heddlu, fodd bynnag, roedd y tîm eisoes yn brysur. Wrth y ddesg, sgwrsiai Nev â dynes oedd â phram a phlentyn tua chwech oed efo hi.

'Fy mhres i ydi o,' mynnodd y bachgen. 'Fi sy 'di 'i ffeindio fo.'

'We was goin' to the Sesiwn Siarad in the lib'ry, we was,' eglurodd y fam, 'an' we parked in the car park 'cause there's never no room on the street there, an' Yoo-an saw something on the ground, just under the wheel of one of the cars in Ballards forecourt. We asked, an' no-one there had reported losing it.'

'Fi sy pia fo,' mynnodd y bachgen. Roedd Daf yn falch iawn o glywed Cymraeg mor glir gan fab dynes a siaradai fel cymeriad o'r gyfres *Peaky Blinders*.

Rhoddodd y fam y papur ugain ar y ddesg.

'Thank you very much for bringing this in,' dywedodd Daf wrthi. 'We have a system whereby we hold found property for a while, in case someone comes in and claims it. If not, we'll return it to you, so if you could leave your details ... Sori, còg.'

'Tydi o'm yn deg,' mwmialodd y bachgen. Yn sydyn, disgynnodd y digwyddiad i gyd-destun ehangach.

'Nev, paid â chyffwrdd yr ugain 'na. Iwan, rhaid i mi ofyn i ti roi dy olion bysedd i ni, plis.' Roedd llygaid y bachgen yn pefrio. 'And we'll need yours too, Mum, if you touched the note.'

'Yoo-an wouldn't let me,' chwarddodd. 'Do you think there's something funny going on?'

'There was an attack last night, which may have been a robbery. It's possible this note is part of the money which was stolen.'

'Waw!' rhyfeddodd y bachgen, a phan daeth y PCSO o'r tu

ôl i'r ddesg i agor y drws diogelwch iddyn nhw fynd drwyddo i'r orsaf, roedd ei ddwylo'n crynu.

'Be ti'n feddwl, bòs?' gofynnodd Nev.

'Roedd pwy bynnag darodd y Cyrnol wedi gwneud hynny toc ar ôl iddo dynnu pum can punt allan o'r twll yn y wal.'

'Pum cant? Mae hynny'n swm sylweddol.'

'Yn tydi? A does ganddo ddim esboniad sy'n dal dŵr chwaith.'

'Fo ydi'r dioddefwr, cofia, bòs.'

'Beth bynnag, os ddown ni o hyd i'r pres, mi fyddwn ni gam yn nes at ddatrys yr ymosodiad. Danfon o draw i fforensics. O, a tra ti wrthi, mae 'na ffôn ym mlwch menig fy nghar i, un gafodd ei ffeindio ddoe yn y Drenewydd. Dwi'n amau bod cysylltiad rhwng y ffôn a'r busnes County Lines. Dwi'n mynd i'r swyddfa – gofyn i Sheila ddod â phaned i mi, wnei di?'

Ond nid Sheila agorodd ddrws swyddfa Daf ond ei hen ffrind, y Tad Joe Hogan, yng nghwmni dyn ifanc tenau oedd â chroen tywyll a gwallt du trwchus wedi ei dorri mewn steil a ddangosai'r croen uwchben ei glustiau. Roedd o'n dilyn y Tad Joe fel cysgod.

'Bore da, Tad Hogan, a phwy sy gen ti efo ti heddiw?'

'Jomari. Sy 'di bod braidd yn sili heddiw bore.'

'Ydi o'n siarad Cymraeg?'

'Nac'di, ond all o ddim dibynnu ar ei Saesneg chwaith felly os wyt ti'n hapus, mi wna i gyfieithu iddo fo.'

'Ti'n siarad Filipino?'

'Yr iaith Tagalog mae Jomari a'i deulu'n ei siarad.'

'Tagalog? Swnio fel rhwbeth o gyfres ar Cyw.'

'Mae 'na ddeugain miliwn yn ei siarad, Daf, a sawl un o'r rheiny yn y Trallwng, fel Jomari.'

Trodd at y còg, a oedd yn edrych yn nerfus iawn. Dywedodd y Tad Hogan rywbeth wrth Jomari mewn iaith nad oedd Daf erioed wedi ei chlywed o'r blaen, ac o dôn ei lais, dyfalodd Daf mai gorchymyn oedd o. Llifodd geiriau o geg y dyn ifanc.

'Mae Jomari'n gweithio yng nghartref Gwêl-yr-Afon,' meddai'r Tad Hogan, pan oedd Jomari wedi dweud ei ddweud.

Doedd yr wybodaeth ddim yn synnu Daf – roedd gweithwyr tramor ym mhob un o'r cartrefi henoed yn y Trallwng. 'Roedd o'n cerdded adre ar ôl ei shifft, tua hanner awr wedi pump y bore 'ma, pan welodd ddyn yn gorwedd yn anymwybodol ar y palmant. Stopiodd i'w helpu, wrth gwrs, cymryd ei bỳls a'i symud i'r *recovery position*. Tynnodd ei ffôn allan i ffonio'r ambiwlans, ond yna gwelodd yr arian. Roedd pentwr o bapurau ugain ar y palmant ac ar y ffordd, yn chwythu o gwmpas.'

'Ger y dyn oedd wedi ei anafu?'

'Na, lawr wrth gornel y stryd.'

'Ger garej Ballards.'

'Ie.'

'Be wedyn?'

'Mae o'n llanc iawn, wyddost ti, Daf. Dwi'n ei nabod o ers tair blynedd a'i fam ers pump. Mae Jomari wedi cael ei fagu'n iawn.'

'Gyda phob parch, mae dy eglwys di'n llawn troseddwyr bob dydd Sul, felly dwêd wrtha i be wnaeth o nesa.'

'Mae o'n ysu i ddysgu gyrru ond dim ond cyflog bach iawn mae o ...'

'Tydi prisiau gwersi gyrru ddim yn esgus i ddwyn.'

'Nid dwyn wnaeth o, dim ond hel yr arian. Wedyn mi sylwodd faint oedd yno. Rydan ni i gyd yn ildio i demtasiwn.'

Ffrwydrodd geiriau o geg Jomari.

'Roedd o'n poeni am y pres yn chwythu o gwmpas, felly aeth â'r cwbwl adre efo fo, i'w gadw'n saff.'

'Ie, ie, ie. Ond roedd dy Samariad bach di wedi gadael y dyn yn sbarc owt ar y palmant!'

'Ffŵl ifanc ydi o. Ond cofia, tydi o ddim wedi cadw'r pres.'

Tynnodd yr offeiriad amlen wen allan o boced ei siaced ddu, a honno'n llawn papurau ugain punt.

'Cyfra fo. Wn i ddim faint sydd ar goll ond mae pedwar cant wyth deg yn fanna.'

Os felly, o ychwanegu'r ugain ffeindiodd Iwan, nid oedd ceiniog ar goll.

'Ac mae o wedi dod yn syth yma heddiw.'

'Ar ei liwt ei hun?'

'Bron. Ddaeth o fyny i'r eglwys gyntaf, i'r Gyffes, cyn gofyn am fy nghyngor i. Roedd o'n hynod o falch pan ddywedais wrtho fod gen i ffrind yng ngorsaf yr heddlu.'

'Reit. Wel, does gen i ddim diddordeb yn mater bach yma, ond mae Jomari'n dyst i drosedd. Welodd o rywun arall o gwmpas?'

Ailadroddodd Joe y cwestiwn i Jomari ond siglodd hwnnw ei ben cyn ateb yn swta.

'Welodd o neb ar ei ffordd adre, dim hyd yn oed car yn gyrru heibio.'

'Wnei di ofyn iddo gadarnhau'r amser?'

'Gadawodd Gwêl-yr-Afon tua chwarter wedi pump, ac mae cwpl o dystion i hynny ymysg ei gyd-weithwyr. Cerddodd i fyny heibio Sainsburys tuag at ei gartref ger yr eglwys yn nhop y dre.'

'Cyfleus i gyffesu.'

'Paid â bod yn ddirmygus, Daf.'

Mentrodd Daf sawl cwestiwn arall ond ni newidiodd Jomari ei stori. Wrth iddyn nhw ffarwelio, sylwodd Daf ar glais bach ar ei foch, a thynnodd Hogan i un ochr.

'Mae rhywun wedi rhoi clec i'r còg yn ddiweddar. Wyt ti'n siŵr nad ydi o ynghlwm yn y busnes County Lines?'

Chwarddodd yr offeiriad.

'Ti ddim yn nabod ei fam o. Corwynt o ddynes fach ydi hi, yn ei gosbi am beidio dweud diolch neu gymryd mwy na'i siâr o'r swper. Hi gleciodd Jomari, am feddwl mwy am yr arian na'r dyn oedd wedi brifo.'

'Yden ni'n sôn am gamdriniaeth?'

'Na – teulu mawr cariadus a gofalgar ydyn nhw, ond efo moesau'r hen ddyddiau. Mae gan Jomari bedair chwaer fach yn yr ysgol Gymraeg erbyn hyn.'

Roedd Daf wedi eu gweld nhw'n cystadlu yn Eisteddfod yr Urdd, lodesi ag wynebau bach egsotig a Chymraeg cystal â phawb arall.

'Rhaid i'r còg adael ei olion bysedd, iawn? A plis wnei di sôn wrth y fam nad ydi hi'n syniad da curo'i phlant, traddodiad neu beidio.'

Pan ddaeth Sheila i mewn i swyddfa Daf efo'r hambwrdd te, roedd o wrthi'n dylunio siapiau ar ddarn mawr o bapur roedd o wedi'i ddwyn o'r ystafell hyfforddi. Gosododd y ddau fŷg ar y papur gan nad oedd modfedd o'r ddesg yn glir. Am hanner munud, ddywedodd Daf 'run gair, dim ond cnoi top ei feiro.

'Reit, Sheila, stedda di lawr. Dwi angen dy gymorth di.'

'Ti isie i mi alw ar y lleill?'

'Ddim eto.'

Eisteddodd Sheila gyferbyn â Daf a syllu ar y marciau ar y papur heb lawer o foddhad. Ond ar ôl llymaid o de pwyntiodd at ochr chwith y papur a sugno'i gwynt i mewn yn sydyn.

'John Neuadd?' gofynnodd.

'Roedd o'n flin iawn efo bois y rheilffordd ddydd Gwener, yn eu bygwth a phob dim. Ac mae cyd-ddigwyddiad sy'n rhy fawr i'w anwybyddu, sef ei fod o'n dal i ddefnyddio powdwr gwn hen-ffasiwn i dorri cerrig o'i chwarel.'

'Pam nad ydi o'n gofyn i gontractwr ddod yno efo *pecker*, dwêd?'

'Be ydi *pecker*?'

'Teclyn i dorri'r garreg yn syth o wyneb y graig.'

'O.'

'Be wyt ti'n mynd i'w wneud am John?'

'Ei alw fo lawr fan hyn am sgwrs.'

'O, John druan. Mae ganddo Rali'r Ffermwyr Ifanc ymhen deuddydd.'

'Mi wn i hynny'n iawn, ond os mai fo osododd y bom ...'

Rhoddodd Sheila ei chwpan i lawr ar y ddesg â chwap. 'Daf, paid â bod yn wirion. 'Den ni'n nabod John. Rhoi clec i rywun efo'i ddwrn? Byddai. Creu bom? No wê.'

'Hyd yn hyn, dim ond John sy â phowdwr gwn a rheswm i gasáu pobl y rheilffordd.'

'Be ydi'r gair Cymraeg am *straw*, bòs?'

'Gwelltyn.'

'A be am *clutching*?'

'Ha ha.'

'Beth bynnag ydi'r ateb i'r pos yma, nid John Neuadd ydi o.'

'Rhaid i ni ei fwrw allan o'r ymchwiliad, beth bynnag. Cer di fyny i Neuadd, a tra ti'n siarad efo fo, drycha faint o bowdwr gwn sy ganddo fo. Dwêd wrth Siôn dy fod ti'n tshecio pob enw sydd ar y rhestr gawson ni gan y Cyngor Sir.'

'Ti'n cofio bod yn rhaid i mi fynd fyny i Lanerfyl, wyt? Rhaid i mi fod efo'r teulu pan fydd Bahri'n dod adre.'

'Ro'n i'n meddwl ei fod o wedi cael ei ryddhau ddoe?'

'Na, roedd yn rhaid i'r gwaith papur fynd o flaen barnwr. Dwi'n falch, yn bersonol – roedd angen i ni wneud trefniadau ar ei gyfer.'

'Pa fath o drefniadau?'

'Dwi'n amheus sut groeso gaiff o gan ei dad. Dwi 'di siarad efo Bahri ar y ffôn: mi ofynnodd i mi ffonio'r dyn o'r rheilffordd, yr un golygus.'

'Dawson?'

'Ie. Roedd Bahri isie i mi ofyn iddo oes ganddo fo stafell sbâr, ond mi eglurais y byddai'n hollol anaddas iddo fo aros efo tyst yn yr un achos. Roedd o'n ddigalon am hynny. Wedyn, cynigiodd enwau cwpl o'i ffrindiau ysgol, ond mae'n dipyn o beth gofyn i bobl roi llety i gòg sy newydd gael ei ryddhau o Strangeways.'

'Yn enwedig ag yntau wedi cael ei gysylltu â therfysgaeth.'

'Felly, dwi 'di trefnu lle iddo mewn hostel yn y Drenewydd, jest rhag ofn.'

'Mi fydd yn drueni os bydd yn rhaid iddo fynd i'r ffasiwn le. Còg diniwed ydi Bahri, wedi cael ei dynnu i'r achos 'ma oherwydd bod y Cyrnol mor benstiff a rhagfarnllyd.'

'Ond roedd o braidd yn sili, yn rhedeg i ffwrdd. Ac mae ei dad yn flin efo fo am falu ei gyfrifiadur.'

'Ydi'i dad o'n deall pam wnaeth o hynny?'

'Dwi ddim wedi dweud wrtho fo, bòs, oherwydd cyfrinachedd, ond mae Bahri'n poeni'n fawr iawn ynglŷn â'r hyn sy'n mynd i ddigwydd iddo. Ydi Mr Yilmaz yn ddyn treisgar?'

'Mae ganddo dymer, ond dyn da ydi o yn y bôn, fysen i'n dweud.'

'Dwi ddim am adael Bahri yn y cartref os oes siawns iddo gael ei frifo.'

'Heb fod yn hiliol, Sheila, mae'n werth cofio eu bod nhw'n dod o draddodiad gwahanol i ni. Efallai fod Mr Yilmaz yn disgyblu ei deulu mewn dull sy'n edrych yn llawdrwm i ni,' meddai Daf, gan feddwl am Jomari, 'ond byddai'n well i Bahri ddod i ryw fath o gyfaddawd efo'i dad na byw mewn hostel.'

'Dwi'n cytuno'n llwyr, ond does gan y tad ddim hawl i frifo Bahri, beth bynnag ydi ei gefndir.'

'Ti isie i mi ddod yno efo ti?'

Cododd Sheila ar ei thraed. 'Fi ydi'r Swyddog Cyswllt Teulu, bòs, ac mi alla i ymdopi ar fy mhen fy hun, diolch yn fawr iawn.'

'Dim ond cynnig oeddwn i.'

'Os oes gen ti amser rhydd, cer i botsian o gwmpas yn Neuadd.'

'Alla i ddim, a ti'n gwybod pam. Dwi'n rhy agos i'r teulu.'

'Na finne chwaith. Mae John a Tom yn ffrindie pennaf.'

'Ocê, ocê. Mi ddanfona i Toscano.'

Ar ôl iddi hi adael, roedd Daf yn difaru'r ffordd y siaradodd â Sheila. Roedd hi wedi dod i'r gwaith yn erbyn ewyllys ei gŵr ac er gwaetha'r risg i'r plentyn yn ei chroth, er mwyn ei helpu o. Cododd y ffôn i ofyn i Toscano ddod ato, ond newidiodd ei feddwl a phwyso rhifau cyfarwydd Neuadd. I ddechrau, wnaeth Doris ddim ei gymryd o ddifrif, ond pan esboniodd Daf pa mor bwysig oedd yr ymchwiliad, addawodd y byddai'n gyrru John i lawr i'r Trallwng yn syth.

Pan ddaeth Toscano i'r swyddfa, cododd ei ffôn symudol i ddangos llun ar y sgrin i Daf, heb ddweud gair. Llun agos o Tallulah oedd o, a gallai Daf weld yn syth fod ei chroen yn welw, ei llygaid wedi colli eu sglein a'i gwallt wedi'i dorri'n fyr iawn. Roedd ei chnawd yn ymddangos yn fwy llac nag o'r blaen, fel petai ei gwendid wedi lledu o un ochr i'w chorff cyfan. Ond yr hyn a ddychrynodd Daf yn fwy na dim oedd yr ofn yn ei llygaid. Rhedodd ias oer i lawr ei gefn.

'Blydi hel, còg, mae'n hen bryd i ni fynd i'w nôl hi.'

Ysgydwodd Toscano ei ben.

'Dim eto, medde hi. Mae hi'n ceisio cadw cofnod o bopeth sy'n digwydd iddi, a hyd yn hyn, does dim digon o dystiolaeth gadarn. Mae'r panel arfarnu'n cwrdd ddydd Llun yn Lerpwl felly bydd Gwyther yn gwneud ei orau – neu ei waethaf – i amlygu gwendidau Tallulah erbyn hynny.'

'Mae'r ferch yn cymryd siawns, yn tydi? Petai Gwyther yn dysgu ei bod hi'n casglu tystiolaeth i'w defnyddio yn ei erbyn ...'

'Dwi'n gwybod. Pan welais i hi neithiwr, roedd newid mawr ynddi hi. Doedd hi ddim yn siarad yn glir, ac roedd yn rhaid iddi gael ffon i gerdded.'

'Be mae o'n wneud iddi hi? Cyffuriau?'

'Mae'n rhy agos i'r asesiad iddo fo roi unrhyw beth iddi allai achosi problemau efo'r profion. Felly mae ganddo fo dri arf, yn ôl Tallulah: sain, diffyg cwsg a dŵr oer.'

'Mae hynny'n swnio fel dulliau artaith! Reit – rhaid i ni fynd yno heddiw.'

'Ti'n ei nabod hi, Mr Dafis. Mae hi'n lodes mor benderfynol. Mi fydd hi'n galw amdanon ni pan fydd hi ein hangen ni. Ond gan 'mod i'n poeni cymaint amdani, dwi wedi trefnu ei bod hi'n cysylltu efo fi am wyth o'r gloch bob bore. Os nad ydi hi wedi cysylltu, ryden ni i aros teirawr cyn mynd i mewn i'w hachub hi.'

'Da iawn ti, còg. Wnes i erioed ddychmygu ased mor dda i'r Heddlu fyddai swyddog mewn canŵ. Rŵan, dwi isie i ti bicio fyny i fferm Neuadd, Llanfair Caereinion, i edrych faint o bowdwr gwn sy ganddyn nhw ar hyn o bryd.'

Y person nesaf i agor drws swyddfa Daf oedd John Neuadd, a golwg ddiamynedd ar ei wyneb.

'Dafydd, mae'r buarth fel ffair efo Portaloos a faniau bwyd, ac mae'r byd a'i wraig yn rhedeg yn rhemp efo *clipboards*, yn cynnwys ein ffrind Joe Stalin ...'

'Ro'n i'n meddwl bod y gwaith papur i gyd wedi'i wneud?'

'Ydi, ond mae'r awdurdodau i gyd wedi derbyn cwynion gan y coc oen Carpenter 'ne. Mae o'n ceisio dweud ein bod ni'n defnyddio peiriannau tua pedwar y bore. 'Den ni'n codi efo'r adar, Daf, mi wyddost ti hynny, ond nid efo'r tylluanod!'

Brysiodd Daf i blygu'r darn mawr o bapur rhag i John weld ei enw yng nghanol y rhyngwe o gysylltiadau oedd arno.

'Stedda di, John. Mae gen i gwpl o bethe i'w trafod efo ti.'

Roedd John yn barod iawn i gyffesu ei fod o wedi colli ei dymer â phobl y rheilffordd am nad oedden nhw'n gwneud digon o ymdrech i atal gwreichion o'r trenau.

'Mae'r fferm i gyd yn sych grimp, Dafydd, fel y gwelson ni ddydd Sul. Mae'n ddigon drwg bod y blydi briffordd yn hollti'r fferm, ond o leia mae 'na reswm i gael ffyrdd i deithio o le i le. Does dim rheswm o gwbl am y blydi trêns.'

'Maen nhw'n hobi braf i rai, John, ac yn dod â phres i'r ardal.'

'Hobi! Mi ddysga i'r gwahaniaeth iddyn nhw rhwng hobi bech a bywoliaeth, myn uffern i!'

'Be ddigwyddodd ar ôl i ti golli dy dymer efo nhw, John?'

'Pam ti'n gofyn?'

''Den ni'n ymchwilio i bob dim ddigwyddodd o gwmpas yr orsaf dros y penwythnos cyfan.'

'Wel, roedd Netta ffwrdd dros nos efo ffrind yn Nhregynon, ac ro'n i wedi addo beirniadu yn Rali Shropshire yr ochr arall i Shifnal ...' Roedd yn amlwg o dôn llais John ei fod o'n cuddio rhywbeth.

'Be wnest ti ar ôl gadael yr orsaf?'

'Godro, a mynd draw i westy am bryd o fwyd neis ac er mwyn cyrraedd safle'r Rali yn ddigon cynnar yn y bore.'

'Pa westy?'

'Haughton Hall. Cyfleus iawn i'r Rali.'

'Eitha drud, yn tydi?'

'Ges i fargen wrth fwcio dipyn yn ôl, ond dim ots am hynny. Mae Doris yn gweithio mor galed, roedd hi'n haeddu trêt bech.'

'Pwy fu'n godro y bore wedyn?'

'Siôn a Belle. A phaid â meiddio dweud 'mod i'n gofyn gormod ohonyn nhw – dwi byth bron yn gadael y fferm, a ...' Oedodd, ac edrych ar ei ddwylo mawr. 'Wel, Dafydd, ti'n gwybod sut gamgymeriad wnes i y tro diwetha, yn dwyt? Ro'n i'n hoff iawn o Gaenor, yn ei charu, mae'n siŵr, ond wnes i ddim dangos iddi be oedd hi'n olygu i mi. Felly, heliodd hi ei phac atat ti, a choelia neu beidio, roedd hynny'n teimlo fel diwedd y byd i mi.'

'Dwi 'di ymddiheuro sawl tro, John; nid am garu Gaenor ond am y ffordd y digwyddodd bob dim.'

'Mi wn i, ond mae'n wyrth i mi fod Doris wedi dod i 'mywyd i, a dwi wedi dysgu gwers. Dwi'n mynd i'w sbwylio hi, a Nettie hefyd, efo pob ceiniog. Mi wn i fod pob ceiniog dwi'n wario arnyn nhw'n dod allan o'r fferm ac o etifeddiaeth Siôn, ond dyna fo. Dwi'n caru Doris ac mae hi'n haeddu cael bywyd moethus bob hyn a hyn.'

'John, mae gen ti berffaith hawl i roi hoe fach i Doris. Be ddigwyddodd y diwrnod wedyn?'

'Arhosodd Doris yn y sba, a duwcs, roedd ei chroen hi'n lyfli wedyn, ac es i draw i'r Rali. Ges i dipyn o fore yno achos roedd rhyw ddyn o Northamptonshire oedd i fod i feirniadu'r Traditional Breeds wedi cael smac yn ei gar ar y ffordd yno, felly roedd yn rhaid i mi ofalu amdanyn nhw'n ogystal â'r gwartheg llaeth. Lwcus fod heffer ddu Gymreig yn eu plith nhw, achos dwi'n deall fawr ddim am Dexters, na Galloways chwaith.'

'Faint o'r gloch ddaethoch chi'n ôl i Neuadd?'

'Wel, roedd Siôn wedi addo mynd efo giang y Pwyllgor Sir draw i Rali Shropshire, felly mi gychwynnon ni'n syth ar ôl cael cinio neis yn y gwesty.'

Ochneidiodd Daf o dan ei wynt. Roedd y tîm fforensig yn bendant nad oedd y bom wedi bod yn ei le am gyfnod hir, ac roedd gan John alibi ar gyfer yr amser priodol.

'Un cwestiwn bach arall, cyn i ti fynd, John. Pryd gest ti gerrig o'r chwarel ddiwetha?'

Cochodd John. 'Pedair blynedd, siŵr. Amser codi'r sied dractors newydd.'

'A sut wyt ti'n torri wyneb y graig, dwêd?'

Rhwbiodd John ei law dros ei foch, ystum oedd yn dangos i Daf ei fod o'n anesmwyth.

'Gobeithio nad wyt ti wedi trafod hyn efo Siôn, Dafydd. Mae o wastad ar fy nghefn i ynglŷn â'r chwarel. Mae o'n meddwl ei bod hi'n werth talu pres mawr i ryw gontractwr i wneud job dwi'n gallu ei gwneud fy hun, heb ffwdan. Dim ond mater o dyllu'r wyneb, rhoi chydig bach o bowdwr i mewn, a dyna ni. Ocê, mae'n ddull hen-ffasiwn, ond dwi ddim am newid rŵan i siwtio ffansi neb.'

Gwyddai Daf ei fod yn dal i gelu rhywbeth. 'A faint o bowdwr du sy gen ti ar hyn o bryd?'

'Dim.'

'Ers pryd?'

'Ers ryw bedair blynedd fel ddwedes i wrthat ti. Dwi'm yn hoffi'r stwff. Roedd Dad a Taid yn go hapus i flastio ffwl pelt, ond ...' Edrychodd i lawr unwaith eto. 'Dwi ofn, Dafydd, dyna i ti'r gwir.'

'Pam dewis blastio 'te, os oes *pecker* ar gael?'

'Achos yr hen ffordd o wneud pethe sy wastad ore.'

Celwydd noeth oedd hynny gan ddyn oedd yn berchen ar barlwr godro robotig, a gwenodd Daf. Ddim eisiau cyfaddef fod Siôn yn iawn oedd o, sylweddolodd.

Ymlwybrodd John o'r swyddfa fel arth oedd wedi gweld dyddie gwell fel yr oedd Daf yn derbyn neges destun gan Toscano yn dweud nad oedd ffrwydron i'w gweld yn stordy Neuadd, a bod gwe pry cop dros y drws. Cyn iddo gael cyfle i droi ei sylw yn ôl at y darn mawr o bapur ar ei ddesg, canodd ei ffôn.

'Dafydd, plis, paid â dweud dim byd wrth neb ond plis ty'd i'n helpu ni.' Llais Miriam Pantybrodyr, yn llawn panig. 'Does ganddon ni ddim clem be i'w wneud.'

'Be sy'n digwydd, Miriam?'

'Aeth Roy i mewn i dŷ mam enedigol Matilda, ac mae 'na gorff yno.'

Pennod 17

Dydd Iau

Rhoddodd Daf y golau glas ymlaen ar y car er mwyn cyrraedd y Drenewydd cyn gynted â phosib. Dylsai fod wedi ffonio gorsaf yr heddlu yno, ond doedd o ddim eisiau gwneud drwg i sefyllfa Roy a Miriam. Fel rhieni maeth, doedd ganddyn nhw ddim hawl i fynd o fewn hanner milltir i gartref mam enedigol Matilda, heb sôn am fynd i mewn i'w thŷ. Ond beth petai Roy wedi lladd mam Matilda? Fyddai dim modd iddo eu hamddiffyn wedyn.

Roedd y daith yn rhwydd nes iddo gyrraedd cyrion y Drenewydd, lle roedd sawl golau traffig o gwmpas y gwaith ar y ffordd osgoi. Wrth i Daf stopio ger un o'r pontydd newydd gwelodd ddyn cyfarwydd yn sefyll ger y canllaw ag iPad yn ei law. Yn amlwg, roedd o'n rhoi cyfarwyddiadau, ac o edrych ar ymarweddiad ei gyd-weithwyr doedden nhw ddim yn awyddus i ufuddhau iddo. Wrth wylio Dawson wrth ei waith ystyriodd Daf fod pob dynes oedd wedi trafod Deiniol Dawson yn ystod yr ymchwiliad wedi ei ganmol i'r cymylau. Ond beth am yr argraff a gâi ar ddynion? Doedd Daf ddim wedi ystyried y bom fel ymgais i frifo Dawson yn bersonol, ond roedd hynny'n sicr yn bosib.

Cyn iddo symud ymlaen o'r goleuadau, tynnodd Daf y golau glas oddi ar do y car – byddai'n well petai'n cyrraedd y tŷ heb greu gormod o stŵr. Ystyriodd hefyd nad oedd yn syniad da iddo ateb y fath alwad ar ei ben ei hun, ond roedd Sheila'n brysur efo'r teulu Yilmaz a Nev yn gweithio ar achos y Cyrnol. Ystyriodd Daf ffonio Toscano, ond doedd o ddim yn adnabod y llanc yn ddigon da i ymddiried ynddo mewn achos fel hyn, yn enwedig os oedd yn bwriadu plygu'r rheolau i arbed Miriam a Roy.

Wrth barcio yn y stad dai gwelodd Daf arwydd o ddirywiad y tai ers eu hadeiladu ddeugain mlynedd ynghynt. Roedd y waliau gwyn wedi colli'r frwydr yn erbyn tamprwydd a'r drysau plastig wedi melynu fel bysedd ysmygwr. Cawsai rhai ohonynt ffenestri newydd ac roedd estyniad bach ar un, ond doedd cynnig hael Maggie Thatcher hyd yn oed ddim wedi llwyddo i berswadio'r rhan fwyaf o'r trigolion i fuddsoddi eu harian eu hunain mewn lle mor drist a diobaith.

Rhedodd Miriam draw i'w gyfarch â Matilda yn ei breichiau.

'Be sy, Mirs?' gofynnodd Daf. Doedd o erioed wedi ei gweld mor gynhyrfus, hyd yn oed yn ystod ymchwiliad i farwolaeth ym mhlygain Dolanog.

'Heddiw, roedd hi i fod i dreulio'r diwrnod efo Matilda. 'Den ni'n deall y rheolau'n iawn, Dafydd, ond heddiw bore, pan ddaeth y gweithiwr cymdeithasol i'w nôl hi, roedd Matilda yn llefain yn ddi-baid, fel tase ganddi ofn, fel tase'r lodes yn cofio pethe.'

'Mae'n anodd, Miriam, ond fel dwi 'di dweud wrthat ti, mae hyn yn rhan o'r broses. Os dech chi'n mynd i'w mabwysiadu hi, rhaid i'r awdurdode wneud popeth yn ôl y rheole.'

'Ie, ie, 'den ni'n gwybod hynny'n iawn, ond maen nhw wastad yn sôn am ei lles hi, dweud mai dyna sy'n bwysig.'

'Wrth gwrs.'

'Felly, ddaethon ni draw, i wylio be oedd yn mynd ymlaen. Am ddwyawr, roedd popeth yn dawel, heblaw am sŵn y teledu, rhyw rwtsh Saesneg. Wedyn, ddechreuodd hi grio, crio a chrio. Mi wnes i nodyn o'r amser pan glywes i ei llais hi gynta, ac ymhen tri chwarter awr, roedd hi'n swnio mor gryg, Dafydd, ac mi roddodd y gorau i grio. Peth erchyll ydi hynny, bod babi yn stopio crio achos nad oes neb yn dod i'w helpu. Roedd yn well gan Roy fynd yno i'w hachub hi a risgio'i cholli hi i deulu arall yn hytrach na'i chlywed hi'n diodde, felly aeth o rownd y cefn. Daeth allan chydig funude'n ddiweddarach a Matilda yn ei freichiau. Roedd hi'n wlyb socian, ac mi dynnais luniau wrth i mi newid ei chlwt achos roedd ei phen ôl bech annwyl yn goch ac yn ddolurus. Ac yn y gwres 'ma, roedd andros o syched arni hi. Yfodd hi ddwy botel o ddŵr ar eu penne.'

'Beth ddwedodd … y ddynes?' Roedd Daf ar fin defnyddio'r gair 'mam' ond rhwystrodd ei hun mewn pryd.

'Dim byd. Roedd hi'n gorwedd ar y soffa, yn farw.'

'Duw annwyl Dad!' ebychodd Daf.

'Tydi Roy ddim wedi galw'r ambiwlans na dim, achos os ddôn nhw i wybod ein bod ni wedi aros tu allan i'r tŷ, fydd ganddon ni ddim siawns o'i chadw hi. A 'den ni'n ei charu hi gymaint.'

Cododd Matilda ei llaw bach feddal i fwytho boch Miriam fel petai'n gwybod bod rhywbeth yn poeni ei mam. Dechreuodd llygaid Daf bigo wrth weld y berthynas hyfryd ond bregus rhwng y ddwy.

'Dwêd y gwir wrtha i, Mirs – wnaeth Roy ei brifo hi?' gofynnodd mewn llais isel.

'Na, na, mae o'n rhy feddal i frifo neb. Roedd hi'n oer pan aeth o i mewn, a band rownd ei braich hi. Roedd bag bech plastig ar y carped … wnaeth o ddim cyffwrdd dim byd.'

'A ble oedd Matilda? Oes 'na siawns ei bod hi wedi dod i gysylltiad â'r cyffuriau?'

'Dwi ddim yn meddwl. Roedd hi mewn math o gaetsh.'

'Well i ti fynd â hi'n syth i'r ysbyty am *check up* beth bynnag. Gofynna am brofion *toxicology* ac aros yn agos ati – cysur mae hi angen yn fwy na dim, a ti ydi'r un i roi hynny iddi.'

'Drycha ar ôl Roy, Dafydd.'

'Mi wna i.'

Roedd Roy yn sefyll y tu allan i'r drws cefn â golwg wag ar ei wyneb. Roedd yr ardd gefn yn eitha taclus heblaw am dri beic drud oedd wedi eu taflu ar y lawnt. Cofiodd Daf yr hyn ddywedodd Roy ynglŷn â phlant hŷn yn mynd a dod – beics y plant hynny oedden nhw, siŵr o fod.

'Mae hi … mae hi …' dechreuodd.

Camodd Daf drwy'r drws cefn i'r gegin fach, oedd yn daclus a glân heblaw am sawl pecyn McDonalds ar y bwrdd. Roedd y lolfa mewn cyflwr tebyg, er budd y gweithwyr cymdeithasol, dyfalodd Daf, ond roedd y llenni ynghau. Roedd corlan chwarae o dan y ffenest, y lliain ar ei lawr yn wlyb ac yn drewi o wrin.

Gyferbyn â'r sgrin deledu drigain modfedd roedd soffa rad – roedd y lledr ffug wedi cael ei drwsio sawl gwaith â thâp gludiog llydan – a chorff dynes o gwmpas ei hugain oed yn gorwedd arni. Roedd cnawd ei braich wedi chwyddo uwchben strap rwber tyn ar ôl iddi lwyddo i ddarganfod gwythïen am y tro olaf. Gwelodd Daf y bag plastig y cyfeiriodd Roy ato ar y llawr ac un arall heb ei agor o dan y soffa. Cododd y bag gwag yn ofalus gan ddefnyddio'i hances fel maneg a'i ollwng i fag tystiolaeth. Agorodd y bag arall. Llyfodd ei fys a chyffwrdd y powdr gwyn ag ef, a syllu arno am ychydig cyn ei flasu. Roedd Roy yn y drws yn ei wylio.

'Be ydi'r stwff 'ma, Dafydd?' gofynnodd, ei geg yn sych.

'Heroin, lanc, heroin da 'fyd. Dwi'n synnu ei bod hi'n gallu fforddio'r ffasiwn stwff.'

Roedd Daf ar ganol chwilio am fag tystiolaeth arall pan glywson nhw sŵn annisgwyl: allwedd yn y drws.

''Nôl i'r gegin, brysia!' sibrydodd Daf, gan wthio Roy o'i flaen.

Agorodd y drws ffrynt a daeth merch fain oddeutu pymtheg oed i mewn. Roedd ei gwallt brown wedi'i dorri'n fyr a chlustffonau'n amlwg yn ei chlustiau – rhai drud, fel ei chrys T a'i throwsus hamdden oedd â logos mawr arnynt. Roedd ei cherddediad yn rhyfedd, fel petai'n cymryd dau gam bach yn hytrach nag un mawr.

'This place stinks of pish. You pished yousel', ya clarty smackface?'

Roedd ei hacen Albanaidd yn hollol annisgwyl. Cerddodd drwy'r ystafell at y soffa a sylwodd Daf ar waed sych ar gefn ei law – nid ei gwaed hi, dyfalodd Daf. Syllodd y ferch ar y corff am eiliad cyn poeri ar wyneb y ddynes farw.

'Ya fuckin' wallpaper. Could'nae keep yer hands aff the goods, could ya? I'm pure raging, me. Just cos ya'r dead, does'na mean I canna' skelp ya.' A tharodd wyneb y ddynes farw â'i holl nerth. Camodd Daf draw i'w rhwystro.

'Who the fuck are you?' gwaeddodd.

'Detective Inspector Dafydd Dafis, Dyfed Powys Police. I am arresting you for assault and ...'

Cyn i Daf gael cyfle i orffen ei lith, estynnodd ei llaw dde i Daf ei hysgwyd.

'Kirsty Bain, Inspector, very pleased to meet you.'

'What are you doing here?' gofynnodd.

'Friend of the deceased,' atebodd y ferch, cyn rhwygo gwddf ei chrys T a rhwbio llaw Daf dros ei bronnau. 'Shame ya forgot ya wee bodycam, plod.' Cododd ei llais a gwaeddodd, 'Rape, rape, help me, this guy's tryin' ta rape me.'

'Not going to work, Kirsty,' atebodd Daf.

'Ya DNA's all over ma titties, plod.' Roedd ei gwên fach sur yn dangos rhes o ddannedd melyn.

'Paid â phoeni, Dafydd,' meddai Roy, gan ddod i'r golwg o ddrws y gegin. 'Mi weles i bob dim.'

'Wha' the fuck? Are you guys migrants, or what?'

'No indeed, Kirsty. We're Welsh. And now, let's get you down to the police station and we can start finding out what's been going on here.'

Trodd y ferch yn sydyn a gwibio tuag at y drws ffrynt, ond cyrhaeddodd Roy o'i blaen gan roi ei gefn llydan rhyngddi hi a'r drws. Tynnodd Daf y cyffion o'i boced a chlymu ei harddyrnau. Roedd y llif o regfeydd ddeuai o'i cheg yn nhafodiaith liwgar gorllewin yr Alban yn cynnwys termau anghyfarwydd i Daf. Gan ddal ei afael ynddi, plygodd Daf i sychu'r poer oddi ar wyneb y corff ar y soffa. Wrth gau ei llygaid, sylwodd Daf nad oedd hi'n llawer hŷn na'i ferch, Carys. A'r troseddwr treisgar? Yr un oed â Rhodri.

'Be sy'n bod ar y byd?' rhyfeddodd, wrtho'i hun yn hytrach na neb arall. 'Plant yden nhw.'

'A fel hyn fydd ein 'Tilda ni os fydd hi'n tyfu fyny fan hyn, Dafydd.'

Awr a hanner yn ddiweddarach roedd Daf yn eistedd y tu allan i gaffi Toscano, yn bwyta hufen iâ ac yn disgwyl am Miriam, Matilda a Roy. Penderfynodd ffonio Gaenor.

'Gwranda, wyt ti'n hapus i mi wahodd y boi Military Intelligence i swper?'

'Ti 'di gwneud yn barod. Dwi'n dy nabod di. Nid heno ydi'r noson fwya cyfleus, cofia, ddwy noson cyn y Rali.'

'Fydd o ddim yn aros acw'n hwyr. Dwi erioed wedi cwrdd â dyn tebyg iddo, ond dwi'n cael yr argraff ei fod o'n unig, o dan ei broffesiynoldeb oeraidd.'

Gwnaeth Gaenor sŵn hanner ffordd rhwng ochenaid a chwerthiniad.

'Ti wastad isie gofalu am bawb, Daf annwyl. Fel Chrissie neithiwr.'

'Dwi ddim ... wnaethon ni ddim ...'

'Na finne a Bryn chwaith, ond Daf, ti'n gwybod yn iawn na fyddai dim byd yn newid rhyngddon ni petai Chrissie a tithe wedi caru tan doriad gwawr. Ein ffrindiau gorau ni ydyn nhw, ac mae'n rhaid i ni wneud popeth i'w cefnogi nhw drwy'r cyfnod anodd 'ma.'

'Popeth?'

'Popeth. A dwêd di wrth dy Mr Hanshaw y byddwn ni'n bwyta tua saith.'

'Diolch, Gae. Ti'n un o fil, ti'n gwybod hynny?'

Danfonodd Daf neges at Hanshaw, ynghyd â chyfarwyddiadau sut i gyrraedd Hengwrt a'r amser, a darllen tecst gan Miriam: roedd yn rhaid iddyn nhw aros i'r Nyrs Plant Mewn Gofal weld Matilda. Archebodd Daf goffi arall ac ar ei ffordd yn ôl i'w sedd, gwelodd gwpl cyfarwydd yn eistedd ar ben arall rhes o fyrddau bach. Roedd Iola yn agor bocs ffôn newydd sbon tra oedd Alun Woosnam yn ei bwydo â hufen iâ pinc.

'Mae'r hufen iâ 'ma'n hyfryd, yn tydi?' meddai Daf wrthynt, gan sylwi ar fodrwy fawr ar drydydd bys llaw chwith Iola: carreg werdd a chylch o ddiemwntau o'i chwmpas.

'Bendant,' atebodd Iola, ac ymestyn ei bysedd i gyfeiriad Daf. 'Be ti feddwl o'r fodrwy?'

''Den ni 'di penderfynu rhoi ffwtins i mewn, i Mam a Dad,' meddai Alun yn ei lais aneglur. Roedd poer yn sgleinio ar ei wefus dew. ''Den ni 'di cael *planning* ar y cae ger y troad i Fwlch y Ffridd, felly os weithian nhw'n reit sydyn, allwn ni symud i mewn i'r tŷ yn syth ar ôl ein mis mêl ni, yn y bac end.' Llyfodd ei wefus â'i dafod mawr gan wneud i stumog Daf droi.

'Llongyfarchiadau,' llwyddodd i ddweud. 'Hapus, Iola?'

'Ydw, hapus dros ben,' atebodd hithau wrth dynnu'r ffilm plastig oddi ar sgrin ei ffôn newydd. 'Mae Al 'di bod mor ffeind efo fi.'

'Mr Woosnam,' dechreuodd Daf, 'alla i gael gair efo Iola ar ei phen ei hun?'

'Ti'm yn ei chael hi, Dafis,' atebodd Alun, heb symud modfedd. 'Dwi 'di gweld sut ti'n edrych arni hi. Fi sy piau hi.'

'Nid mater personol ydi hwn, Mr Woosnam. Dwi'n dal i ymchwilio i'r bom ar y rheilffordd.'

'Cer di i nôl bocs o hufen iâ i ni fynd adre, Als,' awgrymodd Iola. 'Gawn ni chwarae efo fo yn nes ymlaen.'

Daeth golwg o chwant eto i lygaid Alun, ac ufuddhaodd.

'Iola,' meddai Daf mewn llais isel, taer. 'Mi alli di adael. Mae 'na opsiynau'n agored i ti. Dwi 'di ffeindio swydd a llety ...'

'Dwi'n gwybod. Ddwedodd Mr Woosnam, tad Alun. Wedyn mi wnaeth gynnig i mi, ac mi dderbyniais.'

'Pan ti'n sôn am gynnig, tydi o ddim yn swnio'n hynod o ramantus, Iola.'

'Doedd o ddim. Bargen ydi hi. Mae o'n fodlon i Al fy mhriodi fi, a gadael i ni fyw yn y tŷ mawr. Hefyd, mae o wedi cynnig lot mwy o anrhegion i mi, fel ti'n gweld.'

'A be ydi dy ochr di o'r fargen, Iola?'

'Dwi ddim yn cael trafod be ddigwyddodd i mi yn y Stockmans byth eto, a dwi 'di addo gwneud mwy o'r stwff mae Al yn ei weld ar y porn.'

Cododd chwd yng ngwddf Daf.

'Iola, ti'n werth mwy na hynny.'

'Paid â bod mor siŵr o hynny. Dwi ddim yn werth llawer. Dwi'n ferch sy'n fodlon ail-greu golygfa o ffilm porn am ffôn newydd, Mr Dafis, ac alli di ddim fy achub i achos does gen ti ddim digon i'w gynnig. Well gen i fod yn feistres mewn tŷ mawr crand a chael ei fysedd tewion yn crwydro dros fy nghroen na bod ar ben fy hun mewn fflat yn rhwle, yn cynnig *blowjob* i'r landlord achos bod Mam wedi torri'r ffenestri unwaith eto. Dwi'n gwerthfawrogi dy help, wir i ti, ond dwi 'di gwneud fy mhenderfyniad.'

'Ac ydi Sophie'n hapus efo'r cynllunie?'

'Dydi Soph byth yn hapus efo dim byd,' chwarddodd Iola, 'ac yn bendant fydd hi ddim yn ffansïo symud i mewn i'r *barn conversion*, er ei bod hi wastad yn falch o'r cyfle i fod yn agos i'n ffrind ni, DD.'

'Dawson? Ydi Sophie'n ei hoffi fo?'

'Y crysh mwya mae hi wedi'i gael ers be ti'n galw, y Dutchman.'

'Oes rhwbeth rhwng Dawson a Sophie, achos ro'n i'n meddwl dy fod tithe ...'

'Ffor ffycs sêc, Mr Dafis, wnei di plis stopio ymyrryd yn ein busnes ni? Oedd, roedd gen i drefniant bach tawel efo'r dyn drws nesa, ond mae hynny wedi dod i ben rŵan bod gen i fodrwy ar fy mys. A dydi Soph ddim y teip i Deiniol.'

'Be ydi ei deip o?'

'Mae o'n hoffi hwyl heb amodau – mae gan Soph fwy o linynnau na Pinocchio.'

'Iola, gwranda, plis. Does dim rhaid i ti gario 'mlaen efo pethe fel hyn.'

'Dwi'n gwybod. Dyna pam dwi 'di penderfynu cario 'mlaen efo iPhone newydd sbon, a dwi wastad wedi ffansïo *soft top* Audi A3. Newydd gael *test drive* yden ni.'

'Maen nhw'n dy brynu di, Iola, prynu dy dawelwch.'

'A phethe eraill hefyd, Mr Dafis, ond paid â phoeni. Mae'n rhaid iddyn nhw dalu pris go uchel am be maen nhw'n gael.'

'Tydi hyn ddim yn iawn, Iola!' Baglodd Daf dros ei eiriau.

Chwarddodd y ferch ifanc yn ddirmygus wrth godi ar ei thraed.

'Os nad wyt ti erioed wedi gorfod gwerthu dy hun, Mr Dafis,

ti'n ddyn go lwcus. Mae'r gweddill ohonon ni'n gwneud yr hyn sy raid.' Ac ar hynny, rhedodd ar draws y caffi i gyfarch ei darpar ŵr. Roedd yn rhaid i Al rwbio'r glafoer oddi ar ei wefusau â chefn ei law er mwyn ei chusanu. Pwysodd Daf yn ôl yn ei gadair, yn ymwybodol o'i fethiant llwyr.

Roedd Roy a Miriam wedi bod dipyn yn fwy twyllodrus nag yr oedd Daf wedi'i ddisgwyl, gan adrodd stori gredadwy wrth heddlu'r Drenewydd a'r Gwasanaethau Cymdeithasol. Roedden nhw wedi manteisio ar absenoldeb Matilda, medden nhw, i wneud dipyn o DIY, gan nad oedd yr un fach yn hoffi sŵn y dril na'r sandiwr. Bu'n rhaid iddyn nhw fynd i Boys & Boden i nôl stwff, a chan fod y traffig yn drwm mi wnaethon nhw droi i mewn i'r stad dai cyngor i osgoi'r tagfeydd. Pan glywson nhw sŵn plentyn yn crio – sŵn tebyg iawn i lais bach Matilda, stopiodd Roy y car. Gan nad oedd y llefain yn stopio, cnociodd Roy y drws, rhag ofn fod rhyw ddamwain wedi digwydd, a phan edrychodd drwy'r ffenest cafodd andros o fraw i weld Matilda yno. Roedd digon o wirionedd yn y stori i berswadio'r awdurdodau, a ganmolodd Miriam, yn enwedig, am fynd â'r plentyn yn syth i'r ysbyty.

'Diolch o galon, Dafydd,' meddai Miriam gan afael yn dynn yn Matilda. 'Mi fyddwn ni'n deulu go iawn rŵan.'

'Pwy oedd yr Albanes?' gofynnodd Roy.

'Ydech chi 'di clywed am County Lines? Pobl yn dod o bell i ardal fel hon i werthu cyffuriau. Wel, y peth cynta maen nhw ei angen ydi pencadlys, felly maen nhw'n dod o hyd i berson bregus fel ... wel, fel mam Matilda. Maen nhw'n rhoi cyffuriau neu bres i'r person hwnnw am gael aros yn ei dŷ, cyn dechrau bygwth a bwlio perchennog y tŷ.'

'Roedd yr Albanes fel cwcw, felly, cwcw yn y nyth?' gofynnodd Miriam.

'Dyna ti. Maen nhw'n galw'r sefyllfa'n cuckooing weithie. Peth anodd iawn i'w atal ydi County Lines.'

Cafodd Daf neges gan Sheila a gododd ei galon: roedd Bahri Yilmaz wedi dod adre, ac yn bwriadu aros yno. Er bod ei dad wedi dechrau pregethu rywfaint, roedd ei chwaer a'i fam wedi sicrhau croeso iddo. Doedd ei rywioldeb ddim wedi cael ei drafod.

Yn ôl yn ei swyddfa, agorodd Daf y darn mawr o bapur ar ei ddesg a sgwennu enw newydd arno: Sophie Woosnam. Pwysodd yn ôl i edrych ar y darlun cyflawn – roedd ei gwpan de wedi gadael cylch ar y papur o gwmpas enw Deiniol Dawson, a rhedodd Daf ei fys dros y staen brown. Roedd yn hen bryd iddo ddarganfod ychydig mwy am y dyn golygus a gynlluniodd y bont.

Cododd y ffôn ar ei ddesg i ofyn i Nev i dod i mewn ond cyn iddo gael cyfle i wneud hynny, daeth Toscano drwy'r drws yn wên o glust i glust.

'Dewis da, y mafon a siocled gwyn,' meddai. 'Roedd yn ddrwg gan Nain na allodd hi ddod i gael gair efo chi, ond mae dydd Iau yn ddiwrnod prysur iawn iddi.'

'Diolch am bicio fyny i Neuadd i mi, còg – dwi'n ymwybodol nad oedd hi'n hawdd i ti, o gofio fy nghysylltiad teuluol i.'

'Roedd y dyn ifanc yn hynod o gwrtais, ac roedd yn amlwg nad oedd neb wedi defnyddio'r cwpwrdd powdwr ers tro byd. Duwcs, maen nhw'n brysur fyny yna efo'r Rali.'

Un o'r pethau a wylltiai Daf am Toscano oedd ei duedd i geisio creu sgwrs o hyd. 'Ac mae partner y boi yn ferch hynod o secsi 'fyd. Pobl glên iawn.'

'Falch dy fod ti 'di mwynhau dy ymweliad.'

'Am le clên!' parhaodd Toscano. 'Dwi ddim yn mynd i Lanfair yn hanner digon aml. Ges i ginio yn y caffi – taten bob efo ffa a chaws, ac wedyn y Chelsea bun gorau ges i erioed, a dwi wedi arfer efo rhai neis o gaffi ger y Vaults yn y Drenewydd ...'

'Ddrwg gen i glywed dy fod ti'n mynd ar secondiad. Dwi'n mynd i dy golli di.'

'Secondiad?'

'Ie, i Fwrdd Croeso Llanfair Caereinion.'

Saib. 'Oes 'na ffasiwn fudiad, bòs?'

'Nag oes, wrth reswm.'

'Does dim angen i chi fod yn goeglyd, bòs. Dim ond dangos chydig o frwdfrydedd o'n i.'

'Wrth gwrs. Sori, lanc.'

'Mae 'na lot o eiddo mewn fferm fawr fel'na, yn does?'

'Oes.'

'A dyna'r rheswm mae cymaint o ddwyn wedi bod o ffermydd.'

'Debyg iawn.'

'A dyna pam mae'r camera ar dop Bryn y Grogbren yn monitro rhifau ceir.'

'Gwranda, còg, dwi'n go brysur.'

'Be am i ni jecio pa geir aeth i mewn i Lanfair Caereinion dros nos neu'n gynnar fore dydd Sadwrn, a chymharu'r rhestr honno efo'r bobl sy'n cadw powdwr gwn?'

'Syniad da. Ac mae 'na gamera arall ar y briffordd ger Sylfaen. Da iawn ti.' Roedd rhyw bellter yn llygaid y dyn ifanc, bron fel hiraeth, sylwodd Daf. 'Gwranda, wyt ti'n gweithio nos Sadwrn?'

'Nac'dw.'

'Ti'n fodlon dod fyny aton ni i stiwardio yn nawns y Rali? Fydd hi'n llanast llwyr ond mae'n gallu bod yn dipyn o hwyl hefyd.'

Roedd Daf wedi dyfalu'n iawn. Cochodd Toscano, ei falchder yn amlwg.

'Dwi ddim yn nabod criw'r Ffermwyr Ifanc, bòs.'

'Dim ots am hynny. 'Den ni angen pobl gall. Ac wedyn, yr wythnos nesa, dwi isie i ti ystyried gofyn am drosglwyddiad aton ni. Tydi dy sgiliau ieithyddol di ddim yn cael eu ddefnyddio i'w llawn botensial yn y Drenewydd. Dwi'n gwybod na fydd o mor gyfleus â hynny i ti, ond ... wel ... bydd croeso mawr i ti i'r tîm yma.'

Er nad oedd mam Daf yn hiliol, bob tro y gwelai hi unrhyw un o'r Eidal mewn ffilm, byddai'n dweud, 'bydd sterics cyn hir, trystia fi.' Ac yn unol â'i phroffwydoliaeth, dechreuodd Toscano lefain dagrau mawr sgleiniog. Cofleidiodd Daf.

'Chi ydi fy arwr i, Arolygydd Dafis, wastad wedi bod. Mae Nain wedi recordio pob cyfweliad dech chi wedi'i wneud ar y teledu ar ei SkyPlus, reit yn ôl i ymchwiliad Plas Mawr.'

'Mae hynna braidd yn rhyfedd, lanc. Reit, 'den ni angen picio fyny i Gefn Coch i siarad efo'r Woosnams ac, o bosib, Deiniol Dawson.'

'Be am y ferch arall, yr un sy'n tyfu'r canabis?'

'Mae Iola wedi dyweddïo erbyn hyn.'

'Efo Dawson?'

'Na. Alun Woosnam.'

'Ond ... wel. Ro'n i'n bendant, pan ddaeth hi lawr y staer yn nhŷ Dawson, ei bod hi'n gwneud rhwbeth mwy na glanhau.'

'Yn sicr, ond dwi'm yn meddwl bod Dawson wedi cynnig ei phriodi.'

'Dwi'n gweld. Os awn ni â dau gar, mi alla i fynd adre dros Fwlch y Ffridd. Yno mae mam Dawson yn byw. Mi ga i air efo hi, os wnewch chi ddweud wrtha i be i'w ofyn.'

'Dwi jest isie deall dipyn mwy o'i hanes, yn enwedig ei fywyd personol a'i yrfa: mae o wedi llwyddo yn ei yrfa, ond sut? Ydi o wedi sathru ar bobl eraill ar ei ffordd i fyny? Oes cenfigen tuag ato? Y math yna o bethau.'

Gwnaeth Toscano nodiadau ar ei ffôn, a chuddiodd Daf ochenaid wrth sylwi fod y teclyn mewn cas melyn Spongebob Squarepants.

Wrth iddyn nhw adael yr orsaf, daethant ar draws Sheila.

'Dwi'n mynd adre, bòs,' meddai, 'dwi 'di blino'n llwyr. Dwi ddim yn siŵr os dwi'n dod i mewn fory, chwaith, ond mae popeth wedi'i setlo yn y siop cebábs.'

'Sut aeth pethe?'

'Dechreuodd tad Bahri roi pryd o dafod iddo, ond ... wel, y cwbl alla i ddweud ydi nad oedd gen i syniad pa mor ffyrnig y gall Mrs Yilmaz fod!'

'O?'

'Roedd hi fel petai'n manteisio ar y sefyllfa i ddweud pethau roedd hi wedi aros blynyddoedd i'w dweud. Dechreuodd ddweud pa mor falch oedd hi o'i phlant, er bod un wedi methu bod yn feddyg a'r llall yn hoyw. Wedyn, beiodd ei gŵr am smalio bod yn grefyddol er mwyn ceisio trefnu priodas rhwng eu mab a'r ferch wallgof 'na. Wedyn, mi dynnodd hi botel o Baileys o gefn ryw gwpwrdd a chynnig diod i bawb. Gwrthododd Zehra ond ildiodd Mr Yilmaz ar ôl dipyn, a dyna sut wnes i eu gadael nhw, yn yfed Baileys wrth fwrdd y gegin.'

'Da iawn ti, lodes.'

'Roedd Mrs Yilmaz fel corwynt domestig. Cyn i mi adael, dechreuodd roi gwers Gymraeg i'w gŵr, gan ddechrau â geiriau fel "twmffat" a "coc oen". Reit – oes rwbeth arall i'w wneud fan hyn cyn i mi fynd?'

'Na, cer di, lodes. Mae Nev yn mynd ar ôl yr adroddiad fforensig ar yr ymosodiad ar y Cyrnol a 'den ni'n dau yn picio fyny i Gefn Coch i geisio darganfod dipyn bach mwy am Deiniol Dawson.'

Yn nrws yr orsaf gwelodd Daf siâp cyfarwydd: Gwyther. Doedd Daf ddim awydd siarad efo fo felly trodd ar ei sawdl a diflannu drwy'r drws cefn, ond stopiodd y car ger Ysgol Maesydre i ffonio Sheila.

'Beth oedd y boi 'na isie?'

'Riportio Toscano am stelcian.'

'Stelcian?'

'Ie. Roedd o wedi tynnu sawl llun ohono'n cerdded ger giatiau ei gartref ger Aberriw.'

'Wnaeth o sôn am ganŵ?'

'Naddo, ond mi ddwedodd bod ganddo ferched bregus yn aros efo fo, i gael rhyw fath o hyfforddiant. Roedd o'n dweud bod dynion amheus yn hongian o gwmpas yn ddigon aml.'

'Fo ydi'r dyn amheus! Wnest ti ddweud wrtho bod Toscano'n aelod o'n tîm ni?'

'Dwi ddim mor dwp â hynny ond bòs, cymer di ofal. Mae Mr Gwyther yn fy nharo i fel dyn peryglus.'

'Mi ga i sgwrs efo Toscano. Rŵan, cer di adre. Dwi'n mynd i Gefn Coch.'

Cafodd Daf amser i feddwl yn ystod ei daith. Ers y penwythnos roedd sawl peth wedi tynnu ei sylw oddi ar brif bwnc yr ymchwil, ac erbyn hyn datryswyd rhai o'r problemau hynny. Roedd Miriam a Roy gam yn nes at gael bod yn rhieni i Matilda am byth, a phrofwyd nad terfysgwr peryglus oedd Bahri o'r siop cebábs wedi'r cyfan. Ond roedd pentwr o gwestiynau ar ôl i Daf eu hateb: pwy osododd fom o dan bont fach y rheilffordd, a pham? Pwy ymosododd ar y Cyrnol a pham, heblaw oherwydd ei fod yn goc oen llwyr? Be ddigwyddodd i frawd nain Toscano? Pam y gwnaeth o ddewis gofyn i'r swyddog ifanc mwya plagus yn y sir ymuno â'i dîm? Sut roedd Tallulah yn ymdopi? Beth oedd yn poeni Belle? Ac a oedd hi'n bosib i un dyn garu dwy lodes ar yr un pryd heb fod yn fastard llwyr? Ond, yn fwy na dim, roedd o'n meddwl am Iola, merch a oedd yn fodlon priodi'r dyn a'i threisiodd pan oedd hi'n bymtheg oed. Erbyn iddo droi blaen y car i mewn i'r buarth taclus, roedd Daf yn teimlo'n flin iawn, a gwelodd fod adlais o'i hwyliau yn wyneb pryderus Toscano.

'Dwi'n gwybod 'mod i'n dwp, bòs,' mwmialodd o dan ei wynt, 'ond dwi'n methu dod dros y ffaith fod Wncl Gerry wedi dod yma, ac na wnaeth o byth adael.'

'Dyden ni ddim yn gwybod hynny fel ffaith, còg. Pan fydd y busnes yma drosodd, be am i ti ddod fyny i Hengwrt ryw bnawn Sul efo popeth sy gen ti am frawd dy nain, ac mi allwn ni ddechrau'r ymchwiliad o ddifri, hei?'

'Fyse hynny'n grêt, bòs.'

Wrth weld llecyn parcio Dawson yn wag, cnociodd Daf ar ddrws y ffermdy a daeth Liz i'w agor. Roedd hi'n gwisgo brat ac roedd ei hwyneb yn goch o wres y ffwrn.

'Be dech chi angen?' gofynnodd, heb hyd yn oed smalio bod yn gwrtais.

'Siarad efo chi,' atebodd Daf, gan gerdded heibio iddi.

'Tydi hwn ddim yn amser cyfleus. Dwi wrthi'n gwneud te.'

Roedd arogl braf yn dod o'r gegin. Cofiodd Daf y sgwrs a gafodd â'i gŵr am ei ddiffiniad o wraig dda – roedd yn amlwg nad oedd Liz yn esgeuluso'i dyletswyddau yn y gegin, chwaith.

'Yn anffodus, does dim hyblygrwydd yn ein hamserlen ni,' datganodd Daf, a gwelodd olwg edmygus ar wyneb Toscano. 'Mae'n rhaid i ni siarad efo pob aelod o'r teulu. Ble maen nhw i gyd?'

'Mae Al a Iola wedi picio lawr i'r Drenewydd, a Sophie wrthi'n addurno Neuadd Adfa ar gyfer parti yno fory. Mae fy ngŵr yn tyllu'r hen ffynnon ger Pant. Fydden nhw i gyd yn ôl amser te.'

'Iawn 'te. Gawn ni ddechrau efo chi, felly, Mrs Woosnam?'

'Dwi wedi dweud wrthat ti – does gen i ddim amser.'

'Rhaid i mi fynnu.'

Tynnodd ei brat mewn pwl o dymer a'i luchio ar y bwrdd. 'Dech chi i gyd yr un fath, chi ddynion. Yn meddwl mai'r tylwyth teg sy'n rhoi bwyd ar y bwrdd a bod eich crysau budron yn golchi eu hunain. A dyma ni'r merched yn slafio, yn slafio a byth yn derbyn gair o ddiolch am unrhyw beth 'den ni'n wneud.'

'Yn anffodus, mae'r ymchwiliad yn flaenoriaeth i ni, Mrs Woosnam, felly mae'n rhaid i ni fwrw 'mlaen, waeth pa mor anghyfleus ydi hynny.'

'Does dim rhaid i mi gydweithio efo chi.'

Eisteddodd Daf i lawr yn y gadair fawr ar ben y bwrdd.

'Tynna dy lyfryn allan, DS Toscano: dwi am arestio Mrs Woosnam ar gyhuddiad o gynllwynio i rannu cyffuriau Categori B.'

Eisteddodd Liz yn araf yn un o'r cadeiriau eraill a gafael yn ei brat â bysedd crynedig.

'Am ... am be ti'n sôn?' sibrydodd.

'Dwi'n sôn, Mrs Woosnam, am yr ardd llawn planhigion canabis tu ôl i fwthyn yn eich buarth chi, y canabis mae Iola'n ei dyfu. Dwi'n gwybod bod yn rhaid iddi ddefnyddio cryn dipyn o'r stwff ei hunan fel anaesthetig i allu diodde cyffyrddiad rhywiol gan eich mab chi, ond mae digon yn fanna i gadw hanner y sir yn chwil.'

'Troi llygad dall ydw i. Maen nhw'n hoffi smygu dipyn, Al a hithe, ac mae hi'n saffach o lawer iddyn nhw dyfu'r peth yn yr ardd yn hytrach na'i brynu fo gan ryw ... droseddwr.'

'Os dech chi'n gadael i bobl dyfu canabis ar eich tir, dech chi'n rhan o'r cynllwyn. Mi fyddwch chi'n lwcus i osgoi'r carchar.'

'Carchar?'

'Does dim rhaid i chi boeni – os ydech chi'n bihafio mi fyddwch chi'n ôl o flaen eich Aga mewn llai na blwyddyn.'

Roedd Liz yn dawel am eiliad, ond pan gododd ei phen roedd yn wên i gyd.

'Sori na fues i'n ddigon cwrtais efo chi gynne. Dech chi awydd paned? Neu lasied o gwrw sinsir?'

'Cwrw sinsir i mi, plis,' atebodd Daf.

'Dwi'n iawn, diolch,' oedd ymateb pryderus Toscano, a gallai Daf weld ei fod yn amheus o dderbyn unrhyw ddiod a gâi ei gynnig iddo yn Llwynderi.

Gwyliodd Daf symudiadau Liz wrth iddi hi nôl ei ddiod. Cyn cael ei bygwth, roedd hi'n symud o gwmpas y gegin fel brenhines ond bellach roedd hi'n rhwystredig ac yn nerfus.

Gollyngodd y botel wrth geisio'i rhoi yn ôl yn yr oergell, a malodd yn deilchion. Rhegodd Liz o dan ei gwynt a brysio i lanhau'r llanast, gan dorri ei bys wrth wneud. Helpodd Toscano hi i estyn plaster o'r drôr.

''Den ni angen dipyn o gefndir am eich tenant, Mrs Woosnam: Deiniol Dawson,' meddai Daf ar ôl iddi eistedd a thawelu.

'Be wyt ti isie'i wybod?'

'Ers faint mae o wedi bod yn byw yma?'

'Ryw ddwy flynedd, dipyn llai falle. Roedd y tŷ'n wag ar ôl i Adrianus fynd 'nôl i'r Iseldiroedd.'

'Adrianus?'

'Roedd o'n gweithio ar y fferm wynt. Pobl o dramor ydi'r

bobl sy'n eu codi nhw, wyddost ti. Dyn stedi oedd o, felly pan adawodd o mi wnaethon ni hysbysebu am rywun efo cefndir tebyg. Er, doedd o ddim mor debyg â hynna. Beth bynnag.'

Wrth barablu roedd Liz wedi dechrau ymlacio, a manteisiodd Daf ar hynny.

'Dwi'n eich cofio chi'n dweud bod tenantiaid hirdymor yn haws na phobl ar eu gwyliau.'

'Yn gwmws. A hefyd,' ategodd yn dawel, 'well gen i ddynion. Ti'n gwybod be ti'n gael efo dynion, yn enwedig os nad ydyn nhw'n rhai gwyllt.'

'Felly, dech chi wedi bod yn lwcus efo'r tenantiaid?'

Ochneidiodd. 'Weddol. Roedd yn rhaid i ni ... Wnaethon ni gynnig llety i Iola a'i mam.'

'Tydi hi ddim yn ddynes hawdd i'w thrin?'

'Alcoholig llwyr. Dwi'm yn cofio sawl gwaith dwi wedi glanhau ar ei hôl hi. Hwn ydi'r pumed matres ar ei gwely hi rŵan, a wna i ddim prynu un arall iddi hi. Felly, tydi pob tenant ddim yn fodlon byw y drws nesa iddi. Dyn llawn cydymdeimlad oedd Adrianus, a Deiniol, wel ...'

'Be am Deiniol, Mrs Woosnam?'

'Un da am anwybyddu pethe ydi Deiniol. Mae o'n gallu troi ei sylw ymlaen fel switsh.'

'A sut mae o'n gyrru 'mlaen efo gweddill y teulu?'

'Be ti'n feddwl?'

'Wel, mae 'na giang o bobl ifanc yn byw fyny'n fan hyn, yn bell o bawb – yden nhw'n gwylio Netflix efo'i gilydd, y pedwar ohonyn nhw?'

'Na. Roedd 'na gyfnod ...'

'Ie, Mrs Woosnam?'

'Wel, ro'n i'n meddwl ar un adeg ei fod o a Soph ... wel, ti'n gwybod sut maen nhw y dyddie yma, Mr Dafis. Un peth ar ôl y llall, wastad yn symud ymlaen.'

'Roedd perthynas rhwng Sophie a Dawson, felly?'

'Wel, dyna o'n i'n feddwl am sbel. Ond nid un felly ydi o, dwi'n amau.'

'Be dech chi'n feddwl?'

'Mae o'n hoff iawn o gael mwy nag un llinyn i'w fwa, fel petai. Mae ganddo fo ddynes yn y Drenewydd yn ôl y sôn, un yn Llundain ac un arall lawr ger glan y môr yn rhwle. Mi wnes i geisio ...'

'Dech chi'n dweud eich bod chi wedi gwthio Sophie a Dawson at ei gilydd?'

'Do, wrth gwrs. Mae pob mam isie'r gore i'w phlant. Er y byse còg fel Alun yn gallu gwneud yn llawer gwell na merch i lysh y plwyf, o leia mae o wedi setlo.'

'A be am Sophie? Ydi hi'n canlyn ar hyn o bryd?'

'Nac'di, a tydi hi'n mynd yn ddim iau. Dwi'n difaru rŵan ein bod ni wedi gadael iddi fynd i'r coleg – mae hi 'di colli cryn dipyn o'i hamser.'

'Amser i be, Mrs Woosnam?'

'Ffeindio gŵr, wrth gwrs. Mae'r rhan fwya wedi cael eu bachu'n barod: Tom Francis, Ryan Rhallt, Siôn Neuadd ... ac wedyn glywson ni fod Jenkin Morris Gwaun Isa wedi cael ei ladd.'

Dechreuodd Daf ffieiddio. Ei hymateb cyntaf i farwolaeth trychinebus y llanc oedd gresynu bod gan ei merch un dewis o ŵr cyfoethog yn llai. Ac roedd ystod oedran y dynion a enwodd yn bradychu'r ffaith nad oedd ots gan Liz Woosnam pwy fyddai ei merch yn ei briodi, cyn belled â'i fod yn gefnog.

'Roedd rhwbeth bach rhyngddi hi a Siôn Neuadd ar un adeg,' meddai â chymysgedd o hiraeth ac edifeirwch.

'Er ei bod hi dros ddegawd yn hŷn na fo?' gofynnodd Daf yn swta.

Cyn iddi gael cyfle i ateb, agorodd y drws cefn a daeth ei gŵr i mewn, ei wyneb browngoch yn llwyd gan lwch.

Safodd yn stond pan welodd Daf a Toscano.

'Be dech chi'n wneud fan hyn?' gofynnodd yn ddiamynedd.

'Prynhawn da i chithe hefyd, Mr Woosnam,' atebodd Daf. ''Den ni jest yn gofyn chydig o gwestiynau i'ch gwraig.'

'Be ti 'di wneud i dy law?' gofynnodd Woosnam iddi.

'Potel falodd.'

'Pa botel?'

'Dim ond potel fech cwrw sinsir.'

Nodiodd ei ben mawr fel petai'n fodlon derbyn ei stori, am y tro.

'Ti 'di dweud y newyddion da wrtho fo? Bod Iola'n mynd i briodi Alun yn hytrach na'i erlyn?'

'Mae'ch gwraig wedi sôn, Mr Woosnam.'

'Dyna ti, Mr Heddwas, dyna ddiwedd yr hanes. Does dim rheswm i ti botsian o gwmpas fan hyn bellach.'

'Bòs,' mentrodd Toscano, oedd yn syllu drwy'r ffenest, 'mae Dawson wedi dod yn ôl.'

Cododd Daf ar ei draed, gan edrych o wyneb Liz at wyneb ei gŵr.

'Diolch yn fawr iawn am eich amser, Mrs Woosnam. Dwi'n meddwl yr awn ni i lygad y ffynnon, fel petai, rŵan.'

'Paid â brysio'n ôl,' cyfarthodd Woosnam yn hyderus. 'Ac os fyddi di'n dod yn ôl, paid byth â meiddio eistedd yn fy nghadair i eto, neu ...'

'Neu be, Mr Woosnam? Cofiwch mai heddwas ydw i a'i bod hi'n drosedd rhwystro unrhyw swyddog rhag gweithredu ei ddyletswyddau.'

Tawodd Woosnam. Wrth i Daf a Toscano droi am y drws clywodd Daf sŵn un o ddrysau'r Aga yn agor y tu ôl iddo, a daeth arogl mwg i lenwi'r gegin.

'Faint wyt ti wedi'u llosgi'r wsnos yma rŵan, dwêd?' cwynodd Woosnam. 'Ti'n dechre colli'r plot, 'ta be?'

'Sori, ond does gen i ddim syniad be sy 'di digwydd i'r teimer ...'

'Paid â sôn am y blydi teimer 'na. Faint gostiodd o? Wyt ti'n meddwl 'mod i'n graig o arian, i ti gael gwario dros ugen punt ar blydi teimer cegin dim ond i'w golli fo?'

Caeodd Daf y drws yn ofalus ar ei ôl.

'Dech chi'n meddwl ei bod hi'n saff, bòs?' gofynnodd Toscano. 'Ers i mi fod ar yr hyfforddiant VAWDASV, dwi'n gweld trais ym mhob cartref, bron iawn.'

'Mae dy agwedd di'n gywir, lanc. Rhaid bod yn ymwybodol o hyd mai y lle mwya peryglus i sawl menyw ydi tu ôl i ddrws ei chartref ei hun. Ond dwi'm yn poeni ryw lawer am Liz Woosnam. Er, mae'n werth cadw llygad arnyn nhw.'

'Dwinna'n meddwl hefyd, oherwydd Wncwl Gerry. Yr hen bobl dreisgar sy wedi magu'r hen foi ... ac er ei fod o'n hen, mae golwg eitha cryf arno fo.'

'Debyg iawn.'

Erbyn hyn, roedden nhw'n sefyll y tu allan i fwthyn Dawson. Roedd pob ffenest ar agor a cherddoriaeth electronig Avicii yn ffrydio allan ohonynt. Cnociodd Daf ddwywaith heb gael ymateb, ac ymhen sbel daeth Dawson i'r golwg yn gwisgo dim byd ond tywel rownd ei ganol, a'i wallt yn wlyb socian.

'Dwi ar fin mynd allan,' meddai, â golwg o ddiflastod pur ar ei wyneb.

'Dwyt ti ddim yn mynd i nunlle heb gael gair bach efo ni, Deiniol,' atebodd Daf. 'Mae ganddon ni reswm i amau mai gweithred yn dy erbyn di'n bersonol oedd y ffrwydrad ar y rheilffordd ddydd Sadwrn. Mae'n bosib y gall pwy bynnag osododd y bom wneud gwell job y tro nesa.'

'Os wyt ti'n bwriadu codi ofn arna i, mae'n ddrwg gen i dy siomi di.'

'Ymchwilio ydw i,' eglurodd Daf, gan weld dim rheswm i atal ei ddicter. 'Ddydd Sadwrn, roedd fy nheulu i ar y trên bach, a hanner cant o bobl eraill hollol ddiniwed. Roedd nifer go helaeth o'r bobl hynny mewn peryg o gael eu brifo, ac mae'n rhaid i mi ddarganfod ai rhywun sy'n dal dig yn dy erbyn di sy'n gyfrifol. Sori os ydi hynny'n dy wneud di'n hwyr ar gyfer dy ddêt, ond mae hwn yn fater difrifol.'

Cododd Dawson ei aeliau.

'Iawn, ond ga i wisgo amdanaf gynta?'

'Wrth gwrs.'

Diflannodd Dawson i fyny'r staer a chlywodd yr heddweision un ochr o alwad ffôn: 'Fydda i hanner awr yn hwyr ... chydig o fusnes ... rho'r gwin yn yr oergell ac mi wela i di toc.'

'Roeddech chi'n iawn am y dêt,' sibrydodd Toscano. 'Falle fod Liz Woosnam yn iawn a'i fod yn un am y merched.'

Daeth Dawson yn ôl i lawr ymhen llai na phum munud yn gwisgo crys ysgafn wedi'i smwddio'n berffaith a *chinos*.

'Crys canlyn?' gofynnodd Daf.

'Am ddwediad hen-ffasiwn. Dwi'n mynd allan, felly gawn ni fwrw 'mlaen?'

'Be yn union ydi natur dy berthynas â Iola Francis?'

'Mae hi'n byw drws nesa. Mae hi'n glanhau y lle, ac yn gwneud chydig o smwddio.'

'Os ydi dy amser yn brin, paid â chwarae gemau. Ti'n cael affêr efo Iola?'

'Affêr? Dyna hen-ffasiwn eto!'

'Dech chi'n caru, felly?'

'Dwi ddim yn caru neb heblaw fy nheulu.'

'Ti'n deall yn iawn be sy gen i dan sylw, Deiniol.'

'Does gen i ddim perthynas rywiol ecsgliwsif â neb. Os ydi hynny'n gyfleus i'r ddwy ochr, dwi'n ffwcio sawl merch. Gobeithio nad ydw i wedi rhoi ysgytwad i ti, Arolygydd Dafis.'

'Dwi 'di gweld sawl hwrdd o'r blaen. Oes 'na rywun sy'n anhapus â'r trefniant hwnnw? Gŵr cenfigennus? Tad blin?'

'Na.'

'Fysen i ddim yn dychmygu bod Alun yn hapus i rannu Iola.'

'Tydi o ddim callach. Dweud y gwir, tydi o ddim yn ei gwerthfawrogi hi.'

'Be os ddaw o i wybod?'

'Bydd yn rhaid i mi chwilio am lety newydd. Beth bynnag, mae Iola wedi dod â'n trefniant ni i ben ar ôl iddi ddyweddïo.'

'A sut wyt ti'n teimlo am hynny?'

'I fod yn hollol onest, dwi ddim yn rhoi rhech am y peth. Mae Iola'n secsi ac yn gyfleus, ond ... wel, dwi'm yn mynd i dorri fy nghalon. Dwi ddim yn hoffi ffwdan, Arolygydd Dafis. Mae rhyw ar gael heb ffwdan, felly os nad ydi rhywbeth yn gweithio, dwi'n cerdded i ffwrdd.'

'Mae'n rhaid i ni gysylltu â'ch partneriaid chi i gyd, Mr Dawson.'

'Pam?'

'Achos,' aeth Toscano yn ei flaen, 'mae'n ddigon posib mai rhywun sy'n flin efo chi geisiodd dinistrio'ch pont chi, achos dech chi'n meddwl y byd o'ch gwaith. Mae'r ymchwiliad yma'n un difrifol, fel y dwedodd Arolygydd Dafis.'

Yn gwneud sioe o'i ddiflastod, tynnodd Dawson ei ffôn o boced ei *chinos* a phwyso ar y sgrin sawl gwaith. Daeth sŵn annisgwyl peiriant argraffu o gyfeiriad y ddesg yn y gornel a cherddodd Dawson draw i nôl y papur ddaeth ohono. Rhoddodd ef yn llaw Daf – taenlen oedd hi, yn cynnwys sawl colofn. Yn y golofn ar y chwith roedd rhestr o enwau merched. Yn y golofn nesaf roedd cod post, wedyn rhifau ffôn symudol. Cyfrodd Daf dri ar hugain o enwau.

'Trefnus iawn,' sylwodd. 'Bydd yn rhaid i ni gysylltu efo nhw i gyd, ti'n deall hynny?'

Cododd Dawson ei ysgwyddau.

'Does ganddyn nhw ddim i'w gyfrannu at yr ymchwiliad ond dy fusnes di yw hynny.'

'Ac maen nhw i gyd yn ... yn gyfredol?'

'Ydyn. O na, dim cweit. Dwi'm yn gweld y ddwy yma bellach.'

Rhoddodd Dawson ei fys ar ddau enw, Daisy a Sophie.

'Pam, felly?'

'Wel, mae Daisy wedi setlo ers dipyn, efo dyn hŷn na hi sydd â chryn dipyn o arian. Mae hi'n disgwyl ei hail blentyn erbyn hyn. Chwarae teg iddi hi.'

Roedd o'n sôn am Daisy, partner Rhys Bowen, AC.

'A'r llall?'

Gwenodd Dawson a phwyntiodd at ddwy lythyren ger enw Sophie. BC.

'A be ydi ystyr hynna?'

'Berwi cwningod.'

Daliodd Daf lygaid Toscano – roedd dicter yn amlwg ar

wyneb yr heddwas ifanc. Byddai'n rhaid iddo ddysgu cuddio'i deimladau'n well.

'Ai Sophie Woosnam ydi hon?'

'Ie. Pan symudais i yma, roedd hi'n edrych fel sefyllfa fach gyfleus, ond ...'

'Ond beth?' gofynnodd Daf.

'Roedd hi'n gofyn am berthynas, falle, yn hytrach na chael ei defnyddio fel tegan?' torrodd Toscano ar draws. Rhoddodd Daf law ar ei fraich i'w rybuddio i gadw'i dymer.

'Dwi erioed wedi twyllo neb. Ers i mi fod yn fy arddegau, ro'n i'n ei chael hi'n ddigon rhwydd dod o hyd i ferched oedd yn fodlon dod i drefniant efo fi.'

'A does gen ti ddim diddordeb mewn perthynas?'

Am y tro cyntaf, gwelodd Daf fflach o deimlad yn llygaid Dawson.

'Mae gen i berthynas, diolch yn fawr iawn, Arolygydd Dafis, efo Mam a Nain.'

'Chwarae teg i ti. A chyn i ni fynd, oes 'na unrhyw un sydd â rheswm penodol i geisio dy frifo i? Neu dy ddychryn?'

Oedodd Dawson am dipyn, fel petai'n mynd drwy restr bosib o bobl.

'Na,' atebodd o'r diwedd. 'Dwi 'di ffraeo â sawl un dros y blynyddoedd, ond dim byd difrifol.'

'Gan gynnwys yn dy waith?' gwthiodd Daf.

'Na. Tydi fy niwydiant i ddim yn gweithio fel'na. Mae diogelwch a pharch yn y gwaith yn llawer pwysicach na statws.'

'Digon teg.' Teimlai Daf fel petai wedi dechrau dod i adnabod y Deiniol Dawson go iawn, yn hytrach na'r ddelwedd roedd o'n hoffi ei chyflwyno i'r byd.

'Mi fydd rhaid i ni ffocysu'n fanylach felly, i ddod at wraidd yr achos. Ac oherwydd mai ti sy 'di cynllunio'r bont ...'

'Paid â phoeni, Arolygydd Dafis. Mi wn i mai dim ond gwneud dy waith wyt ti.'

Safodd y ddau heddwas ar fuarth Llwynderi yn gwylio Dawson yn gyrru ymaith.

'At ba enw ar ei restr mae o'n mynd heno, tybed?' myfyriodd Daf.

'Pa fath o ddyn sy'n trin merched fel'na, dyna gwestiwn mwy priodol,' brathodd Toscano.

'Ben bore fory, mi ro i'r rhestr i'r tîm, i wneud yn siŵr bod y leidis i gyd yn hapus. Biti dy fod ti wedi torri ar ei draws tra oedd o'n trafod Sophie Woosnam.' Ciledrychodd Daf ar ei watsh – byddai'n rhaid iddo frysio adre er mwyn cyrraedd o flaen Hanshaw, rhag i'r dyn druan orfod ymdopi â'r teulu oll ar ei ben ei hun.

'Wela i di bore fory, còg, a diolch am bopeth wnest ti heddiw.'

Ar ei ffordd i Hengwrt, dechreuodd Daf ddifaru gwahodd Hanshaw. Doedd o ddim yn adnabod y dyn o gwbl – beth oedd o'n ceisio'i wneud? Dangos i Hanshaw fod ganddo deulu hyfryd? Os hynny, dylai fod wedi dewis noson well na heno, a'r Rali ar y gorwel. Oedd o'n gobeithio creu argraff ar Rhodri drwy ddangos fod ganddo ysbïwr yn ffrind? Estyn caredigrwydd i ddyn unig? Ie, ond roedd yn rhaid iddo gyfaddef hefyd ei fod yn ysu am gael sôn wrth y Cyrnol fod Hanshaw wedi cael pryd o fwyd yn Hengwrt.

Wrth gwrs, roedd Gaenor wedi trefnu popeth yn berffaith. Roedd Mali Haf a Rhodri wedi cael swper yn gynnar ac roedd y bwrdd yn yr ardd wedi'i osod. Pan gyrhaeddodd Hanshaw, yn edrych yn llawer mwy llwyd ymysg y blodau lliwgar, roedd yn amlwg fod y noson yn mynd fod yn un braf. Rywsut, roedd Gaenor wedi deall nad oedd eu gwestai yn un am ffwdan, ac ymhen dim roedd Hanshaw wedi ymlacio'n llwyr, yn trafod rhosynnau â Gaenor fel petaen nhw'n adnabod ei gilydd ers degawdau. Cyn deg, roedd yn barod i ffarwelio.

'Diolch am bopeth, Gae!' ebychodd Daf wrth wylio car Hanshaw yn diflannu i lawr yr wtra. 'Wn i ddim pam y gwnes i ofyn iddo ddod draw, a tithe â chymaint ar dy blât yn barod ...'

Rhoddodd Gaenor fys ar wefus Daf. 'Dwi'n dallt yn iawn. Yr

eiliad weles i o, roedd yn amlwg ei fod yn ddyn sâl ac unig a dy fod ti wedi'i gymryd o dan dy aden.'

'Ti'n fy nabod i'n well na dwi'n nabod fy hun.'

'Hefyd, roeddet ti awydd dangos dau fys i'r Cyrnol 'na sy 'di ypsetio Belle.' Gafaelodd Daf yn ei llaw. 'Petawn i'n mynd ar *Mastermind*,' ychwanegodd Gaenor, 'yr Arolygydd Daf Dafis fyddai fy mhwnc arbenigol.'

Ond wrth ddringo'r grisiau, roedd yn rhaid i Daf gyfaddef iddo'i hun nad oedd o'n ei nabod hi cweit mor dda. A dyna oedd yn egluro'i anesmwythyd ynglŷn â'u perthynas â Chrissie a Bryn. Tybed oedd hi angen rhywbeth gan Bryn, rhywbeth na allai Daf ei roi iddi?

Pennod 18

Bore Gwener

Deffrowyd Daf gan arogl cryf lilis. Nid oedd Gaenor wrth ei ochr ac roedd dwy neges ar ei ffôn symudol, er mai dim ond hanner awr wedi chwech y bore oedd hi.

'Dwi'n mynd i nôl y canlyniad bore fory. Gwnewch yn siŵr fod Bryn yn mynd â'r plant i'r Rali.'

Atebodd yn syth: 'Ti isie i mi ddod efo ti, Chrissie?'

Daeth yr ateb wrth iddo roi ei grys amdano.

'Well gen i fynd fy hun. Ddewch chi a Gae draw am Chinese heno?'

'Wrth gwrs.'

Llun o Tallulah oedd yn y neges arall. Roedd ei hwyneb wedi newid, ei chroen fel petai wedi cael ei dynnu'n dynn dros ei phenglog a chysgodion mor dywyll â chleisiau o gwmpas ei llygaid.

'Pethau'n go anodd ond dim digon o dystiolaeth eto.'

Roedd yn anodd peidio â danfon gair o gysur yn ôl iddi. Penderfynodd yn hytrach ddechrau cynllunio sut i'w hachub, rhag ofn na fyddai cerdded drwy'r giât fawr yn bosib.

Yn y gegin doedd dim llai na deg ar hugain o bwcedi llawn blodau, ac wrth y drws, safai John Neuadd a phwced arall ym mhob llaw.

'Dyna'r cyfan,' datganodd.

'Faint gostiodd y rhain i gyd?' gofynnodd Gaenor yn syn.

'Dim bwys. Mae'n rhaid i'r lodes gael y blodau gorau os ydi hi am ennill fory. Reit, hen bryd i mi fynd. Amser godro.'

'Danfona Netta lawr cyn cinio,' galwodd Gaenor ar ei ôl. 'Jest dyfala,' ychwanegodd, gan droi at Daf, 'petawn i wedi llwyddo i roi merch iddo.' Jôc oedd hi, ond torrodd ei llais cyn diwedd y frawddeg a lapiodd Daf ei freichiau o'i chwmpas a'i chusanu. Roedd cysgod yr hen boen yn ei llygaid.

'Gas gen i'r holl flodau 'ma. Awn ni i gael paned tu allan?'

Law yn llaw ar fainc yr ardd, eisteddodd y ddau yn dawel am sbel.

'Ches i ddim cyfle i bicio fyny i Neuadd neithiwr,' meddai Daf o'r diwedd. 'Bob dim yn iawn yno?'

'Mae trefniadau'r Rali'n champion, ond dwi ddim mor siŵr am Belle. Roedd hi'n yfed o'i fflasg yn reit gynnar ddoe ac roedd briw ar wyneb Siôn, fel petai hi wedi'i grafu o.'

''Den ni 'di dysgu'n gwers, Gae – os 'den ni'n holi am berthynas Belle a Siôn, 'den ni'n debygol o glywed gormod.'

Yn rhy fuan, daeth sŵn ffôn Daf i'w ddwyn yn ôl i'r byd go iawn, a chychwynnodd i'w waith. Cymerodd y cyfle i lenwi tanc ei gar yn Londis, lle gwelodd Siôn oedd â chlwyf amlwg ar ei foch.

'Be ddigwyddodd fanna, còg?' gofynnodd Daf.

'Lwcus na wnes i golli llygad, Wncwl Daf. Ro'n i'n llenwi'r bing efo hyn a'r llall, a disgynnodd darn o gêbl lawr o'r talent a 'nghlecio fi'n iawn. Tasen i ddim yn gwisgo sbectol haul, pwy a ŵyr ...'

'Hmm. Mae'n edrych yn debycach i grafiad ewinedd.'

'Na, am unwaith yn dy fywyd, Wncwl Daf, ti'n rong.'

'Wel, cymer di ofal. Sut mae pethe'n mynd?'

'Roedd Belle yn hynod o falch o weld y criw diogelwch swyddogol ddoe, oedd yn canmol bron bopeth 'den ni wedi'i wneud. Heddiw, mae'r jennis a mwy o Portaloos ar eu ffordd, ac am hanner dydd mi fydd Pwyllgor y Sir yn cymryd drosodd.'

'Amser i ti ymlacio wedyn?'

'Amser i mi jecio sut mae'n clwb ni'n gyrru 'mlaen efo pethe.'

Trodd Siôn i fynd, ond rhoddodd Daf law ar ei fraich i'w atal.

'Ti'n nabod Sophie Woosnam?'

'Mae pawb yn nabod Soph. Pob dyn, beth bynnag.'

'Dipyn o fflyrt?'

'Ha! Chwilio am hwyl mae fflyrt – mae Soph yn chwilio am rywun i dalu ei biliau am weddill ei bywyd.'

'Wel, mae 'na ddigon o ddynion sengl o gwmpas, a tydi hi ddim yn hyll ...'

'Does neb fan hyn yn mynd yn agos ati hi.'

'Pam hynny?'

'Mae hi'n rhy desbret. Mae hi'n gwneud i ddynion deimlo'n reit anesmwyth.'

'Ti'n saff – mae hi ddegawd yn hŷn na ti.'

Agorodd Siôn ddrws y Land Rover. 'Neidia fyny am eiliad, Wncwl Daf. Mae gen i stori i ti, un breifat.'

Yn chwilfrydig, tynnodd Daf ei hun i fyny i'r sedd uchel.

'Ti'n cofio'r sioe adloniant gynta wnes i i'r Ffermwyr Ifanc?'

'Cofio'n iawn. Thema Disney. Mi ganodd Carys ryw gân o Pocahontas.'

Cofiai Daf y noswaith yn iawn. Roedd Rhodri'n sâl a phenderfynodd Falmai aros adre efo fo. Roedd John yn sownd yn y sied wyna felly cadwodd Gaenor sedd iddo fo.

'Ro'n i ar fy mhen fy hun yn y stafell newid rhwng dwy eitem, pan ddaeth Soph i mewn. Tra o'n i'n tynnu amdanaf mi roddodd hi ei llaw rownd fy nghlun ac i mewn i fy mocsars.'

'Blydi hel, Siôn – dim ond tua tair ar ddeg oed oeddet ti.'

'Ie. Ges i sioc, ac nid un neis. Gafaelodd yn fy mhethma i a'i wasgu'n dynn, gan sibrwd yn fy nghlust, yn gofyn a oedd gen i gariad. Rhoddodd ei thafod yn fy nghlust a doedd gen i ddim syniad be i'w ddweud wrthi. Yn ffodus, mi ges i esgus i redeg oddi wrthi pan glywais y gynulleidfa'n clapio, gan ddweud 'mod i i fod ar y llwyfan.'

'Ddylet ti fod wedi dweud rwbeth wrth dy fam, Siôn. Camdriniaeth ydi hynna.'

'Ond ro'n i'n llawn cwilydd, ac wedyn am sbel, roedd Sophie wastad yn ffeindio unrhyw esgus i ddod i'r tŷ. Yn y diwedd mi soniais i wrth Mam, ac mi wnaeth hi'n siŵr na ddaeth Sophie yn agos i Neuadd byth wedyn.' Oedodd Siôn am eiliad. 'Ti'n nabod Arsefield, Wncwl Daf?'

Un o rinweddau'r ardal oedd y duedd i rhoi glasenwau i bobl, ac roedd Arsefield yn esiampl dda. Enw ei gartref oedd

Tŷ'n Cae, ac ar ôl i un o'i gyfoedion gam-gyfieithu'r enw un tro, sticiodd y glasenw.

'Ydw.' Llanc blêr nad oedd yn cymdeithasu llawer oedd o, unig fab i deulu o fferm fechan.

'Wel, roedd o'n canlyn Sophie am dipyn. Enillodd hi dair gwobr am goginio yn Sioe Llanfair un tro. Roedden ni i gyd yn edrych o gwmpas y pethe, fel arfer, a bachodd Arsefield un o'i bisgedi hi. Wel, roedd yn rhaid iddo fo brynu diod iddi hi i ymddiheuro, ac felly ddechreuodd pethe. Aethon nhw efo'i gilydd fyny i sêls Longtown, ac mae hynny'n dipyn o beth. Reit, ti'n nabod Lisa sy'n gweithio yn Barclays? Gwallt brown, yn caru boi o'r ganolfan arddio yn Aberriw? Mae hi'n gyfnither i Arsefield ar ochr ei fam.'

'Ac?' Roedd Siôn wedi etifeddu dull hirwyntog ei dad o siarad.

'Yn ôl y sôn, Wncwl Daf, pan welodd Lisa Arsefield yn y stryd un diwrnod, roedd hi'n reit flin efo fo achos na chafodd hi wahoddiad i'r briodas. "Pa briodas?" gofynnodd Arsefield iddi, ac esboniodd Lisa fod Sophie wedi bod yn y banc yn gofyn am lyfr siec newydd yn ei henw priodasol. Cododd hynny gymaint o fraw ar Arsefield, mi ffoniodd o hi'n syth i orffen y berthynas.'

'Swnio'n ferch ryfeddol.'

'Bendant. Ond wyddost ti be? Fis ar ôl iddo orffen efo Sophie, mi laddodd rywun gŵn Arsefield drwy roi gwenwyn yn eu bwyd.'

'Ti'n siŵr?'

'Mi dalodd am *autopsy* – gwenwyn llygod mawr yn ôl y fet, a dipyn go lew ohono fo hefyd. Ddigwyddodd y peth ar ddiwrnod y sêl Cheviots lawr ger Pontyberem ... fel petai rhywun yn gwybod y byddai o i ffwrdd o'r fferm drwy'r dydd.'

'Oes gelynion ganddo fo?'

'Arsefield ydi'r dyn mwya addfwyn ar wyneb y ddaear. Dim ond un person sy'n dal dig yn ei erbyn, a Sophie Woosnam ydi honno.'

'Ti wir yn meddwl bod Sophie wedi lladd cŵn ei chyn-gariad?'

'Os ydi hi'n ddigon od i ymosod ar fachgen tair ar ddeg oed, pwy a ŵyr be all hi wneud?'

'Digon gwir. Ond ddyle neb fod mewn sefyllfa fel'na.'

'Tydi o ddim fel tasen i wedi cael fy nhreisio, Wncwl Daf,' meddai Siôn, a'i lais yn caledu, 'gan ryw ddyn sy ddim gwell nag anifail.'

Roedd ei eiriau llawn angerdd yn swnio'n od i Daf. 'Ti 'di bod yn siarad efo Doris, lanc?'

'Am be?'

'Wel, mae hi wedi bod yng nghanol rhyfel, ac mae pethe drwg yn digwydd mewn sefyllfaoedd fel'na.'

'Ti'n iawn, Daf. Dynion mewn grym, yn bell o bob awdurdod. A rŵan, mae o'n swancio rownd y lle fel petai'n aelod o'r heddlu yn hytrach na throseddwr ...'

Llifodd un deigryn i lawr boch Siôn a chynigiodd Daf hances iddo.

'Am bwy wyt ti'n sôn, Siôn?' gofynnodd Daf, er ei fod o wedi dyfalu.

'Y ffycin Cyrnol. Mi wnaeth o ... dro ar ôl tro, drwy'r nos. Daeth y forwyn i mewn jest cyn toriad gwawr i'w helpu hi i ddianc.' Roedd yn amlwg mai am Belle roedd o'n sôn. 'A dyma hi wedi claddu'r holl beth, yn ceisio creu bywyd braf efo fi, a pwy sy'n cropian allan o'r gwter fel ffycin llygoden fawr?'

'Ydi hi isie gwneud cwyn?'

'Mi geisiodd hi wneud, draw yn Sierra Leone. Aeth hi'n syth at y meddyg – nid meddyg o'r fyddin, ond meddyg o Pakistan. Wedyn, efo'i gymorth o, mi wnaeth hi gŵyn i'r Redcaps, yr heddlu milwrol, ond erbyn hynny roedd y forwyn a'i helpodd hi wedi diflannu, a gyrrwr y tacsi aeth â hi at y meddyg yn y bore hefyd. Doedd hi ddim yn bosib, mewn gwersyll, i wneud llawer iawn o brofion fforensig – a beth bynnag, doedd ei DNA yn dda i ddim gan fod y Cyrnol yn mynnu ei bod hi wedi cytuno i bopeth.'

'Rŵan dwi'n deall yr olwg ar ei hwyneb pan welodd hi o.'

'Plis paid â dweud wrthi, ond ... wel, alla i ddim ymdopi â'r cyfan ar fy mhen fy hun. Dwi angen chydig o bac-yp, Daf, wir i ti.'

Daliodd Daf law fawr ei lysfab. 'Mae'r rhain yn ddyfroedd go ddwfn, còg. Rhaid i mi fynd lawr i'r Trallwng rŵan, ond mi ddo i heibio nes 'mlaen. Os alli di roi chydig o lonydd i Belle a finne sgwrsio, fyse hynny'n help mawr. Mae'n beth da ei bod wedi dweud y cyfan wrthat ti. A chofia, dwyt ti ddim yn wynebu hyn ar dy ben dy hun.'

'Diolch i ti, Daf.'

'Nev!' gwaeddodd, bron cyn iddo fynd drwy ddrws ffrynt yr orsaf. 'Dwi angen gwarant i chwilio lle o'r enw Plas Aur yn Aberriw. Plas Beuno oedd ei enw cynt. Brian Gwyther ydi'r perchennog.'

'Ar ba sail?'

'Mae o'n fastard llwyr.'

'Yn anffodus, does dim deddf benodol yn erbyn hynny. Rwbeth arall?'

'Camdriniaeth, twyll, torri rheolau'r International Olympic Committee. Dychryn pobl ...'

'Digon teg.'

'Ydi Toscano wedi cyrraedd?'

Yn y pen draw, ar ôl trafodaeth rhwng Daf a Toscano, penderfynwyd chwilio Plas Aur am dystiolaeth o garcharu anghyfreithlon, anafu corfforol a chynllwynio i dwyllo. Rhyfeddodd Daf pan welodd fod Toscano yn hedfan drwy'r gwaith papur.

'Sgen i ddim syniad sut ti'n gallu potsian mor siriol efo ffurflenni, lanc,' meddai. 'Dwi'n mynd yn flin ar ôl hanner munud.'

'Dwi wastad yn meddwl am rwbeth braf y medra i ei wneud wedyn, bòs.'

Gadawodd Daf iddo orffen, er mwyn troi ei sylw at yr

adroddiad patholegol ynglŷn â'r ymosodiad ar y Cyrnol. Roedd ei anafiadau'n gyson ag un ergyd nerthol i'w ben, a darganfuwyd DNA yr ymosodwr o dan ei ewinedd. Roedd yn rhaid i Daf gyfaddef nad oedd dod o hyd i'r ymosodwr yn flaenoriaeth iddo, yn enwedig ar ôl ei sgwrs â Siôn.

Yn sydyn, cofiodd am ei sgwrs â Toscano ynglŷn â'r camerâu traffig, ac ar ôl pwyso sawl botwm ar fysellfwrdd ei gyfrifiadur gallai weld delweddau noson yr ymosodiad. Gwelodd fod Land Rover coch wedi gwibio i gyfeiriad y dref ar y briffordd rhwng Llanfair Caereinion a'r Trallwng, a dychwelyd ugain munud yn ddiweddarach. Roedd y rhif cofrestru yn gyfarwydd iawn i Daf.

'Bòs,' galwodd Nev wrth i Daf gerdded heibio iddo, 'oes mwy o waith ar gyfer y staff ychwanegol mae'r Cyngor Sir wedi'u danfon draw i ni? Mae'r rhan fwyaf yn mynd drwy hanesion teithwyr y trên bach ond mae un lodes yn chwilio am rwbeth i'w wneud, rhag iddi orfod mynd yn ôl i'w swyddfa ddiflas ei hun, medde hi.'

'Wyddost ti'r rhestr o bobl sydd â hawl i gadw powdwr gwn? Ffeindia fap iddi, a gofyn iddi hi roi pin ynddo fo i gyfateb i bob cyfeiriad sy ar y rhestr. Ble mae Sheila?'

'Heb ddod i mewn eto.'

'Shit. Ydi hi wedi ffonio?'

'Na.'

'Ocê. Wela i di'n nes 'mlaen.'

Meddyliodd Daf am Sheila yr holl ffordd i fyny i'r Plas. Beth os oedd hi wedi gwneud gormod, a cholli'r babi? Ei fai o fyddai hynny, am ei denu yn ôl yn lle gorchymyn iddi orffwys. Fo, o bawb, oedd yn gyfarwydd iawn ag effaith colli babi ar ferch.

'Ffycin twmffat, Daf Dafis,' meddai'n uchel, cyn ffonio Gaenor.

'Oes 'na newyddion?' gofynnodd, yn ymwybodol bod newyddion yn teithio'n sydyn o amgylch y fro.

'Dim byd penodol, pam?'

'O, dim byd.'

'Wel, paid â gwastraffu f'amser i, da fachgen – mae Netta a finne yn dewis blodau.'

'Dau beth bach. Be ydi enw go iawn Arsefield?'

'William Jones.'

'A'r ail beth: ydi Siôn erioed wedi rhoi sampl DNA i'r heddlu?'

'Wel, do. Ti'n cofio, pan oedd o'n digwydd bod yn agos i ryw ffrae ar noson allan yn Aber? Roedd yn rhaid i bawb o'r criw roi sampl. Pam wyt ti'n gofyn?'

'Dim rheswm.'

'Dafydd,' meddai, mewn llais difrifol, 'be mae o wedi'i wneud?'

'Dim byd, paid â phoeni.'

'Paid â dweud celwydd wrtha i, Dafydd.'

'Mae'n stori hir ond mae 'na siawns fod Siôn wedi dyrnu boi oedd wir angen cael ei ddyrnu.'

'Pryd?'

'Ddoe.'

'Mae hynny'n nonsens. Tydi Siôn ddim wedi gadael y buarth ers dyddie. Mae o mor brysur efo'r Rali.'

'Gwranda, cariad, dwi ddim isie i ti boeni, ond ...'

'Pam ti'n ffonio i ofyn y ffasiwn gwestiwn 'te? Siôn ydi fy mab i – os nad wyt ti isie i mi boeni, paid â ffonio i ofyn pethe fel'na. Rŵan dwêd wrtha i be ddiawl sy'n mynd ymlaen.'

'Mae Belle wedi dweud wrth Siôn ei bod hi wedi cael ei threisio flynyddoedd yn ôl,' eglurodd Daf. 'Mae'r dyn yn digwydd bod yn yr ardal ac mae'n bosib fod Siôn wedi rhoi clec iddo fo.'

'O na! Belle druan!'

'Paid â dweud gair am rŵan. Bydd Siôn angen ein help ni i fod yn gefn iddi, ond 'den ni angen trafod y peth gynta, iawn?'

'Wrth gwrs. Pwy 'di'r dyn?'

'Neb ti'n ei nabod. Mi wna i egluro pethe'n nes ymlaen.'

'Ocê.'

'Dim probs. Sut mae Netta?'

Gostyngodd Gaenor ei llais. 'Blin. Ddaeth hi yma'n gynnar am fod Tom Glantanat yn y byngalo'n cael brecwast efo John a Doris. Tydi hi ddim yn ei hoffi o am ryw reswm.'

'Dim sôn am Sheila?'

'Mae hi yn y gwaith, yn tydi?'

'Wrth gwrs. Wela i di'n nes ymlaen.'

Ochneidiodd Daf ei ryddhad. Petai Sheila wedi colli'r babi, fyddai Tom ddim yn bwyta bacwn ac wy ym myngalo Neuadd. Gyrrodd ymlaen i'r Plas mewn hwyliau gwell.

Roedd gerddi'r Plas yn eu gogoniant, ac er ei fod yn sosialydd yn y bôn roedd yn rhaid i Daf gyfaddef fod y teulu Gwydir-Gwynne yn gwneud gwaith ardderchog o warchod yr adeilad hanesyddol.

'Inspector Davies,' cyfarchodd y forwyn ef mewn acen drom wrth agor y drws mawr. 'Mr Gwydir-Gwynne is in the office in Welshpool but Mrs Gwydir-Gwynne is in the orangery.'

'I was looking for Colonel Picton-Phillips, the gentleman who has been staying here.'

Daeth cwmwl dros ei hwyneb. 'That gentleman is no longer staying at the Plas.'

'Oh. I'll say hello to Mrs Gwydir-Gwynne while I'm here, then.'

Roedd Daf wedi cwrdd â Haf tua phum mlynedd ynghynt, ac roedd ei thuedd i geisio achub pobl rhag anghyfiawnder wedi ei atgoffa ohono'i hun. Gan ei bod yn gyfreithwraig roedden nhw wedi cydweithio ar sawl achos, gan amlaf i geisio amddiffyn merched oedd yn dioddef trais yn eu cartrefi. Erbyn hyn, roedd hi'n briod â'r Aelod Seneddol Torïaidd lleol ac yn eistedd mewn cadair isel yng nghornel ystafell hyfryd llawn heulwen, yn bwydo'i mab ac yn siarad ar y ffôn ar yr un pryd.

'Na, does ganddon ni ddim ddiddordeb mewn cyfaddawdu, Mr Rees. Mae o wedi torri ei migwrn hi, dwy asen ac asgwrn ei boch. Petai'r ymosodiad wedi digwyddodd y tu allan i glwb nos yn hytrach nag yn ei hystafell wely hi, fyddet ti ddim yn meiddio crybwyll cyhuddiad sy'n arwain at ddedfryd gymunedol. Mae o'n ddyn peryglus, a'r peth gorau i'r teulu ydi llonydd i ddod dros ei ymddygiad erchyll.'

Rhoddodd y ffôn i lawr, ac wrth glywed sŵn traed Daf, trodd ei phen heb symud y babi oddi ar ei bron.

'Drycha, Anselm, mae dy dad bedydd wedi dod i'n gweld ni,' meddai'n groesawgar.

'Nid galwad gymdeithasol ydi hon, yn anffodus, Haf. Chwilio am y Cyrnol o'n i.'

'Mae o wedi mynd.'

'Newydd ddysgu hynny ydw i. Ro'n i'n meddwl ei fod o'n bwriadu aros fan hyn nes diwedd yr ymchwiliad.'

'Oedd, mi oedd o.' Mewn un symudiad llyfn, tynnodd Haf y babi cysglyd oddi ar ei bron, cau blaen ei ffrog hafaidd a rhoi ei mab ar ei hysgwydd. Cododd ar ei thraed i siglo'r bychan yn addfwyn a chafodd ei gwobrwyo â sŵn torri gwynt uchel. Estynnodd ei llaw i bwyso ar fotwm pres ar y wal ger y drws, a chanodd cloch yn y pellter. Daeth dynes ifanc i mewn a rhoddodd Haf y babi iddi.

'Mae o bron yn barod i fynd i gysgu, Bridget,' dywedodd wrthi. 'Clwt glân ac mi fydd o'n iawn.'

'Mae o'n edrych yn fodlon iawn, Mrs Gwydir-Gwynne,' atebodd y ferch â gwên, a diflannodd efo'r babi gan fwmial canu wrth fynd.

'Paid â barnu, Daf,' meddai Haf ar ôl i'r ferch gau'r drws ar ei hôl. 'Dwi ddim yn fam reddfol fel Gaenor, ac os oes unrhyw fam yn dweud ei bod hi'n mwynhau newid clwt, mae hi'n dweud celwydd.'

'Ti 'di ffeindio nani sy'n siarad Cymraeg, beth bynnag.'

'Do, mae hi'n lodes hyfryd.'

'Ac yn gwmni i ti tra mae'r Sgweiar i ffwrdd yn Llundain.'

Edrychodd Haf yn syn arno. 'Dwi'm yn treulio f'amser hamdden efo'r staff – byddai hynny'n eu hecsbloetio.'

'Sut gwmni oedd y Cyrnol?

'Paid â sôn am y slebog hwnnw. Roedd y ffordd roedd o'n

fy ngwylio fi'n bwydo yn afiach, a phan aeth Mostyn i lawr i'r Drenewydd i gynnal syrjeri, mi wnaeth o fy ngwahodd i dreulio "prynhawn o bleser" yn ei wely.'

'Ac yntau'n ffrind i dy ŵr ers eu glasoed?'

'A dweud y gwir, doedden nhw ddim mor agos â hynny. Roedd Mostyn yn rhy groesawgar i wrthod lletty iddo fo. Ac ar ôl i mi ei wrthod o, mi geisiodd o fachu Agata.'

'Agata?'

'Y ferch agorodd y drws i ti. Lodes dda iawn ydi hi. Ro'n i draw yn y swyddfa pan ddigwyddodd o, ond yn ffodus daeth Mostyn adre a chlywed sŵn sgrechian.'

'Roedd o'n ymosodiad go iawn felly?'

'Oedd. Wrth gwrs, mi geisiodd roi y bai arni hi ond mi ddywedodd Mostyn wrtho ei fod yn parchu gair Agata.'

'A sut blesiodd hynny'r hen Gyrnol?'

'Wnaeth o ddim. Roedd Mostyn isie cysylltu â ti'n syth ond doedd Agata ddim isie creu trafferth medde hi, felly, mi wnaeth o hel ei bac. Roedd hi'n hyfryd ei weld o'n cael ei fychanu.'

'Gwranda, Haf, dwi am fynd ar ôl y Cyrnol, ac mi fydda i angen dy gymorth di i hoelio'r bastard.'

'Wastad yn hapus i helpu, Daf.'

Ar ei ffordd o'r Plas dechreuodd ei stumog rwgnach, a chofiodd Daf am y siop cebábs. Roedd yn hen bryd iddo fynd i weld sut roedd y teulu Yilmaz, felly trodd drwyn y car dros Fynydd Gro a chyrhaeddodd Llanerfyl dros y bont. Er bod y pentre'n dawel roedd y siop cebábs ar agor a'i harogleuon persawrus yn chwythu dros y maes parcio. Roedd Mrs Yilmaz tu ôl i'r cownter, a golwg benderfynol ar ei hwyneb.

'Bore da, Mr Dafis. Os dech chi'n chwilio am Sheila Francis, mae hi 'di mynd ers ryw awr a hanner.'

'Mae Sheila wedi bod yma?'

'Do, drwy'r bore, bron. Yn ceisio, ac yn llwyddo, gobeithio, i siarad sens efo fy ngŵr.'

'Am be, Mrs Yilmaz?'

'Dwi'n deall yn iawn ffasiwn gòg ydi Bahri. Fysen i ddim wedi dewis cael bachgen sy'n hoyw, achos mae bywyd yn anodd iddyn nhw, ond fy mab i ydi o, a dyna ddiwedd y stori. Dech chi ddim yn cael dewis eich plant, dim ond eu caru nhw fel maen nhw.'

'Digon gwir.'

Heb iddo ofyn, brysiodd Mrs Yilmaz i baratoi cebáb i Daf gan ddefnyddio'r gyllell enfawr yn grefftus.

'Mae pethau 'di dechre setlo, Mr Dafis. Dwi 'di ffonio'r Cann Offis heddiw bore i ofyn am swydd i Bahri ac maen nhw'n fodlon ei dderbyn, chwarae teg. All o safio'i gyflog i brynu laptop newydd, y twmffat bech gwirion.'

'Mae'r còg wedi cael profiad anodd, wyddoch chi. Tydi noswaith neu ddwy yn Strangeways ddim yn brofiad braf.'

'Wrth gwrs.'

'A sut mae Zehra?'

'Mae hi 'di penderfynu mynd i'r coleg, ond nid i fod yn feddyg, fel roedden ni'n gobeithio. Islamic Studies and Sociology ydi teitl y cwrs, a does gen i ddim clem be mae hynny'n ei olygu.'

'Mae'n golygu fod ganddoch chi lodes gall iawn, un llawn egwyddorion hefyd.'

'Peidiwch â chymryd hyn y ffordd rong, Mr Dafis,' meddai Mrs Yilmaz wrth roi'r bocs cebáb yn llaw Daf, 'ond 'den ni'n gobeithio na fydd yn rhaid i chi ddod i'n gweld ni eto'n fuan.'

'Deall yn iawn,' atebodd Daf.

Pennod 19

Yn hwyrach ddydd Gwener

Yn teimlo'n well ar ôl ei gebáb, gwibiodd Daf yn ôl i'r orsaf yn y Trallwng.

'Tydi'r Cyrnol ddim yn aros yn y Plas bellach,' galwodd i gyfeiriad y ddesg wag. 'Dwi isie gwybod ble mae o'n aros rŵan, a ble oedd o cyn iddo gael ei ddyrnu.'

Daeth Sheila i'r golwg â darn o bapur yn ei llaw. 'Tyrd i'r swyddfa, bòs,' sibrydodd.

'Be sy gen ti fanna, lodes?'

'DNA oddi ar ddwylo'r Cyrnol. Mae ganddon ni sampl sy'n matsio.'

Nid oedd yn rhaid i Daf aros i weld yr enw ar y papur: Siôn Jones, Neuadd, Llanfair Caereinion. Daeth Sheila ar ei ôl i'w swyddfa a chau'r drws yn dynn.

'Siôn, bòs?'

'Mae'n stori hir. Pa mor ddibynadwy oedd y canlyniad?'

'Wel, sampl bach oedd o, wrth gwrs ... ond be oedd Siôn yn wneud lawr yn y Trallwng yr adeg yna o'r bore?'

'Dwi'm yn sicr. 'Den ni angen olrhain symudiadau'r Cyrnol hefyd.'

'Fo ydi'r ddioddefwr, cofia, bòs, hyd yn oed os mai Siôn wnaeth ei ddyrnu o.'

'Dwi ddim mor siŵr. Dwi 'di clywed pethau am ein ffrind y Cyrnol heddiw sy'n golygu fod yn rhaid dechrau achos yn ei erbyn.'

'Ond chei di ddim arwain unrhyw ymchwiliad os ydi dy lysfab dan amheuaeth.'

'Rho'r papur 'na i mi, a phaid â dweud dim wrth neb am rŵan. Dwi'n ymwybodol y bydd yn rhaid i mi basio'r ffeil ymlaen i rywun arall, ond dwi isie rhoi mwy ynddi gynta.'

Gosododd Sheila y papur ar ei ddesg yn bwyllog.

'Bydda di'n ofalus, bòs,' meddai, ar ei ffordd allan o'r ystafell.

'Dwi'n gwybod be dwi'n wneud. Reit – mae'n rhaid i mi fynd draw i Blas Aur yn Aberriw cyn gynted â phosib.'

'Rhaid i ti siarad â Toscano, bòs. Fo sy'n delio efo'r warant, a dydi pethau ddim yn rhwydd o'r olwg ar ei wyneb.'

'Cer i'w nôl o, lodes,' gorchmynnodd Daf, gan ei ollwng ei hun i'w gadair. Roedd y canlyniadau fforensig wedi dod yn ôl yn sydyn iawn, myfyriodd – tybed oedd gan statws y Cyrnol rywbeth i'w wneud â'r peth? Am lanast. Caeodd ei lygaid am eiliad, a phan agorodd nhw drachefn, sylwodd ar ffolder frown ar ei ddesg a'i enw arni. Ynddi roedd map yn llawn marciau i gynrychioli cyfeiriad pob person â'r hawl i gadw powdwr gwn yn yr ardal. Ymhlith yr holl ddotiau bach, pob un â rhif wrth ei ochr, roedd un ar ei ben ei hun rhwng Adfa a Chefn Coch. Roedd dim rhaid i Daf edrych ddwywaith – Llwynderi. Ac ar y rhestr gyfatebol roedd yr enw S Jones. Edrychodd Daf ar ddyddiad creu'r gofrestr, a chanfod ei fod yn ystod y cyfnod pan oedd Sophie Woosnam yn ceisio defnyddio'i darpar enw priodasol. Neidiodd ar ei draed a rhuthro ar draws y swyddfa, gan ddod wyneb yn wyneb â Toscano oedd, yn amlwg, â'i ben yn ei blu.

'Sori, bòs,' mwmialodd y llanc. 'Dwi 'di gwneud fy ngorau glas ond dwi wedi methu cael gwarant i fynd i mewn i Blas Aur. Es i draw i weld yr ynadon ond roedden nhw am oedi er mwyn cael dipyn o gefndir. Oeddech chi'n gwybod bod hanes o salwch meddwl gan Tallulah, bòs?'

'Na, ond tydi hynny ddim o bwys. Mae hi'n dyst credadwy.'

'Dim yn ôl yr ynadon. Ddwedodd un ohonyn nhw, boi bach moel efo sbectol siâp hanner lleuad, "If your Inspector Davies thinks he can break into private property on the whim of a mentally disturbed girl, he can think again." Wedyn, roedden nhw'n awgrymu'ch bod chi'n gwastraffu'ch amser efo Tallulah yn hytrach na datrys achos y bom.'

'Ffyc!' ebychodd Daf. 'Welest ti'r llun? Mae hi'n diodde, yn bendant.'

'Ond, chwedl yr ynadon, mi aeth hi yno'n wirfoddol. Dwi ddim yn meddwl eu bod nhw'n eich hoffi chi.'

'Wnes i arestio cyfreithiwr amlwg gwpl o flynyddoedd yn ôl, oedd yn ffrind i hanner y fainc. Fel arfer, mae Lady Beatrice yn cadw trefn ar bethau ond mae hi ar ei gwyliau.' Oedodd Daf i hel ei feddyliau. 'Oes modd i rywun gadw llygad ar y lle?

'Mi geisia i, bòs.'

'Na, dim ti – mae Gwyther wedi dy weld di o gwmpas yn barod. Cer i chwilio am PCSO, jest i fonitro pwy sy'n mynd a dod.'

'PCSO, bòs, mewn achos cymhleth fel hwn?'

'Mae 'na un neu ddau go brofiadol. Ac yn y cyfamser, mae'n rhaid i ni fynd i gael gair efo Sophie Woosnam.'

'Pam?'

'Achos, lanc, mae ganddi reswm i ddal dig yn erbyn Deiniol Dawson ac, yn ôl rhestr y Cyngor Sir, mae ganddi hi drwydded i gadw powdwr gwn.'

'Pam hynny?'

'Wn i ddim yn iawn. Gawn ni sbec ar ei gwefan hi ar y ffordd fyny i Lwynderi.'

Nid car arferol Toscano oedd wedi'i barcio y tu allan ond fan Transit fawr wen a'r geiriau 'Gelati Toscano Hufen Iâ Ice Cream' wedi'u printio ar y drysau ôl.

'Dech chi'n meindio dod yn y fan, bòs?' gofynnodd Toscano. 'Hen fan Dad ydi hi, ond dwi'n ei defnyddio i gario'r canŵ am bod y ffrij yn y cefn wedi torri.'

'Mae'n iawn, lanc.'

'Does dim system sain ynddi chwaith, yn anffodus.'

'Trueni.'

Roedd signal ffôn digon cryf ar y ffordd rhwng y Trallwng a Llanfair i Daf edrych ar wefan Sophie Woosnam – un liwgar yn frith o gymeriadau Cyw ac yn cynnig llu o wasanaethau parti i blant. Roedd modd creu partïon thema neu weithgareddau fel nofio a phêl-droed, ac i'r rhai hŷn, roedd hi'n cynnig disgos, byrgyrs a thân gwyllt.

'Tân gwyllt!' ebychodd Daf. 'Dyna pam mae gan Sophie Woosnam drwydded i gadw powdwr gwn.'

'O, pan es i i weld mam Deiniol Dawson neithiwr, mi ddwedodd hi fod Sophie wedi mynd i'w gweld hi ryw dro, i gyflwyno'i hun fel cariad Deiniol. Roedd Mrs Dawson wedi synnu, gan nad oedd ei mab wedi sôn gair am Sophie.'

Jest tu allan i Lanfair Caereinion, canodd ffôn Daf. Rhif gorsaf yr heddlu yn y Drenewydd oedd ar y sgrin.

'Inspector Davies? You haven't got a minute this afternoon, have you? We've got that girl you picked up yesterday in for questioning, and so far she hasn't given us as much as the time of day.'

'It'll be at least an hour, possibly nearer two.'

'That'll be fine.'

'Wel, lanc,' meddai wrth Toscano, 'mae ganddon ni dipyn o ddiwrnod o'n blaenau, myn uffern i.'

Roedd buarth Llwynderi yn dawel ond roedd rhywun yn amlwg adre gan fod pob ffenest yn y tŷ ar agor. Yn syth ar ôl iddyn nhw barcio, brysiodd Liz Woosnam allan.

'We haven't ordered any ice cr...' dechreuodd, ond tawelodd wrth weld Daf a Toscano.

'Ble mae Sophie?' gofynnodd Daf.

'Mae hi'n gweithio, yn paratoi ar gyfer parti yn Neuadd Adfa.'

'Dim bwys. Allwch chi'n helpu ni, Mrs Woosnam, dwi'n siŵr.'

'Helpu? Sut, felly?'

'Ble mae Sophie yn cadw ei thân gwyllt?'

'Mae ganddi hi gontainer draw fan'cw.'

'Ydi'r goriad ganddoch chi?'

'Mae gen i un sbâr, rhag ofn.'

'Rhag ofn be?'

'Wel, tase rhywun yn dwyn ei char hi a'r goriadau ynddo, er enghraifft.'

'Ewch i nôl y goriad i ni plis, Mrs Woosnam.'

Cerddodd Daf draw at y bocs mawr metel, gan sylwi fod lliw oren ar y pridd o'i amgylch. Roedd yn amlwg bod cornel y bocs wedi torri a rhydu.

'Tydi hi ddim yn beth call cadw powdwr gwn mewn bocs sy'n gollwng dŵr,' sylwodd Toscano, ond pan agorodd Liz Woosnam y clo clap a'r gadwyn gwelsant fod y bocs bron yn wag.

'Ocê, Mrs Woosnam,' meddai Daf, 'ble mae'r gweddill?'

'Yn y seler, o dan y gegin.'

Doedd Daf ddim wedi sylwi o'r blaen ar y drws bach pin yng nghornel y gegin. Agorodd Liz ef a phwysodd switsh i oleuo grisiau serth oedd yn arwain i lawr i ddyfnderoedd y seler.

'Mi arhosa i fyny fan hyn,' datganodd Liz. 'Does dim llawer o le lawr fanna.'

Roedd hi'n dweud y gwir – er bod y gegin yn ystafell go fawr, roedd y seler yn gymharol fach. Roedd pentyrrau o focsys a labeli mewn ysgrifen Sieineaidd arnynt hyd at ysgwydd Daf, a gwasgodd Toscano heibio iddo i gael golwg ar ben arall y seler.

'Oes modd i ni ddarganfod be sydd yn y bocsys 'ma heb eu hagor nhw?' gofynnodd Daf.

'Mae labeli Saesneg ar rai,' atebodd Toscano, gan fodio rhai ohonynt, 'mae hanner cant o *Catherine wheels* yn hwn.'

'Mae ganddi eitha lot o stoc ar gyfer partïon plant.'

'Mae'n cymryd dipyn i wneud arddangosfa werth ei gweld, cofiwch, bòs. Fflach am eiliad a dyna fo.'

'Wyt ti'n fodlon aros fan hyn i greu rhestr o'r cyfan? Dwi isie sgwrs fach efo Mrs Woosnam.'

Doedd Daf ddim wedi dringo hanner ffordd fyny'r grisiau cul pan waeddodd Toscano ar ei ôl.

'Bòs, mae 'na ddrws arall yn fan hyn a chlo clap arno. Wnewch chi ofyn i Mrs Woosnam am y goriadau?'

Drws bach oedd hwn hefyd, wedi ei beintio'n wyrdd beth amser ynghynt, a phedwar bollt arno er mai dim ond yr un uchaf oedd wedi'i gloi.

'Mrs Woosnam, 'den ni angen agor y drws tu ôl i'r bocsys.'

Diflannodd pob tamaid o liw o wyneb Liz.

'Chewch chi ddim mynd i fanno. Tydi'r drws ddim yn agor.'

'Peidiwch â bod yn wirion, Mrs Woosnam. Ble mae'r goriad?'

'Dwi erioed wedi bod yr ochr arall i'r drws. Tydi o ddim yn agor.' Roedd nodyn o hysteria yn ei llais erbyn hyn. 'Bydd fy ngŵr yn hynod o flin. Does neb yn cael mynd yn agos i'r drws, heb sôn am ei agor. Chewch chi ddim!'

'Gwthia fo efo dy ysgwydd, DC Toscano!' galwodd Daf i lawr y grisiau.

'Na!' sgrechiodd Liz, gan geisio lluchio'i hun drwy'r drws i'r seler.

O'r dyfnderoedd, clywodd Daf dair ergyd rymus, ac ar ôl y bedwaredd daeth sŵn pren yn torri. Sgrechiodd Liz eto.

'Na, chewch chi ddim!' gwaeddodd, ond trodd ei geiriau'n ddagrau ofnus.

Am hanner eiliad, croesodd y ffaith nad oedd ganddyn nhw warant chwilio feddwl Daf, ond gan wthio Liz Woosnam yn ôl i'r gegin, camodd i lawr y grisiau. Roedd awyrgylch y seler wedi newid yn gyfan gwbl – roedd bellach yn llawn llwch ac yn drewi o lwydni. Roedd Toscano wedi tynnu'i dortsh o'i boced, ac ar ôl anelu ei golau i mewn i'r ystafell fach yr ochr arall i'r drws, gollyngodd hi i'r llawr. Daeth sŵn o'i geg oedd hanner ffordd rhwng ochenaid a sŵn gwynt yn gadael balŵn. Camodd yn ôl er mwyn i Daf gael gweld.

Gan roi'r pelydr golau ar ei ffôn ymlaen, gwasgodd Daf heibio i'r bocsys a chamu drwy'r drws, oedd yn hongian ar un colyn. Roedd yr ystafell yn llai na deg troedfedd sgwâr, heb olau na ffenest ynddi, ac roedd sgerbwd yn y gornel.

'Ffonia'r orsaf, lanc,' meddai wrth Toscano. 'Mae hwn yn lleoliad trosedd.'

Erbyn hyn, roedd Toscano'n edrych dros ysgwydd Daf. Gorweddai'r sgerbwd ar y llawr yn y gornel bellaf mewn siâp crwn, fel petai'r truan wedi ffurfio siâp ffetws cyn marw.

'Gofynna i Sheila ddod draw – bydd yn rhaid i ni gadw llygad barcud ar Mrs Woosnam.'

Roedd Liz Woosnam wedi baglu i lawr y grisiau ond daliodd Daf ei braich cyn iddi allu mynd i mewn i'r ystafell gudd.

'Yn anffodus, chewch chi ddim mynd gam ymhellach, Mrs Woosnam. Rheolau lleoliad trosedd.'

'Trosedd? Pa drosedd?'

'Bydd yn rhaid i ni ddarganfod pwy yn union oedd y person yma, a sut y bu o, neu hi, farw.'

'Iesu mawr!' ebychodd Liz Woosnam pan gafodd gip ar y pentwr esgyrn.

Sylwodd Daf ar ddau beth ar yr un pryd: roedd hualau haearn trwm, rhydlyd am yr esgyrn, a rhwng y bysedd, roedd cortyn. Tynnodd Daf sawl llun ar ei ffôn, y fflach yn goleuo pob manylyn o'r waliau garw.

'Well i chi fynd yn ôl fyny i'r gegin, Mrs Woosnam,' meddai Daf yn addfwyn. 'Bydd aelodau eraill y tîm yma toc, i wneud paned i chi.'

'Fydd David ... fy ngŵr ... fydd o'n flin iawn.' Sylwodd Daf ei bod yn crynu.

'Dim ots gen i, Mrs Woosnam. 'Den ni 'di darganfod corff yn eich seler ac mae'n rhaid i ni ddechrau ymchwiliad. Oeddech chi neu'ch gŵr yn gwybod be oedd y tu ôl i'r drws?'

'Doedd gen i ddim syniad ... ddwedodd David wrtha i am beidio ei agor, a wnes i ddim.'

'Pryd ddaethoch chi'n ymwybodol o'r drws am y tro cyntaf?'

'Pan symudon ni yma, pan oedd Soph yn fabi.'

'Well i ni fynd fyny: dech chi angen eistedd i lawr.'

Roedd yn rhaid i Daf lusgo Liz i fyny'r grisiau serth a'i gollwng ar y soffa. Fel arfer, gallai Daf gydymdeimlo ag unrhyw un mewn trallod ond y tro yma, methodd.

'Dwi'n eich gadael chi am sbel, Mrs Woosnam, ond mae DC Toscano yma i ofalu amdanoch chi. Peidiwch â chysylltu â neb ar hyn o bryd.'

Ni chododd hi ei phen, ac aeth Daf yn ôl i lawr y grisiau. Roedd Toscano'n sefyll yn y drws, ei ben i lawr a'i ddwylo ymhleth, yn syllu i mewn i'r gell fach. Mwmialai rywbeth o dan ei wynt, a daliodd Daf ambell air.

'... gweddïa drosom ni bechaduriaid yr awr hon ac yn awr ein hangau ...'

'Rhaid i ti gadw llygad barcud ar Mrs Woosnam, lanc. Mae'n hollbwysig ein bod ni'n ei rhwystro hi rhag dweud gair wrth ei gŵr. Rhaid i ni weld sut mae o'n ymateb wrth glywed y newyddion.'

Yn y golau gwan, nid oedd Daf yn sicr a welai ddagrau ar fochau Toscano, ond yn sicr roedd o'n sniffian a'i lais yn torri.

'Ocê, bòs.'

'Chwytha dy drwyn, còg.'

Oedodd Toscano ar y gris isaf. ''Den ni wedi'i ffeindio fo, bòs. Fydd Nain yn falch,' meddai'n dawel.

'Ti'n mynd o flaen gofid, lanc. Does ganddon ni ddim syniad eto am hanes yr esgyrn.'

'Gyda phob parch, bòs, dwi'n gwybod mai Wncwl Gerry ydi o. Welsoch chi be oedd yn ei law o?'

'Cortyn o ryw fath?'

'Gawn ni weld.'

Aeth Daf yn ôl at ddrws y gell. Roedd yn rhaid iddo gyfaddef y byddai'n gyd-ddigwyddiad enfawr petai'r corff yn unrhyw un heblaw Gerry. Cofiodd Daf ddisgrifiad yr hen Mrs Toscano o'i brawd siriol, a theimlodd dristwch dwfn wrth feddwl amdano'n marw ar ei ben ei hun yn y seler dywyll.

Canodd ei ffôn: yr orsaf yn y Drenewydd. Teimlodd ryddhad pan glywodd na fyddai'n bosib iddyn nhw barhau i holi'r ferch County Lines oherwydd bod y person â chyfrifoldeb wedi gorfod gadael ar frys. Fel arfer, byddai Daf wedi bod yn flin, ond roedd ganddo flaenoriaeth arall bellach.

Roedd Daf yn falch iawn o weld Sheila ymhen llai na hanner awr. Gwyddai y gallai adael Liz Woosnam yn ei dwylo profiadol.

'Nawr 'te, Mrs Woosnam,' meddai Sheila, be am i chi olchi'ch wyneb ac mi wna i baned i bawb?'

'Does dim cacen, sori,' mwmialodd Liz. 'Mi gollais i fy nheimer yr wythnos ddiwetha, a dwi wedi llosgi pob un ers hynny.'

'Dyna'r drwg efo Aga,' cytunodd Sheila, gan lenwi'r tegell.

'Un drud ofnadwy oedd o hefyd, un Heston Blumenthal. Ac yn ddel, yn streips pinc a du.'

Lluchiodd Daf ei ffôn draw i Sheila. 'Ffonia di Huw Mansel, wnei di, lodes, tra dwi'n mynd i weld y bois SOCOs? Mi fydd yn rhaid iddo ddod fyny i wneud y datganiad.'

'Ond ddwedest ti mai sgerbwd oedd o, bòs? Does dim rhaid cael meddyg i ddweud bod sgerbwd wedi marw.'

'Dwi erioed wedi darganfod sgerbwd o'r blaen felly sgen i ddim syniad be ydi'r drefn. Ond fyse hi ddim yn syniad ffôl iddo gael cip ar Mrs Woosnam beth bynnag – mae hi mewn stad go ddrwg,' ategodd mewn llais isel.

'Dwi ddim yn ei beio hi. Mae hi wedi byw ers degawdau efo corff dan y staer. Mae'n ddigon i godi ias arna i.'

'Digon gwir. A chadwa lygad ar Toscano hefyd – mae o'n amau mai aelod o'i deulu ydi'r sgerbwd ... perthynas a ddiflannodd yn ystod y Rhyfel dwetha.'

'Waw!'

'Wel, fydd dim llawer o dystiolaeth i'r SOCOs ar ôl yr holl flynyddoedd, beth bynnag. Mi fydd yn rhaid i mi benderfynu a oes angen holi rhai o'r teulu yn ffurfiol, sy'n golygu trip lawr i'r orsaf, wrth gwrs.'

'Pam wyt ti mor sicr ei fod o wedi marw ers degawdau? Byddai corff yn troi yn sgerbwd mewn degawd.'

Wrth gwrs, roedd hynny wedi croesi meddwl Daf, ond byddai'n croesi'r bont honno pan fyddai angen. Trodd ei sylw at y SOCOs, ac roedd o'n falch iawn o weld bod Susie yn rhan o'r tîm fforensig. Daeth hi i mewn i'r gegin dan siarad ag un o'i chyd-weithwyr.

'Dean, you can come down to see what's what. This would

be your first skeleton in a cellar job, wouldn't it? Make a lovely change from brushing Lego for traces of Class 1 drugs.'

Roedd wyneb y llanc yr un lliw â'i siwt, a chan fod ei wallt wedi ei guddio gan ei gwfl gwyn, roedd o'n edrych fel babi enfawr. Susie ddaeth i lawr gyntaf.

'A faint yn union o sgerbydau wyt ti wedi'u darganfod dros y blynyddoedd, lodes?' gofynnodd.

'Fyset ti'n synnu, Daf Dafis.'

Ar ôl gwisgo'r siwt wen roedd Susie wedi'i hestyn iddo, dilynodd Daf y SOCOs i'r gell. Yng ngoleuni eu lampau pwerus gwelodd Daf nad oedd plastr ar y waliau cerrig a bod y corneli'n llawn o we pry cop, yn hongian fel llenni sidan. Roedd modd gweld bod cadwyn rhwng yr hualau a hoelen enfawr yn y wal – doedd y gadwyn ddim yn ddigon hir i gyrraedd y drws – a darn o fetel rhydlyd ger braich y sgerbwd.

'Drycha,' meddai Susie gan amneidio at y wal y tu ôl i'r sgerbwd. Yn y cerrig, roedd rhes o lythrennau bras wedi eu cerfio: GMAORAPROMELDS.

'Faint o amser fyddai hi wedi'i gymryd i wneud hynna?' synnodd Daf.

'Llawer hirach na'r hyn fyddai hi wedi'i gymryd i rywun farw o syched,' atebodd Susie.

'Felly mae hynny'n golygu bod y carcharor wedi bod yma am dipyn ... mis?'

'Mis? C'mon Daf, ithfaen ydi hwn. Byddai pob llythyren yn cymryd mis, bron.'

'Mi fyddai hynny'n golygu ei fod wedi'i gadw'n gaeth yma am flwyddyn neu fwy.'

Plygodd Susie dros y sgerbwd i ddechrau ar ei gwaith, gan dynnu nifer o luniau cyn dechrau ymdrin â'r esgyrn. Ychydig funudau'n ddiweddarach, daeth â bag tystiolaeth clir draw at Daf – ynddo roedd y cortyn o fysedd y sgerbwd. Roedd o'n ddarn llawer hirach na'r disgwyl, yn gylch o tua deng modfedd a chortyn byr yn hongian o'r cwlwm. Cortyn bêl hen-ffasiwn oedd o, yn fudr ac yn seimllyd, ac roedd rhywun wedi ffurfio'r ddolen yn ofalus gan wneud sawl rhes o ddeg o glymau bach cyn y cwlwm mawr.

'Ti 'di gweld rwbeth fel hyn o'r blaen, Daf?' gofynnodd Susie. 'Mae o'n rhy denau o lawer i rywun grogi ei hun efo fo.

'Do, dwi wedi gweld patrwm tebyg, ond dwi ddim yn cofio ble. Ga i fynd â fo fyny i olau dydd?'

'Wrth gwrs, ond paid ag agor y pecyn.'

Cyrhaeddodd Daf y gegin mewn pryd i weld David Woosnam yn rhuthro drwy'r drws cefn, ei fochau'n fflamgoch.

'Be 'di'r syrcas 'ma, dwêd?' gofynnodd i'w wraig. 'Mae 'na fan hufen iâ ar y buarth a ryw ffŵl wedi parcio ffycin Ford dros ddrws y bing.'

'David,' atebodd ei wraig mewn llais clir, tawel. 'Stedda di lawr. Maen nhw wedi agor y drws gwyrdd.'

Ceisiodd yr hen ddyn gamu i gyfeiriad drws y seler ond roedd fel petai wedi colli ei holl nerth. Pwysodd ar y bwrdd a disgyn i'r gadair fawr. Tynnodd Daf ei siwt wen, heb dynnu ei lygaid oddi ar Woosnam.

'Mr Woosnam, mae'n wir ddrwg gen i dorri ar draws fel hyn, ond ...'

Chwifiodd Woosnam ei law ac agorodd ei geg, ond ni ddaeth smic allan ohoni – roedd yr arswyd llwyr yn ei lygaid yn dweud y cyfan. Llanwodd Liz wydraid o ddŵr i'w gŵr ond hyd yn oed ar ôl ei yfed, ni allai'r ffermwr mawr ffurfio gair. Erbyn hyn, roedd gwythïen ar ochr ei dalcen llydan yn pwmpio'n amlwg. Ymbalfalodd ym mhoced brest ei grys am bensil, ac ar gefn amlen ysgrifennodd 'Cau'r drws gwyrdd'.

'Allwn ni ddim cau'r drws gwyrdd, Mr Woosnam,' atebodd Daf yn dyner. 'Mae'r drws 'di malu.'

Dechreuodd Woosnam wichian fel llygoden.

'Mr Woosnam?' meddai Dr Mansel, oedd newydd gyrraedd, 'Dech chi'n iawn?'

Ysgydwodd yr hen ddyn ei ben mawr yn araf yn ôl ac ymlaen, fel petai'n ceisio cael gwared o ryw feddyliau erchyll, ond eto, ddywedodd o ddim gair.

'Be sy'n bod arno fo?' gofynnodd Daf i'r meddyg.

'Chwaliad y nerfau. Ond wn i ddim ai problem iechyd meddwl ydi hyn neu arswyd pur.'

'Un eiliad roedd o'n gweiddi, wedyn dim byd.'

'Mae tannau'r llais wedi'u parlysu. Sioc. Mae'n digwydd weithiau.'

'Ond dwi angen siarad efo fo. Mae 'na sgerbwd yn ei seler.'

'Blydi hel, Daf.'

'Mae'n bosib bod un o'r teulu parchus yma wedi llofruddio rhywun a chuddio'r corff o dan y gegin.'

'Wn i ddim wyt ti'n cytuno, Daf, ond nid euogrwydd dwi'n ei weld yn wyneb yr hen foi. Mae rhwbeth wedi rhoi ysgytwad go iawn iddo fo.'

Yn sydyn, neidiodd David Woosnam ar ei draed a rhoi ei ddwylo o gwmpas gwddf ei wraig, ond cyn iddo gael cyfle i wasgu, roedd Sheila a Toscano wedi llwyddo i'w lusgo ymaith.

'Mrs Woosnam,' meddai Dr Mansel,' dwi'n poeni'n fawr iawn am eich gŵr. Dwi'n meddwl y byddai'n well i mi fynd â fo oddi yma, er mwyn iddo gael cyfle i ddod dros y sioc.'

'Bendant,' atebodd Liz.

'A mwy na thebyg y bydd o angen asesiad proffesiynol.'

Pwysodd Woosnam ymlaen drachefn ac roedd yn rhaid i Toscano a Sheila afael ynddo'n dynnach. Rhuthrodd Daf i gymryd lle Sheila, ac am unwaith, wnaeth hi ddim protestio. Roedd sŵn chwyrnu'n dod o ddyfnderoedd corff Woosnam, fel lafa mewn llosgfynydd yn ffrwtian. Agorodd Dr Mansel ei fag a chamu draw at Woosnam.

'Dech chi'n fy nabod i, Mr Woosnam – dwi 'di gofalu am eich teulu chi am dros ddegawd. Ydech chi'n fy nhrystio i?'

Nodiodd Woosnam ei ben.

'Mae rhwbeth wedi digwydd i chi, Mr Woosnam – creisis iechyd. Dyna pam na allwch chi siarad ar hyn o bryd. Mewn munud, dwi'n bwriadu mesur pwysedd eich gwaed a gwrando ar eich calon, ond cyn hynny, ydech chi'n fodlon cymryd tabled i'ch helpu chi i ymlacio?'

Nodiodd Woosnam ei ben eto, ac ymlaciodd ddigon i Daf a Toscano ei arwain yn ôl at y bwrdd i gymryd y dabled fach.

'Dyna chi, Mr Woosnam,' meddai Dr Mansel. 'Rŵan, be am i chi fynd i eistedd yn rhywle tawel.'

'Y parlwr?' cynigiodd Sheila.

Nodiodd Woosnam eto, ac aeth un o'r SOCOs â fo drwodd. Yr eiliad y caeodd y drws ar eu hôl, newidiodd awyrgylch y gegin.

'Ga i edrych ar eich gwddf, Mrs Woosnam?' gofynnodd Dr Mansel.

'Ac wedyn,' ategodd Daf, 'gawn ni drafod be i'w wneud ynglŷn â'ch gŵr. Yn ei gyflwr presennol, dwi ddim yn hapus i'w adael o yma, er ei les o a'ch lles chi.'

'Ond mi fydd Al yma. A ble ewch chi â David? Rhyw seilam?'

'Mae 'na dŷ creisis yn Bow Street,' cynigiodd Dr Mansel, 'Lle caiff o asesiad.'

'Does dim byd o'i le efo fo, Dr Mansel. Wedi dychryn mae o, dyna'r cwbwl.'

'Ydi o wedi'ch brifo chi o'r blaen, Mrs Woosnam?' gofynnodd Sheila yn ddiplomataidd.

'Erioed.'

'Sut allwch chi'n esbonio'r hyn ddigwyddodd heddiw, felly?' gofynnodd Daf.

Oedodd Liz am eiliad er mwyn gadael i Dr Mansel edrych ar ei gwddf. Roedd clais eisoes wedi codi yn siâp bawd ei gŵr.

'Ers i ni ddod i fyw yma, yr unig orchymyn ges i ganddo erioed oedd i beidio ag agor y drws gwyrdd. 'Den ni'n reit hapus efo'n gilydd.'

'Does neb yn dweud yn wahanol, Mrs Woosnam,' meddai Sheila, 'ond mae 'na sgerbwd yn y seler, ac os bydd o'n aros yma mae 'na bosibilrwydd y bydd o'n ceisio dinistrio tystiolaeth hanfodol.'

'Dwi isie gofalu amdano fo ...'

'Gofal proffesiynol mae o angen rŵan.'

O'r diwedd, nodiodd Liz ei phen i gytuno.

'Dwi'n gadael tabledi lladd poen i chi, Mrs Woosnam,' meddai Dr Mansel yn dyner, 'mae ganddoch chi dipyn o glais yn fanna. Does dim rhaid i chi eu cymryd nhw, wrth gwrs. Rŵan, dwi'n mynd lawr i weld be sy lawr yn y seler.'

Ar hynny, diflannodd y meddyg i lawr y grisiau. Fel petai mewn trwmgwsg, cerddodd Liz Woosnam at y dresel a thynnu sgarff liwgar o un o'r droriau. Yn araf, lapiodd y sgarff o gwmpas ei gwddf i guddio'r glais.

'Petai Al yn gweld hyn ...' mwmialodd, cyn mynd i eistedd ger Sheila ar y soffa.

'Tydi'r drws gwyrdd ddim wedi cael ei agor ers degawdau, felly?' gofynnodd Daf mewn llais ysgafn.

'Na ...'

'Pwy oedd yn byw yma cyn i chi symud i'r tŷ? Eich tad yng nghyfraith, yr hen Mr Woosnam?'

'Fo a'i frawd. Roedd mam David wedi marw.'

'Ffasiwn ddyn oedd yr hen Mr Woosnam?'

Gostyngodd Liz ei llygaid. 'Fel maen nhw.'

'Be dech chi'n feddwl?'

'Dyn mawr, cryf. Wedi teyrnasu yma ers marwolaeth ei dad ei hun.'

'Oedd o'n agos at David?'

'Nag oedd. Oherwydd ... wel, dech chi wedi clywed hanes yr ysbryd. Roedd Mr Woosnam wastad yn flin bod David yn ailadrodd y stori.'

'Be dech chi'n feddwl am y stori, Mrs Woosnam?'

'Camddealltwriaeth oedd o, dwi'n sicr. Cof plentyn. Hen drempyn welodd David, debyg.'

'Mae'ch tad yng nghyfraith yn swnio fel dipyn o fwli i mi.'

'O na, dim byd fel'na. Doedd o mo'r dyn mwyaf addfwyn, ond collodd ei chwaer ...'

'Be dech chi'n wybod am y darn hwnnw o hanes y teulu?'

'Doedden nhw byth yn trafod y busnes, ond mi glywes i sawl si yn yr ardal.'

'Wyddech chi ei bod hi wedi lladd ei hun?'

'Gwyddwn. Crogi ei hun o drawst y talent wnaeth hi. Mae'r ôl yn dal yno.'

'Unrhyw syniad pam?'

'Clywodd David gan ei fam ei bod hi'n disgwyl. Does neb yn gwybod pwy oedd y tad. Roedd pethe felly'n digwydd yn amlach yn ystod y Rhyfel, yn ôl y sôn.' Oedodd am ennyd. 'Dech chi ddim yn meddwl, Mistar Dafis, mai hi sy yn y seler?'

'Na – mi gynhaliwyd cwest ffurfiol i'w marwolaeth o flaen crwner, sy'n golygu bod ganddyn nhw gorff.'

'O.'

'A wnaethoch chi erioed ofyn pam nad oedd y drws gwyrdd i gael ei agor?'

'Be oedd pwrpas gofyn? Doedd David ddim isie trafod y busnes ac roedd hynny'n ddigon da i mi. Digon posib bod cyfrinachau'n ei fwyta fo'n fyw ond doedd hynny'n ddim o fy musnes i tra oedd y sieciau'n dal i glirio yn yr HSBC.'

'Wel, os mai dyna sy'n bwysig i chi, Mrs Woosnam, pwy ydw i i ddadlau,' meddai Daf, oedd yn dechrau cael digon ar y wraig o'i flaen. 'Sheila, wnei di helpu Mrs Woosnam fan hyn i bacio bag? All neb aros yn y tŷ 'ma heno gan ei fod yn lleoliad trosedd.'

'Pam? Os yden ni'n addo peidio mynd lawr i'r seler ...'

'Pwy a ŵyr faint o dystiolaeth allai gael ei ddinistrio dros nos?'

'Plis, Mr Dafis.'

'Dwi ddim yn bwriadu plygu rheolau i neb, Mrs Woosnam. Paciwch eich bag.'

Cyn dilyn Liz o'r gegin, sibrydodd Sheila, 'Mi wna i'n siŵr nad ydi hi'n rhybuddio'r plant.'

Ar ôl i'r merched adael y gegin, daeth Dr Mansel yn ôl i fyny â golwg ddifrifol ar ei wyneb.

'Dwi erioed wedi bod mewn lle mor anfad, Daf. Pwy bynnag oedd o, dwi'n meddwl ei fod o neu hi wedi marw yn y cadwyni – a does dim problem cadarnhau ROLE.'

'Alli di ddweud pryd?'

'Na. Gwaith y patholegydd fydd hynny. Ty'd â phaned i mi cyn i mi fynd i weld y claf yn y parlwr.'

Fel petai wedi clywed eu sgwrs, ffoniodd Dr Jarman, y patholegydd.

'Gen ti sgerbwd i mi, Dafydd?'

'Newydd ei ddarganfod mewn seler ffermdy, wedi ei gadwyno i'r wal.'

'Difyr. Fydd dim llawer i ni weithio arno ond dwi'n addo gwneud fy ngorau i ti.'

'Diolch yn fawr, syr. Wastad yn gwerthfawrogi'ch cyfraniad.'

Roedd Huw Mansel yn chwerthin y tu ôl iddo.

'Dwi erioed wedi dy glywed di'n llyfu tin fel'na o'r blaen!'

'Mae Jarman yn fy nychryn i'n sobor. Pasia'r tegell yma.'

Alun a Iola oedd y bobl nesaf i gyrraedd, ac esboniodd Daf y sefyllfa iddyn nhw.

'Ydw i'n cael mynd lawr i weld?' gofynnodd Alun.

'Os wyt ti'n addo peidio mynd ymhellach na'r drws mewnol.'

Brysiodd Alun i lawr y grisiau a Iola ar ei ôl. Daethon nhw'n ôl mewn jest dros funud.

'Ffycin hel!' ebychodd Iola, ond safai Alun yn stond, heb godi ei ben.

'Ble mae Dad?' gofynnodd.

'Mae dy dad wedi cael andros o sioc,' eglurodd Huw Mansel. 'Mae o wedi cael ryw fath o chwaliad nerfol.'

'Am be dech chi'n sôn? Strôc? Trawiad ar y galon?'

'*Breakdown*. Cyfuniad o symptomau corfforol a meddyliol. Rydw i am ei yrru i gael asesiad.'

'Druan ohono fo.' Hwn oedd y tro cyntaf i Daf weld unrhyw gydymdeimlad gonest gan aelod o deulu Llwynderi. 'Mae o wedi cael ei fagu i ofni'r hyn sy tu ôl i'r drws gwyrdd. Pan o'n i'n un ar hugain, mi ddwedodd fod yn rhaid i mi, fel yr etifedd, gymryd y cyfrifoldeb am gadw'r drws ar gau.'

Sylwodd Daf fod Iola yn dal llaw Alun.

'A be ddwedodd dy dad oedd y tu ôl i'r drws?'

'Roedd o'n gwrthod dweud dim yn benodol, dim ond bod

rhwbeth erchyll yno, rhwbeth allai ddinistrio'n holl waith caled ni ar y fferm.'

'A be wyt ti'n feddwl rŵan, ar ôl gweld be oedd y tu ôl iddo?' gofynnodd Daf.

'Nid Dad sy'n gyfrifol am hyn. Mi all o fod yn flin weithiau, ond fase fo ddim yn gwneud dim byd fel hyn.' Cododd ei ben a gwelodd Daf fod ei lygaid gwyrdd yn ddidwyll. 'Mater gwahanol oedd fy hen daid. Wn i ddim os dech chi 'di sylwi fod bawd Dad yn gam? Mi welais fy hen daid yn ei dorri efo polyn sgaffald. Còg pump oed o'n i, yn gwylio drwy'r ffenest. Newydd ddod yn ôl o'r farchnad oedd Dad – allwn i ddim eu clywed nhw'n siarad drwy'r ffenest ond mi welais fy hen daid yn codi'r polyn a tharo Dad efo fo. Roedd o'n hen ddyn erbyn hynny, ond mi roddodd o andros o glec i Dad. Ddwedodd neb ddim gair am y peth.'

'Be ti'n feddwl am hanes dy dad yn gweld ysbryd?'

'Dwi erioed wedi gweld dim byd sbŵci fan hyn.'

'Na finne chwaith,' ychwanegodd Iola.

Daeth Dr Mansel atynt ar ôl bod yn edrych ar David Woosnam.

'Wnei di bacio bag dros nos i dy dad, os gweli di'n dda, Alun?' gofynnodd.

'Dim problem. Alla i ... ydi hi'n iawn i mi fynd i'w weld o?'

'Dos i nôl y bag gynta, wnei di?'

Wrth iddo dywallt dŵr berwedig i sawl cwpan de, trodd Daf at Iola. 'Ti'n ocê?'

'Grêt, diolch,' atebodd y ferch ifanc.

'Ti'n edrych yn dda. Be sy 'di newid?'

'Mae Al wedi cyfadde ... wel ... be ddigwyddodd yn y Stockmans. Cymryd mantais. Ddwedes inne wrtho fo am Dawson. 'Den ni wedi trafod lot o bethau, clirio'r aer. Dechre eto.'

'Ti'n edrych, wel, yn hapus, lodes.'

'Mae Al yn ddyn neis yn y bôn, er ei fod o wedi'i sbwylio braidd. Mae ganddo fo bres yn y banc a choc deg modfedd. *Job's a good 'un*, Mr Dafis.'

'Be ti'n wybod am yr hyn sy yn y seler?'

'Shit ei hen Daid – bod hen fodryb Al wedi crogi'i hun a'r Woosnams wedi talu'r pwyth yn ôl.'

Cyn i Daf gael cyfle i holi mwy, dychwelodd Alun â phethau ei dad mewn bag plastig. Roedd o wedi gwneud ymdrech, o leiaf.

'Ble mae'r stwff i ddal ei ddannedd yn eu lle?' gofynnodd i Iola. 'A be am ei grib?'

Cyflawnodd ei dasg wrth i'w rieni ddod yn ôl i'r gegin drwy ddrysau gwahanol. Pan welodd gerddediad sigledig a wyneb llawn ofn ei dad, aeth Alun draw ato i gynnig rhyw fath o gysur ond oedodd, yn ansicr beth i'w wneud.

'Rho gwtsh iddo fo, y twmffat!' meddai Iola, ac ufuddhaodd Al yn bryderus.

'Fydd popeth yn iawn, Dada,' llwyddodd i ddweud. 'Boi da ydi Dr Mansel, ac mi fyddi di yn ôl efo ni toc.'

Nid atebodd yr hen ddyn, ond chwiliodd am gysur yn wynebau'r bobl o'i flaen. Gostyngodd Liz ei llygaid ond gwenodd Iola arno.

'Ffwrdd â ni 'te, Mr Woosnam,' meddai Dr Mansel wrth eu tywys at y drws cefn.

'Paid â phoeni am yr hen le, Dada – mi wna i'n siŵr ei fod yn rhedeg fel watsh.'

'Reit,' trodd Daf at y cwpwl ifanc ar ôl i'r lleill fynd, 'mi fydd swyddogion fyny toc i ofalu am y tŷ heno, ac ar ôl i ni adael, nhw fydd yr unig bobl gaiff ddod i mewn. Felly, os ydech chi angen bag dros nos, ewch i sortio hynny rŵan.'

'Dafydd!' galwodd Susie o'r seler. 'Dwi angen torrwr bolltau – rhaid i ni roi ein ffrind mewn bocs i'w gludo at Dr Jarman, a dwi ddim isie ceisio gwasgu ei metatarsals drwy'r hualau.'

'Ocê. Dech chi wedi darganfod unrhyw beth o bwys?'

'Na, heblaw'r cortyn a'r llythrennau ar y wal. Ydi hynny ddim yn ddigon i ti, Mistar Ditectif?'

Ar ôl i'r Woosnams i gyd adael, dechreuodd Daf deimlo'n flinedig iawn. Cofiodd am y Chinese yn Berllan i swper, a gwenodd.

'Mae'r SOCOs bron â gorffen ond maen nhw angen torrwr bolltau,' galwodd ar Toscano. 'Wnei di ffonio ...'

'Mae gen i un yng nghefn y fan,' torrodd Toscano ar ei draws.

'I be?'

'Wel ... weithie, mae tirfeddianwyr ger afonydd yn ceisio rhwystro pobl rhag defnyddio llwybrau cyhoeddus. Os ydyn nhw wedi rhoi cadwyn ar giât ...'

'Mae hynny'n swnio'n debyg i *crim dam* i mi, lanc. Dwi ddim isie gwybod mwy, jest paid â gwneud eto, iawn? Cer i'w nôl o.'

Ddeng munud yn ddiweddarach daeth un o'r tîm fforensig i fyny o'r seler yn cario bocs hir plastig. Roedd o'n llai na maint arch, a phan gododd Daf y caead gwelodd y sgerbwd wedi ei blygu'n ofalus. Roedd yr hualau yn dal yn eu lle ar esgyrn ei goesau. Edrychodd Toscano dros ysgwydd Daf.

'Requiem aeternam dona ei, Domine, et lux perpetua ei Requiescat in pace, amen,' mwmialodd.

Cyrhaeddodd Nev wrth i'r SOCOs adael, ac roedd o mewn hwyliau da.

'Aros dros nos mewn tŷ cyfforddus,' meddai, gan setlo ar y soffa yn y gegin a gafael yn y rimôt. 'Hon fydd y noson hawsaf ar ddyletswydd i mi ei chael erioed!'

'Ti'm yn aros yma ar dy ben dy hun, wyt ti?'

'Pam, bòs?'

'Mae merch y teulu, Sophie, yn debygol o ddod i nôl ei phethau – gwna'n siŵr nad wyt ti byth ar dy ben dy hun efo hi, iawn?'

'Mae William y PCSO ar ei ffordd efo *grab bag* o Minstrels. Fydda i'n iawn.'

'Bòs,' mentrodd Toscano, 'ydi o'n syniad i mi drafod y peth efo Nain heno? Rhag ofn fod ganddi fanylion allai fod o help?'

'Dim problem, ond gofyn iddi gadw pethe'n gyfrinachol. Chwarae teg, còg, rhaid bod y prynhawn 'ma wedi bod yn anodd i ti.'

'Mewn un ffordd, ond dwi ddim yn diodde fel yr hen foi.'

'Ond mae o'n rhy ifanc i fod ag unrhyw ran yn niflaniad dy ewythr.'

'Dwi'n gwybod hynny, ond mae o wedi ei fagu yng nghysgod y cyfan.'

'Un peth sy'n glir – tŷ llawn cyfrinachau ydi Llwynderi, ac mae'n rhaid i ni gofio pam aethon ni yno heddiw. Mae'n amlwg y buasai pob aelod o'r teulu 'na wedi medru cael gafael ar y powdwr gwn yn y tân gwyllt.'

Neidiodd Daf yn syth o fan Toscano i'w gar ei hun ym maes parcio gorsaf heddlu'r Trallwng. Roedd hi wedi troi pump o'r gloch, ac ar ôl diwrnod heriol, roedd o'n ysu am lonydd, cwmni ei deulu a rhywbeth i'w fwyta. Ffoniodd Gaenor.

'Dwi'n gadael y Trallwng rŵan – wyt ti am i mi nôl y Chinese?'

'Dwi'n dal yn y parti plant yn Adfa – ffonia Chrissie.'

Yn ôl Chrissie roedd Bryn yn mynd i nôl y bwyd ar ei ffordd adre, felly aeth Daf yn syth i Hengwrt, oedd yn hollol dawel, am gawod sydyn. Roedd o'n cerdded yn ôl at ei gar pan sgrialodd fan Garmon i fyny'r wtra.

'Sori, còg – do'n i ddim yn gwybod dy fod ti'n dod draw. Ar fy ffordd allan ydw i.'

Roedd golwg boenus ar wyneb Garmon. 'Na, dwi ddim yn aros – poeni am Tallulah ydw i, a meddwl y basa gen ti unrhyw newyddion. Does 'na ddim symudiad wedi bod ar ei Fitbit ers ddoe.'

'Dwi wrthi'n ceisio cael gwarant i chwilio'r lle – dwi'n addo i ti, Garmon, mi wna i fy ngore iddi.'

Roedd Gaenor wedi cyrraedd Berllan o'i flaen; roedd drws y byngalo ar agor a cherddoriaeth gwlad uchel yn llifo drwyddo. Heb sylwi ei fod o'n gwneud hynny, cribodd Daf ei fysedd drwy ei wallt wrth gerdded at y drws.

'Peidiwch â phhincio, Mr Dafis,' galwodd Chrissie, 'dech chi'n ddigon golygus i ni fel yr ydech chi.'

Yn eistedd wrth y bwrdd mawr roedd Gaenor a Chrissie, ac o'u blaenau roedd tri bag bach a llun Cyw arnyn nhw.

'Parti da?' gofynnodd Daf

'Bach yn OTT,' atebodd Gaenor gan amneidio at y bagiau.

'Dipyn bach?' gofynnodd Chrissie, gan wagio cynnwys un o'r bagiau ar y bwrdd. Ynddo roedd llyfr stori, tractor bach mewn bocs, sawl pensil, dau Toblerone, bocs plastig llawn mefus a photel fach o sudd afal organig.

'Helfa dda!' sylwodd Daf.

'Hanner cant o blant, yr holl rwtsh yma i bob un, llogi'r neuadd, gwasanaethau Sophie'r Snob ... dim llawer o newid o wyth can punt am barti i blentyn tair oed. Mae'n hurt, Mr Dafis. Ond wfft i'r parti – be ydi hanes y sgerbwd yn y seler? Ai ysbryd Llwynderi oedd o?'

'Alla i ddim trafod y peth, Chrissie ... a dwi'n cymryd bod y byd a'i fam yn gwybod yr hanes felly?'

'Rho beint o Bushmills iddo fo,' awgrymodd Gaenor, 'ac mi gawn ni wybod y cyfan!'

Wrth iddyn nhw i gyd chwerthin efo'i gilydd diflannodd popeth cas o feddwl Daf: galar, canser, trais, cyfrinachau, celwyddau. A chymaint o gwestiynau yn pwyso arno, roedd o'n gwerthfawrogi cyfeillgarwch yn fwy nag erioed.

Cyrhaeddodd Bryn yn cario bageidiau o fwyd, a setlodd pawb i fwyta. Synnodd Daf mai dim ond Mali Haf a'r efeilliaid ymunodd â nhw wrth y bwrdd.

'Mae Rhodri a Rob yn dal wrthi fyny yn Neuadd, Anni Mai ar gwrs preswyl, coelia neu beidio, a Minna wedi mynd lawr i lan y môr efo'r cogie mawr.'

Chwaer Chrissie oedd Minna. Fel arfer, Chrissie oedd yn ei helpu hi, ac aeth ias i lawr cefn Daf – oes oedd hyd yn oed Minna yn gwneud ei siâr, roedd Chrissie yn wynebu argyfwng go iawn. Er bod potel o win gwyn ar y bwrdd doedd Daf ddim awydd yfed, ond aeth Bryn yn ôl ac ymlaen i'r oergell sawl gwaith i nôl caniau lager. Wnaeth Chrissie ddim cyffwrdd y gwin chwaith, felly pan ddiflannodd y llwyaid olaf o chow mein, roedd hi'n dal mor sobor â sant. Awgrymodd fod y plant yn gwylio DVD.

'Pa ffilm?' gofynnodd hi.

'Mali Haf sy'n cael dewis,' atebodd Sam, a nodiodd Aron ei ben.

'*Beverly Hills Chihwitchwa*, plis, Chrissie,' oedd ymateb cwrtais Mali Haf. 'Dwi'n dwlu ar y cŵn bach. Maen nhw mor ciwt.'

'Dyna chi. Dwi'n mynd am dro ger y nant efo Mr Dafis. Mae Gae a Dadi Bryn yn y gegin, ac mae 'na bentwr o blancedi draw fan'cw os dech chi'n oeri.'

'Fyddwn ni'n iawn,' meddai Aron. 'Os fyddwn ni'n oeri, allwn ni gwtshio.'

Roedd llygaid Chrissie'n sgleinio erbyn iddyn nhw gyrraedd y drws.

'Mae 'na wybed bech ger y nant, Mami, cymer ofal,' galwodd Sam ar ei ôl.

'Fydd y gwybed ddim yn meiddio dod agos at Mr Dafis, còg,' meddai, gan gau'r drws ar eu holau â chlep.

Wnaeth y sŵn ddim amharu ar y ddau yn y gegin. Roedd Gaenor yn eistedd ar lin Bryn, yn hollol gyfforddus ar ei gluniau hir a gwydraid o win yn ei llaw. Roedd ei fraich gyhyrog o gwmpas ei chanol a'i boch yn gorffwys ar ei frest. Roedden nhw'n edrych yn debycach i ŵr a gwraig na chariadon; dau gorff wedi hen arfer â'i gilydd. Cydiodd Chrissie yn llaw Daf a'i dywys i lawr at yr afon.

Pennod 20

Bore Sadwrn

Am bedwar o'r gloch y bore roedd yr adar bach yn canu, ac ymunodd ffôn Daf â nhw. Roedd goleuni'n ffrydio drwy'r ffenest gan eu bod wedi anghofio cau'r llenni y noson cynt ... roedd blaenoriaethau eraill. Wrth droi i estyn ei ffôn gallai Daf deimlo bod cyhyrau ei gefn yn dynn, oedd wastad yn arwydd o noson nwydus, ac roedd arogl gwallt Gaenor yn ei ffroenau. Roedd hi'n rhy gynnar i sgwrsio â Toscano.

'Ffycin hel, còg, be sy?'

'Sori, bòs, ond mae neges gan Tallulah.'

'Ie?'

'Dim ond tair llythyren, H, E ac L, fel petai'n ceisio sgwennu'r gair "help".'

Roedd dawn anhygoel gan Toscano i nodi'r hyn oedd yn amlwg. Fel arfer, byddai Daf wedi rhoi ateb coeglyd, ond nid nawr oedd yr amser.

'Wela i di wrth giât fawr Plas Aur, còg.'

Roedd yn anodd gan Daf gredu, ar fore mor berffaith o haf, fod pethau anfad yn digwydd yn ei filltir sgwâr. Parciodd ychydig oddi wrth y giât a gwelodd fod Toscano yno eisoes, ei ffôn yn ei law a golwg bryderus ar ei wyneb.

'Mi ffoniais am bac-yp, bòs,' byrlymodd, 'achos mae'n rhaid i ni fynd i mewn i'r parc, a falle y byddwn ni angen y *battering ram* i fynd drwy ddrws y tŷ ac mi rois i'r cod post iddyn nhw ond wedyn ges i alwad yn ôl yn dweud y bydd angen caniatâd y Dirprwy Brif Gwnstabl i ryddhau'r adnoddau i ni oherwydd bod gwarant chwilio wedi cael ei gwrthod, a ...'

'Ffor ffycs sêc!'

Ysgydwodd Daf handlen y giât ond roedd cadwyn drwchus wedi ei lapio sawl gwaith o'i chwmpas, a chlo clap mawr.

'Ydi'r torrwr bolltiau 'na'n dal yn nghefn dy fan di?'

'Ydi.'

'Dos i'w nôl o, wnei di?'

Ond roedd dur y gadwyn yn rhy drwchus, a'r clo clap hefyd yn rhy drwm.

'Sori, bòs.'

'Oes 'na ffordd arall o fynd i mewn?'

'Wel, mae'r wal yn uchel a weiren bigog ar y top, ond mae 'na opsiwn arall, bòs, os dech chi'n fodlon rhoi cynnig arni.'

'Be ti'n feddwl?'

'Y gamlas.'

'Oes rhaid i ni nofio?'

'Dim o gwbl bòs – mae'r caiac gen i yng nghefn y fan, ac mae lle i ddau ynddo fo.'

'Ond dwi erioed wedi bod mewn caiac yn fy mywyd. Does gen i ddim clem sut i rwyfo na dim.'

'Does dim rhaid i chi wneud dim byd ond eistedd yn llonydd.'

'Aros am eiliad. Mae'n werth trio'r Dirprwy, rhag ofn.'

Yn yr amser byr a gymerodd i Daf ffonio rhif y Dirprwy Brif Gwnstabl deirgwaith heb gael ateb, roedd Toscano wedi llwyddo i nôl caiac mawr glas o gefn ei fan a'i wthio'n ddiffwdan i ddŵr y gamlas.

'Does dim digon o amser i ni wisgo'r siwtiau gwlyb, bòs, felly, tra dwi'n dal y starn, gollyngwch ei hun yn ofalus i mewn i'r tu blaen, un droed ar y tro.'

'Un droed ar y tro, wir,' mwmialodd Daf o dan ei wynt gan ddiolch nad oedd yn rhaid iddo wasgu ei hun i mewn i'r siwt dynn. Gollyngodd Toscano starn y caiac a rhoddodd Daf ei freichiau allan i gadw'i falans.

'Hei, cymer ofal.'

'Peidiwch â phoeni, bòs, fyddwch chi'n iawn.'

Yn betrus, trodd Daf ei ben i weld Toscano'n tynnu bag oren o gefn y fan.

'Be 'di hwnna? Does ganddon ni dim eiliad i'w sbario, còg.'

'Jest cwpwl o bethe angenrheidiol, bòs.' Camodd Toscano yn ysgafn ac yn fedrus i'r caiac â'r bag ar ei gefn. Roedd rhwyf yn ei law chwith ac esgidiau bach *neoprene* am ei draed. 'Reit 'te, dech chi isie'r newyddion drwg neu'r newyddion da?'

'Am be wyt ti'n sôn?'

'Dim ond tri chan llath i ffwrdd o erddi Plas Aur yden ni, ond mae'n rhaid i ni fynd o dan y bont 'na.'

Syllodd Daf dros ysgwydd Toscano. Roedd bwa'r bont yn isel ac yn dywyll, ac wedi'i gorchuddio â mwsog gwyrdd.

'Does 'na ddim digon o le,' protestiodd Daf, gan geisio peidio dangos i'r swyddog iau faint o fraw roedd y twnnel yn ei godi arno.

'Mae'n reit hawdd – jest gwnewch yn union be dwi'n ddweud, ocê?'

Gwthiodd Toscano'r caiac i ganol y gamlas â'r rhwyf a dechrau rhwyfo'n fedrus a llyfn.

'Gorweddwch lawr, bòs ... rhowch eich wyneb reit lawr wrth fy ochr i.'

'Ond ...'

'Dwi 'di gwneud hyn sawl tro. Jest peidiwch â chodi'ch pen, beth bynnag wnewch chi.'

Caeodd Daf ei lygaid a phlygu i lawr. Teimlodd y caiac yn symud i'r dde pan symudodd ei bwysau.

'Wyt ti'n siŵr, còg? Mae o'n eitha simsan.'

'Mae'n iawn.'

'Ti 'di bod o dan y bont 'ma efo rhywun arall yn y cwch o'r blaen?'

'Sawl tro. Eisteddwch yn llonydd.'

Gan fod ei lygaid ar gau, roedd y tawelwch yn codi ofn ar Daf.

'Pam ti 'di stopio rhwyfo?'

'Does dim digon o uchder, ond does dim angen poeni.'

Roedd y cwch bach yn dal i symud, rywsut. Teimlodd Daf rywbeth yn symud ger ei wyneb. Ceisiodd ei anwybyddu ond gallai deimlo rhywbeth gwlyb yn symud dros ei groen. Agorodd ei lygaid, ac yn y gwyll gwelodd dau lygad melyn yn syllu arno. Sgrechiodd, a daeth pelydrau o olau o dortsh Toscano.

'Dech chi'n iawn, bòs?'

'Ydw. Sori. Llyffant,' eglurodd, gan godi'i fraich yn ofalus i gnocio'r creadur yn ôl i'r dyfnderoedd.

Yn y golau gwan, gwelodd Daf sut roedd y caiac dal i symud – roedd Toscano yn defnyddio'r rhwyf fel lifer i'w gyrru nhw ymlaen, ac roedd heulwen i'w weld y pen arall i'r bont. Fu o erioed mor falch o gyrraedd yr awyr agored.

Mewn llai na munud, roedd Toscano'n neidio allan i'r lan yng ngerddi Plas Aur. Daliodd y caiac yn llonydd er mwyn i Daf ddringo ohono, cyn codi'r cwch bach ar y glaswellt. Agorodd y bag oren a rhoi tywel mawr i Daf.

'Rhag ofn eich bod chi wedi gwlychu rhywfaint.'

Rhwbiodd Daf ei wyneb, er mwyn cael gwared ar olion y llyffant yn hytrach nag unrhyw ddŵr.

'Mi ddois i â'r rhain hefyd,' ychwanegodd Toscano gan roi dyfais ddu iddo fo, dipyn bach mwy na ffôn symudol, â lens amlwg. Camera corff oedd o, a chlipiodd Daf y teclyn ar ei grys yn diolchgar.

'Ro'n i'n meddwl, bòs, oherwydd bod y warant chwilio wedi cael ei gwrthod, ei bod yn bosib fod gan y Gwyther 'ma ffrindiau dylanwadol. Well i ni gael tystiolaeth gadarn o bopeth, felly.'

'Da iawn ti.'

Roedd Daf ar fin ei ganmol pan glywodd sŵn pawennau'n agosáu o gyfeiriad y tŷ. Daeth dau fleiddgi mawr i'r golwg, un du ac un brown – roedd yr un brown yn anelu'n syth at Daf, felly lapiodd y tywel dros ei fraich chwith a'i chodi i amddiffyn ei wddf jest cyn i'r ci neidio. Daliodd y dannedd miniog eu gafael yn y defnydd yn ddigon hir i Daf roi ergyd galed ar ochr trwyn y ci â'i ddwrn dde. Griddfanodd yr anifail a chilio'n ôl â'i gynffon rhwng ei goesau. Plygodd Daf i godi carreg o'r lan a'i thaflu – tarodd y ci ger ei glust. Roedd hynny'n ddigon i wneud iddo udo a rhedeg i ffwrdd. Trodd Daf i weld sut oedd Toscano, a gwelodd fod y dyn ifanc yn camu'n ôl oddi wrth y ci du.

'Dal dy dir,' gwaeddodd Daf. 'Dangos iddo fo pwy 'di'r meistr.'

Ond nid mewn ofn roedd Toscano'n camu'n ôl. Gan ddal i

syllu i lygaid y ci, estynnodd am y caiac a'i godi mewn un symudiad rhwydd i daro'r ci yn ddigon caled i'w godi oddi ar ei draed a'i luchio i'r gamlas. Nofiodd y creadur i'r ochr arall a sleifiodd ymaith.

'Heddlu Dyfed Powys: dau. Cŵn milain: dim. Canlyniad da,' meddai Daf gan ysgwyd llaw yr heddwas ifanc.

Nodiodd Toscano ei ben, ond roedd ei wyneb yn welw.

Cychwynnodd y ddau i gyfeiriad y tŷ mawr drwy'r coed. Roedd tri Portacabin ar ochr ogleddol y Plas a sawl ffenest ynddynt wedi'u torri, a hen arwyddion yn rhybuddio ymwelwyr fod y safle'n cael ei warchod gan CCTV. Rhedodd Daf at y drws ffrynt a'i guro â'i ddwrn. Dim ateb. Rhedodd y ddau rownd i'r cefn – roedd nifer o adeiladau bach yno a golau i'w weld yn un ohonynt. Wrth nesáu roedd arogl clorin yn yr aer. Camodd Daf at ffenest fawr – drwyddi gwelodd bwll nofio bach yn arddull y chwedegau oedd â sawl un o'r teils wedi malu. Roedd y lle yn eithriadol o fudr.

Camodd Daf yn ôl i'r cysgodion pan agorodd drws yn mhen arall yr adeilad. Cerddodd dyn i mewn yn gwisgo Speedos a gŵn gwisgo o ddefnydd tywel, ac yn cario bin mawr plastig du. Roedd yn amlwg o'r ffordd yr oedd yn ei gario nad oedd y bin yn drwm. Taflodd y cynnwys i mewn i'r pwll a diflannodd drachefn. Ni welodd Daf beth daflodd y dyn i'r pwll, ond ymhen eiliadau ymddangosodd siapiau bach ar wyneb y dŵr.

'Be sy'n digwydd, bòs?' sibrydodd Toscano y tu ôl iddo.

'Ssh!'

Agorodd y drws unwaith eto a daeth y dyn yn ôl, yn cerdded yn arafach y tro hwn. Yn ei freichiau roedd merch noeth. Safodd am dipyn wrth ymyl y pwll, ac er na allai Daf glywed gair, gallai weld ei fod o'n siarad. Wedyn, ymestynnodd ei freichiau a gollwng y ferch i'r pwll. Doedd hi ddim yn symud.

'Arhosa di fan hyn i weld be sy'n digwydd, lanc, a ffilmia'r cyfan os alli di. Dwi'n mynd i mewn.'

Rhedodd Daf nerth ei draed i ben arall yr adeilad. Roedd y drws allanol wedi'i gloi, ond gwelodd Daf mai un bach simsan oedd o, felly rhoddodd ei ysgwydd arno nes i'r glicied chwalu. O brofiad, gwyddai Daf pa mor swnllyd oedd torri drwy ddrws, felly disgwyliai y byddai'r dyn, neu rywun arall, yn aros amdano, ond pan gamodd i mewn i'r cyntedd, doedd neb yno. Gan ddilyn yr arogl clorin a sŵn llais y dyn, agorodd ddau ddrws i gyrraedd ochr y pwll. Roedd Gwyther yn sefyll wrth y pwll, yn syllu i'r dŵr.

'Alli di ddim hyd yn oed nofio rŵan, y bitsh fach wan. Ti'n dda i ddim.'

Yn y dŵr, roedd y ferch yn llonydd.

'Heddlu Dyfed Powys!' gwaeddodd Daf, gan godi ei law i amneidio ar Toscano i ddod draw. Ciciodd ei esgidiau ymaith, tynnodd ei grys a neidio i'r pwll. Wedyn, sylwodd yn union beth luchiodd Gwyther i'r pwll: darnau o rew. Gafaelodd o dan geseiliau'r ferch, ac er bod ei gwallt gwlyb yn cuddio'i hwyneb gwyddai mai Tallulah oedd hi. Roedd ei chorff yn oer a'i choesau'n gwingo. Nofiodd Daf i ochr y pwll a chyn iddo gyrraedd yr ysgol fach roedd Toscano wedi cyrraedd, yn ymestyn ei freichiau i lawr i helpu Daf i godi Tallulah. Dringodd Daf i fyny ar ei hôl.

'Bòs, mae hi'n ...'

Methodd Toscano â dod o hyd i eiriau i ddisgrifio cyflwr y ferch. Roedd ei chroen gwelw yn dynn a gellid gweld siâp ei dannedd o dan ei gwefusau glas. Er ei bod hi'n ymddangos yn hollol anymwybodol roedd ei llygaid ar agor led y pen, a'i chyhyrau'n gwingo. Roedd un ochr o'i hwyneb wedi cwympo fel petai hi wedi cael strôc.

'Reit, còg, tynna dy grys a'i lapio o'i chwmpas, a cheisio'i chynhesu hi yn dy freichiau. A galwa'r ambiwlans – dwi'n mynd ar ôl y bastard.'

Tynnodd Daf ei sanau gwlyb, gwthio'i draed i mewn i'w esgidiau a rhedeg allan. Doedd dim golwg o Gwyther, ond clywai sŵn traed ar y cerrig mân. Dilynodd Daf y sŵn rownd cornel adeilad y pwll a gwelodd fod drws cefn y plasty ar agor. Rhedodd i mewn.

'Heddlu! Police! Ty'd lawr, Gwyther!' gwaeddodd.

Roedd sŵn rhyfedd i'w glywed, rhyw si oedd rhwng sŵn gwenyn a radio heb ei thiwnio. Hyd yn oed ar ôl ychydig eiliadau roedd pen Daf yn brifo. Camodd i mewn drwy gyntedd llawn esgidiau a chotiau i gegin oedd yn edrych fel cegin ysgol – roedd y sŵn yn uwch yno, a theimlodd Daf wasgiad yn ei fol fel petai ar fin chwydu. Yn sydyn, saethodd troli mawr tuag ato, gan daro ei glun â chlec nes y bu bron iddo golli'i falans. Gwelodd rywun yn symud yn y cysgodion, gan rhedeg ymhellach i mewn i'r tŷ. Rhedodd Daf ar ôl Gwyther i fyny grisiau llydan ac i lawr coridor hir, er bod y sŵn yn gwneud iddo deimlo fel petai ei ben ar fin hollti. Safodd am eiliad i ddal ei wynt, a theimlodd ergyd ar gefn ei ben. Trodd yn sydyn a llwyddodd i gydio yn y pastwn a'i darodd â'i law chwith ac arddwrn Gwyther â'i law dde. Wrth edrych yn syth i lygaid Gwyther, cododd ei ben-glin i'w daro yn ei geilliau. Sgrechiodd Gwyther fel cath, a chyn iddo gael cyfle i ddod dros yr ergyd tynnodd Daf y pastwn o'i afael a throi ei fraich tu ôl i'w gefn. Llwyddodd i fartsio a llusgo Gwyther bob yn ail i lawr y staer ac allan drwy'r drws cefn. Wrth adael y sŵn echrydus y tu ôl iddo teimlai Daf fel petai'n dechrau sobri. Yn sydyn, cofiodd am gamera Toscano, a dechreuodd ddifaru gadael ei grys, a'r camera oedd arno, wrth y pwll nofio. Penderfynodd beidio â dweud gair nes iddo ymuno â Toscano wrth y pwll.

Yno, roedd Tallulah yn gorwedd ar y teils oer a'i phen ar lin Toscano, a chrys Daf wedi'i lapio amdani.

'Oes gen ti efynnau, lanc?' gofynnodd Daf.

Tynnodd Toscano nhw o'i boced yn ara deg, rhag aflonyddu ar Tallulah. Clymodd Daf un o arddyrnau Gwyther ond cyn iddo gael cyfle i gau'r llall, cododd Gwyther ei ddwrn rhydd a tharo ergyd nerthol yn ei stumog. Plygodd Daf yn ei ddyblau ond llwyddodd i ddal ei afael yn y gefynnau tra oedd Gwyther yn strancio ar y pen arall iddynt. Yr eiliad nesaf, gwthiodd bysedd cryf Toscano arddwrn arall Gwyther i'r gefyn.

'Mr Gwyther,' meddai yn ffurfiol, 'ydi'r Arolygydd Dafis wedi cael cyfle i roi datganiad o'ch hawliau i chi?'

Ysgydwodd Gwyther ei ben a sylwodd Daf fod y camera yn dal i fod ar frest Toscano – roedd y ddrama fach yn angenrheidiol ar gyfer y lens, felly sythodd Daf ei gorff er bod ei geg yn llawn chwd, i adrodd y datganiad. Wrth i Gwyther droi ei ben sylwodd Daf fod ganddo ddarnau bach o blastig yn ei glustiau – dyna sut roedd o'n gallu diodde'r sŵn erchyll yn y tŷ. Arwyddodd ar Gwyther i'w tynnu nhw allan.

'Oes rhywun arall yn y tŷ heblaw chi a Tallulah, Mr Gwyther?'

Ysgydwodd Gwyther ei ben. Daeth sŵn gwan o geg Tallulah.

'Ti 'di ffonio ambiwlans?' gofynnodd Daf i Toscano.

'Do, ac maen nhw am ddod â rhywun efo nhw all dorri i mewn os oes rhaid.'

'Mr Gwyther, 'den ni angen agor y giât ffrynt. Ble mae'r goriad?'

Cododd Gwyther ei war. Rywsut, ar ôl rhedeg allan o adeilad y pwll, roedd o wedi cael amser i wisgo amdano, yn wahanol i'r ferch oedd yn gwingo ac yn crynu ar y llawr.

'Oes 'na dyweli fan hyn?' oedd cwestiwn nesaf Daf, a dechreuodd ei dymer ffrwtian pan welodd y difaterwch ar wyneb Gwyther. Gyda help Toscano, clymodd Daf y carcharor yn sownd i beipen fawr las ger y drws.

'Cer i nôl y tywel oddi ar lan y gamlas,' gofynnodd Daf i Toscano cyn penlinio wrth ochr Tallulah. Roedd ei phyls hi'n weddol sefydlog ond roedd ei chroen yn dal i fod yn lliw annaturiol. Dechreuodd Daf rwbio'i chroen â chledr ei law.

'Ty'd 'mlaen, da lodes. Dwi'n mynd i edrych ar dy ôl di. Fydd popeth yn iawn.'

Symudodd ei hamrannau, a chododd Daf ei law chwith i rwbio'i boch. Agorodd Tallulah ei llygaid, a chyda chryn ymdrech, llwyddodd i siarad.

'Fo ...'

'Paid â phoeni. Gad i mi delio efo Gwyther.'

'Alli di ddim credu gair mae hi'n ddweud,' galwodd Gwyther. 'Mae hi'n sâl yn ei phen.'

'Os ydi hynny'n wir, mae'ch ymddygiad chi'n waeth byth.'

'Wnaiff 'run barnwr na rheithgor gredu ei ffantasïau hi.'

'Does dim angen i neb ei chredu hi, Mr Gwyther. Dwi 'di gweld digon, bydd DS Toscano yn dyst da ac mae ganddon ni dystiolaeth fideo. Felly fel maen nhw'n dweud mewn rhaglenni ditectif: Mr Gwyther, dech chi'n *nicked*.'

Efallai mai dychmygu wnaeth o, ond roedd Daf yn siŵr iddo weld gwên ar wyneb gwelw Tallulah. Wrth i Daf ei chofleidio, yn ara deg, daeth lliw yn ôl i'w chnawd. Diflannodd y lliw glas oddi ar ei bysedd a'i gwefusau, a chyn hir gallai symud rhywfaint.

'Ti'n teimlo'n well, lodes?' gofynnodd Daf iddi.

Nid atebodd hi ond cododd ei llaw i rwbio'i thalcen.

'Y sŵn yn y tŷ,' dechreuodd Daf, yn ansicr beth i'w ofyn.

Curodd Tallulah gledr ei llaw ar ei phen dair gwaith, yn galed.

'Paid â brifo dy hun, lodes. Ti 'di bod drwy ddigon fel mae hi.'

'Mae 'na wenynen ...' sibrydodd gan ddal i guro'i thalcen.

Gan geisio symud cyn lleied â phosib rhag tarfu arni, tynnodd Daf ei ffôn o'i boced i ddeialu rhif cartref Huw Mansel.

'Daf? Ti'n gwybod ei bod hi cyn chwech ar fore Sadwrn?'

'Ydw, ond mae hyn yn argyfwng.'

'Mae dy fywyd di'n un argyfwng ar ôl y llall. Be rŵan?'

Esboniodd Daf y sefyllfa yn fras, a chlywai sŵn y meddyg yn ceisio codi a gwisgo yn y cefndir.

'Fydda i yna toc, Daf. Ceisia'i chadw hi'n gynnes ac yn ymwybodol os alli di.'

Er bod Toscano wedi dod yn ei ôl â'r tywelion, roedd Tallulah yn dal i grynu.

''Den ni angen nôl dillad i ti, lodes. Ble mae dy lofft di?'

Ysgydwodd ei phen. 'Mae Gwyther wedi mynd â fy nillad ... tan ar ôl y *grading*.'

'Be?'

'Rhag i mi dorri'r rheolau.'

'Rheolau rhyfedd iawn os ydyn nhw'n gofyn i ti fod yn noeth.'

'Rhaid i mi fod yn oer.'

Yn ofalus, rhoddodd Daf y ferch ar y llawr a chodi ar ei draed. Gwisgodd ei grys a gwneud yn siŵr fod y camera yn ei le ar ei frest. Camodd draw at Gwyther, a chan droi'r camera i ffwrdd, plygodd yn nes ato.

'Gwranda, y bastard,' meddai mewn llais llawn bygythiad, 'dwi bron iawn â dy luchio di i mewn i'r pwll 'na. Byddai'n ddigon hawdd, a wyddost ti be ...'

'Alli di ddim.'

'Paid ti â meiddio dweud wrtha i be ga i wneud!' taranodd Daf nes bod ei lais yn atseinio o do'r adeilad. 'Mae'n hen bryd i ti ddechrau cydweithio efo ni, gan ddechrau drwy ddweud wrth DS Toscano ble mae dillad Tallulah, sut i agor y giatiau mawr a sut i droi'r blydi sŵn i ffwrdd yn y tŷ.'

Roedd tactegau Gwyther yn amlwg – ar ôl wythnos o greulondeb, oerni a diffyg cwsg, roedd Tallulah mewn cyflwr gwael, doedd ganddi ddim rheolaeth dros ei chyhyrau ac roedd hi'n arddangos symptomau o salwch meddwl difrifol.

Ar ôl siarad â Gwyther aeth Toscano allan, gan ddychwelyd ddeng munud yn ddiweddarach â llond ei freichiau o flancedi a dillad.

'Mae goriad y clo clap gen i, bòs, felly dwi'n mynd i agor y giât i'r ambiwlans a'r meddyg.'

Erbyn i Dr Mansel gyrraedd roedd Daf wedi llwyddo i sychu Tallulah a rhoi tracwisg amdani. Roedd hi bellach yn eistedd i fyny.

'Mi wnes i gamgymeriad, Mr Dafis,' sibrydodd. 'Ro'n i'n meddwl 'mod i'n ddigon caled i'w wrthsefyll ... ond y sŵn 'na, ddydd a nos ...'

Cyrhaeddodd Huw Mansel ychydig o flaen yr ambiwlans a gweddill yr heddlu, a mynnodd wneud profion ar Tallulah cyn i fois yr ambiwlans fynd â hi.

'Diolch,' sibrydodd Tallulah. 'Rŵan mae gen ti ddata i brofi'r hyn sy wedi digwydd i mi dros y dyddiau diwetha.'

'Oes,' cytunodd y meddyg, 'ond gobeithio dy fod ti wedi dysgu gwers. Mi roist ti dy hun mewn peryg.'

Ar ôl i ddrws yr ambiwlans gau â Tallulah yn saff y tu mewn, safai Huw Mansel a Daf ochr yn ochr.

'Dwi ddim yn meddwl i mi weld y fath ddirywiad yng nghyflwr neb o'r blaen,' meddai'r meddyg. 'Ac i feddwl bod y cyfan yn fwriadol ...'

Hanner awr yn ddiweddarach, safai Daf tu allan i ddrws cefn Hengwrt. Roedd sŵn cerddoriaeth uchel yn llifo allan i'r ardd, a gwelai fod Gaenor yn dawnsio o gwmpas y gegin wrth gadw'r llestri tra oedd Mali Haf yn llyfu gweddillion ei brecwast oddi ar ei bysedd. Camodd i mewn i'r tŷ, gan adael olion gwlyb ar y llawr.

'Ble ti 'di bod, Daf?'

'Stori hir, ond dwi angen cawod a dillad glân cyn mynd lawr i'r orsaf.'

'Pam wyt ti'n wlyb, Dadi?' gofynnodd Mali Haf.

'Roedd merch sâl mewn pwll o ddŵr ac roedd yn rhaid i mi neidio i mewn i'w helpu.'

'Wnest ti ei hachub hi, Dadi?'

'Do.'

'Ti'n arwr!' Roedd ei llygaid bach yn sgleinio.

'Reit – mae'n hen bryd i bawb newid,' gorchmynnodd Gaenor. 'Mae Rhods yn cystadlu am ddeg.'

'Ble mae o?'

'Newydd adael, efo Rob a theulu Berllan. 'Den ni'n mynd lawr yno cyn gynted ag y bydda i wedi cael trefn ar Miss fech yn fan hyn.'

Wrth weld brwdfrydedd Gaenor teimlodd Daf, am y tro cyntaf yn ei fywyd, yn siomedig na allai fynd i Rali'r Ffermwyr Ifanc.

'Cofia ddweud wrth Rhodri 'mod i'n sori na fydda i yno i'w weld o.'

Pan ddaeth allan o'r gawod roedd wedi cael tecst gan Chrissie.

'Be ddylen i ofyn i'r meddyg, Mr Dafis?'

Atebodd Daf yn sydyn: 'Cer â beiro a phapur efo ti i sgwennu popeth i lawr, ac ar ôl iddo roi'r canlyniad i ti, gofyn be yn union mae o'n ei olygu a be ydi dy opsiynau di.'

'Ocê. Diolch.'

'Pob lwc, Chrissie. Fydda i'n meddwl amdanat ti.'

E-bost byr ond diffuant gan un o'r ynadon a wrthododd roi gwarant i Daf i chwilio Plas Aur oedd y neges gyntaf a welodd ar sgrin ei gyfrifiadur pan gyrhaeddodd ei swyddfa. 'We are conscious as a Bench that in you, Inspector Davies, we have one of Wales' most consistent, committed and talented operational policemen.' Geiriau braf, meddyliodd Daf, ond byddai gwarant wedi bod yn brafiach, yn enwedig i Tallulah. Cododd y ffôn i alw'r dderbynfa.

'Sheila? Be ti'n wneud yn y gwaith?'

'Mae'r shifftiau i gyd ar chwâl dros y penwythnos – sawl un yn sâl ac mae 'na gêm bêl-droed fawr yn Aber, rhyw *grudge match*, felly mae pawb wedi cael galwad i ddod i mewn.'

'Pa swyddogion ar yr un lefel â fi sy'n gweithio dros y penwythnos?'

'Rich Morgan yn Llandrindod.'

'Mae o'n nob.'

'Tim Carpenter yn Aberhonddu.'

'Na, snob. A Sais hefyd.'

'Will Griffiths yn Presteigne.'

'Nob a snob.'

'Does gen ti ddim agwedd bositif tuag at dy gyd-weithwyr, os ga i ddweud, bòs.'

'Dim ond dweud y gwir ydw i.'

'Mae Jane yn Aber, ond efo'r holl fusnes pêl-droed ...'

'Iawn.'

Ffoniodd Daf yr Arolygydd Jane Jenkins yn syth.

'Dech chi'n disgwyl terfysgoedd ar strydoedd Aber, dwi'n clywed, Jane?'

'Am blydi lol. Y twats ar y tîm Cyfryngau Cymdeithasol sy wedi gweld yr hyn maen nhw'n ei alw'n "traffig" ynglŷn â'r gêm, ac o ganlyniad mae pawb ar *high alert*!'

'Ti'n rhy brysur i fy helpu i, felly?'

'Na – 'wy'n chwilio am esgus i osgoi'r lol 'ma heddiw.'

'Reit 'te, ti'n fodlon cymryd achos oddi ar fy mhlât i? Efallai dy fod ti wedi clywed bod rhywun wedi dyrnu Cyrnol Picton-Phillips?'

'Do, a 'wy isie ysgwyd llaw pwy bynnag wnaeth. Gas gen i'r ffycin Cyrnol.'

'Jane, ti'n rhegi bob yn ail gair.'

'Gen i ddigon o ffycin reswm.'

'Beth bynnag, mae 'na gysylltiad rhwng yr ymosodiad ar y Cyrnol a Siôn, mab Gaenor. Ei DNA o oedd dan ewinedd y bastard.'

'Awtsh!'

'Felly ...?'

'Danfona'r holl wybodaeth draw ata i.'

'A jest i ti gael gwybod, mae Rali'r Ffermwyr Ifanc ar ei fferm o heddiw.'

'Diwrnod go brysur i tithe hefyd felly. Ond cofia, Daf, os fydd gen i reswm i siarad 'da fe, neu hyd yn oed ei arestio, fe wna i, Ffermwyr Ifanc neu beidio.'

'Siŵr iawn.'

Ochneidiodd Jane. 'Gwranda, Dafis, ti mewn sefyllfa go fregus. Ers i ti gario clecs am Secsi Steve, mae'r undeb yn cadw llygaid barcud arnat ti. Ddylet ti fod wedi cysylltu 'da fi ddoe.'

'Mi wn i.'

'Addo i mi y gwnei di aros yn ddigon pell o'r achos 'ma, ie?'

'Ers i mi glywed am DNA Siôn, dwi wedi camu'n ôl.'

'Ocê. 'Wy ddim isie i ti golli dy swydd, er dy fod ti'n boen yn din.'

'Wrth gwrs. A beth bynnag, mae gen i achos arall ...'

'Y sgerbwd? Mae e wedi bod dros Ffêsbwc i gyd.'

'Be? Ydi popeth ar y blydi we erbyn hyn?'

'Ydi, yn cynnwys dy Rali Ffermwyr Ifanc: #CFfIRaliMaldwyn.'

Anadlodd Daf yn ddwfn wrth roi'r ffôn yn ôl yn ei grud. Roedd o wedi gwneud y peth iawn drwy drosglwyddo'r cyfrifoldeb am yr ymosodiad i ddwylo diogel Jane, er ei fod yn teimlo'n euog na allai gadw at ei addewid i Gaenor i edrych ar ôl ei mab.

Gan ei bod yn ddydd Sadwrn doedd o ddim yn disgwyl i neb guro ar ddrws ei swyddfa, a'r person olaf y disgwyliai ei weld yno oedd Dr Jarman, y patholegydd.

'Paid â sefyll, Dafydd. Digwydd bod yn gyrru heibio a meddwl y byddwn i'n arbed chydig o amser drwy ddod i siarad â ti wyneb yn wyneb.' Syllodd y patholegydd dros ei sbectol hanner lleuad fel athro.

'Diolch yn fawr, syr.'

'Mae gen i wyres yn cystadlu yn Rali'r Ffermwyr Ifanc, merch dalentog tu hwnt.'

'Aelod o pa glwb ydi hi?'

'Dyffryn Tanat. Maen nhw'n siŵr o ennill.'

'Mae clwb Llanfair Caereinion yn bwriadu gwneud sioe dda ohoni hefyd.'

Gwgodd y patholegydd. 'Beth bynnag, roedd Mrs Jarman i ffwrdd neithiwr felly mi arhosais yn hwyr yn y labordy, i gael golwg ar dy sgerbwd di.'

'Diolch yn fawr, syr. Do'n i ddim yn disgwyl canlyniad tan ar ôl y penwythnos.'

'Rwyt ti'n reit agos at dy le, Dafydd, ac yn gydwybodol, chwarae teg i ti, felly, rydw i'n fwy na bodlon gwneud ffafr i ti.' Wyddai Daf ddim sut i ymateb, felly wnaeth o ddim. 'Dyn ifanc oedd y sgerbwd,' parhaodd Jarman, 'heb gyrraedd ei ddeg ar hugain oed – doedd pob un o'i *epiphyses* ddim wedi caledu. Bu'n gwisgo hualau am ei goesau am sawl blwyddyn. Mae'n anodd dweud heb feinwe meddal, ond roedd y dystiolaeth yng nghanol ei *femur* – cyn i rywun farw o newyn, mae mêr yr esgyrn yn casglu mwy o fraster nag arfer. Dwi wastad wedi meddwl bod hynny'n rhyfedd.'

'Newyn?' gofynnodd Daf, yn anfodlon cyfaddef nad oedd ganddo syniad beth oedd *epiphyses*.

'Bron yn sicr. Roedd ei fysedd yn awgrymu ei fod wedi ceisio taro rhywbeth caled, a tydi esgyrn iach ddim fel arfer yn torri fel coed bore. Felly, dyn ifanc oedd o a gafodd ei gadw mewn hualau cyn i rywun benderfynu rhoi'r gorau i'w fwydo fo.'

'Oes posib bod rhywun wedi ei glymu i'r wal ar ôl iddo farw, wedyn ei adael ...'

'Na. Roedd marciau yn esgyrn ei goesau oedd yn profi ei fod wedi gwisgo hualau haearn trwm am sawl blwyddyn. Hefyd, roedd olion ffibrau ar esgyrn ei fysedd, fel petai wedi bod yn gafael mewn rhaff neu rywbeth tebyg.'

'Diolch yn fawr iawn, syr: mae hyn o gymorth mawr i ni.'

'Wastad yn bleser. Dyn o faint canolig oedd o, ond alla i ddim dweud sut roedd o'n edrych cyn iddo gael ei lwgu.'

'Ac oes ganddoch chi syniad, syr, ers pryd roedd o'n gorwedd yn y seler?'

'Esgyrn cyfoes ydyn nhw, felly does dim pwynt eu danfon nhw i labordy am *accelerator mass spectrometry*.'

'Diolch byth. Mae hynny'n swnio'n job ddrud.'

'Ond, yn digwydd bod, mae gen i ddiddordeb yn yr ymchwil ar elfennau hybrin mewn esgyrn. Mae'n amhosib bod yn bendant, wrth gwrs, ond mae'r elfennau hybrin yn ei esgyrn yn cyd-fynd â'r lefelau oedd yn yr amgylchedd yn y cyfnod rhwng 1935 ac 1960.'

'Allwch chi fod yn fwy penodol na hynny?'

'Ddim heb wneud nifer helaeth o brofion.'

'Dwi'n deall.'

'Dwyt ti ddim yn deall o gwbl, ond does dim ots am hynny.'

'Iawn, syr.'

'Rhaid i mi fynd. Bydd fy adroddiad ar gael i ti ddydd Llun, ond fydd dim llawer mwy ynddo fo na'r hyn dwi wedi'i ddweud wrthat ti heddiw. Gyda llaw, yr *epiphyses* ydi'r mannau meddal ar bennau esgyrn, y darnau sy'n tyfu.'

'Diolch,' meddai Daf wrth hebrwng y patholegydd i'r dderbynfa. 'Dwi'n gwerthfawrogi'ch cyfraniad chi'n fawr iawn.'

Daliodd y drws i Jarman, ac ar ôl iddo fynd clywodd Daf sŵn chwerthin o'r tu ôl i'r ddesg: Sheila a PC Nia.

'Dwi'n methu deall pam wyt ti wastad yn llyfu tin yr hen fastard fel ci bach, a tithe'n gymaint o rebel fel arfer,' sylwodd Sheila.

'Mae'n ddigon anodd dod o hyd i batholegydd, heb sôn am un sy'n siarad Cymraeg. Dwi'n ei barchu o. Ta waeth, ble mae Toscano?'

'Wedi picio'n ôl i Blas Aur i weld sut mae'r chwiliad o'r lle yn mynd.'

'Ac mae Gwyther yn y gell?'

'Ydi, yn mynnu aros i weld ei gyfreithiwr.'

'Oes rhywun wedi siarad â Gwasanaeth Erlyn y Goron?'

'Maen nhw'n danfon rhyw foi draw, Colin rhwbeth.'

'O, mae hwnnw'n mynd ar fy nerfau i'n sobor, ond dwi'n falch eu bod nhw'n danfon rhywun yma yn hytrach na ffonio – mae'r lluniau sy ganddon ni yn dystiolaeth yn frawychus.'

'Mae Gwyther yn mynnu bod Tallulah wedi cytuno i fynd drwy broses o hyfforddi,' meddai Nia. 'Mae o'n sôn am ddwyn achos o dresbas yn dy erbyn di.'

'Ti'n jocian!'

'Yn anffodus, nac'dw,' atebodd Nia.

'Rhaid i ni fod yn drylwyr, felly. Cyn yr wythnos hon, roedd grŵp o bobl yn cael eu hyfforddi yn y Plas – 'den ni angen dod o hyd iddyn nhw, ac unrhyw un sy wedi treulio amser ym Mhlas Aur o'u blaenau nhw. Nia, dwêd wrthyn nhw nad oes ganddon ni damed o ddiddordeb yn y rheolau Paralympaidd, ond andros o ddiddordeb yn Gwyther ei hun.' Roedd Daf ar fin troi yn ôl i'w swyddfa pan gofiodd am rywbeth.

'Wyt ti yma am y diwrnod cyfan, Sheila?'

'Ydw. Ond mae Tom yn stiwardio yn y Rali a dwi awydd picio fyny'n hwyr yn y prynhawn i'w weld o yn y *tug-of-war*.'

'Digon teg. Nia, ti sy'n hel gwybodaeth am Plas Aur. Sheila, ty'd di fyny i Lwynderi efo fi. Mae gen i deimlad bod mwy nag un dirgelwch i'w datrys yno.'

Pennod 21

Yn hwyrach ddydd Sadwrn

'Ges i swper efo mam Tom neithiwr,' meddai Sheila wrth iddyn nhw yrru i fyny'r Bitfel.

'Lodes, os wyt ti awydd trafod dy brofiadau bwyta, well i ti dynnu llun a'i roi o ar Ffêsbwc.'

'Cau dy ben, Daf. Beth bynnag, roedden ni'n trafod y teulu Woosnam.'

'O?'

'Mae mam Tom yn cofio lot o straeon amdanyn nhw – mae hi bron yr un oed â David Woosnam.'

'Mae hi 'di heneiddio'n well.'

'Ta waeth, mae hi'n cofio'i weld o am y tro cyntaf yn Steddfod Siloh, bachgen mawr tal, ei ddwylo'n goch gan waith ac ynte ond yn wyth oed. "Dyna Woos Llwynderi, hwnnw welodd fwgan", medde rhywun wrthi – doedd neb bron yn siarad efo fo. Yn ôl Mrs Francis roedd ei daid yn ddyn erchyll, yn anonest a threisgar, a'i dad ... wel, ar ôl iddo golli ei chwaer roedd o fel dyn yn cerdded yn ei gwsg.'

'Ydi Mrs Francis yn cofio hanes y chwaer?'

'Dim llawer, dim ond ei bod hi wedi rhedeg yn rhemp yn ystod ei chyfnod yn y Drenewydd, yn ystod y Rhyfel. Wedyn, wrth gwrs, mi feichiogodd hi, cyn crogi ei hun.'

'Oedd sôn am gariad penodol?'

'Dyna un o'r pethe tristaf, medde mam Tom. Ar ôl bihafio fel hwren ar ôl gadael Llwynderi, mi wnaeth hi setlo ar ryw Sgowsar oedd yn gweithio ar y chwiloleuadau – y stori ydi nad oedd o'n fodlon ei phriodi.'

'Diolch byth fod pethe wedi symud ymlaen ers hynny.'

'Hmm. Ffoniodd Drenewydd i ofyn wyt ti ar gael bnawn Llun i holi'r ferch o'r Alban. Maen nhw'n dweud ei bod hi 'di bod yn gwerthu *smack* ers pan oedd hi'n ddeg oed. Tydi popeth ddim wedi gwella, wir.'

'Ti'n iawn.'

'Ond 'nôl at y Woosnams, ddwedodd Mrs Francis fod neb yn synnu pan dyfodd David i fod yn hen lanc. Roedd ei swildod yn chwedlonol, a phawb yn chwerthin ar ei ben tu ôl i'w gefn o. Doedd neb yn synnu pan fachodd Liz o chwaith, gan ei bod mor desbret am ŵr, a tydi'r ferch fawr gwell. Aeth hi ar ryw daith ADAS efo'i thad i Iwerddon un tro; roedd Tom ar yr un daith. Un noson, ar ôl i Tom fynd i'w wely, cafodd alwad ffôn gan Soph yn cynnig bob math o bethe iddo fo yn y gwely.'

'Paid â dweud bod Tom wedi trafod cynigion rhywiol Sophie Woosnam efo'i fam?'

'Na – ddwedodd Tom y stori honno wrtha i wedyn. I feddwl bod y ffasiwn greadures yn trefnu partïon i blant bach y fro,' meddai Sheila, a'i breichiau dros ei bol yn amddiffynnol.

'Ti isie cael pip yn y selar, Sheila?' gofynnodd Daf wrth iddyn nhw barcio ar fuarth Llwynderi. 'Mi fysen i'n gwerthfawrogi dy gyfraniad di.'

Roedd Nev yn dal i gysgu ar y soffa pan aethon nhw i'r gegin, a PCSO William yn eistedd mewn cadair bren wrth y bwrdd yn gweithio ar bos Sudoku yng nghefn papur newydd.

'Noson dawel, lanc?'

'Yes, it was, Inspector.'

'Dwi'n gwybod bod gen ti lefel A yn y Gymraeg – defnyddia'r iaith, da ti.'

'Ond mae o mor rusty erbyn hyn.'

'Rheswm da i ymarfer. Rho'r tegell i ferwi, còg.'

Cerddodd Sheila fel hen ddynes i lawr y grisiau serth gan atgoffa Daf o Gaenor yn nyddiau cynnar ei beichiogrwydd. Edrychodd o gwmpas y seler â llygaid craff, yn hollol ddiemosiwn. Amneidiodd at y llythrennau ar y wal.

'Be mae hyn yn ei olygu?'

'Does gen i dim clem.'

'Ti wedi rhoi'r gair drwy Google Translate?'

'Be?'

'Mi sgwennodd y dyn fu farw fan hyn y neges dros fisoedd. Nid rhestr siopa ti'n ei chrafu ar wal pan wyt ti ar fin marw.'

'Ond, os mai mewn iaith dramor oedd ei neges olaf, tydi hi ddim yn debygol mai'r cariad, y Sgowsar, ydi o,' rhesymodd Daf.

'Oes gen ti theori arall? Ti 'di gofyn i Toscano os ydi'r gair yn golygu rhwbeth iddo fo? Os mai gair ydi o, wrth gwrs.'

'Ti'n meddwl mai cod o ryw fath ydi o, Sheila?'

'Y llythrennau olaf: LDS, neu ELDS, neu MELDS, maen nhw'n anodd eu hynganu. Falle mai *abbreviation* ydyn nhw.'

'Talfyriad ... ti'n sbot on, lodes. Ei neges olaf oedd hon, felly os allwn ni ei deall, mi fyddwn ni'n lot nes at wybod pwy oedd o.'

'Awn ni fyny, Daf?' gofynnodd Sheila wrth i ias redeg trwyddi. 'Dwi ar dân isie cyfarfod y Woosnams ar ôl clywed cymaint amdanyn nhw.'

Draw yn y bythynnod, roedd popeth yn dawel. Cnociodd Daf ar ddrws y bwythyn ar ben y rhes, a thra oedd o'n aros i rywun agor y drws, anfonodd neges destun i Hanshaw. Roedd o wedi gorffen teipio ymhell cyn i Liz Woosnam agor y drws, yn edrych ddegawd yn hŷn nag yr oedd hi'r noson cynt. Roedd ei hwyneb yn chwyddedig a'i gwallt yn flêr, a golwg ddi-gwsg yn ei llygaid.

'Be dech chi isie rŵan?' gofynnodd yn ddiamynedd.

'Siarad efo chi, Mrs Woosnam, ac efo'ch merch, os gwelwch yn dda.'

'Tydi Sophie ddim yma,' atebodd gan eu tywys i'r lolfa, ystafell debyg iawn i'r un yn y ddau fwthyn arall ond heb flerwch tŷ Iola na'r llyfrau a'r lluniau a lenwai gartref Deiniol Dawson. Gollyngodd Liz ei hun ar y soffa gan anadlu'n uchel fel hwch.

'Pam mae gwraig Glantanat yma?' gofynnodd, gan syllu ar Sheila gyda llygaid gwag.

'Dwi'n sarjant yn Heddlu Dyfed Powys,' atebodd Sheila.

'Dim bwys. Mae pawb yn trafod ein busnes ni beth bynnag.'

Ystyriodd Daf y newid fu yn y ffermwraig mewn llai nag wythnos, a sylweddolodd fod ganddo fwy o siawns o gael ateb gonest ganddi erbyn hyn, ar ôl i'w bywyd perffaith hi chwalu.

'Mi wna i baned i chi, Mrs Woosnam,' cynigiodd Sheila.

'Diolch. Chysgais i ddim neithiwr. Peth erchyll ydi meddwl ei fod o dan ein traed ni ers degawdau ...'

'O, peidiwch â malu awyr efo ni, Elizabeth Woosnam!' meddai Daf yn swta. 'Roeddech chi wrth eich bodd yn croesi trothwy Llwynderi, a wnaethoch chi ddim meddwl ddwywaith am y drws gwyrdd na'r straeon am y teulu.'

'Nonsens!' Ceisiodd Liz ymateb ond torrodd Daf ar ei thraws.

'Caewch hi! Dwi 'di blino ar achos ar ôl achos o ymddygiad gwarthus eich teulu chi – mi fyse gen i gywilydd tasen i wedi magu plant fel Al a Sophie!'

Fel y disgwyliodd Daf, ffrwydrodd Liz Woosnam mewn storm o lefain a sniffian.

'Dwi wedi eu sbwylio nhw, bosib ...'

'Bosib? Dech chi'n sobor o lwcus fod Iola wedi penderfynu ar y swyddfa gofrestru yn hytrach na Llys y Goron, wir.'

'Na, yn eglwys y plwyf fyddan nhw'n priodi ...'

'Dech chi'n dal ddim cweit yn deall – nid stori dylwyth teg ydi hon, ond merch sy'n gofalu am fam sy'n gaeth i alcohol yn penderfynu priodi'r dyn a'i threisiodd hi dan oed.' Gostyngodd Liz ei phen. 'Gair i gall, Liz Woosnam. Gallai Iola newid ei meddwl a rhoi eich annwyl fab yn y carchar, felly rhowch bob dewis ynglŷn â'r briodas yn ei dwylo hi.'

'Dwi'n sori, dwi mor sori ...'

'Dangoswch i mi pa mor sori ydech chi – dwi isie clywed hanes Sophie, ac am unwaith yn eich bywyd, dwi'n disgwyl i chi fod yn onest.'

Rhoddodd Sheila gwpan de ar y bwrdd bach o flaen y soffa, ond pan estynnodd Liz amdani â llaw grynedig, tarodd hi nes oedd y te yn llifo dros y bwrdd. Cliriodd Sheila'r llanast yn sydyn cyn i Liz ddechrau siarad.

'Mae Sophie mor anhapus.'

'Pam?'

'Mae hi'n methu setlo. Y busnes partïon plant ydi'r seithfed busnes iddi ei ddechrau, ac er eu bod nhw i gyd wedi methu, mae hi'n dal i ddisgwyl i David ffeindio pres i dalu am y syniad nesa.'

'Ond,' meddai Sheila'n addfwyn, 'nid busnes oedd hi isie, ond gŵr, ie?'

'Ie. Tydi hi ddim wedi cael smic o lwc efo dynion.'

'Er ei bod hi wedi bod yn rhedeg ar ôl pob tirfeddiannwr yn y sir?' gofynnodd Daf.

'Ddwedes i wrthi am beidio bod yn swil. Dim ond un bywyd sy ganddon ni, ac mi wnaeth hi wastraffu misoedd efo rhywun ...'

'Arsefield?' gofynnodd Daf.

'Dyna mae rhai yn ei alw. Ddaeth o erioed i'r tŷ 'ma, ddim hyd yn oed i'w nôl hi.'

'Ond roedd Sophie mor sicr y byddai hi'n ei briodi fel iddi ddechrau defnyddio'i gyfenw o.'

'Mi wnaeth o ... wel, bu bron iddo addo. Bod yn ymarferol oedd Soph.'

'Byddai unrhyw ddyn wedi dychryn efo'r fath ymddygiad.'

'Ond Arolygydd Dafis, lodes dda ydi Soph, yn weithgar a gonest, ac yn fodlon cynnig popeth i ddyn.'

'Felly dwi'n clywed,' meddai Daf yn swta cyn i Liz barhau i siarad.

'Does ganddi hi ddim llawer o ffrindiau. Doedd 'na ddim criw da yn yr ysgol ac mae sawl un wedi symud i ffwrdd. Mae hi'n reit unig, ac efallai mai dyna pam ei bod hi'n rhoi gormod o bwyslais ar gael cariad.'

'Be digwyddodd ar ôl i Arsefield ddysgu bod Sophie'n defnyddio'i enw?'

'Chwalodd y berthynas, ac roedd hi'n reit isel, wrth reswm. Doedd ei busnes trin cŵn ddim yn ffynnu chwaith.'

'Achos ei bod hi'n ceisio neidio ar bob cwsmer gwrywaidd?'

'Am sawl rheswm,' mwmialodd Liz. 'Ond daeth un o'r criw oedd yn adeiladu'r fferm wynt i aros fan hyn, ac er 'mod i'n amheus, mi wnaethon nhw ddechrau perthynas yn syth.'

'Pam oeddech chi'n amheus, Liz?' gofynnodd Sheila. 'Doedd o ddim yn ddyn neis?'

'Na, na, roedd o'n lyfli. Braidd yn rhy neis, a golygus yn ei ffordd ei hun. Ond er eu bod nhw efo'i gilydd am ddwy flynedd, bron, ni soniodd Adrianus erioed am fynd â hi i gwrdd â'i deulu.'

'Achos bod ganddo deulu'n barod?' cynigiodd Daf. 'Gwraig a phlant?'

Am y tro cyntaf, gwelodd Daf gywilydd ar ei hwyneb.

'Pan ddaeth y gwaith yma i ben, diflannodd Adrianus yn ôl i'r Iseldiroedd. Ceisiodd Soph gysylltu efo fo, ond roedd o wedi gadael ei ffôn ar ôl yn y bwthyn – ei guddio fo mewn drôr. Torrodd ei chalon, ac aeth hi draw i chwilio amdano fo er mwyn cael gwybod pam ei fod wedi gadael heb ddweud gair. Ond pan welodd ei dŷ perffaith, ei wraig dlws a'i blant, daeth yn ôl yn andros o fflat.'

'Ffeindiodd hi gariad arall wedyn?' gofynnodd Sheila.

'Deiniol Dawson. Mae o'n ymddangos yn ddyn da efo'i gar ffansi a'i ddillad crand, ond mae o'n sarff o ddyn.'

'Dim ond am nad ydi o am briodi'ch merch chi?'

'Does ganddo fo ddim diddordeb mewn cael perthynas go iawn. Dwi erioed wedi dod ar draws dyn mor hunanol. Mae angen i rywun ddysgu gwers iddo fo.'

'Felly, dechreuodd perthynas rhwng Deiniol a Sophie?' gofynnodd Sheila.

'Nid perthynas ... roedd hi'n aros dros nos yno weithiau, ond chafodd hi erioed sbin yn y Porsche. Dim taith lawr i lan y môr, dim bwyd mewn gwesty crand. Dim byd fel'na. Gwrthododd bopeth ond noson neu ddwy yn y gwely. Roedd Sophie mor flin efo fo. Dwi erioed wedi'i gweld hi mor ffyrnig.'

'Digon blin i geisio chwalu'r bont roedd o wedi'i chodi?'

'Tydi hi ddim yn derfysgwr. Pobl o bell geisiodd chwalu'r bont.'

'Pam dech chi wedi llosgi cymaint o gacennau yr wythnos yma?'

'Sut mae hynny'n berthnasol?'

'Atebwch y cwestiwn, Mrs Woosnam.'

'Achos dwi 'di colli'r teimer.'

'Yr amserydd.'

'Beth bynnag ti'n ei alw, mae'r peth wedi mynd ar goll.'

'Sut beth oedd o, yr amserydd?'

'Teclyn bach streipiog du a phinc. Un drud, un Heston Blumenthal o'r siop pethe cegin swanc draw yn 'Soswallt.'

Tynnodd Daf ei ffôn o'i boced ac ar ôl pori drwy hanner dwsin o luniau, daeth o hyd i'r ddelwedd roedd eisiau ei dangos i Liz.

'Be sydd yn y llun yma?' gofynnodd.

'Wel, bag mawr plastig efo darn o rwbeth ynddo fo.'

'Darn o blastig ydi o, Mrs Woosnam. Ond pa liw ydi o?'

'Pinc a du. Streips.'

'Fel eich amserydd coll?'

Nodiodd ei phen yn araf.

'Iawn, Mrs Woosnam. Ble mae Sophie rŵan?'

'Mae hi wedi mynd i Neuadd Adfa i orffen clirio ar ôl y parti ddoe.'

'Iawn. Gwrandewch, Mrs Woosnam, dwi'n mynd i arestio Sophie ar amheuaeth o gyflawni trosedd ddifrifol. Hyd yn hyn, dech chi wedi'n helpu ni, ac ryden ni'n ddiolchgar iawn am hynny. Dwi'n eich rhybuddio chi rŵan i beidio â cheisio cysylltu â Sophie tan ar ôl i ni siarad efo hi. Mi fyddwn ni angen ei gliniadur hi, ac mi ddaw Sarjant Francis efo chi i'w nôl o cyn mynd â chi draw i'r tŷ lle byddwch chi'n aros yng nghwmni'r swyddogion. Mi gymera i eich ffôn chi rŵan. Os fyddwch chi'n ceisio cysylltu â rhywun, mi fyddwch chi mewn dyfroedd dyfnion iawn.'

Tra oedd Liz a Sheila yn y llofft, danfonodd Daf res o negeseuon i Nia i ofyn am amrywiol bethau, o swyddog cyswllt teulu cyfrwng Cymraeg a threfnu lle i Sophie yn y ddalfa, i wneud copïau o'r ffeiliau tystiolaeth ynglŷn â'r ffrwydrad ar y rheilffordd.

Baglodd Liz i lawr y grisiau fel petai wedi meddwi yn cario gliniadur ei merch o dan ei chesail.

'Dwi dal ddim yn meddwl bod Soph wedi ...'

'Peidiwch â gwastraffu f'amser i. Mae ganddon ni dystiolaeth fforensig, mae ganddi reswm da, roedd hi'n fodlon teithio'r holl ffordd i'r Iseldiroedd i stelcio'i chyn-gariad ac mae ganddi bentyrrau o ddeunydd ffrwydrol.'

'O.'

'Dwi'n gwybod bod hyn yn anodd i chi, Mrs Woosnam, ond nid chwarae plant oedd y drosedd. Petai'r ddyfais IED wedi gwneud job well, byddai bywydau llond trên o bobl a phlant hollol ddiniwed mewn peryg.'

'Dwi'n gwybod dim am y ffasiwn bethau.'

'Hmm.'

'Dyma'i laptop hi. Ei chyfrinair ydi Lodes@Llwyn.'

'Diolch.'

Cerddodd Liz yn araf tuag at y tŷ. Erbyn hyn, roedd Nev wedi deffro.

'Faint o gwsg gest ti, lanc?' gofynnodd Daf.

'Dim ond am bum munud wnes i gau fy llygaid, bòs.'

'Twt lol – roeddet ti'n rhochian fel twrch hanner awr yn ôl. Isie gofyn wyt ti'n barod i wneud shifft ddwbwl ydw i.'

Gwenodd Nev fel giât. 'Barod i fynd, bòs.'

'Mi fyddi di'n nes ati ar ôl golchi dy wyneb. Mae angen i ti ofalu am Mrs Woosnam, a gwneud yn siŵr nad ydi hi'n ceisio cysylltu â neb, ar unrhyw amod. Hefyd, dwi isie gweld hanes chwilio'r cyfrifiadur 'ma.'

'Dim probs, bòs.'

'Iawn. Rŵan 'te, Sheila, be am i ni fynd i weld Miss Sophie Woosnam?'

'Pam oeddet ti mor gas efo hi, Daf?' gofynnodd Sheila iddo yn y car.

'Hi sydd ar fai am y shit yn y teulu yna. Roedd hi'n gwybod

yn iawn ei bod hi'n priodi dyn â phroblemau dwfn ac yn hytrach na'i helpu o, mi sgubodd hi'r cyfan dan y mat. Mi fagodd hi ei phlant i feddwl fod ganddyn nhw hawl i bopeth dan haul – 'run ohonyn nhw'n bell iawn o fod yn seicopath.'

'Ond mae'r plant yn oedolion bellach, ac fe ddylen nhw gymryd cyfrifoldeb am eu dewisiadau.'

'Hi sy wedi llenwi eu pennau nhw â lol, a ni sy'n gorfod ymdopi â'u holl helynt nhw,' brathodd Daf wrth iddynt yrru i mewn i faes parcio Neuadd Adfa.

Roedd fan Sophie yno, a'r drysau ôl ar agor. Roedd drws y neuadd hefyd ar agor a llifai ton o gerddoriaeth ddawns uchel allan i chwalu tawelwch y pentref. Ar ôl ei brofiadau ym Mhlas Aur roedd clustiau Daf yn dal i fod braidd yn sensitif, felly y peth cyntaf wnaeth o wrth gerdded i mewn i'r neuadd oedd troi'r sain i lawr ar chwaraewr miwsig enfawr.

'What the fuck are you doing?' taranodd llais o'r tu ôl i lenni'r llwyfan. 'Turn those tunes back up!'

'Miss Woosnam?'

Agorodd y llenni a neidiodd Sophie i lawr a'i breichiau'n llawn o bynting.

'Who wants to know?'

Er ei fod wedi ei gweld hi o'r blaen, teimlai Daf fel petai'n edrych ar Sophie Woosnam am y tro cyntaf. Heblaw am yr olwg sur ar ei hwyneb roedd hi'n weddol dlws, ond roedd rhywbeth ffals amdani, fel actores wael yn chwarae rôl. Roedd hi'n edrych fel petai'n cadw'n ffit, yn gwisgo ewinedd ffals a thipyn go lew o golur, a sylwodd Daf mai *extensions* oedd ei gwallt melyn. Ond yr hyn oedd yn ei boeni oedd y fflach oeraidd yn ei llygaid gwyrdd.

'Arolygydd Dafydd Dafis, Heddlu Dyfed Powys.'

Safodd yn stond, yn syllu ar Daf yn syn.

'Does gen i ddim diddordeb yn yr hen sgerbwd. Well gen i esgyrn efo dipyn o gnawd arnyn nhw.'

Roedd Daf wedi cwrdd â sawl merch heriol o'r blaen, ond yn wahanol i ferched fel Chrissie a Belle, doedd dim yn ddeniadol yn agwedd Sophie Woosnam.

'Mi fyddwn ni angen trafod yn nes ymlaen beth daeth i'r golwg ddoe, ond ...'

'Wnes i ddim agor y drws gwyrdd!' gwaeddodd. 'Paid â dweud wrth Dad 'mod i wedi gwneud, achos tydw i ddim. Dwi ddim wedi potsian efo dim byd.'

'Tydi'r seler ddim ar ben ein rhestr ni o flaenoriaethau ar hyn o bryd, Miss Woosnam. Be ydi di farn di am Deinol Dawson?'

Disgwyliodd Daf ryw fymryn o embaras gan Sophie, ond yn hytrach nag unrhyw arwydd o swildod, syllodd ar Daf â llygaid gwag.

'Y tenant? Hwnnw sy'n cario 'mlaen efo Iola tu ôl i gefn Al?' Roedd ei llais hi'n sych fel petai'n siarad drwy lond ceg o lwch.

'Gest tithe berthynas efo fo?'

Plygodd Sophie i godi bocs mawr plastig o'r llawr, ac i ddangos siâp ei phen ôl i Daf. Teimlodd Daf rywfaint o gydymdeimlad tuag ati – cafodd ei magu i gyfathrebu â dynion drwy fflyrtio a doedd ganddi ddim clem sut i siarad â phlismon. Agorodd y bocs a chynnig cacen fach â llun o Peppa Pinc arni i Daf.

'Dim diolch.'

'Dim ond bore ddoe wnes i nhw. Mae'n wastraff llwyr eu taflu.' Gwthiodd ei bys i mewn i'r eisin pinc a'i lyfu'n awgrymog.

'Stedda di lawr, lodes. Mae dipyn i'w drafod.'

'Am be?'

'Am dy berthynas â Dawson, i ddechrau. Neu, be am i ni fynd yn ôl i'r hyn digwyddodd rhyngddat ti a Siôn Neuadd, pan oedd o'n gòg bach.'

Eisteddodd Sophie wrth y bwrdd llawn sbwriel parti, ac eisteddodd Daf gyferbyn â hi, gan sicrhau fod Sheila yn dal i warchod y drws cilagored.

'Bachgen bach budr oedd o, wastad yn gofyn i mi wneud pethe iddo fo,' atebodd Sophie'n ofalus.

'Nid fel'na mae o'n cofio pethe. Fyddai wynebu cyhuddiad

o ymosodiad rhywiol ar blentyn ddim yn helpu dy fusnes trefnu partïon plant.'

Cododd Sophie gwpan bapur Peppa Pinc, ei gwasgu a'i thaflu i ben arall y neuadd.

'Wyt ti'n meddwl 'mod i'n rhoi rhech am bartis plant? Gas gen i'r ffycin bynting a'r *piñatas* a'r mamau ffiaidd hunanfodlon a'r balŵns sy'n codi rash arna i, a Peppa ffycin Pinc. Nid fel hyn dwi isie byw.'

'Sut, felly?'

'Dwi isie bod fel pawb arall. Isie cariad, gŵr, plant, tŷ i'w gadw ...'

'Nid fel'na mae merched yn byw y dyddie yma. Mae bron bawb yn gweithio.'

'Ond pam? Mae'n neisiach o lawer i ddyn gael swper ar y bwrdd pan mae o'n dod adre, a thŷ cynnes a gwên.'

'Gall peiriannydd llwyddiannus gadw gwraig.'

'Gall.'

'Ond doedd priodi ddim ar feddwl Deiniol, nag oedd, Sophie?

'*Manslag* ydi Deiniol. Ond yn y diwedd mi fydd ei ferched wedi ei adael o'n unig, ac wedyn mi fydd o'n cropian yn ôl ata i ar ei bedwar – ac mi wna i fwynhau ei wrthod.'

'Ffantasi ydi hynna, Sophie. O be dwi'n weld, mae Deiniol yn ddyn poblogaidd iawn. Fyddi di ddim yn hapus nes i ti ddechre byw yn y byd go iawn.'

'Hapus? Dwi erioed wedi bod yn hapus. A dwi'm yn disgwyl bod, chwaith.'

Roedd Daf wedi cael hen ddigon. 'Faint o'r gloch wnest ti osod y ddyfais ger y bont, Sophie?'

'Am be ti'n sôn?'

'Wythnos i heddiw, mi wnest ti roi tun Quality Street yn llawn ffrwydron ger troed pont newydd rheilffordd Llanfair. Hefyd yn y tun roedd amserydd y gwnest ti ei greu efo amserydd cegin dy fam. 'Den ni'n sôn am gyfres o droseddau difrifol: ceisio llofruddio, difrod troseddol a pheryglu bywydau.'

Doedd dim ymateb ar wyneb Sophie. Ochneidiodd Daf yn isel. 'Gwranda, lodes, falle 'mod i'n anghywir, ond dwi'n meddwl dy fod ti wedi methu byw mor agos at Deiniol ac yntau'n dy anwybyddu di o hyd. Mi wnest ti chwilio am ffordd i'w frifo a dewis y bont newydd, rhywbeth oedd yn agos iawn at ei galon.'

'Ble mae Dad?'

'Mae dy dad yn derbyn triniaeth ar gyfer chwaliad nerfol.'

'Wyt ti'n meddwl 'mod i off fy mhen fel Dad?'

'O bell ffordd. Mi gei di egluro popeth i mi, yn dy ffordd dy hun, a ...'

Bipiodd ei ffôn, ac oedodd Daf er mwyn darllen neges gan Nev: 'Mae chwiliad ar liniadur Sophie ynglŷn â sut i greu bom. Roedd hi wedi ceisio a methu cuddio ei hanes chwilio.'

'Rhaid i ti ddod lawr i'r orsaf efo ni, Sophie. Dwi'n dy arestio di ar amheuaeth o geisio llofruddio, cyswllt rhywiol â phlentyn, peryglu trên a chreu ffrwydrad anghyfreithlon. Does dim rhaid i ti ddweud dim, ond mi all fod yn niweidiol i dy achos os na fyddi di'n sôn am rwbeth y byddi di'n dibynnu arno yn y llys. Gallwn ddefnyddio unrhyw beth ddwedi di fel tystiolaeth.'

Camodd Sheila i mewn drwy'r drws.

'Be ddiawl ti'n wneud yma? O, dwi'n gwybod – mae pawb yn dweud bod gan Tom Glantanat ddiddordeb mawr ym mhensiwn ei wraig newydd. Rhaid bod hynny'n wir, achos *God knows*, ti ddim yn bictiwr.'

'Yma ar ddyletswydd ydw i, Miss Woosnam,' atebodd Sheila gyda gwên. 'Awn ni?'

'Dwi angen nôl fy mag oddi ar y llwyfan.'

'Dim problem.'

Camodd Sophie draw at y llwyfan a diflannodd y tu ôl i'r llenni trwchus.

'Ti'm yn haeddu'r ffasiwn sarhad, lodes.'

'Dwi'n poeni dim, bòs. Dwi 'di cael dipyn o lol ers i mi briodi Tom, a dwi wastad yn chwerthin am y peth.'

Torrodd sŵn annisgwyl ar draws eu sgwrs: injan yn tanio.

Rhedodd Daf drwy'r drws mewn pryd i weld fan Sophie yn gwibio i lawr y lôn. Neidiodd i mewn i'w gar.

'Well i ti aros fan hyn, lodes,' galwodd ar Sheila, oedd wedi rhedeg ar ei ôl.

'Dim gobaith – dwi'n dod!' atebodd Sheila, gan osod y golau glas ar do'r car a chau ei gwregys diogelwch.

'Damia. Mi anghofiais am ddrws cefn y neuadd,' mwmialodd Daf yn flin wrth roi ei droed i lawr ar y sbardun i ddilyn y fan.

Wrth wibio drwy'r pentref ac ar hyd lonydd cul y wlad, diolchodd Daf nad oedd llawer o draffig. Ond yn sydyn, roedd yn rhaid iddo osgoi rhywbeth yng nghanol y lôn: bocs plastig yn llawn o gacennau bach.

'Mae drysau cefn y fan ar agor,' sylwodd Sheila.

'Ffonia di am chydig o bac-yp, wnei di, lodes? A chysyllta â Nev – 'den ni angen blocio'r ffordd yng Nghefn Coch ger y dafarn. Dwêd wrtho am adael William i ofalu am Mrs Woosnam, a rhybuddio'r llanc i roi ei *bodycam* ymlaen rhag ofn fod Sophie'n mynd am adre.'

'William, bòs?'

'Dwi'n gwybod ei fod o'n dipyn o lo, ond does dim dewis arall. Mae'r swyddog cyswllt teulu ar ei ffordd yno hefyd.'

Roedd Daf wedi colli golwg ar fan Sophie erbyn iddyn nhw gyrraedd troad Carmel. Darllenodd Sheila neges iddo gan Nev.

'Mae Nev yn ei le wrth y dafarn. Heb ei gweld hi eto.'

'Os nad ydi hi wedi mynd heibio Nev, mae hi ar y ffordd adre, mae'n rhaid,' sylwodd Daf. 'Well i ni fynd yno i roi help llaw i William.'

'Sbia, bòs!' ebychodd Sheila.

Hanner canllath i fyny'r lôn gul ar y chwith iddyn nhw roedd rhywbeth pinc. Tynnodd Sheila sbienddrych o'r bocs menig.

'*Piñata* Peppa Pinc!'

'Ble ddiawl mae hi'n mynd?' gofynnodd Daf, gan droi trwyn y car i fyny'r lôn gul i Felin Uchaf. 'Does dim byd fyny fan hyn heblaw'r chwarel ...'

Rhoddodd Daf ei droed i lawr er mwyn rhuo rhwng y gwrychoedd trwchus y naill ochr a'r llall i'r lôn. Wrth i'r car ddringo'n uwch roedd y cloddiau'n is a'r tirlun yn fwy agored a daeth fan wen Sophie i'r golwg yn erbyn cefnlen lwyd y chwarel yn y pellter. Wrth iddyn nhw agosáu at y chwarel codai cymylau o lwch o gwmpas y car.

'Lle mae'r ddawn yma wedi bod yn cuddio dros y blynyddoedd, Lewis Hamilton?' chwarddodd Sheila.

'Rhaid cyfadde, dwi'n mwynhau braidd,' atebodd Daf. 'Rho ring i Nev a dwêd wrtho am ddod fyny o'r pentre.'

'Iawn – ac mae Toscano ar ei ffordd o gyfeiriad Carno.'

'Does ganddi nunlle i fynd rŵan.'

Trodd y fan i gyfeiriad Carno a dilynodd Daf ar wib. Roedden nhw'n closio ati gyda phob munud, ond yn sydyn trodd Sophie i'r gilfan ger llidiart mawr newydd oedd yn arwain i'r fferm wynt. Gallai Sheila a Daf ei gweld yn gadael y fan, dringo dros y llidiart a rhedeg dros y glaswellt.

'Aros di fan hyn, Mrs Francis,' meddai Daf wrth barcio y tu ôl i'r fan. Cyn gadael y car, tynnodd fag bach o'r cefn a rhoi cwpwl o bethau ynddo.

'Ty'd 'laen, bòs,' ysgogodd Sheila. 'Nid am bicnic ti'n mynd!'

'Dwi'n gwybod yn union be dwi'n wneud.'

Agorodd gist y car a thynnu ei welintons ohoni.

'Cyflymder sy'n bwysig, bòs, nid traed sych!' Roedd Sheila'n dechrau mynd yn rhwystredig.

'Dwi'n rhedeg lot cyflymach os ydi fy nhraed yn sych.'

Dringodd drosodd i'r cae, a phan welodd Sophie yn baglu a sgrialu'n ôl ar ei thraed sawl gwaith penderfynodd beidio rhedeg. Brasgamodd ar ei hôl a dechreuodd ennill tir arni. Pan oedd hi'n llai na dau gan llath o'i flaen, cododd Daf ei lais.

'Sophie, does dim pwrpas i hyn. Ti ond yn gwneud pethe'n waeth i ti dy hun. Ty'd 'nôl rŵan, da lodes, i ni gael sgwrs.'

Dewisodd Sophie ei anwybyddu a baglu yn ei blaen. Roedden nhw'n agosáu at un o'r tyrbeini erbyn hyn, a sŵn eu 'wmp, wmp, wmp' yn boddi cân yr adar. Rhedodd y ferch ifanc y tu ôl i un o'r tyrbeini, allan o olwg Daf, ond pan aeth yntau o amgylch y strwythur mawr doedd dim golwg ohoni. Ffoniodd Sheila.

'Ble mae hi? Alla i ddim ei gweld hi o'r fan hyn.'

'Na finne chwaith.'

'Ond ble allai hi fynd?' Roedd Daf mewn penbleth. 'Rho bum munud i mi, ac os nad ydw i wedi ei ffeindio hi cyn i Nev gyrraedd, rhaid galw'r hofrennydd.'

'Bydd hynny'n costio ffortiwn, ac mi fydd o'n cymryd dros awr i gyrraedd.'

'Fel dwi'n dweud, dim ond os oes rhaid. A bydd y cŵn yma'n gynt.'

'Hyn i gyd oherwydd merch hunanol sy'n methu ffeindio gŵr.'

'Sophie!' galwodd Daf ar ôl gorffen yr alwad, ond ddaeth dim byd yn ôl heblaw sŵn y tyrbein: roedd o'n ddigon agos erbyn hyn i glywed hymian y modur o dan sŵn y llafnau.

Yn sydyn, gwelodd rywbeth yn symud – ryw bum llath i fyny tŵr y tyrbein, roedd drws bach ar agor. Arweiniai rhes o risiau metel at y drws, ac wrth eu dringo ceisiodd Daf ddyfalu sut roedd Sophie wedi llwyddo i agor y drws gan eu bod wastad wedi'u cloi rhag protestwyr a phobl ifanc leol oedd awydd antur. Yn sydyn, cofiodd y berthynas rhwng Sophie a'r dyn o'r Iseldiroedd – os allai hi osod bom, fyddai hi ddim yn meddwl ddwywaith am ddwyn goriadau ei chyn-gariad.

Camodd Daf i mewn i'r tyrbein, oedd yn dywyll fel bol buwch. Safodd yn y drws a thynnu ei fag bach oddi ar ei gefn. Rhoddodd gamera corff ym mhoced frest ei grys gan wneud yn siŵr ei fod o'n sownd. Wedyn, tynnodd dortsh a stribed o ddefnydd du o'r bag. Yn ofalus, gwthiodd y defnydd drwy'r tyllau yn ochr y dortsh a'i glymu o amgylch ei ben. Roedd cabinet mawr du yn agored o'i flaen a neges yn fflachio ar y sgrin bach ynddo: 'Enter code.'

Dyna pam fod y lle yn dywyll, meddyliodd Daf – roedd y goriad ganddi ond nid y cod.

Gyferbyn â'r cabinet roedd ysgol ddur yn ymestyn y holl ffordd fyny'r tŵr, dros gant a hanner o droedfeddi. Doedd Daf ddim yn hoff o uchder. Oedd Sophie Woosnam wedi dringo'r tŵr? Cafodd ei demtio i aros yn ei unfan ac aros iddi ddod i lawr, ond beth petai modd iddi neidio o'r top? Yn anfoddog, rhoddodd ei droed ar y stepen isaf. Ar ôl dringo tua deugain troedfedd arhosodd Daf ar blatfform bach i ddal ei wynt. Pan oedd sŵn ei anadl wedi tawelu clywodd sŵn traed yn uchel uwch ei ben yn y tywyllwch.

'Sophie!' galwodd nes oedd ei lais yn atseinio oddi ar waliau caled y tŵr. 'Ty'd lawr, lodes. Gawn ni siarad?'

Aeth eiliad hir heibio. Yn hollol annisgwyl, daeth fflach drwy'r awyr, a ffrwydrad. Disgynnodd rhywbeth ger traed Daf – darn o bapur a llythrennau Tsieineaidd arno.

'Sophie!'

Dim ateb. Camodd Daf yn ôl ar yr ysgol ac ailddechrau esgyn, ond teimlodd symudiad sydyn yn yr aer y tu ôl iddo, a fflach arall. Roedd arogl cyfarwydd o'i amgylch – roedd Sophie yn taflu bangars i lawr y tŵr tuag ato! Gan blygu ei ben, dringodd Daf yn gyflymach tuag at y platfform nesaf. Trodd ei dortsh i ffwrdd. Roedd o'n darged rhy amlwg yn y tywyllwch â'r golau ar ei dalcen. Yn ofalus, tynnodd ei fag bach oddi ar ei gefn. Roedd balaclafa du ynddo, a rhoddodd hwnnw am ei ben i'w arbed ei hun rhag y ffrwydron. Gan ddal ei ffôn yn nhywyllwch y bag, llwyddodd i anfon neges frysiog at Sheila cyn ailddechrau dringo. 'Yn y tyrbein. Angen bois tân. Sophie yn taflu tân gwyllt ata i.'

Roedd o'n chwys domen, ond llwyddodd i osgoi'r holl daflegrau gan ddringo'n uwch ac yn uwch, yn nes ac yn nes at Sophie. Bownsiai'r tân gwyllt yn swnllyd a lliwgar oddi ar arwynebau dur y tŵr wrth ddisgyn – yn amlwg, roedd gan Sophie stôr eang ac amrywiol, os nad anghyfreithlon, o'r ffrwydron.

'Sophie! Paid â bod yn wirion, lodes!'

Yn sydyn, agorodd sgwâr bach o olau dydd uwch ei ben, a gallai weld Sophie am y tro cyntaf. Roedd hi wedi agor drws a dringo drwyddo. Cyflymodd Daf i fyny tuag ati, ond bu'n rhaid iddo wthio'i gorff yn ôl yn erbyn y wal pan wibiodd teclyn diffodd tân heibio iddo. Caeodd Sophie y drws bach ar ei hôl. O leia allai hi ddim taflu unrhyw beth drwy ddrws caeedig, diolchodd Daf cyn rhoi ei dortsh yn ôl ymlaen. Rhedodd i fyny'r grisiau olaf a cheisio gwthio'r drws – roedd Sophie yn pwyso arno o'r ochr arall, ond roedd Daf yn gryfach na hi felly llwyddodd i'w wthio'n agored a dringo drwyddo.

Roedd top y tŵr yn olau braf gan mai paneli gwydr mawr oedd y nenfwd, a gwelai Daf gysgod y llafnau yn pasio'n rheolaidd. Roedd peiriant pwerus yn canu grwndi y tu ôl i gysylltfur. Gorweddai Sophie ar y llawr a diferion o waed yn llifo o glwyf bach ar ei thalcen. Tynnodd Daf y balaclafa a gwneud yn siŵr fod y camera corff yn dal i weithio.

'Pam wnest ti fy nilyn i?'

'Achos dy fod ti wedi rhedeg i ffwrdd pan o'n i'n dy arestio di.' Edrychodd y ddau ar ei gilydd yn dawel am ennyd. Daf siaradodd gyntaf. 'Eistedda fyny, wnei di? Ti 'di brifo.'

'Cornel yr hatsh wnaeth fy nharo i. Ti'n seriws o gryf.'

'Be? Oeddet ti'n sefyll arno fo?'

'Oeddwn.'

'Sori.' Estynnodd Daf becyn Kendal Mint Cake allan o'i fag. 'Ti isie darn?'

'OK.' Roedd tawelwch eto wrth i'r ferch gnoi tamed bach o'r slabyn melys. 'Mae hwn yn fy atgoffa i o Taid – roedd o'n rhoi mintys i mi pan o'n i'n lodes fach. Pan oedd o'n sâl roedd pawb arall yn rhy brysur i dreulio amser efo fo, ond ro'n i'n hoffi mynd i fyny i'w lofft, er ei fod o'n drewi. Gafodd o strôc, ac ar ôl hynny roedd o'n siarad yn rhyfedd, ond mi ddes i i arfer efo fo. Ro'n i'n fodlon gwrando ar bob un o'i straeon am geffylau, am sut oedd yr hen sgweier yn teyrnasu dros bawb, am ei chwaer. Ro'n i'n gwybod am y Sgowsar yn y seler.'

'Oeddet ti?'

'Roedd Taid yn arfer trafod yr hanes efo fi, yn cynnwys be ddigwyddodd i'w chwaer.'

'A be yn union oedd hynny?

'Roedd ei dad yn ffyrnig efo hi am adael y fferm i fynd i weithio yn y Drenewydd, ond gan mai gwaith Rhyfel oedd o mi gafodd hi fynd. Wedyn, daeth y si yn ôl i Lwynderi ei bod hi'n cambihafio efo'r bechgyn, yn enwedig efo'r Eidalwyr, ac aeth ei thad lawr i gael gair efo hi. Dipyn ar ôl hynny wnaeth hi gyfarfod y Sgowsar – roedden nhw'n canlyn yn go stedi, yn ôl y sôn. Pan ddaeth hi'n ôl roedd hi'n feichiog ac roedden nhw awydd priodi – mi ofynnodd hi am bumpunt i dalu blaendal am lety, a rhai pethe i'r babi. Gwrthod wnaeth ei thad, a phan wnaeth hi ffwdan mawr ynglŷn â'r peth mi gollodd o ei dymer a'i thagu.'

'Ro'n i'n meddwl mai hunanladdiad oedd o.'

'Ar ôl iddyn nhw sylwi ei bod hi'n farw, rhoddodd ei thad raff rownd ei gwddf a mynd â hi draw i'r sgubor. Mater bach wedyn oedd clymu'r rhaff a'i gadael hi'n hongian. Ar ôl ryw hanner awr aeth Taid allan i'w "ddarganfod" hi, a galw'r meddyg.'

'Blydi hel, lodes, mae hynna'n hanes mawr i ferch ifanc ei glywed.'

'Chwech oed o'n i. Ti ddim wedi clywed y cyfan eto.'

'Ynglŷn â'r Sgowsar?'

'Ie. Roedd fy hen daid yn flin iawn efo pawb, yn dweud bod gormod o waith ar y fferm a'i bod yn amhosib cyflogi neb oherwydd y Rhyfel. Felly, un noson, aeth Taid a'i dad lawr i'r dre ...'

'Y Drenewydd?'

'Wrth gwrs. Roedden nhw ar Ffordd Ceri pan gerddodd y Sgowsar heibio, ac mi wnaethon nhw ei gipio fo.'

'Ei gipio fo?'

'Ie. Yn y fan. Wedyn, pan gyrhaeddon nhw adre, rhoddodd fy hen daid grasfa go galed iddo fo, a gyrru Taid draw i nôl hualau i le'r gof yng Nghefn Coch.'

'Mi wnaethon nhw brynu hualau gan y gof? Wnaeth o ddim gofyn pam roedden nhw angen y fath bethe?'

'Na. Roedd o'n perthyn i ni, a doedd o ddim isie trafferth.'

'Be ddigwyddodd i'r dyn ifanc wedyn?'

'Mi wnaethon nhw ei gadw o, i weithio iddyn nhw, am sawl blwyddyn.'

'Fel caethwas?'

Symudodd Sophie ei phen i un ochr fel petai'n ystyried rhywbeth am y tro cyntaf.

'Ie, mae'n debyg.'

'Tan pryd?'

'Tan y gwelodd Dad o. Fo, y Sgowsar, oedd yr ysbryd welodd Dad. Ar ôl hynny, gwyddai fy hen daid fod yn rhaid iddyn nhw ddatrys y broblem.'

'Sut, felly?'

'Drwy droi'r goriad yn y drws gwyrdd ac anghofio amdano fo. Mi ddaeth fy hen daid â hen ast i'r tŷ o'r buarth tua'r un adeg, felly Nel druan oedd yn cael y bai am unrhyw sŵn annisgwyl neu ddrewdod.'

'Gerry. Gerry oedd ei enw. Roedd ganddo deulu fu'n chwilio amdano fo, teulu sy wedi gorfod galaru amdano heb wybod be ddigwyddodd iddo.'

'Wel, gei di ddweud y stori wrthyn nhw rŵan. O, mae'n uffernol o boeth fan hyn,' meddai, gan agor un o'r ffenestri mawr. Daeth corwynt o awyr oer i mewn, digon i wneud i Daf ddechrau colli'i falans.

'Mae hi wastad yn ffres fyny fan hyn,' sylwodd Sophie, gan syllu ar y sgwaryn bach o ddur gwastad y tu allan. Roedd canllaw isel o'i gwmpas, dim llawer mwy na deunaw modfedd, a chyn i Daf gael cyfle i'w rhwystro, camodd Sophie allan, gan frwydro i sefyll yn erbyn y drafft pwerus o'r llafnau.

'Ty'd 'nôl i mewn, Sophie,' gwaeddodd Daf.

'I be? I fynd i'r carchar? I weld pawb yn chwerthin ar fy mhen? I drefnu mwy o bartïon shit i blant drwg? I orwedd ar fy mhen fy hun mewn gwely dwbl yn breuddwydio am y bywyd dwi byth yn mynd i'w gael?'

'Meddylia am dy deulu, Sophie. Fyddai dy dad yn torri'i galon.'

'Torrodd calon Dad ddoe, a does dim calon o gwbwl gan Mam.'

'Be fyse dy daid yn ddweud?'

'Mae Taid wedi marw. Wedi fy ngadael i. Fel Adrianus, a phob dyn arall.'

Tynnodd Sophie ei llaw o'r boced fawr ar flaen ei hwdi Cyw ac agor ei dwrn i ddangos hanner dwsin o dabledi bach glas.

'Ti ddim angen rheina, lodes,' meddai Daf, gan bendroni sut roedd o wedi cyrraedd top tyrbein gwynt yng nghwmni merch oedd â llond ei phoced o Valium.

'Rhai Mam ydyn nhw – *mother's little helpers*. Mae hi'n dweud wrth y meddyg nad ydi hi'n medru ymdopi hebddyn nhw.'

Cododd ei llaw at ei cheg a chlywodd Daf sŵn crensian.

'Be ti'n wneud? Ty'd yn ôl i mewn!'

Doedd Daf ddim ofn llawer o bethau, ond roedd o'n casáu uchder â chas perffaith. Dechreuodd chwysu – byddai'n rhaid iddo geisio'i chael hi yn ôl i ddiogelwch y tŵr ac allai o ddim gwneud hynny heb fynd allan i'w nôl hi. Cymerodd anadl ddofn ac ochrgamu drwy'r drws. Fesul modfedd, nesaodd at Sophie nes y medrodd afael ynddi o gwmpas ei chanol. Cofleidiodd hi'n dynn, a phan deimlodd ei chorff yn dechrau ymlacio rhoddodd droad nerthol iddi a'i gwthio'n ôl i mewn i ddiogelwch y stafell ar dop y tyrbein.

'Dwi'm yn hoffi uchder,' meddai Daf, fel math o esboniad.

Roedd Sophie'n eistedd ar y llawr, ac wrth ddod ato'i hun sylweddolodd Daf fod ei bysedd yn ymbalfalu am rywbeth yn ei phoced. Yn sydyn, plygodd ei phen i lawr a chododd ei llaw i'w cheg unwaith eto. Cyn i Daf gael cyfle i afael yn ei harddwrn, roedd hi'n crensian. Disgynnodd tabledi – rhai gwyn y tro yma – ar lawr o'i chwmpas.

'Ativan?' gofynnodd iddi.

'Benzos oddi ar y we,' atebodd Sophie. 'Dwi 'di blino'n lân.'

Gorweddodd i lawr a thynnu ei chorff yn belen dynn. Anfonodd Daf neges arall i Sheila.

'BRYS: OD posib. Valium ac Ativan. Bois tân RŴAN!'

Daeth neges yn ôl yn syth.

'Bois tân ar eu ffordd.'

Erbyn hyn roedd Sophie yn cysgu. Rhoddodd Daf ei law ym mhoced ei hwdi: roedd tri pecyn ynddi, Ativan, Valium a Vicodin, pob un yn hanner gwag. Cododd ei phen ac, yn ofalus, agorodd ei cheg a gwthio dau fys i mewn i geisio gwneud iddi chwydu. Dim llwyddiant. Rhoddodd hi'n ôl ar lawr yn yr ystum adferol cyn pori drwy ei bag. Daeth o hyd i botel fach o ddŵr a llwyddodd i godi Sophie i'w gesail a thywallt bron i hanner ei chynnwys i lawr ei chorn gwddf. Pesychodd yn ysgafn. Roedd ganddo ychydig o'r gacen fintys ar ôl, felly malodd hi'n ddarnau bach a gollwng y briwsion i'r botel ddŵr. Ar ôl ei hysgwyd, rhoddodd y botel yn ôl wrth geg Sophie er mwyn ceisio'i chael i yfed chydig o'r hylif melys. Ymhen ychydig dechreuodd gyfogi, cyfog gwag i ddechrau, wedyn chwydodd dros y lle, a dros Daf.

'Dwi'n sic,' meddai'n wantan.

'Ti'n mynd i wella.'

'Y bom ...'

'Dwi'n gwybod.'

'Roedd Deiniol mor ... isie'i frifo fo o'n i, nid lladd lot o bobl.'

'Gawn ni drafod hyn pan ti'n teimlo'n well.'

Ar ôl gwagio'i bol, roedd Sophie'n gysglyd – oedd yn lawer gwell nag anymwybodol, meddyliodd Daf. Llwyddodd i lanhau ryw fymryn arni, a gwenodd ei diolch yn wan. Rhoddodd ei phen ar ysgwydd Daf ac eisteddodd y ddau yn llonydd i aros am griw'r frigâd dân.

Yr arwydd cyntaf fod cymorth yn agosáu oedd y llafnau'n stopio troi. Wedyn, stopiodd y peiriant mawr a daeth y golau ymlaen. Yn amlwg, roedd rhywun oedd â'r cod priodol wedi cyrraedd gwaelod tŵr y tyrbein.

Ar ôl i Daf glywed traed yn dynesu i fyny'r grisiau, daeth pen i fyny drwy'r drws bach – wyneb cyfarwydd iawn ond efo mwstásh wedi ei dynnu arno efo pen marcio.

'Wel helô, Mr Dafis,' meddai Ed Blainey o'r tu ôl i'r mwstásh. 'Pwy fyse'n meddwl y bydden i'n cael fy nhynnu o'r Rali i dop tyrbein gwynt? Duwcs, mae'n drewi fan hyn.'

Dihunodd Sophie wrth glywed ei lais. Agorodd ei llygaid yn fawr a gwasgodd law Daf yn dynn.

'Paid â phoeni, lodes,' cysurodd Daf hi. 'Mae Ed fan hyn a'i ffrindie o'r frigâd dân wedi dod i'n nôl ni.'

Roedd yn rhaid i'r criw roi Sophie druan mewn harnais a chrud arbennig i'w chludo i lawr gan na allai gerdded, a doedd gan Daf ei hun ddim llai nag ofn wrth fentro i lawr y grisiau serth. Roedd o'n hynod o falch o roi ei draed ar dir cadarn.

'OD Valium, Ativan and Vicodin,' meddai Daf yn swta wrth y dyn ambiwlans. 'She's under arrest on serious charges so you'd better pick up Sargeant Francis from up there on the road and take her with you. Patient has vomited but will need a stomach pump, I'd say. Got any charcoal for the journey?'

'Yes, sir.'

'Take good care of her, please. High risk of absconding.'

Tynnodd ei ffôn allan wrth gerdded oddi wrth yr ambiwlans.

'Ocê, Sheila?'

'Nid fi sy wedi bod ar dop tyrbein gwynt. Ti'n iawn?'

'Weddol. Cer di draw i'r ysbyty efo hi, plis, ac ar y ffordd, wnei di drefnu lle iddi yn y ddalfa achos does dim gobaith y caiff hi fechnïaeth.'

'Dim problem, bòs. Fydd pobl West Mercia yn gwybod ei bod hi ar ei ffordd?'

'Bydden. Styal, dwi'n meddwl, ydi'r lle gorau iddi.'

'Ydi hi'n ddigon da i fynd i garchar?'

'Mae hi 'di cael pwl bach, ond dwi ddim yn gweld arwyddion o salwch meddwl.' Meddyliodd Daf am eiliad. 'Na, dwi wedi ailfeddwl – cer lawr i'r orsaf gynta i nôl Nia – mi gaiff hi fynd â Sophie i'r ysbyty. Dwi angen dy frêns di i sortio Gwyther.'

Ymhen yr awr roedd Daf wedi cael cawod a newid i ddillad glân, ac yn eistedd wrth ei ddesg yn darllen e-bost difyr iawn gan Garmon. Drwy ei gysylltiadau yn y byd Paralympaidd roedd o wedi darganfod mwy o dystiolaeth am arferion Gwyther, ac ar y cyd â'r datganiad roedd Toscano wedi ei greu, roedd digon i'w ddanfon i'r CPS. Gwenodd Daf o glust i glust. Edrychodd ar ei ffôn am y seithfed tro mewn hanner awr – doedd dim byd gan Chrissie. Pan glywodd gnoc ar y drws disgwyliodd weld Toscano, ond yn hytrach na'i gyd-weithiwr ifanc, roedd yr Aelod Seneddol lleol yn sefyll yn y drws. Hanner cam y tu ôl iddo roedd Agata, morwyn y Plas.

'I realise that you're terribly busy, Daffith,' dechreuodd y Sgweier, 'but Agata wishes to make a statement and press charges against Colonel Picton-Phillips.'

Tu ôl iddyn nhw roedd dyn cyfarwydd iawn.

'Dwi yma i gyfieithu i Agata o'r Bwyleg, Daf,' eglurodd y Tad Joe Hogan. 'Mae hi'n goblyn o swil ond mae hi'n benderfynol o adrodd ei phrofiad rhag i ferched eraill gael eu brifo gan y dyn 'na.'

'Please don't imagine that because I served in the same regiment as Picton-Phillips that we're in any way ... *friends*, Daffith,' mynnodd Mostyn Gwydir-Gwynne. 'Indeed, he always had a rather unsavory reputation. After I returned home, the Regiment were sent to West Africa and there was a story about his attacking a girl there.'

'I can see you're not at all cut from the same cloth,' atebodd Daf, yn teimlo fel petai'n rhaid iddo ddewis ei eirfa Saesneg o ryw nofel Fictoraidd. 'Now then, Agata, shall we go to the interview room?'

Nodiodd hi ei phen. Ers y gwahoddiad i fod yn dad bedydd i'w fab roedd Daf wedi gwneud ymdrech i hoffi Mostyn Gwydir-Gwynne, ac roedd yn falch o weld ei gwrteisi a'i ofal dros y forwyn. Roedd Agata hithau'n dyst da, yn cofio pob manylyn o'r digwyddiad a'r cynnig a gafodd gan y Cyrnol. Roedd o wedi tynnu papur hanner canpunt o'i waled a'i wthio i mewn i'w blows. Llifodd geiriau Agata fel afon, ac ymhlith y geiriau hollol anghyfarwydd, clywodd Daf y gair 'prostytuka'.

'This you see, Inspector Davies, is the source of her anxiety,' esboniodd y Sgweier. 'She fears that you will take her for a ... a woman of the night, but nothing could be further from the truth.'

'Dwêd wrthi, Joe,' meddai Daf, ''mod i'n deall yn iawn pa fath o lodes ydi hi. Ar y Cyrnol mae'r bai i gyd.'

Wrth ffarwelio ag Agata, rhoddodd Daf ei ffôn yn ôl ymlaen. Roedd dau rif wedi ffonio, a doedd rhif Chrissie ddim yn un ohonyn nhw. Ffoniodd Gaenor yn ôl.

'Ti'n iawn, Daf?'

'Ydw, diolch. Dwi wedi bod adre a rhoi llwyth yn y peiriant golchi.'

'Dwi'n gwybod dy fod ti'n cael sawl creisis, ond picia fyny i'r Rali os gei di siawns.'

'Lodes, mae'n ddiwrnod a hanner fan hyn.'

'Mae'n ddiwrnod a hanner fan hyn hefyd. Tydi Llanfair ddim wedi cael cystal Rali ers ugain mlynedd. Mae Ceri Pantybrodyr, Siôn a Rob Berllan wedi ennill ar farnu stoc, a Rob a Rhodri'n aros am ganlyniad yr Adroddiad Iechyd a Diogelwch – ond maen nhw wedi ei hennill hi *by a country mile*, yn amlwg.'

'Dwi ar fy ffordd.'

'Mae Carys yn canu mewn tri chwarter awr, ac wedyn y Tug of War.' Gallai Daf glywed y wên yn ei llais.

'Toscano!' galwodd. 'Dwi'n picio allan am ryw awr. Tra dwi allan, wnei di baratoi achos i'r CPS ar gyfer ein ffrind, y Cyrnol Picton-Phillips? Mae datganiad y lodes Bwyleg yn ddigon i mi.'

'Ymosodiad rhywiol 'ta ymgais i dreisio?'

'Ymgais i dreisio. Fel roedden nhw'n dweud yn yr hen raglenni heddlu, tafla'r llyfr ato fo.'

Ocê, bòs. Ble wyt ti'n mynd? Achos ... achos dwi isie trafod busnes y sgerbwd nes 'mlaen, os ydi hynny'n iawn.'

'Wrth gwrs. Picio fyny i weld fy nheulu ydw i – ffonia fi os oes angen.' Sylwodd Daf fod golwg benisel iawn ar Toscano.

'Gwranda, còg, mae'r plant wedi bod yn paratoi ar gyfer y diwrnod yma ers misoedd, a dwi isie bod yno iddyn nhw.'

'Wrth gwrs.'

'Ac mae'n ddigon posib y bydd yr Arolygydd Jane Jenkins yn dod draw. Rho bob cymorth iddi hi, ie?'

Nodiodd Toscano a sgrialodd i ffwrdd. Agorodd Daf y drws allanol a daeth wyneb yn wyneb â Hanshaw, oedd â ffeil yn ei law.

'Diwrnod prysur, Dafydd?' gofynnodd â gwên.

'Mae'n ddrwg gen i 'mod i heb fedru ateb y ffôn, ond ...'

'Does dim rhaid ymddiheuro. Ofynnaist ti am wybodaeth ynglŷn â'r cyhuddiad yn erbyn y Cyrnol Picton-Phillips draw yn Sierra Leone. Dyma'r wybodaeth gan Heddlu'r Fyddin.'

'Diolch yn fawr iawn.' Oedodd Daf am ennyd. 'Gwranda, dwi ar fy ffordd i Rali'r Ffermwyr Ifanc – wyt ti awydd dod efo fi? Allwn ni drafod y Cyrnol ar y daith.'

'Mi fyddwn i wrth fy modd.'

Yn y car, dechreuodd Hanshaw esbonio cynnwys y ffeil.

'Roedd is-gapten yn Negesi, Cymraes fel mae'n digwydd, wedi cyhuddo Picton-Phillips o'i threisio hi. Derbyniodd wahoddiad i "barti" yn ei lety, ond pan gyrhaeddodd hi, doedd neb ond fo yno. Derbyniodd un ddiod ganddo, a'r peth nesaf iddi gofio oedd deffro yn noeth ar y llawr ac yntau uwch ei phen hi. Dywedodd iddi weiddi a phrotestio – fyddai dim modd iddo feddwl ei bod hi'n cydsynio i'r weithred – ond wnaeth o ddim stopio. Wedyn, cynigiodd arian iddi a threfnu tacsi ar ei chyfer. Pan oedd hi'n eistedd tu allan, yn aros am y tacsi, gwelodd forwyn y lletty, oedd yn dyst i'w chyflwr, ond pan aeth yr Heddlu Milwrol yno i'w holi y diwrnod canlynol, roedd hi wedi diflannu.'

'Be oedd enw'r forwyn?' gofynnodd Daf.

'Amina Sesay.'

'Mae partner y dyn sy'n cynnal y Rali heddiw'n dod o Sierra Leone – byddai'n werth i ni ofyn os ydi hi'n gwybod rhwbeth.'

'Dafydd, mae Sierra Leone yn genedl o saith miliwn o bobl.'

'Ond roedd Doris yn gweithio i'r fyddin, dwi'n meddwl.

Does dim byd i'w golli. Ac yn y cyfamser, mae cyhuddiad arall yn ei erbyn wedi codi'i ben.'

'Trueni fod eich Prif Gwnstabl wedi ei gyflogi yn erbyn y cyngor roddwyd iddo.'

'Wyneb yn wyneb, gall y Cyrnol greu argraff dda ... ac mae'n anodd perswadio pobl i dod i'r Gymru wledig i weithio.'

'Dwi'n anghytuno â hynny, Dafydd. Rydw i wedi penderfynu aros yn hirach na'r gofyn.' Oedodd Hanshaw. 'Y gwir plaen ydi nad ydw i erioed wedi ymlacio cymaint yn unlle. Mae hyn yn deimlad rhyfedd i rywun fel fi, ond dwi'n teimlo fel petawn i'n dechrau ymgartrefu.'

'Falch iawn o glywed. Gobeithio na fydd y ffermwyr ifanc yn newid dy feddwl.'

Doedd dim rhaid i Daf ddilyn yr arwyddion i'r maes parcio, a wnaeth y criw wrth y giât ddim gofyn am dâl mynediad chwaith, er bod Hanshaw wedi cynnig. Rhuthrodd merch bengoch at Daf yn syth ar ôl iddo ddechrau cerdded o'r car.

'Rhaid i chi ddod ar unwaith, Mr Dafis, mae Carys ar y llwyfan!'

Roedd y llwyfan wedi ei godi ym mhen pella'r sied wair ac roedd y lle'n hanner llawn. Tu ôl i'r cant o seddi roedd pobl yn sefyll ac roedd cryn dipyn o fynd a dod. Daeth Belle i'r llwyfan â meic yn ei law.

'Ymlaen â ni efo cystadleuaeth Sêr yn eu Llygaid – y clwb nesaf i ymddangos ar y llwyfan fydd Llanfair Caereinion. Rhowch groeso cynnes i Alys Williams a Rhys Meirion.'

Yn eu wigiau tywyll doedd Carys a Siôn ddim yn arbennig o debyg i'r cantorion enwog, ond gwnaeth eu nodyn cyntaf gryn argraff. Wrth i lais hyfryd Carys lenwi'r lle trodd Daf at Hanshaw i weld ei ymateb, ond allai o ddim darllen ei wyneb gwelw. Yr eiliad y gorffennodd y gân, trodd at Daf.

'Y ferch a gyflwynodd y cantorion; hi oedd y ddioddefwraig yn yr achos yn Sierra Leone.'

'Mi wn i.'

'Wyt ti wedi ei holi hi?'

'Na. Mae hi'n bartner i fy llysfab, felly mi gysylltais â'r Arolygydd Jane Jenkins o orsaf Aberystwyth. Dwi wedi trosglwyddo achos yr ymosodiad iddi hi.'

'Ond eto, mi wnest ti ofyn am yr wybodaeth am achos Sierra Leone?'

'Do. Ro'n i'n bwriadu trosglwyddo'r ffeil yn syth i Jane.'

'Ers pryd wyt ti'n gwybod am y cysylltiad rhwng dy deulu di a'r ymosodiad ar y Cyrnol, Dafydd?'

'Ers ddoe.'

'Rhaid plygu'r amserlen ryw fymryn felly. Dwi'n sicr dy fod ti wedi gofyn i mi am yr wybodaeth cyn clywed am y cysylltiad teuluol. Reit, beth am daith o gwmpas y digwyddiad hynod yma?'

Tywysodd Daf Hanshaw draw i fwrlwm y sied nesaf, lle roedd mwy o gystadlu. Tra oedd Daf yn cyfarch hwn a'r llall cerddodd Hanshaw at y rhestr ganlyniadau ar y wal.

'Dim ond tri chlwb sydd â siawns o ennill heddiw,' datganodd ymhen llai na munud. 'Rhifau un ar bymtheg, saith a naw. Mi fydd yn agos.'

Roedd Daf yn gegrwth – byddai wedi cymryd o leia hanner awr iddo fo wneud y sỳms, a hynny efo papur a phensel.

'Rhif naw yden ni,' meddai Gaenor, oedd wedi ymddangos y tu ôl iddynt. 'Braf iawn dy weld di eto, Mr Hanshaw.'

'Sut mae'r coginio'n mynd?' gofynnodd Daf.

'For fuck's sake, Emma, how many times have we practised this?' gwaeddodd un o'r mamau.

'Fel y gweli di,' atebodd Gaenor. 'Well i mi fynd yn ôl i helpu Doris i stiwardio cyn iddi fynd yn flêr!'

'Doris?' gofynnodd Hanshaw.

'Ie,' esboniodd Gaenor. 'Doris Neuadd. Hi sy'n byw ar y fferm yma, partner fy nghyn-ŵr.'

'Esgusodwch ni am eiliad, os gwelwch yn dda,' gofynnodd Hanshaw i Gaenor, gan dywys Daf o'i chlyw gerfydd ei fraich.

'Gobeithio nad ydw i'n anghwrtais, Dafydd, ond roedd yn rhaid i mi ddweud wrthat ti'n syth – mae gen i lun o Doris yn fy ffeil, ond dim o dan yr enw hwnnw. Amina Sesay oedd yr enw wrth ei llun yn fanno.'

'Ond Doris Bangura ydi ei henw hi.'

'Debyg iawn, ond Amina Sesay oedd ei henw pan welodd hi'r Is-gapten Pashley'n gadael llety Cyrnol Picton-Phillips.'

'Ti'n siŵr? Mae dipyn o amser wedi mynd heibio ...'

'Mae adnabod wynebau pobl, yn enwedig pan maen nhw'n smalio bod yn rhywun arall, yn un o'r rhinweddau pwysicaf yn fy ngwaith i. Amina Sesay yw hi.'

'Ond sut? Doris ydi'r ddynes fwya gonest dwi wedi cwrdd â hi erioed.'

'Gwlad ffodus yw Prydain, Dafydd. Ers canrifoedd, rydyn ni wedi byw mewn heddwch, ond mewn gwledydd eraill, yn enwedig rhai sydd wedi dioddef yn ystod rhyfeloedd cartref, gall sefyllfaoedd ddatblygu lle mae'n rhaid i bobl hollol ddiniwed guddio pwy ydyn nhw. Ambell waith, y peth doethaf i'w wneud yw newid eich enw a symud i rywle pell.'

'Drwy Belle ddaeth Doris yma.'

'Dim ond un ffordd sydd i ddysgu'r stori gyfan: mae'n rhaid i ni ofyn iddyn nhw.'

Ond cyn iddyn nhw gael cyfle i wneud hynny, rhedodd Rhodri rownd cornel y sied, wedi'i wisgo fel cwningen fawr binc.

'Dad!' gwaeddodd. 'Mae'n rhaid i ti ddod. Mae rhyw leidi heddwas wedi cyrraedd. Mae hi isie siarad efo Siôn ac mae Belle yn mynd yn *ballistic*.'

Roedd Jane yng nghyntedd y ffermdy, yn dawel o flaen cenlli o eiriau blin gan Belle.

'... does gen ti ddim hawl i ddod ar dir preifat fel hyn ar ddiwrnod pwysig i fwlio pobl barchus. Does neb wedi troseddu, a ...'

'Daf!' ebychodd Jane pan welodd hi o. 'Esbonia di, plis.'

'Gwranda, Belle, mae rhywun wedi dyrnu'r Cyrnol, ac roedd DNA Siôn o dan ei ewinedd o.'

'Tydi Siôn ddim wedi brifo neb,' mynnodd heb gymryd eiliad i feddwl. 'Fi roddodd ddwrn i'r bastard. Gofyn iddo fo os ydi o isio dod ag achos yn f'erbyn i, er mwyn dangos i'r byd fod merch wedi'i gnocio fo'n anymwybodol fel rhyw bansan.'

Daeth Siôn i'r golwg o'r tŷ a'i wyneb golygus yn goch fel betys.

'Na, fi wnaeth. Ac mi fyswn i'n gwneud eto, dim probs.'

'Ond, Miss Pashley,' protestiodd Jane, 'DNA Siôn gawson ni, nid eich DNA chi.'

'Newydd godi o 'ngwely o'n i. Roedd DNA Siôn dros fy nghorff i gyd, yn enwedig fy mysedd a 'ngheg.'

Roedd Daf yn gwingo'n fewnol wrth glywed Belle yn trafod ei bywyd carwriaethol efo Jane. 'Be am i ni adael y peth am heddiw?' awgrymodd. 'Does dim peryg i 'run o'r ddau yma fynd ar ffo.'

'Daf Dafis, ti wedi trosglwyddo'r achos i mi. 'Wy'n ffrind i ti, ond 'wy ddim yn fodlon colli fy swydd er dy fwyn di.'

Camodd Belle at Siôn oedd yng nghysgodion y cyntedd. Roedden nhw'n siarad yn isel iawn ac allai Daf ddim gweld eu llygaid. Ymhen hir a hwyr cododd Siôn ei ben.

'Mae Belle yn fodlon mynd lawr i'r orsaf i gael ei holi,' datganodd. 'Mae hi'n gofyn am Missus y Plas yn gyfreithiwr ac mae hi'n gofyn hefyd, fel ffafr, i ti gadw draw, Wncwl Daf.'

'Cha i ddim mynd yn agos at yr achos beth bynnag.'

Camodd Belle at Jane, yn ymestyn ei harddyrnau i dderbyn y gefynnau llaw.

'Paid bod yn sili,' ymatebodd Jane ag ochenaid. 'Dere 'da fi, Miss.'

Stelciodd Belle draw at y car a llygaid Siôn yn ei dilyn bob cam.

'Wyt ti erioed wedi cwrdd â rhywun fel hi, Wncwl Daf?' rhyfeddodd Siôn. 'Mae hi'n fodlon mynd i'r carchar drosta i!'

Ddywedodd Daf 'run gair ond roedd wedi sylwi pa mor graff oedd Belle. Gwyddai pa mor bwysig oedd diwrnod y Rali i Siôn, a gwyddai hefyd na fyddai'r Cyrnol yn cyfaddef fod merch wedi ei lorio. Ac ar ben hynny, pe bai Gwasanaeth Erlyn y Goron yn penderfynu ei herlyn, roedd hi'n ymwybodol y byddai ynadon neu reithgor yn cydymdeimlo â dioddefwraig a ddialodd ar y dyn a'i brifodd.

'Oes gen ti gystadlaethau ar ôl, Siôn?' gofynnodd i ysgafnhau'r awyrgylch.

'Oes. Tynnu'r gelyn, cneifio a'r ras gwisg ffansi. Dwi ddim am eu gwneud nhw heb Belle.'

'Paid â bod yn wirion. Fydd Belle yn ôl toc, a bydd dy fam yn ffilmio pob dim ar ei ffôn beth bynnag. A ti wastad yn drewi fel ffwlbart ar ôl cneifio – gei di well ymateb gan Belle os gei di gawod cyn iddi dy weld di.'

'Ti'n iawn, fel arfer. Pwy 'di'r boi llwyd sy efo ti?'

'Cyd-weithiwr. Wedi helpu efo cwpwl o achosion.'

'Tydi o ddim yn edrych yn iach iawn.'

'Tydi o ddim. Mae o wedi cael ei anafu sawl tro wrth wneud ei waith.'

'Druan ohono fo. Rho hwn iddo fo.'

Rhoddodd Siôn ddarn bach o bapur pinc i Daf: tocyn bwyd. Ni allai Daf feddwl am unrhyw beth mwy swreal na chynnig tocyn bwyd yn Rali'r Ffermwyr Ifanc i ysbïwr, ond ar y llaw arall gwyddai y byddai Hanshaw'n falch o'r cyfle i eistedd.

Astudio'r arddangosfa gosod blodau roedd Hanshaw pan ffeindiodd Daf o, yn trafod cryfderau a gwendidau pob eitem â Gaenor. Roedd Daf yn iawn – croesawodd Hanshaw y cyfle i gael paned. Roedd y babell fwyd bron yn wag gan fod prysurdeb amser cinio drosodd a phawb wedi mynd i weld y ras gwisg ffansi. Roedd Doris y tu ôl i'r bwrdd gweini yn ail-lenwi'r jygiau llaeth.

'Doris, ty'd draw i gael paned efo ni,' galwodd Daf arni.

'Dipyn bach yn brysur,' atebodd hithau'n siriol.

'Plis ty'd, jest am bum munud. Mae gen i ffrind sy'n awyddus iawn i gwrdd â ti.'

Yn chwilfrydig, llanwodd Doris hambwrdd â brechdanau a chacennau i fynd efo'r te, a daeth draw atynt.

'Does dim rhaid i ti boeni, Doris, ond mae Mr Hanshaw a finne isie gofyn cwpwl o gwestiynau i ti.'

'Am be?'

'Rhwbeth ddigwyddodd i Belle draw yn Sierra Leone. 'Den ni'n mynd i gosbi'r dyn wnaeth ei brifo hi, os wyt ti'n fodlon helpu.'

Cododd Doris ei phen ac edrych ar Daf a Hanshaw bob yn ail.

'Peidiwch â phoeni dim,' ychwanegodd Hanshaw. 'Rydw i wedi dweud wrth yr Arolygydd Dafis fod bywyd mewn llefydd fel Sierra Leone yn gymhleth weithiau.'

'Wyt ti erioed wedi clywed yr enw Amina Sesay?' gofynnodd Daf.

Nodiodd Doris ei phen.

'Dwedwch wrthon ni, os gwelwch yn dda, yn union pam ddewisoch chi newid eich enw, Doris.'

'Ges i fy nal, fel ti'n gwybod, Daf.' Roedd ei llais yn dawel ac yn dynn fel petai'n rhaid iddi hi wasgu'r geiriau o'i cheg.

'Dwi wedi clywed yr hanes.' Roedd Doris wedi cyfaddef pan ddaeth hi i Neuadd ei bod wedi treulio degawd mewn gwersyll rhyfel a cholli mab, a'i bod wedi cael plentyn arall o ganlyniad i gael ei threisio, sef Netta.

'Ond wnes i ddim dweud popeth. Roedd fy mab yn filwr deg oed, mae hynny'n wir, ond chafodd o mo'i ladd yn blentyn. Bachgen medrus a chryf oedd o, ac roedd ganddo ddawn wirioneddol i arwain. Ond o dan ddylanwad y rebels mi dyfodd o'n gas ac yn greulon. Roedd o'n enwog am ei ddewrder cyn troi'n bymtheg oed, ond yn enwog hefyd am ei ddialedd. Erbyn iddo gael ei ladd roedd ei enw, Samuel Bangura, yn ddigon i wneud i ddynion mawr grynu mewn ofn.'

Roedd Daf yn amau efallai iddo glywed mymryn o falchder yn llais Doris wrth drafod ei mab, fel adlais o dôn Gaenor bob tro yr enillai Siôn unrhyw beth.

'Ar ôl i Samuel farw, doedd hi ddim yn saff i mi aros yn y gwersyll, er 'mod i'n feichiog erbyn hynny. Mi ofynnais am gael gadael, ac er lles y plentyn yn fy nghroth, roedd yn rhaid i mi guddio'r enw Bangura oherwydd y cysylltiadau â Samuel. Wrth gerdded ar fy mhen fy hun o'r gwersyll mi ges i gyfle i greu bywyd newydd i mi fy hun, plethu fy hanes go iawn â hanes dychmygol Amina – mi ddewises alw fy hun yn hynny gan fod Samuel wedi lladd dynes o'r un enw. Pan gyrhaeddes i wersyll y Cenhedloedd Unedig mi wnaethon nhw fy nerbyn yn ddigwestiwn, ac ar ôl i Netta gael ei geni gofynnais am swydd. Dyna sut y dois i'n forwyn mewn llety oedd yn gartref dros dro i nifer o bobl o wahanol wledydd.'

Roedd Daf wastad wedi edmygu Doris ond, wrth glywed ei hanes, tyfodd ei barch tuag ati.

'A'r Cyrnol Picton-Phillips?'

Gwgodd Doris. 'Rhaid i chi deall sut roedd rhai o'r dynion yn ein hystyried ni, y merched roedden nhw wedi eu hachub. Roedd yn well gen i'r rebels oedd yn ein treisio ni efo cyllyll ar draws ein gyddfau na'r dynion oedd yn ein treisio wrth ein "helpu". Doedd dim llawer o wahaniaeth rhwng y ddau wersyll o ran beth digwyddai i'r merched. Heblaw, o bosib, ei bod yn fwy cyfforddus cael dy dreisio mewn stafell sydd ag *air conditioning*.'

Estynnodd Daf dros y bwrdd i gyffwrdd ei llaw, ond tynnodd Doris ei llaw yn ôl, gan godi ei chwpan wag i'w cheg i guddio'i hadwaith i'r atgof.

'Roedd y Cyrnol yn mynnu fod pob tamaid o lwch yn cael ei lanhau oddi ar bopeth – ro'n i'n nabod ei deip o. Lluniau hyfryd o'i wraig a'r plant ar y waliau, ond roedd o'n chwilio am ei damaid dros y lle i gyd. Ro'n i'n lwcus mewn ffordd – gan ei fod mor hiliol doedd ganddo ddim diddordeb mewn merched croen tywyll, ond roedd o'n fodlon bodloni'i hun efo rhywun du os nad oedd neb gwell ar gael. Mi gafodd ddau affêr – un efo dynes dal o Rwsia a'r llall â meddyg o'r Alban, ond wedyn datblygodd obsesiwn efo Belle. Roedd o'n ei dilyn hi, ac roedd si ei fod wedi ceisio perswadio un o'r gofalwyr i roi camera cudd yn ei chawod hi. Wedyn, gofynnodd i mi drefnu parti. Un twyllodrus oedd o – gofynnodd i mi brynu digon o fwyd a diod ar gyfer deg ar hugain o bobl, a benthyg *speakers* gan y clwb, ond ar y noson, dim ond Belle gyrhaeddodd. Ges i noson rydd ganddo – oedd yn anarferol – ac es i draw i weld Netta, oedd yn byw mewn cartref i blant amddifad. Pan ddois i'n ôl mi glywais sŵn y Cyrnol yn ... yn gwneud beth oedd o'n arfer ei wneud, a wnes i ddim meddwl mwy am y peth heblaw dyfalu pa ferch oedd wedi bod yn ddigon ffôl i fynd efo fo. Ond yn gynnar y bore wedyn ... mi wnes i ei helpu hi orau allwn i ac addo bod yn dyst iddi.'

'Chwarae teg i ti, wir, Doris.'

'Paid â dweud hynny, Daf, plis, heb glywed gweddill y stori.' Roedd ei gwefus yn crynu.

'Rydyn ni'n hynod o ddiolchgar i chi am rannu'ch profiad, Doris,' datganodd Hanshaw.

'Y bore wedyn, daeth heddlu'r Fyddin draw i drefnu amser cyfleus ar gyfer fy nghyfweld. Roedden nhw'n gwrtais tu hwnt, ond pan es i at y NAAFI y bore wedyn, roedd pawb yn sôn fod gyrrwr tacsi wedi cael ei saethu. Roedd y llofrudd ar ôl ei arian, dyna oedd y stori, ond ro'n i'n anesmwyth. Fo aeth â Belle adre ar ôl iddi gael ei rhyddhau gan y Cyrnol. Fin nos, daeth dynes o'r cartref plant i 'ngweld i – roedd Netta yn ei breichiau a bag bach ar ei chefn. Roedd ffenestri'r cartref wedi cael eu torri, ac roedd negeseuon ar rai o'r cerrig a daflwyd yn dweud mai chwaer Samuel Bangura oedd Netta. Roedd yn rhaid i ni ddiflannu eto, i Freetown y tro hwn, ond cyn i mi fynd, es i draw i weld Belle. "Ryw dro, Doris, mi gawn ni gyfiawnder" meddai. Dyna'r hanes i gyd.'

'Mae'r cyfiawnder hwnnw wedi dod,' datganodd Daf. 'Mi fydd o'n cael ei arestio heddiw.'

'Diolch yn fawr, Daf. Gwranda, rhaid i mi fynd ... dyletswyddau stiwardio.'

'Tyst credadwy iawn,' sylwodd Hanshaw ar ôl iddi fynd.

Canodd ffôn Daf cyn iddo gael cyfle i gytuno.

'Daf.' Jane oedd yno. ''Wy wedi clywed yr hanes gan Belle.

O ystyried y cyfan 'wy'n credu y bydd yn iawn i ti ddod 'da fi i arestio'r Cyrnol. Wyt ti'n digwydd gwybod ble mae o?'

'Roedd o'n aros mewn gwely a brecwast uwchben Llanfair, ond mwy na thebyg ei fod wedi mynd adre dros y penwythnos.'

'Oes modd i ti wneud ymholiadau?'

'Siŵr iawn. Sut mae Belle?'

'Ddanfona i hi adre nawr. Ynglŷn â'r ymosodiad yn erbyn y Cyrnol, does dim tystiolaeth yn ei herbyn hi ac os yw hi'n mynnu dweud mai hi wnaeth, does dim modd i ni adeiladu achos yn erbyn dy lysfab chwaith. Mae hi wedi bod yn ein chwarae ni fel ffidil, â dweud y gwir, ond 'sai'n ei beio hi.'

'Lodes graff iawn ydi Belle.'

'Rhy gall o lawer i gymysgu 'da dy deulu di.'

Cafwyd cadarnhad fod y Cyrnol yn y llety gwely a brecwast, felly trefnodd Daf i gyfarfod Jane yno. Trodd at Hanshaw cyn cychwyn.

'Os, neu pryd, y byddi di'n diflasu ar y Rali 'ma, gofyn i Gae roi lifft lawr i'r Trallwng i ti.'

'Paid â phoeni. Mae hwn yn ddigwyddiad difyr tu hwnt. Dos i ddal Picton-Phillips, Dafydd.'

Roedd Jane yn aros amdano ym muarth Llanlloran, tŷ mawr cyfoes lai na hanner milltir o Neuadd. Roedd ei hwyneb hi braidd yn goch o ganlyniad i'r gwres, ond doedd Daf erioed wedi'i gweld hi'n edrych yn fwy penderfynol.

'Sut all rhywun fel fe lwyddo i gael get-awê am gymaint o flynyddoedd, Daf?' gofynnodd heb ei gyfarch.

'Y system ddosbarth, siŵr gen i. Mae dyn o statws wastad yn anoddach i'w ddal.'

'Ai hwnna yw ei gar o? Yr Evoque mawr swanc?'

'Ie.'

Camodd Jane draw at yr Evoque a chicio un o'r teiars ffrynt.

'Amdani, Daf.'

Dynes o Loegr oedd perchennog y tŷ.

'He's in his room,' meddai, yn amlwg yn nerfus.

'We'll go up.'

Ond doedd o ddim yno. Roedd Daf ar fin gadael yr ystafell pan welodd ffôn symudol ar y bwrdd wrth y gwely.

'Rhaid ei fod e wedi gadael ar frys,' sylwodd Jane.

'Neu mae o'n ymwybodol y gallwn ni ei ddilyn drwy ei ffôn.'

Roedd ffenest yr ystafell fwyta ar agor, a mynnodd gwraig y tŷ nad oedd o wedi gadael drwy'r gegin na'r drws ffrynt.

'Sut un oeddet ti yn yr ysgol am redeg traws gwlad, Jane?'

'Shit. A tithe?'

'Ddim yn rhy ffôl. Awn ni?'

Dringodd Daf i ben y giât rhwng y tŷ â'r cae, a gwelodd ffigwr mewn trowsus coch yn y pellter, yn rhedeg oddi wrtho.

'Jane!' galwodd. 'Neidia di i'r car i gael y blaen arno, ac mi ddilyna i o.'

Neidiodd Daf i lawr i'r cae a dechrau rhedeg ar ôl y Cyrnol, ac er bod y cyn-filwr yn rhy gyflym iddo'i ddal, roedd gan Daf syniad go dda i ba gyfeiriad yr oedd yn anelu a ffoniodd Jane er mwyn ei gyrru i'r man cywir ar y ffordd fawr i'w gyfarfod. Ond erbyn iddo gyrraedd y lôn, yn chwys diferol, roedd Jane yno ond doedd dim golwg o'r Cyrnol.

'Welodd e fi'n dod, mae'n rhaid, Daf,' cyfaddefodd Jane. Roedd Daf yn tuchan gormod i'w hateb. 'A'th e ffor'na, ychwanegodd Jane, gan amneidio i gyfeiriad caeau Neuadd.

Wrth i Daf bwyso ar foned y car i geisio adfer ei anadl, canodd y ffôn yn ei boced. Hanshaw.

'Dwi'n cymryd nad wyt ti a Jane wedi dod o hyd i'r Cyrnol,' meddai.

'Sut gwyddost ti?' gofynnodd Daf yn ddryslyd.

'Oherwydd rydw i newydd weld cip arno yma yn y Rali. Mi gadwaf lygad arno o bell nes y byddwch chi wedi cyrraedd yn ôl.'

'Diolch. Ar y ffordd.'

Neidiodd y ddau i mewn i'r car, a thaflodd Daf y goriadau i Jane er mwyn iddo gael ffonio Tom Francis.

'Wyt ti'n digwydd bod ar y giât, Tom?'

'Ydw, Daf. Be sy?'

'Mae 'na ddyn tal efo gwallt brown a *chinos* coch yna yn rhywle. Paid â gadael iddo fo adael – mae o ar ffo rhag yr heddlu.'

'Duwcs – mi roddodd gyfraniad hael ym mocs yr Ambiwlans Awyr ar ei ffordd i mewn ...'

'Fedri di ei weld o?'

'Na, sori.'

'Ocê. Gwranda, Tom, wnei di rybuddio'r bois diogelwch amdano, a ffeindio John a Siôn hefyd? Dwêd wrthyn nhw am aros amdana i.'

'Pam?'

'Mae'r dyn 'ma'n beryglus. Mae'n rhaid i ni ei arestio – trueni fod yn rhaid i ni wneud hynny mewn lle mor gyhoeddus.'

Un dibynadwy oedd Tom. Erbyn i Daf gyrraedd roedd hanner dwsin o ddynion yn aros amdano: yn ogystal â Tom, Siôn a John roedd Daf yn falch o weld Milek Bartoshyn ac un neu ddau o'i ffrindiau ymysg y swyddogion diogelwch – doedd y Pwyliaid byth yn osgoi trafferth.

'Right,' meddai Daf, yn Saesneg er budd y Pwyliaid a'r bownsars eraill, 'we're after Colonel Pirian Picton-Phillips who is somewhere on site. We're going to arrest him for a series of violent crimes. He may have a weapon. Let's find him as quickly and quietly as we can: police reinforcements are on their way but let's get it sorted now, if we can.'

Dangosodd lun o'r Cyrnol iddyn nhw ar ei ffôn, a chyn i'r dynion wasgaru, daliodd Daf benelin Siôn.

'Plis bydda'n gall, còg. Y gosb sy wir yn mynd i'w frifo fo ydi'r carchar, a hynny ar ôl colli ei enw da. Arhosa di efo fi, ie?'

'Ocê, Wncwl Daf.'

'Don't do anything sudden,' galwodd ar y lleill. 'Use your walkie-talkies and tell me if you catch sight of him.'

Siôn oedd y cyntaf i weld Picton-Phillips, yn bwyta hufen iâ'n hamddenol y tu allan i sied yr adran goginio. Ar yr un pryd, daeth Jane i'r golwg o'r cyfeiriad arall yng nghwmni Toscano a Belle. Daliodd Jane lygaid Daf cyn camu draw at y Cyrnol.

'Cyrnol Picton Phillips? 'Wy'n eich arestio chi am drais, ymosodiad rhywiol a chynllwynio i wyrdroi cwrs cyfiawnder. Mae 'da chi hawl i ....'

Cyn iddi orffen rhestru ei hawliau, trodd Picton-Phillips ar ei sawdl a rhedeg i ffwrdd, gan luchio'i hufen iâ ar lawr, ond oedodd pan welodd Daf a Siôn yn nesáu. Daeth llais dwfn annisgwyl o'r tu ôl i'r fan hufen iâ.

'Fo, Mr Dafis?' gofynnodd Milek, ei Gymraeg braidd yn aneglur.

'Ie, fo, Milek!'

Pan sylweddolodd ei fod wedi ei gornelu, gwthiodd y Cyrnol i mewn i'r sied rhwng y byrddau hir oedd wedi cael eu gosod mewn rhesi ar gyfer y cystadlu. Dim ond un ferch oedd ar ôl, ac roedd hi'n torri'r rheolau llym drwy dacluso ar ôl amser. Gwisgai gôt stoc wen oedd yn cyferbynnu'n ddramatig â'i chroen tywyll, ac roedd hi'n plygu i roi llestri budr mewn bwced ger ei thraed. Pan gododd i fyny, gafaelodd Picton-Phillips amdani o'r cefn a dal un o'i chyllyll ei hun at ei gwddf.

'Dyna hen ddigon o'r nonsens 'ma!' meddai yn ei lais awdurdodol. 'Does ganddoch chi ddim tystiolaeth yn f'erbyn i – tydw i ddim wedi gwneud unrhyw beth o'i le!'

'Yn anffodus,' meddai dynes mewn ffrog hafaidd oedd yn gwthio coets babi, 'tydi hynny ddim yn wir, Pirian. Mi wnest ti gymryd mantais o'n croeso ni fyny yn y Plas,' ychwanegodd Haf, 'ac yn gynharach heddiw gwnaeth Agata Nowak ddatganiad i'r heddlu.'

'Ocê, bawb,' galwodd Daf i geisio tawelu'r dorf oedd fel ieir o'i gwmpas. 'Rhowch y gyllell i lawr rŵan, syr. Does dim rhaid gwneud pethau'n gwaeth. Jane, DS Toscano, cliriwch bawb allan o'r sied 'ma, plis.'

Yn anfoddog, dechreuodd y dorf ymlwybro allan.

'A dwi ddim wedi anghofio be digwyddodd i mi yn Sierra Leone, Cyrnol,' ategodd Belle, ei llygaid ar dân.

'Hen, hen hanes,' atebodd gyda gwên. 'Ble mae dy dystion di, Is-gapten Pashley?'

Roedd Daf yn ceisio canolbwyntio ar Netta, gan fod y llafn yn beryglus o agos at groen ei gwddf, ond tynnwyd ei sylw gan lais isel yn sibrwd yn ei glust: roedd Hanshaw yn sefyll tu ôl iddo.

'Wnei di sicrhau fod yr ardal tu ôl i'r sgubor mawr yn glir, ar unwaith, os gweli di'n dda.'

'Siôn, gwna'n siŵr nad oes neb rownd cefn y sied, wnei di?' gofynnodd i'r llanc.

'Sori, Daf, ond mae Netta mewn peryg. Well i mi aros fan hyn.'

Gofynnodd Daf yr un peth i Tom, a aeth i wneud y gwaith yn syth. Clywodd Daf sŵn clician metelaidd y tu ôl iddo – roedd o bron yn sicr beth oedd Hanshaw yn ei wneud. Ond roedd Netta yn fater gwahanol. Doedd dim arwydd o bryder ar ei hwyneb, ac roedd hi'n symud ei thraed. Gweddïodd Daf nad oedd hi'n bwriadu gwneud dim byd gwirion.

'Ffrindie, rhaid i ni gadw'r lle 'ma'n glir, plis,' mynnodd Daf, yn synnu nad oedd neb wedi dechrau gweiddi a rhedeg yn wyllt. 'Ewch efo DS Toscano, os gwelwch yn dda.'

Ufuddhaodd pawb heblaw un dyn: Rob Berllan. Roedd o'n sefyll ger y fan hufen iâ, ei ddyrnau'n barod.

'Dwi ddim yn symud nes bydd Netta'n saff,' sgyrnygodd.

'Dwi'n gofyn i ti eto, Is-gapten Pashley: ble mae dy dystion di?' gwawdiodd y Cyrnol.

Yn y tawelwch, roedd y sŵn traed i'w clywed yn glir ar y concrit. Yn ei welintons pinc a'i chôt stiwardio, roedd Doris yn cerdded i gyfeiriad y sgubor yn fân ac yn fuan. Roedd ei llygaid wedi'u hoelio ar wyneb Picton-Phillips.

'Dwi'n barod i roi tystiolaeth, Cyrnol, a dech chi'n gwneud camgymeriad mawr drwy geisio chwarae eich gemau efo'n teulu ni. Does neb yn codi ofn ar y teulu Bangura. Mae'r ferch 'ma'n chwaer i Samuel, ac mae dewrder ac ysbryd ei brawd ynddi. Amdani, Netta!'

Yn sydyn, gwelodd Daf yn union beth roedd Netta wedi bod yn ei wneud. Â blaen ei throed roedd hi wedi llwyddo i godi gwaelod y silindr nwy oedd o dan y bwrdd a'i symud fesul dipyn nes yr oedd o uwchben bysedd traed y Cyrnol. Gollyngodd y silindr trwm ar orchymyn ei mam, a disgynnodd hwnnw'n galed ar droed y swyddog. Gwaeddodd hwnnw, a phan welodd Rob ei fod yn codi ei benelin i drywanu'r ferch, rhedodd draw nerth ei draed. Plygodd Netta i osgoi'r llafn, ac ar yr un pryd, clywyd sŵn bach fel pop neu glec. Gwaeddodd y Cyrnol yn llawer uwch, ac roedd gwaed yn llifo o'i benelin. Safai Hanshaw wrth ochr Daf a phistol yng nghledr ei law chwith.

'Os oes modd, Dafydd,' meddai Hanshaw yn gwrtais, 'hoffwn wagio gweddill y *magazine* yma yn rhywle.'

Roedd Rob wedi gwibio at Netta, ei chodi dros ei ysgwydd a rhedeg allan o'r sied drwy'r bwlch rhwng y byrddau.

'Gwylia hitio'r cynnyrch, y lwmpyn blêr!' cwynodd hithau. 'Ar ôl *hostage situation* fel'na, dwi'n haeddu cerdyn coch.'

Gosododd Rob y ferch wrth ymyl ei mam.

'Da lodes,' meddai Doris.

Roedd dagrau o ryddhad ar fochau John, a chofleidiodd Netta yn ei freichiau mawr.

'Paid â gwneud ffwdan, Dadi,' cwynodd. 'Dwi'n ocê. Ond dwi'n haeddu noson dda heno, ar ôl y ffasiwn brofiad,' meddai. Gwenodd ar John a thynnodd yntau bapur ugain punt o'i boced a'i roi iddi.

Roedd Toscano a Jane wedi dal y Cyrnol ac roedden nhw ar fin mynd â fo i un o geir yr heddlu pan alwodd Belle ar eu holau.

'Mae 'na goblyn o lot o waed o dan y bwrdd. Mae'n amlwg bod un o'i rydwelïau wedi'i chael hi. Pwyll pia' hi rhag ofn iddo waedu allan.' Neidiodd Belle dros y bwrdd at y Cyrnol.

'Tom,' galwodd Daf, 'ffeindia le tawel i Mr Hanshaw wagio'r gwn.'

'Mi wna i. Shot hynod, syr,' atebodd Tom a'i wyneb yn bictiwr o gyffro. '*Silencer* 'di hwnna? Erioed wedi gweld un o'r blaen, er 'mod i'n saethu dipyn ...'

'Ie,' atebodd Hanshaw. 'Distewydd ydi o.'

Ffoniodd Daf yr ambiwlans ar gyfer Picton-Phillips, a daeth y criw St John's i'r golwg o rywle, ond roedd Belle eisoes ar ei phedwar wrth ochr y Cyrnol, yn waed i gyd, yn codi ei fraich a sicrhau bod digon o bwysau'n cael ei roi ar y clwyf. Agorodd y Cyrnol ei lygaid i weld ei hwyneb ffyrnig yn syllu i lawr arno.

'Is-gapten Pashley ...'

'Ddim mor bwerus rŵan, Cyrnol? Petawn i'n gollwng dy fraich di, mi wyddost ti be fysa'n digwydd i ti. Ti 'di gweld sawl *bleed out* yn dy ddydd. Ti isio i mi ddal i wasgu'r clwyf?'

'Oes, plis ...'

'Plis Is-gapten Pashley.'

'Plis, Is-gapten Pashley.'

'Ti'n ddarn o gachu. Wyt ti'n cyfadde hynny?'

'Ydw.'

'Dweda fo'n iawn.'

'Dwi'n ddarn o gachu.'

'Hyfryd. Ti'n gwybod be? Profiad hynod oedd cael fy nhreisio gen ti, Cyrnol. Prin ei fod o'n werth yr ymdrech efo coc mor fach. Ti'n cytuno?'

Wnaeth y Cyrnol ddim ateb.

'Wel, os felly, mae'n hen byd i mi fynd i wylio'r gystadleuaeth tynnu'r gelyn. Hwyl fawr, Cyrnol.'

'Na! na, plis aros.'

'Wyt ti'n cytuno bod gen ti goc bach?'

'Ydw.'

'Dwi'm yn synnu bod dy wraig wedi'i d'adael di, wir. Mae merched yn haeddu gwell ...'

Erbyn i'r ambiwlans gyrraedd roedd y Cyrnol yn beichio crio.

'You'd better be pretty grateful to this young lady, mate. She's saved your life and got herself in a fine old mess in the process,' meddai un o'r parafeddygon wrtho.

Pan safodd Belle ar ei thraed roedd gwaed y Cyrnol wedi gwlychu blaen ei chrys T yn llwyr, ac wedi caledu'n grystyn brown ar ei choesau noeth. Martsiodd yn syth at Siôn a mwytho'i fochau â'i bysedd gwaedlyd cyn gafael yn ei law a'i dywys i'r tŷ.

'Well i mi fynd i'r ysbyty,' meddai Jane, 'wedyn adre amdani.'

'Ie wir,' cytunodd Daf. 'A diolch yn fawr am bopeth wnest ti heddiw.'

'Ges i ddiwrnod llawer difyrrach na'r disgwyl. Gyda llaw, boi handi yw'r saethwr. Pwy yw e, Daf?'

'O, ffrind i mi, o MI5. Yma fel ffrind i'r teulu oedd o.'

'Wel, wel. Reit, wela i di cyn bo hir.'

Gwyliodd Daf yr ambiwlans yn gadael. Doedd neb ar ôl bellach ond fo a Toscano.

'Ti isie paned sydyn cyn gwylio'r ornest tynnu'r gelyn, còg?'

'Bendant, bòs. Ac mae gen ei dipyn i'w ddweud wrthoch chi.'

A'u paneidiau yn eu dwylo, aeth y ddau i eistedd mewn cornel dawel.

'Roedd hi'n cŵl iawn, y ferch ifanc,' sylwodd Toscano.

'Mae hi'n dipyn o gymeriad.'

'Gobeithio y caiff hi'r wobr gyntaf am ei choginio – o'r hyn weles i mi wnaeth hi sobor o ymdrech dda.'

'Ti ddim yn nabod y Ffermwyr Ifanc os wyt ti'n meddwl y bydd peth bach fel dal un o'r cystadleuwyr yn wystl a chydig o saethu yn styrbio'u diwrnod mawr nhw.'

'Dwi'n difaru na wnes i erioed ymaelodi rŵan.'

'Be sy gen ti i'w ddweud wrtha i 'te?'

'Dwi 'di bod ar Facetime efo Tallulah. Mae hi'n llawer gwell, ac yn cael mynd adre yn y bore.'

'Newyddion da.'

'Mae hi wedi dweud wrtha i ble guddiodd hi ei ffôn – mi lwyddodd hi i recordio sawl peth arno fo, gan gynnwys Gwyther yn ei chyffwrdd hi'n amhriodol a hithe'n ei wrthod. Es i draw i'w nôl o.'

'Gwaith da iawn.'

'Fydd hi'n iawn i mi yrru Tallulah yn ôl i'r gogledd fory, bòs? Dwi ddim ar ddyletswydd. Does gan ei mam hi ddim car a ti'n gwybod sut mae'r trenau ar y Sul ...'

'Iawn, ond ti'n gyfarwydd â'r rheolau, yn dwyt?'

Gwingodd Toscano. 'O na, bòs, dim byd fel'na. Dwi jest isie helpu ...'

'Iawn, còg.'

Dewisodd Toscano newid y pwnc. 'Fy hen wncwl Gerry oedd y sgerbwd, gyda llaw, yn bendant. A dwi wedi datrys y pos ... y gair ar y wal.'

'Sut hynny?'

'Wel, i ddechre, Gerald Michael Aherin oedd ei enw, felly mae ystyr y GMA yn ddigon amlwg.'

'A'r gweddill?'

'Pan weles i be oedd ganddo yn ei law, roedd gen i syniad sut roedd o'n meddwl. Llaswyr oedd o, un roedd o wedi'i greu eu hun. Felly, gweddïo oedd Gerry ar awr ei angau. 'Ora Pro Me' sgwennodd o, sef gofyn i rywun weddïo drosto.'

'Ac LDS?'

'Aeth Gerry i ysgol Jeswitaidd, ac maen nhw'n hyfforddi eu disgyblion i orffen pob darn o waith â'r geiriau *Laus Deus Semper* – neu LDS – sy'n golygu 'Addolwch Dduw o Hyd.' Gwyddai fod ei fywyd yn dod i ben, felly ffydd oedd ei gysur.'

'Sefyllfa mor drist, lanc.'

'Fydd Nain yn falch o glywed am y llaswyr, ac yn falch o gael claddu ei brawd, ar ôl yr holl flynyddoedd. Dyna oedd ei dymuniad hi, wastad. A diolch i chi, bòs, am eich holl gefnogaeth. Mi fysen ni fel teulu yn falch tasech chi'n fodlon darllen yn ystod y gwasanaeth.'

'Wrth gwrs. Ond ti'n gwybod nad oes gen i ffydd.'

'Dim bwys am hynny – petaech chi heb fod yn fodlon gwrando ar ein hanes ni, falle na fyddai 'na ddim cynhebrwng o gwbwl.'

Roedd Daf yn dechrau teimlo allan o'i ddyfnder, a throdd drywydd y sgwrs. 'Wyt ti'n aros yma tan ddiwedd y Rali, còg?'

'Os dech chi'n dal i fod angen fy help.'

'Bendant. Ond yn y cyfamser, dwi isie i ti ddod i weld yr ornest tynnu'r gelyn. Ty'd.'

Cerddodd Daf a Toscano i lawr at y cystadlu, gan gyfarfod Hanshaw ar y ffordd yno. Roedd tipyn o ddiddordeb yn Hanshaw o ganlyniad i'w gyfraniad i arestiad y Cyrnol, a gwahanodd y dorf i adael iddyn nhw fynd reit i'r ffrynt. Gwenodd Hanshaw.

'Pam ein bod ni'n haeddu'r ffasiwn barch, Dafydd?'

'Naill ai y ffaith ein bod ni wedi cerdded i lawr yma fel y cymeriadau yn *Reservoir Dogs*, neu'r gwn sy gen ti o dan dy gesail. Beth bynnag, dwi ddim yn cwyno!'

Roedd bechgyn Llanfair yn tynnu yn y drydedd ornest, yn erbyn Bro Ddyfi. Yn ei fŵts trwm a'i wregys lledr hen-ffasiwn ymunodd Rhodri â'r criw, a daeth teimlad rhyfedd dros Daf pan welodd nad oedd ei fab bellach yn edrych fel plentyn. Rhedodd Siôn atynt yn fyr o wynt i gwblhau'r tîm.

Aeth y dorf yn wyllt wrth annog tîm Llanfair, ond allai Daf ddim canolbwyntio ar y gystadleuaeth, hyd yn oed ar ôl i'r tîm lleol ennill, gan ei fod wedi gweld Chrissie yn ochrgamu drwy'r dorf tuag ato.

'Diwrnod go brysur, Mr Dafis,' galwodd i'w gyfarch. Roedd ei llais yn siriol ond roedd Daf wedi dysgu dros y blynyddoedd ei bod yn un dda am gelu ei theimladau.

'Ac un pwysig i ti,' atebodd Daf, gan wthio drwy'r bobl i'w chyrraedd.

'Dwi'n clywed bod eich ffrind yn shot da. Mi gymerodd dipyn o risg yn saethu mor agos at Netta ... roedd hi'n dipyn o *cool customer* 'fyd, i feddwl bod llafn ar ei chroen.'

'Digon gwir, ond chafodd neb ddiwrnod anoddach na tithe, Chrissie. Sut aeth hi?'

'Newyddion da: tydi'r genyn BRCA1 ddim gen i.'

'Dwi mor falch. Ti ddim yn haeddu shit fel hyn.'

'Ond mae o i gyd wedi gwneud i mi feddwl. Dwi'n teimlo fel petawn i wedi bod yn aredig yr un cae drwy fy mywyd, ac er ei fod o'n gae ffrwythlon, hyfryd, mae'n hen bryd i mi weld be sydd ar ochr arall y sietin.'

'Lodes ...'

'Hisht am unwaith, Mr Dafis. Dech chi'n gwybod be? Does

gen i 'run *bucket list* – pan oeddwn i'n ystyried y posibilrwydd o farw, yr unig beth y gallwn i feddwl amdano oedd byw fy mywyd yn union fel dwi wedi bod yn wneud, a hynny tan y diwedd. Dwi erioed wedi gweld sioe gerdd na bod dramor – dwi ddim wedi bod yn Sir Benfro, ffor ffycs sêc! Rhaid i mi ... ledu fy adenydd, fel petai. Ond mae un peth yn bendant: chi fyse ar dop fy *bucket list* i.'

'Cer di i deithio a chael profiade gwych, Chrissie, ond paid ti â newid.'

'Pam?'

'Achos alla i ddim meddwl am yr ardal 'ma hebddat ti.'

'Digon teg. Hufen iâ?'

Ond ni chafodd Daf gyfle i ateb. Roedd ffrae ar y buarth, a Sheila'n ceisio cadw trefn ar ddwy dynes, un mewn crys chwys CFfI Dyffryn Trannon a'r llall yn gwisgo bathodyn enfawr ac un gair arno: 'Beirniad'.

'Chei di ddim mynd i mewn, achos mae'r sied yn *crime scene*!' mynnodd Ms Dyffryn Trannon.

'Dwi wedi dod yma i feirniadu a dyna'n union be dwi'n bwriadu'i wneud,' meddai'r llall. 'Mae'r rhan fwya o'r gwaed wedi mynd, beth bynnag.'

'Be am i ni symud gwaith yr ymgeiswyr i'r rhan sy tu allan i'r tâp trosedd?' cynigiodd Sheila mewn llais blinedig. 'Mi ga i, fel swyddog yn yr heddlu, fynd i mewn, symud y pethe a thynnu lluniau o'r holl fannau gweithio er mwyn i chi gael gweld pa mor daclus oedd pob cystadleuydd.'

Cerddodd Belle ar draws y buarth jest mewn pryd i dawelu'r dyfroedd, ac roedd Daf yn falch o weld bod tipyn o'r fflach arferol yn ôl yn ei llygaid.

'Are you the top copper?' gofynnodd dyn y fan hufen iâ iddo'n flin. 'Cause one of your blokes was running my product down something rotten. He said it wasn't real ice cream.'

'He's got Italian heritage,' esboniodd Daf. 'They get a bit passionate about their ice cream.'

Cynigiodd Toscano lifft i Hanshaw, ond cyn iddyn nhw fynd, derbyniodd Daf neges gan Nev: darganfuwyd darnau o blastig pinc a du yn fan Sophie Woosnam, ac roedd hadau cacimwnci yn gorchuddio sedd y gyrrwr.

'Yden ni'n colli cymorth y Gorchymyn Arian rŵan?' gofynnodd i Hanshaw, gan feddwl am y pentwr o waith papur oedd yn disgwyl amdano yn y swyddfa fore Llun.

'Beryg eich bod chi.'

'A tithe? Nôl i Lundain?'

'Nôl i rywle. Mae 'na wastad gysylltiadau i'w gwneud ac mae'n well gwneud hynny wyneb yn wyneb.'

'Falle, ar ôl yr holl lol efo'r Cyrnol, mai Sir Drefaldwyn ydi'r lle olaf ti isie dod yn ôl iddo, ond mae wastad croeso mawr i ti yn Hengwrt, er bod y lle fel seilam gan amlaf.'

'Mi fyddaf yn aros tan ddydd Llun o leia. Mae'n rhaid i mi ysgrifennu datganiad ar gyfer ffeil y Cyrnol, ac ar ôl hynny rydw i awydd ymweld ag asiantaethau tai lleol. Ydi, mae fy ffordd o fyw yn gallu bod yn gyffrous, ond mae hyd yn oed hen deithiwr fel fi yn gorfod dechrau meddwl am fwrw gwreiddiau.'

'Hei, Netta Neuadd!' galwodd Rob y tu ôl iddyn nhw. 'Mae Hows Fawr yn haeddu dêt heno ar ôl ennill ar y barnu, a ti wastad wedi bod yn gystal *chubby-chaser*!'

'O, ffyc off Berllan,' gwaeddodd hithau yn ôl.

'Tydi'r fan hyn ddim yn baradwys, cofia,' meddai Daf.

'Na, mi wn i hynny, ond mae pobl yn nabod ei gilydd yma, ac yn deall beth sy'n bwysig.'

Bedair awr yn ddiweddarach, doedd Daf ddim mor siŵr fod nabod pawb yn syniad da. Roedd y ffrae go iawn gyntaf wedi dechrau ym mhen pellaf y sgubor fawr, a Rob Berllan a Netta yn smalio cwffio mewn cornel arall. Gwyliodd Daf y ferch yn pryfocio a tharo Rob â bagl roedd hi wedi'i dwyn gan ffrind cloff. Yn y diwedd, cydiodd Rob ym mhen arall y fagl a thynnu Netta ato er mwyn ei chusanu'n hir.

'Wyddwn i ddim fod Rob a Netta efo'i gilydd,' sylwodd

Belle, oedd wedi dod i sefyll wrth ei ochr. 'Am gyfuniad genetig arbennig!'

'Dim ond snog mewn dawns sgubor ydi hyn, nid Romeo a Juliet.'

Gwenodd Belle.

'Ti'n edrych yn llawer gwell, lodes.'

'Dwi'n teimlo'n well. Fyswn i ddim wedi medru delio efo'r ffycin Cyrnol 'na heb gefnogaeth Siôn, Doris a'r teulu i gyd. Dwi'n meddwl 'mod i wedi dechra setlo, ac mae Siôn a finna wedi dechra trafod cychwyn teulu.'

'Mi fydd Gae wrth ei bodd.'

'A chditha, Hen Wncwl Daf, be amdanat ti?'

'Mi fysen inne wrth fy modd hefyd. Teulu ydi'r peth pwysica'n y byd.'

'Dim i dy ffrind Hanshaw. Mae o'n rhydd i deithio lle bynnag mae o awydd heb neb i'w glymu i lawr.'

'Dwi erioed wedi cwrdd â neb tebyg iddo fo. Ond dwi'n siŵr y gwelwn ni o eto, ryw dro.'

Chafodd Daf ddim siawns i drafod penderfyniad Belle a Siôn â Gaenor tan ddiwedd y noson.

'Fydd hi'n teimlo'n rhyfedd, ti'n meddwl, cael nain yn dy wely bob nos?' gofynnodd Gaenor iddo, ei llygaid yn disgleirio.

'Pwy sy'n dweud nad ydw i wedi cael y profiad hwnnw'n barod?' atebodd Daf, a chafodd slap a choflaid am ei drafferth.

Roedd y rhan fwyaf o'r bysys eisoes wedi gadael a'r DJ wedi dechrau chwarae caneuon arafach, hŷn. Roedd hyd yn oed John wedi dechrau ymlacio, a phan glywodd gyflwyniad un gân, dechreuodd gyffroi yn lân.

'Clasur!' ebychodd gan gydio yn llaw Doris. 'Pan o'n i'n ifanc, roedden ni wastad yn codi'r merched ar ein cefnau ar gyfer y gân yma.'

Edrychodd pawb arno'n chwilfrydig.

'No wê all Dad godi Doris ar ei gefn,' chwarddodd Siôn. 'Amhosib.'

Ond roedd John bellach o flaen y llwyfan a Doris ar ei gefn, yn gafael yn sownd tra oedd o'n stampio o gwmpas ac yn gweiddi'n hytrach na chanu.

'On'd oedden nhw'n ddyddie da, on'd oedden nhw'n ddyddie da ...'

'Fel hyn oedd o pan oeddet ti'n ei ganlyn, Gae?' gofynnodd Belle gan chwerthin.

'Roedd hyn cyn fy amser i.'

'Mae'n edrych yn hwyl,' datganodd Belle. 'Dwi isio tro.'

Ymhen hanner munud, roedd Belle fyny ar gefn Siôn a Netta ar ysgwyddau Rob. Plygodd Daf i gynnig ei gefn i Gaenor ond methodd – doedd o ddim yn ddigon cryf ac roedd y ddau ohonyn nhw'n chwerthin gormod. Cafodd Daf bwl o beswch, a phan agorodd ei lygaid drachefn, gwelodd fod Gaenor yng nghanol y llawr dawnsio, yn uchel ar gefn llydan Bryn. Am eiliad, llifodd teimlad o fethiant drwy gorff Daf ond yn sydyn, teimlodd rywbeth yn hyrddio yn ei erbyn.

'Hei! Chei di ddim neidio ar gefnau pobl heb ofyn, Chrissie,' chwarddodd.

'Caf – dech chi ar fy *bucket list* i,' atebodd yn syth.

Chafodd Daf ddim trafferth i ddal Chrissie yn saff ar ei gefn. Allai o ddim gweld ei hwyneb ond gallai deimlo gwres ei chroen a chlywed sŵn ei chwerthin.

'On'd oedden nhw'n ddyddie da,' canodd ar dop ei lais efo'r lleill. 'On'd oedden nhw'n dyddie da, dro-o-os be-e-en!'